「十三五」国家重点出版物出版规划项目

中国中药资源大典

江苏卷 2

黄璐琦 / 总主编

段金廒　吴啟南　严　辉　郭　盛 / 主　编

北京科学技术出版社

图书在版编目（CIP）数据

中国中药资源大典．江苏卷．2 / 段金廒等主编．—
北京：北京科学技术出版社，2022.12
ISBN 978-7-5714-2308-7

Ⅰ．①中… Ⅱ．①段… Ⅲ．①中药资源－资源调查－
江苏 Ⅳ．①R281.4

中国版本图书馆 CIP 数据核字（2022）第 078992 号

责任编辑：侍 伟 李兆弟 董桂红 吕 慧 庞璐璐
责任校对：贾 荣
图文制作：樊润琴
责任印制：李 茗
出 版 人：曾庆宇
出版发行：北京科学技术出版社
社 址：北京西直门南大街16号
邮政编码：100035
电 话：0086-10-66135495（总编室） 0086-10-66113227（发行部）
网 址：www.bkydw.cn
印 刷：北京博海升彩色印刷有限公司
开 本：889 mm × 1 194 mm 1/16
字 数：1 198千字
印 张：54
版 次：2022年12月第1版
印 次：2022年12月第1次印刷
审 图 号：GS京（2023）1758号
ISBN 978-7-5714-2308-7

定 价：590.00元

《中国中药资源大典·江苏卷》

编写工作委员会

《中国中药资源大典·江苏卷2》

编写委员会

总主编 黄璐琦

主　编 段金廒　吴啟南　严　辉　郭　盛

副主编 （按姓氏拼音排序）

巢建国　陈建伟　丁安伟　冯　煦　谷　巍　李　亚　刘启新　刘圣金
钱士辉　秦民坚　任全进　尚尔鑫　宋春凤　宿树兰　谈献和　唐晓清
田　方　汪　庆　王康才　吴宝成　于金平　张　瑜　张朝晖

编　委 （按姓氏拼音排序）

巢建国　陈建伟　陈佩东　褚晓芳　戴仕林　丁安伟　董晓宇　段金廒
冯　煦　谷　巍　郭建明　郭　盛　胡　杨　黄璐琦　黄一平　江　曙
蒋　征　金国虔　居明乔　鞠建明　李会伟　李　琳　李孟洋　李帅锋
李思蒙　李文林　李　亚　李振麟　刘　晨　刘　培　刘启新　刘　睿
刘圣金　刘兴剑　刘训红　刘　逊　陆耕宇　马宏跃　马新飞　欧阳臻
濮社班　钱大玮　钱士辉　秦民坚　任全进　尚尔鑫　史业龙　束晓云
宋春凤　宿树兰　孙晓东　孙亚昕　孙永娣　谈献和　汤兴利　唐晓清
唐于平　陶伟伟　田　方　田　梅　万夕和　汪　庆　王康才　王　龙
王　旻　王年鹤　王淑安　王团结　王旭红　王一帆　王振中　魏丹丹
吴宝成　吴　闯　吴　刚　吴　健　吴啟南　吴　舟　肖　平　谢国勇
严宝飞　严　辉　杨念云　尹利民　于金平　张　芳　张　珂　张　丽
张　森　张兴德　张　瑜　张朝晖　赵　明　赵庆年　郑云枫　周桂生
周　婧　周　伟　周　卫　朱华旭　朱　悦　邹立思

肖　序

中华人民共和国成立后，我国先后组织过3次规模不等的中药资源专项调查，初步了解、掌握了当时我国中药资源的种类、分布和蕴藏量情况，为国家及各省（区、市）制定中药资源保护与利用策略和中药资源产业发展规划、发展中药材资源的种植养殖生产等提供了宝贵的第一手资料，为保障我国中医临床用药和中成药制造等民族医药事业和产业发展做出了重要贡献。人类社会对高质量生活及健康延寿目标的期冀，以及对源自中药及天然药物资源的健康产品的迫切需求，推动了以中药资源为原料的深加工产业的快速扩张和规模化发展，形成了以中成药、标准提取物、中药保健产品为主的中医药大健康产业集群，中药资源的保护与利用、生产与需求之间的协调平衡问题成为新的挑战。

在此背景下，国家中医药管理局牵头组织开展了第四次全国中药资源普查工作，以期了解和掌握当前我国中药资源状况，为国家制定有利于协调人口与资源关系的健康中国战略提供决策依据，为我国中药资源经济可持续发展和区域特色资源产业结构调整与布局优化提供科学依据。

《中国中药资源大典·江苏卷》客观反映了目前江苏区域中药资源家底。江苏第四次中药资源普查发现中药资源种类2 289种，较第三次资源普查多769种，其中，水生、耐盐植物，以及动物、矿物的种类大幅度增加。本次普查系统记录和分析了江苏中药资源的种类、分布、蕴藏量、传统知识、药材生产等中药资源本底资料；在查清药用植物、动物、矿物资源的基础上，提出了江苏中药资源区划方案，并指出其发展道地、大宗、特色药材的适宜生产区；建立了适宜于水生及耐盐药用植物资源调查的方法技术体系，并组织实施了我国东部沿海六省区域水生、耐盐药用植物资源的专项调查研究；完成了江苏药用动物及矿物资源调查，并给出了特色产业发展建议；系统提出了江苏乃至行业中药资源性产业高质量、绿色发展的策略与模式，构建了一套适宜推广应用的方法技术体系；制订了江苏及各地市中药资源产业发展规划等。特别宝贵的是，此次普查任务锻炼、培养了一支多学科交叉、结构稳定的中药资源普查团队，为社会提供了一批中药资源高层次专业人才，显著提升了中药资源学学科建设水平和能力。

《中国中药资源大典·江苏卷》是江苏中药资源人近7年的野外调查和内业整理汇集成的宝贵资料，不仅为江苏中药农业、中药工业和中药服务业全产业链的构建和战略规划的制订提供了翔实的科学依据，也为服务江苏乃至全国中医药事业和中药资源产业的发展提供了有力的支撑，必将为中药资源的保护与利用和资源的可持续发展做出应有的贡献。

中国工程院院士

中国医学科学院药用植物研究所名誉所长　肖培根

2022年3月

黄 序

中药资源是国家战略资源，是人口与健康可持续发展的宝贵资源，是中医药事业和中药资源经济产业健康发展的物质基础。中国共产党第十八次全国代表大会以来，以习近平同志为核心的党中央高度重视中医药在健康中国建设和保障人口健康中的战略地位和独特价值，制定出台了一系列推动中医药事业和产业高质量、绿色发展的政策措施，有力地推动了中医药各项事业的快速发展，取得了举世瞩目的成就。随着人类社会对源自中药资源的健康产品需求的日益增加，以及中药工业的快速扩张和规模化发展，中药资源的需求量也在不断增加。新时代新需求，中药资源的可持续发展正面临新的挑战。

基于此，在国家有关决策部门的高度重视和大力支持下，国家中医药管理局牵头组织协调全国中医药领域高校、科研院所、医疗机构等发挥各自优势，聚集全国中药资源及相关领域的优势资源和优秀人才，系统地开展了我国第四次中药资源普查工作。江苏中药资源普查领导小组本着“全国一盘棋”的思想，紧紧围绕国家中医药管理局的整体部署和目标导向，在全国中药资源普查技术指导专家组的帮助、指导下，委任南京中医药大学段金廒教授、吴啟南教授为项目技术负责人和牵头人，具体组织实施江苏第四次中药资源普查，动员了江苏10余家相关单位的百余名专业人员，以及江苏各地市县级中医药管理部门和中医院等医疗部门协同开展工作，历时近7年出色地完成了此项国家基础性工作科研任务。

《中国中药资源大典·江苏卷》分为上篇、中篇、下篇、附篇。上篇介绍了江苏的经济社会与生态环境概况，第四次中药资源普查实施情况，中药资源概况，中药资源区划及其资源特点，水生、耐盐药用植物资源特征与产业发展，中药资源循环利用与产业绿色发展，药用动物资源种类与产业发展，药用矿物资源种类与产业发展，中药资源产业发展规划。中篇介绍了43种江苏道地、大宗、特色药材品种，涉及植物、动物、矿物类药材，系统地阐述了江苏区域道地、大宗、特色药材资源的本草记述、形态特征、资源情况、采收加工、药材性状、品质评价、功效物质、功能主治、用法用量、传统知识、资源利用等10余项内容。每个品种都是基于第四次中药资源普查的第一手资料，并结合编者长期对它的研究积累编写而成。下篇记载了江苏的中药资源物种，包括药材名、形态特征、生境分布、资源情况、采收加工、药材性状、功效物质、功能主治、用法用量、附注等内容，同时附以基原彩色图片。附篇收录了131种药用动物、矿物资源。该书充分反映了江苏中药资源学领域深厚的积累和一代又一代中药资源人矢志不渝、辛勤奉献的劳动成果，内容丰富，创新性强。

该书的出版，必将为江苏中药资源的可持续发展和特色产业结构调整与布局优化提供科学依据，为实现健康江苏的目标、培育具有竞争优势的新增长极做出应有的贡献。

付梓之际，乐为序。

中国工程院院士
国家中医药管理局副局长
中国中医科学院院长
第四次全国中药资源普查技术指导专家组组长

2022年3月

前 言

资源是人类赖以生存和发展的物质基础。中医药作为我国独特的卫生资源、潜力巨大的经济资源、富有原创优势的科技资源、优秀的文化资源，在经济、社会发展中起着重要作用。中药资源是中医药事业和产业传承发展的战略资源，保护中药资源、发展中药产业对大力发展中医药事业、提高中医药健康服务水平、促进生态文明建设具有十分重要的意义。国家高度重视中药资源保护和可持续利用工作。随着中药资源需求量的日益增加，中药资源的可持续发展面临着新的挑战。

在此背景及国家有关决策部门的高度重视和大力支持下，国家中医药管理局牵头组织协调全国中医药领域高校、科研院所、医疗机构等，组成庞大的中药资源普查队伍；中国中医科学院院长黄璐琦院士牵头组织第四次全国中药资源普查技术指导专家组，发布普查指南与规范，编制普查技术方案，督导普查进度和工作质量。通过有效组织、整体部署、督察指导，第四次全国中药资源普查工作得以有序进行和系统完成。

江苏第四次中药资源普查工作是全国中药资源普查工作的重要组成部分。江苏中药资源普查领导小组紧紧围绕国家中医药管理局的整体部署和目标导向，在全国中药资源普查总牵头人黄璐琦院士及技术指导专家组的帮助和指导下，在江苏各级政府和江苏省中医药管理局的领导和支持下，委任南京中医药大学段金廒教授、吴啟南教授为项目技术负责人，协调组织江苏省中国科学院植物研究所、中国药科大学、南京农业大学、江苏省中医药研究院等10余家单位的百余名专业人员，组成专业普查技术队伍，历时近7年，圆满地完成了此项国家基础性工作科研任务，取得了一系列研究成果。

（1）首次实现江苏区域中药资源调查全覆盖，为江苏所有县域发展特色生物资源经济产业及优化产业布局提供了第一手资料。江苏第四次中药资源普查共发现中药资源种类2 289种，较第三次普查多769种，其中，水生、耐盐药用植物，以及动物、矿物的种类有大幅度增加。本次普查结果显示，江苏的野生药用植物资源有1 822种，较第三次普查多438种，主要涉及192科850属，其中，水生药用植物220种，耐盐药用植物116种；药用动物资源有401种，较第三次普查多291种；药用矿物资源有66种，较第三次普查多43种；其他类0种，较第三次普查少3种。本次普查调查样地2 715个，样方套11 769个；完成了栽培品种、市场流通、传统知识等信息的收集；采集、制作腊叶标本35 000余份，其中，经鉴定、核查上交国家中药资源普查办公室的有25 829份；上交药材标本7 239份，种质资源品种3 598份；拍摄并提交药用生物资源照片157 600余张。

本次普查在对江苏药用生物资源及其产业发展现状进行系统调查的基础上，创新编制了江苏水生和耐盐药用植物资源管理、保护及开发利用的发展规划；首次系统地提出了江苏所有县域中药资源产业发展规划，为江苏省委、省政府研究制订《江苏省中医药发展战略规划（2016—2030年）》等中药材及医药生物资源产业发展战略规划提供了科学依据；为江苏县以上行政单元根据辖区自然生态特点，研究制定当地自然资源保护与开发利用政策及措施提供了科学依据；结合当地生态条件、经济发展水平、养生文化等实际情况，为具有中药资源特色的乡镇研究制订了一批中医药特色小镇的建设方案，并提供项目咨询和论证服务等，代表性特色小镇有孟河中医特色小镇、射阳洋马菊花小镇、涟水万亩中药小镇、大泗中药养生小镇、溧水康养小镇。上述研究成果为江苏区域中药资源产业的发展与合理布局提供了第一手资料，为地方政府及企业发展中药资源产业提供了有力支撑。

（2）精心组织协调，注重顶层设计，促进了我国东部沿海六省水生、耐盐药用植物资源调查研究专项的顺利实施。在国家中医药公益性行业科研专项“我国水生、耐盐中药资源的合理利用研究”的支持下，项目牵头单位南京中医药大学组织江苏、辽宁、浙江、福建、山东、广东六省的任务承担单位及中医药管理部门负责人充分研讨，并达成注重项目顶层设计，完善水生、耐盐药用植物资源调查方案的共识。项目组与中国科学院南京地理与湖泊研究所、南京大学、中国中医科学院中药资源中心、中国测绘科学研究院等单位协同合作，在江苏第二次湿地调查所用湿地矢量数据的基础上，经数据融合形成了江苏水生、耐盐药用植物资源调查背景区域，并对接现有国家普查信息系统，集成现代空间网络技术，从水体测绘数据制作、水体样方设置、水体样线调查法探索、沿海滩涂地区分层抽样法研究等方面进行研究，探索性地提出并构建了适宜我国东部沿海地区水生、耐盐药用植物资源调查的方法技术体系，为我国水生、耐盐药用植物资源的调查及保护提供了方法支撑。

（3）提出了江苏中药资源区划方案及中药材生产发展规划。在资源调查的基础上，辨明地域分异规律，科学划定中药生产区划，充分发挥地区资源、经济和技术优势，因地制宜，合理布局生产基地，调整生产品种结构，发展适宜、优质药材生产，以实现资源的合理配置，为制定中药资源的保护和开发策略提供科学依据。

江苏中药资源区划实行二级分区，采用三名法，即“地理单元＋地貌＋药材类型”综合命名。全省共分为5个一级区和14个二级区，5个一级区包括宁镇扬低山丘陵道地药材区，太湖平原“四小”药材区，沿海平原滩涂野生、家种药材区，江淮中部平原家种药材区及徐淮平原家种药材区。

（4）创建了国家基本药物所需中药材种子种苗（江苏）繁育基地及江苏中药原料质量监测技术服务体系，服务于国家及区域精准扶贫与产业提质增效。按照国家整体部署，江苏建成了国家基本药物所需中药材种子种苗（江苏）繁育基地，基地育有苍术、银杏、芡实、黄蜀葵、桑、青蒿、荆芥等7个品种，具备了向行业提供优质种子、种苗的能力。在全国现代中药资源动态监测信息和技术服务体系的整体布局下，依据江苏中药资源分布和产业发展特点，江苏建成了江苏省中药原料质量监测技术服务中心及苏南、苏中、苏北3个动态监测站，有效辐射全省中药资源主产区，为区域内中药材生产企业及农户提供近百种药材生产基本信息，为培育区域性中药材交易市场、推动基于网络信息技术的现代市场交易体系建设、提升市场现代化水平提供了重要支撑。

（5）研融于教，中药资源普查工作的实施显著提升了江苏中药资源学学科建设水平和人才团队实力，打造了一支高层次、专业化的中药资源普查团队，有效补齐了该领域人才断档、青黄不接的短板。项目实施过程中研教融合，通过中药资源普查队老中青结合，本科生课程实践、研究生学位论文研究与普查研究的内容有机融合，中药资源调查研究成果转化为教学资源等方法与途径，创新了中药资源人才培养模式，重构了专业人才培养实践体系，创建了中药资源与开发专业教材体系，显著提升了中药资源人才培养质量及中药学学科建设水平。

《中国中药资源大典·江苏卷》基于20余支普查大队的百余人，历时近7年，风餐露宿、不畏困苦的外业调查和艰苦细致、一丝不苟的内业鉴定整理取得的第一手资料，并结合江苏中药资源学等相关领域一代又一代人深厚的积累和辛勤奉献的劳动成果编纂而成。借此著作出版之际，谨对为江苏中药资源事业做出贡献的前辈和专家学者们表示深深的敬意和衷心的感谢！

本书分为上篇、中篇、下篇、附篇。上篇分列9章，介绍了江苏省经济社会与生态环境概况，江苏省第四次中药资源普查实施情况，江苏省中药资源概况，江苏省中药资源区划及其资源特点，江苏省水生、耐盐药用植物资源特征与产业发展，江苏省中药资源循环利用与产业绿色发展，江苏省药用动物资源种类与产业发展，江苏省药用矿物资源种类与产业发展，江苏省中药资源产业发展规划；由段金廒教授、吴啟南教授整体规划顶层设计和主持编写，主要由段金廒、吴啟南、严辉、郭盛、宿树兰、刘圣金、孙成忠等同志执笔起草并数易其稿而成。中篇介绍了江苏道地、大宗、特色药材品种，收录了植物、动物、矿物类药材品种43个，系统地阐述了江苏区域道地、大宗、特色药材资源的本草记述、形态特征、资源情况、采收加工、药材性状、品质评价、功效物质、功能主治、用法用量、传统知识、资源利用等10余项内容。每个品种都是基于第四次中药资源普查的第一手资料，并结合撰写人所在团队对它的长期研究积累编写而成，内容翔实，创新性和实用性兼具。下篇记载了江苏的中药资源物种，包括药材名、形态特征、生境分布、资源情况、采收加工、药材性状、功效物质、功能主治、用法用量、附注等内容，同时附以基原彩色图片。附篇收录了131种药用动物、矿物资源。

资源学是一门研究资源的形成、演化、质量特征、时空分布及其与人类社会发展的相互关系的学科。中药资源调查研究的目的是摸清中华民族赖以生存和发展的独特、宝贵资源的家底，分析发现其与生态环境、人类活动相互作用演替发展的变化规律，化解我国人口基数大、可耕地少、水资源短缺等制约因素与国内外对中药资源性健康产品需求不断攀升之间的矛盾，根据我国国情制定出台有利于协调人口与资源、环境关系的政策措施，制定有利于促进和协调中医药事业与中药资源产业可持续发展的战略任务，选择有利于节约资源和保护环境的产业发展模式与生产方式，为有利于民众健康和社会和谐发展的健康中国建设提供保障，为我国中药资源经济结构调整与配置优化提供科学依据。

我们有理由相信，本书的出版必将为江苏中医药行业乃至整个中医药行业协调中药资源保护与利用的关系、促进区域特色生物医药产业结构调整与布局优化，以及中药资源的可持续发展提供科学依据，必将为健康江苏目标的实现做出应有的贡献。

段金廒　吴啟南

2022年2月于南京

凡 例

（1）本书共收录江苏中药资源 1 522 种，涉及植物药、动物药、矿物药资源，撰写过程中主要参考了《中华人民共和国药典》《中国植物志》《中华本草》等文献。

（2）本书分为上篇、中篇、下篇、附篇，共 5 册。上篇为“江苏省中药资源概论”，是第四次全国中药资源普查工作中江苏省中药资源情况的集中体现；中篇为“江苏省道地、大宗中药资源”，详细介绍了 43 种江苏道地、大宗中药资源；下篇为“江苏省中药资源各论”，介绍了江苏藻类植物、菌类植物、苔藓植物、蕨类植物、裸子植物、被子植物等中药资源；附篇为“江苏省药用动物、矿物资源”，共收录 131 种药用动物、矿物资源。为检索方便，本书在第 1 册正文前收录 1 ~ 5 册总目录，本书目录在页码前均标注了其所在册数（如“[1]”）。

（3）本书下篇“江苏省中药资源各论”在介绍每种中药资源时，以中药资源名为条目名，主要设药材名、形态特征、生境分布、资源情况、采收加工、药材性状、功效物质、功能主治、用法用量、附注项。上述各项的编写原则简述如下。

1）药材名。记述物种的药材名、药用部位、药材别名。同一物种作为多种药材的来源时，分别列出药材名、药用部位、药材别名。未查到药材别名的药材，该内容从略。

2)形态特征。记述物种的形态，突出其鉴别特征，并附以反映其形态特征的原色照片。其中，药用植物资源形态特征的描述顺序为习性、营养器官、繁殖器官。

3)生境分布。记述物种分布区域的海拔高度、地形地貌、周围植被、土壤等生境信息，同时记述其在江苏的主要分布区域（具体到市级或县级行政区域）。

4）资源情况。记述物种的野生、栽培情况。若该物种在江苏无野生资源，则其野生资源情况从略。同样，若该物种在江苏无栽培资源，则其栽培资源情况从略。当无法概括性评估物种的蕴藏量时，该项内容从略。

5）采收加工。记述药材的采收时间、采收方式、加工方法。当各药用部位的采收加工情况不同时，分别描述。当相应内容在文献记载中缺失时，其内容从略。

6）药材性状。记述药材的外观、质地、断面、臭、味等，在一定程度上反映药材的质量特性。当相应内容在文献记载中缺失时，其内容从略。

7）功效物质。记述物种的化学成分或其化学成分的药理作用。当相应内容在文献记载中缺失时，其内容从略。

8）功能主治。记述药材的性味、归经、毒性、功能、主治病证。当各药用部位的功能主治不同时，分别描述。当相应内容在文献记载中缺失时，其内容从略。

9)用法用量。记述药材的用法和用量。用量是指成人一日常用剂量，必要时可遵医嘱。当各药用部位的用法用量不同时，分别描述。当相应内容在文献记载中缺失时，其内容从略。

10）附注。记述物种的生长习性及其在江苏民间的药用情况等。

目录

Contents

下篇

江苏省中药资源各论

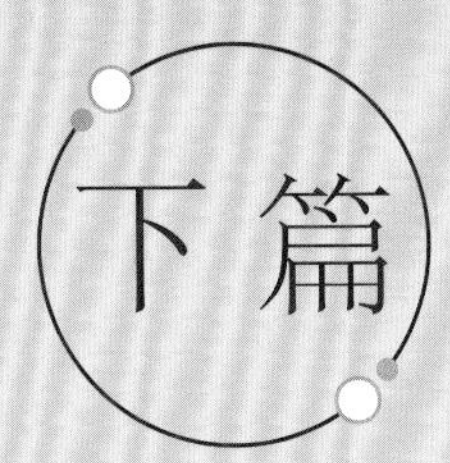

江苏省中药资源各论

藻类植物

双星藻科 Zygnemataceae 水绵属 *Spirogyra* 凭证标本号 321182201110003LY

光洁水绵 *Spirogyra nitida* (Dillw.) Link

| 药 材 名 | 水绵（药用部位：藻体。别名：石衣、水衣、水苔）。

| 形态特征 | 营养细胞宽 70 ~ 84 μm，长 93 ~ 300 μm。横壁平直；色素体 3 ~ 5，呈 1 ~ 5 圈螺旋状；接合管由雌雄两配子囊形成，呈梯形接合。接合孢子囊圆柱形，接合孢子椭圆形，两端尖，长 105 ~ 189 μm，宽 55 ~ 90 μm，黄色。中孢壁平滑，常具有明显的孢缝，成熟后黄色。

| 生境分布 | 生于湖泊、溪流静水处及水稻田中。江苏各地静水池塘中均有分布。

| 资源情况 | 野生资源丰富。

| 采收加工 | 夏季从河流、湖泊、池塘等淡水中捞取，去净杂质，用淡水洗净，晒干。

| 药材性状 | 本品呈不规则片状，草绿色至墨绿色，大小厚薄不一，表面可见细丝。质绵软，易碎裂，断裂处呈毛茸状。鲜品聚集成团状，黄绿色，有多数小气泡，藻丝可见，摸之有滑腻感。质柔软，易扯断。气腥，味咸。

| 功效物质 | 含有淀粉、纤维素等多种化学成分。

| 功能主治 | 甘，平。清热解毒。用于丹毒，痈肿，漆疮，烫伤，泄泻。

| 用法用量 | 内服煎汤，3 ~ 10 g。外用适量，鲜品捣敷。

海带科 Laminariaceae 海带属 *Laminaria*

海带 *Laminaria japonica* Aresch.

| 药 材 名 | 昆布（药用部位：叶状体）。

| 形态特征 | 藻体（孢子体）大型，褐色，从下向上分为固着器、柄部和叶片三部分。固着器位于柄的基部，呈假根状，由柄部生出的多次双分枝的圆形假根组成，其末端有吸盘，用以附着在岩石、棕绳上，以固着整个藻体。柄部幼时呈圆柱状，后呈扁圆柱状，非常柔韧。叶片位于柄上端，是光合作用的主要器官，呈带状，无分枝，长 2 ~ 3 m，宽 20 ~ 30 cm，也有大者长 8 ~ 10 m，宽 50 cm；中带部较厚，叶片边缘则较薄而软，呈波浪折皱，干燥后变为深褐色、黑褐色，上附白色粉状盐渍。

| 生境分布 | 生于近海海域水体中。江苏连云港等沿海海域均有分布。现主要为

人工栽培。

资源情况 栽培资源丰富。

采收加工 夏、秋季从海中捞取或割取，去净杂质，用淡水洗净，晒干。

药材性状 本品卷曲折叠成团状或缠结成把。全体呈绿褐色或黑褐色，表面附有白霜。用水浸软后展开成扁平长带状，长 50 ~ 150 cm，宽 10 ~ 40 cm，中央较厚，边缘较薄而呈波状。类革质，残存柄部扁圆柱形。气腥，味咸。

功效物质 富含海带多糖类、碘元素、海带多酚类、脂肪酸类、蛋白质类等多元成分。海带多糖类成分具有抗病毒、降血脂、降血糖、抗辐射、抗氧化等多种药理活性，主要包括褐藻酸钠、膳食纤维等，其中褐藻酸钠含量达 19.7%。海带有机碘以 3,5- 二碘酪氨酸形式存在，可预防高碘性甲状腺肿、治疗碘过敏的缺碘性甲状腺肿。海带多酚类成分具有抗菌、抗肿瘤、抗病毒、抗氧化等活性。

功能主治 咸，寒。归肺、肝经。消痰软坚散结，利水消肿。用于瘿瘤，瘰疬，睾丸肿痛，痰饮水肿。

用法用量 内服煎汤，15 ~ 30 g；或研末，每次 2 ~ 3 g，每日 3 次。

翅藻科 Alariaceae 裙带菜属 *Undaria*

裙带菜 *Undaria pinnatifida* (Harv.) Sur.

| 药 材 名 | 昆布（药用部位：叶状体）。

| 形态特征 | 藻体褐绿色，分叶片、柄部、固着器。叶似芭蕉，高 1 ~ 2 m，宽 50 ~ 100 cm，中肋明显，边缘羽状分裂。柄扁圆柱形，成熟时边缘形成许多木耳状重叠折皱的孢子叶，上生孢子囊。叶面上有许多黑色小斑点，为黏液腺细胞向表层处的开口。有黏液腺。假根叉状分枝。有明显的不等世代交替。

| 生境分布 | 生于海湾内大干潮线下岩礁上。分布于江苏连云港基岩质海岸等。

| 资源情况 | 栽培资源丰富。

| 采收加工 | 采收时间与当年海水温度有关，一般主要集中在 2 ~ 5 月。将苗绳

自吊绳上解下，铺晒晾干即可。

| 药材性状 | 本品片部 1 回羽状深裂，中央有隆起的中肋。气腥，味咸。以片大、体厚、色青绿者为佳。

| 功效物质 | 富含多糖类、蛋白质类等营养成分，且低热量、低脂肪，具有重要的营养价值和保健功能。其中，裙带菜多糖具有抗肿瘤、抗病毒、免疫调节等药理活性，是裙带菜的重要活性成分，主要包括岩藻多糖、褐藻酸钠、膳食纤维三类。裙带菜的膳食纤维中可溶性纤维含量占比较高，主要包括纤维素、半纤维素、木质素和果胶等，可用于糖尿病、心血管疾病、结肠癌等肠道疾病病人的康复饮食。

| 功能主治 | 咸，寒。归肝、胃、肾经。消痰软坚，利水退肿。用于瘿瘤，瘰疬，癫疝，噎膈，脚气，水肿。

| 用法用量 | 内服煎汤，15 ~ 30 g；或研末，每次 2 ~ 3 g，每日 3 次。

| 附　　注 | 《中国药典》所收载昆布药材的基原为海带和昆布。《中华本草》亦将本种作为昆布药材的基原。

马尾藻科 Sargassaceae 马尾藻属 *Sargassum*

马尾藻 *Sargassum enerve* C. Ag.

| 药 材 名 |

海茜（药用部位：藻体）。

| 形态特征 |

藻体多年生，多为大型，分固着器、主干、分枝和藻叶四部分。茎略呈三棱形，叶多为披针形。固着器盘状、圆锥状或假根状。主干圆柱状、扁圆或扁压，长短不一，向四周辐射分枝，分枝扁平或圆柱形。藻体扁平，多具毛窝。单生气囊，气囊自叶腋生出，呈圆形或倒卵形。雌雄同托或不同托，同株或异株。

| 生境分布 |

生于浅海中。分布于江苏盐城（滨海、响水、大丰）等沿海地区。

| 资源情况 |

野生资源较丰富。

| 采收加工 |

夏、秋季从海中捞取或割取，去净杂质，用淡水洗净，晒干。

| 药材性状 | 本品全体卷曲，皱缩成团状，棕黑色或棕褐色，有的表面被白霜。主枝长 50 ~ 70 cm，直径约 5 mm；上面生有多数短分枝，叶状体鳞片状或丝状。气囊很小，基部固着器扁平，呈盘状。质柔韧，不易脆断。用水浸湿后略膨胀，有黏滑性。气腥，味咸。

| 功效物质 | 藻体含有丰富的多糖类、蛋白质类、多酚类、岩藻黄质色素类、多不饱和脂肪酸和矿质元素等资源性成分，且氨基酸组成合理，为优质的蛋白原，可用于提取褐藻酸钠。岩藻多糖硫酸酯具有抗病毒、抗肿瘤和抗凝血等多种作用，可用于抗血栓功能性食品及药物的开发。

| 功能主治 | 咸，寒。归肝、胃、肾经。软坚散结，清热化痰，利水。用于瘰疬，瘿瘤，咽喉肿痛，咳嗽痰结，小便不利，水肿，疮疖，心绞痛。

| 用法用量 | 内服煎汤，9 ~ 15 g；或浸酒。

| 附　　注 | 可用于缺碘性地方性甲状腺肿、高血压、高脂血症的治疗。

马尾藻科 Sargassaceae 马尾藻属 *Sargassum*

海蒿子 *Sargassum pallidum* (Turr.) C. Ag.

| 药 材 名 | 海藻（药用部位：藻体。别名：大叶海藻）。

| 形态特征 | 藻体多年生，褐色。固着器盘状。藻体主干单生，偶有双生或三生；圆柱形，直立，直径 2 ~ 7 mm，较短，生长几年后可达 4 ~ 10 cm，个别可达 35 cm。侧枝自主枝的叶腋间生出，幼枝上和主干幼期内均生有短小的刺状突起。小枝互生，完成生殖任务后即行凋落。藻叶互生，叶形变化甚大，初生叶倒卵形或披针形，长 2 ~ 7 cm，直径 3 ~ 12 mm，革质，全缘，具中肋；次生叶较狭小，线形至披针形，中肋不明显。叶腋间长出具有很多丝状叶的小枝，生殖托从丝状叶叶腋间生出。气囊多生在末枝上，幼期为纺锤形或倒卵形，先端有针状突起；成熟时为球形或亚圆球形。生殖托亚圆柱形，总状排列于生殖小枝上。

| 生境分布 | 生于浅海中。江苏连云港、盐城（滨海、响水、大丰）等沿海地区均有分布。

| 资源情况 | 野生资源较丰富。

| 采收加工 | 夏、秋季从海中捞取或割取，去净杂质，用淡水洗净，晒干。

| 药材性状 | 本品皱缩卷曲，黑褐色，有的被白霜，长 30 ~ 60 cm。主干呈圆柱状，具圆锥形突起，主枝自主干两侧生出，侧枝自主枝叶腋生出，具短小的刺状突起。初生叶披针形或倒卵形，长 5 ~ 7 cm，宽约 1 cm，全缘或具粗锯齿；次生叶条形或披针形，叶腋间有着生条状叶的小枝。气囊黑褐色，球形或卵圆形，有的有柄，先端钝圆，有的具细短尖。质脆，潮润时柔软，水浸后膨胀，肉质，黏滑。气腥，味微咸。

| 功效物质 | 藻体富含多糖类、糖醇类、粗蛋白和脂肪酸类等多种资源性成分，尚含有少量生物碱类、黄酮类、甾类成分。褐藻多糖类成分水溶性较好，具有显著的抗血栓、抗病毒、抗肿瘤、免疫调节等活性。粗脂肪在主茎和侧枝叶的含量分别为 3.45% 和 0.83%，其中主茎和侧枝叶中不饱和脂肪酸在粗脂肪中的含量占比分别为 66.53% 和 44.46%，且主要为 C20 和 C18，具有调节血脂、前列腺素动态平衡等作用，可用于动脉硬化、阿尔茨海默病、糖尿病等的日常保健。

| 功能主治 | 苦、咸，寒。归肝、胃、肾经。消痰软坚散结，利水消肿。用于瘿瘤，瘰疬，睾丸肿痛，痰饮水肿。

| 用法用量 | 内服煎汤，9 ~ 15 g；或浸酒。

菌类植物

虫草科 Cordycipitaceae 棒束孢属 *Isaria* 凭证标本号 320124140819060LY

蝉花 *Isaria cicadae* Miquel

| 药 材 名 | 蝉花（药用部位：菌核及子座）。

| 形态特征 | 寄生于蟪蛄、原白蝉、芮氏蝉等蝉类幼虫上的蝉棒束孢菌（*Isaria cicadae* Miq.）的分生孢子阶段。孢梗束从蝉若虫头部成丛长出，分枝或不分枝，高 1.5 ~ 6 cm，可分为结实部和柄部。结实部在末端，白色粉状，长椭圆形、椭圆形或纺锤形，长 5 ~ 8 mm，宽 2 ~ 3 mm。柄干后褐色或黑褐色，直径 1 ~ 2 mm。分生孢子梗瓶状，中部膨大，向末端渐细或突然窄细，常成丛聚生于束丝上，形如花瓣状。分生孢子从瓶状小梗上产生，无色，长椭圆形或纺锤形，也有弯曲成狭肾形，具油点 1 ~ 3。

| 生境分布 | 生于地势平缓、郁闭度较高、土质疏松、湿度较大、地面覆盖有枯

枝落叶层且有竹蝉活动的林地。江苏南京（溧水）、常州（溧阳）、无锡（宜兴）、镇江（句容）等南部低山丘陵地区均有分布。

| 资源情况 | 野生资源较少。

| 采收加工 | 夏、秋季采收，去净杂质，晒干。

| 药材性状 | 本品由虫体与其头部长出的孢梗束组成。虫体长椭圆形，微弯曲，长约 3 cm，直径 1 ～ 4 cm；表面棕黄色，大部为灰色菌丝所包被，头部丛聚孢梗束。孢梗束分枝或不分枝，长 1.6 ～ 6 cm，分结实部和柄部；结实部长椭圆形、椭圆形或纺锤形，长 5 ～ 8 mm，直径 2 ～ 3 mm，白色粉状；柄部直径 1 ～ 2 mm，褐色至黑褐色。质脆，易折断，虫体内充满白色或类白色松软物质。气微香，味淡。

| 功效物质 | 菌核及子座中含有多糖类、氨基酸、核苷类、糖醇类、生物碱类、麦角甾醇等多种资源性成分。蝉花作为珍稀的食药用菌，具有良好的营养价值。其中，金蝉花多糖具有显著的调节免疫、改善肾功能、抗肿瘤等活性；核苷类成分具有舒张血管、降血压、改善心脑血管循环等活性；多球壳菌素具有双向免疫调节作用，尤其在器官移植和自身免疫性疾病方面，有望开发成新型免疫抑制剂。尚有研究表明，蝉花具有抗疲劳、耐缺氧、降血糖等功效。

| 功能主治 | 甘，寒。归肺、肝经。解痉，退翳，透疹，散风热。用于小儿惊风，目赤肿痛，麻疹不透。

| 用法用量 | 内服煎汤，3 ～ 9 g。

| 附　　注 | 江苏宜溧山区有用蝉花泡酒、煲汤的传统。

羊肚菌科 Morohellaceae 羊肚菌属 *Morchella*

尖顶羊肚菌 *Morchella conica* Pers.

| 药 材 名 | 羊肚菌（药用部位：子实体）。

| 形态特征 | 子实体散生或群生。菌盖长而近圆锥形，先端尖或稍尖，长 5 cm，直径 2.5 cm，表面有许多小凹坑，小凹坑多呈长方形，且多纵向排列，由横脉连接，淡褐色，棱脊色较浅，小凹坑内表面为子实层。菌柄长 6 cm，直径 1.7 cm，白色，上部平滑，下部有时带有不规则的沟槽，中空。子囊长圆柱形，（250 ~ 300）μm ×（17 ~ 20）μm，内含 8 个子囊孢子。侧丝线形，先端膨大，直径 9 ~ 12 μm。子囊孢子长椭圆形，（20 ~ 24）μm ×（12 ~ 15）μm，无色。

| 生境分布 | 生于山地林下、林缘空旷处或草丛湿地。江苏南京（浦口）等有分布。

|资源情况| 野生资源较少。

|采收加工| 夏、秋季采收，去净杂质，用淡水洗净，晒干。

|药材性状| 本品菌盖呈类圆锥形，先端尖或较尖，长约 4 cm，直径约 2 cm；小凹坑多为类长方形，淡褐色，棱纹色较浅。菌柄黄白色，下部有的具不规则沟槽，中空。体轻，易碎。气微，味淡。

|功效物质| 含有维生素 B_2、烟酸、叶酸、氨基酸、矿物质和维生素等多种营养成分。

|功能主治| 甘，平。归脾、胃经。消食和胃，化痰理气。用于消化不良，痰多咳嗽。

|用法用量| 内服煎汤，30 ~ 60 g。

木耳科 Auriculariaceae 木耳属 *Auricularia* 凭证标本号 321112180523035LY

木耳 *Auricularia auricula* (L. ex Hook.) Underw.

|药 材 名|

黑木耳（药用部位：子实体）。

|形态特征|

子实体呈耳状、叶状或杯状，薄，腹面平滑下凹，边缘略上卷，背面凸起，并有极细的绒毛，呈黑褐色或茶褐色，宽 2 ~ 6 cm，厚约 2 mm，以侧生的短柄或狭细的基部固着于基质上。初期为柔软的胶质，黏而富弹性，后稍带软骨质，湿润时半透明，干燥后收缩为角质状，硬而脆性，背面暗灰色或灰白色；入水后膨胀，可恢复原状，柔软而半透明，表面附有滑润的黏液。

|生境分布|

生于榆、栎等的树桩上。分布于江苏低山丘陵地区，如徐州、连云港等。

|资源情况|

野生及栽培资源较丰富。

|采收加工|

夏、秋季采收，去净杂质，晒干。

| 药材性状 | 本品呈不规则块片状，多皱缩，大小不等，不孕面黑褐色或紫褐色，疏生极短绒毛，子实层面色较淡。用水浸泡后则膨胀，形似耳状，厚约 2 mm，棕褐色，柔润，微透明，有滑润的黏液。气微香，味淡。

| 功效物质 | 子实体含有多糖类、肽类、腺苷、麦角甾醇、磷脂类及多种维生素等化学成分。其中，木耳多糖具有抗肿瘤、抗氧化、提高免疫力、抗疲劳、抗衰老、降血糖、降血脂、抗凝血等活性，可用于药品、功能性保健产品等的开发；木耳黑色素为 3,4- 二羟基苯丙氨酸类黑色素或多糖肽，具有较强的抗氧化和抑菌作用，可用于临床药品和食品添加剂的开发。尚有研究表明，木耳具有降血脂、抗血栓、抗辐射、抗突变、抗氧化、抗衰老、降血糖、抗肿瘤等生物活性。

| 功能主治 | 甘，平。归肺、脾、大肠、肝经。补气养血，润肺止咳，止血，降血压，抗癌。用于肺虚久咳，咯血，衄血，血痢，痔疮出血，崩漏，高血压，眼底出血，子宫颈癌，阴道癌，跌打伤痛。

| 用法用量 | 内服煎汤，3 ~ 10 g；或炖汤；或烧炭存性研末。

多孔菌科 Polyporaceae 灵芝属 *Ganoderma* 凭证标本号 320124140820060LY

赤芝 *Ganoderma lucidum* (Leyss. ex Fr.) Karst.

|药 材 名|

灵芝（药用部位：子实体）。

|形态特征|

菌盖木栓质，肾形，红褐色、红紫色或暗紫色，具漆样光泽，有环状棱纹和辐射状皱纹；大小及形态变化很大，大型个体的菌盖为 20 cm × 10 cm，厚约 2 cm，一般个体为 4 cm × 3 cm，厚 0.5 ～ 1 cm；下面有无数小孔，管口呈白色或淡褐色，每毫米 4 ～ 5，管口圆形，内壁为子实层，孢子生于担子先端。菌柄侧生，极少偏生，长于菌盖直径，紫褐色至黑色，有漆样光泽，坚硬。孢子卵圆形，（8 ～ 11）cm × 7 cm，壁 2 层，内壁褐色，表面有小疣，外壁透明无色。

|生境分布|

生于栎及其他阔叶树的木桩旁或枯木上。江苏南部山区分布较广。江苏南通（通州）、无锡（江阴）等有栽培。

|资源情况|

野生及栽培资源丰富。

| 采收加工 | 夏、秋季采收，去净杂质，用淡水洗净，晒干。

| 药材性状 | 本品呈伞形，菌盖（菌帽）坚硬木栓质，半圆形或肾形，宽 12 ~ 20 cm，厚约 2 cm，皮壳硬坚，初黄色，渐变为红褐色，有光泽，具环状棱纹及辐射状皱纹，边缘薄而平截，常稍内卷。菌肉近白色至淡褐色；菌盖下表面菌肉白色至浅棕色，由无数细密管状孔洞（菌管）构成，菌管内有担子器及担孢子。菌柄侧生，长达 19 cm，直径约 4 cm，表面红褐色至紫褐色，有漆样光泽。气微，味淡。

| 功效物质 | 主要含有多糖类、三萜类、核苷类、甾醇类、脂肪类等资源性成分，具有抗肿瘤、抗炎、保肝、降血糖、抗衰老等活性，可用于保健食品等健康产品的开发。多糖类及羊毛甾烷型四环三萜类成分具有抗衰老、抗病毒、抗肿瘤、抗炎、抗氧化、降血压、降血糖、降血脂、免疫调节等生物活性。此外，三萜类成分及孢子油具有防治心肌损伤的活性。

| 功能主治 | 甘，平。归肺、心、脾、肾经。益气血，安心神，健脾胃。用于虚劳，心悸，失眠，头晕，神疲乏力，久咳气喘，冠心病，硅肺，肿瘤。

| 用法用量 | 内服煎汤，10 ~ 15 g；或研末，2 ~ 6 g；或浸酒。

马勃科 Lycoperdaceae 脱皮马勃属 *Lasiosphaera* 凭证标本号 320124140819034LY

脱皮马勃 *Lasiosphaera fenzlii* Reich.

| 药 材 名 | 马勃（药用部位：子实体）。

| 形态特征 | 腐生真菌。子实体近球形至长圆形，直径 15 ~ 30 cm，幼时白色，成熟时渐变浅褐色，外包被薄，成熟时呈碎片状剥落，内包被纸质，浅烟色，成熟后全部破碎消失，仅留一团孢体。其中孢丝长，有分枝，多数结合成紧密团块。孢子球形，外具小刺，褐色。

| 生境分布 | 生于旷野草地或山坡砂壤土草坡草丛中。分布于江苏南部山区等。

| 资源情况 | 野生资源较少。

| 采收加工 | 夏、秋季采收，去净杂质，晒干。

| 药材性状 | 本品呈扁球形或类球形，直径 15 ~ 18 cm 或更大，无不孕基部。包

被灰棕色或褐黄色，纸质，菲薄，大部分已脱落，留下少部分包皮；孢体黄棕色或棕褐色。体轻泡，柔软，有弹性，呈棉絮状，轻轻捻动即有孢子飞扬，手捻有细腻感。气味微弱。

| **功效物质** | 子实体含有多糖类、蛋白质类、氨基酸类、多肽类、甾体类、萜类、醌类等资源性成分，多糖类成分含量约为 3.68%。马勃黏蛋白及多肽类成分具有良好的抗肿瘤活性，多肽类成分同时具有泛激素作用。甾体类成分主要为麦角甾醇、麦角甾酮及其衍生物，具有抗炎、止咳、抑菌等活性。萜类成分主要为伊鲁丁、伊鲁烷及其衍生物。生物碱类成分包括偶氮酰胺类色素成分、氨基酸衍生物等。尚有研究报道，脱皮马勃挥发油成分中的芳 - 姜黄烯具有良好的抗生育性，*β*- 芹子烯具有较好的祛痰作用，对实验性急性支气管炎也有效。

| **功能主治** | 辛，平。归肺经。清肺利咽，止血。用于风热郁肺咽痛，音哑，咳嗽；外用于鼻衄，创伤出血。

| **用法用量** | 内服煎汤，2 ~ 6 g。外用适量，撒敷，或与冰粉、三七同研末外敷。

苔藓植物

○

○

○

地钱科 Marchantiaceae 地钱属 *Marchantia* 凭证标本号 320982150720037LY

地钱 *Marchantia polymorpha* L.

| **药 材 名** | 地钱（药用部位：叶状体）。

| **形态特征** | 叶状体深绿色，长 3 ~ 10 cm，宽 7 ~ 15 mm；多回叉状分枝。气孔烟突型，桶状口部具 4 个细胞，高 4 ~ 6 个细胞。腹面鳞片 4 ~ 6 列；紫色，弯月形；先端附片宽卵形或宽三角形，边缘具密集齿突；常具大形黏液细胞及油细胞。芽孢杯边缘粗齿上具多数齿突。雌雄异株。雄托圆盘形，7 ~ 8 浅裂；托柄长 1 ~ 3 cm。雌托 6 ~ 10 瓣深裂，裂瓣指状；托柄长 3 ~ 6 cm。孢子表面具网纹，直径 13 ~ 17 μm。弹丝直径 3 ~ 5 μm，长 300 ~ 500 μm，具 2 列螺纹加厚。

| **生境分布** | 生于阴湿的土坡、岩石上或宅旁阴湿处。江苏各地均有分布。

资源情况 野生资源较丰富。

采收加工 春、夏、秋季采收，去净杂质，晒干。

药材性状 本品呈皱缩的片状或小团块状。湿润后展开呈扁平阔带状，多回二歧分叉，表面暗褐绿色，可见明显的气孔和气孔区划。下面带褐色，有多数鳞片或成丛的假根。气微，味淡。

功效物质 含有萜类、黄酮类、脂肪酸酯类、双联苄类等资源性成分。其中，三萜类成分以何帕烷型三萜及其衍生物为主，黄酮类成分主要为芹菜素和木犀草素的葡萄糖醛酸苷及双糖苷。此外，地钱中含有多种胡萝卜素类成分，亚麻酸和花生四烯酸含量分别占总脂肪酸含量的 18% 和 11%，可用于保健食品的开发。研究表明，地钱含有的亲脂性物质具有抗真菌、抗微生物、钙调节蛋白抑制等广泛的生物活性。

功能主治 淡，凉。清热利湿，解毒敛疮。用于湿热黄疸，疮痈肿毒，毒蛇咬伤，烫火伤，骨折，刀伤。

用法用量 内服煎汤，5 ~ 15 g；或入丸、散剂。外用适量，捣敷；或研末调敷。

葫芦藓科 Funariaceae 葫芦藓属 *Funaria* 凭证标本号 320681160423019LY

葫芦藓 *Funaria hygrometrica* Hedw.

| 药材名 | 葫芦藓（药用部位：植物体）。

| 形态特征 | 植物体小形，黄绿色，无光泽，丛集或散列群生。茎长 1 ~ 3 cm，单一或稀疏分枝。叶密集簇生于茎顶，干燥时皱缩，湿润时倾立，长舌形；全缘，有时内曲；中肋较粗，不到叶尖消失；叶细胞疏松，近长方形，壁薄。雌雄同株。雄苞顶生，花蕾状。雌苞生于雄苞下的短侧枝上，在雄枝萎缩后即转成主枝。蒴柄细长，紫红色，上部弯曲。孢蒴梨形，不对称，多垂倾，具明显的台部。蒴齿 2 层。蒴盖微凸。蒴帽兜形，有长喙。

| 生境分布 | 生于有机质丰富、含氮肥较多的潮湿土壤上。江苏各地均有分布。

| 资源情况 | 野生资源较丰富。

| 采收加工 | 夏、秋季采收，去净杂质，用淡水洗净，晒干。

| 药材性状 | 本品为皱缩的散株或数株丛集的团块，黄绿色，无光泽，每株长可达 3 cm。茎多单一，茎顶密集簇生众多的皱缩小叶，湿润展平后呈长舌状，全缘，中肋较粗，不达叶尖，有的可见紫红色细长的蒴柄，上部弯曲，着生梨形孢蒴，孢蒴不对称，其蒴帽兜形，有长喙。气微，味淡。

| 功效物质 | 含有多糖类、生物碱类、黄酮类、甾体类和脂肪酸类等多种成分，具有抗肿瘤、降血脂、抗氧化、抗菌、增强免疫等多种药理活性。

| 功能主治 | 淡，平。归肺、肝、肾经。祛风除湿，止痛，止血。用于风湿痹痛，鼻窦炎，跌打损伤，劳伤吐血。

| 用法用量 | 内服煎汤，30 ~ 60 g。外用适量，捣敷。

金发藓科 Polytrichaceae 金发藓属 *Polytrichum* 凭证标本号 320481151023215LY

金发藓 *Polytrichum commune* L. ex Hedw.

药材名 土马鬃（药用部位：植物体）。

形态特征 体形大，长可超过 30 cm，环境条件不良时高约 3 cm。茎一般不分枝。叶卵状披针形，基部抱茎，长 7 ~ 12 mm；叶缘具锐齿，上部不强烈内卷；中肋突出叶尖成芒状。叶腹面栉片 30 ~ 50 列，高 5 ~ 9 个细胞；顶细胞宽阔，内凹。雌雄异株。蒴柄长 4 ~ 8 cm。孢蒴长 2.5 ~ 5 mm，具 4 棱，台部明显，具气孔。蒴齿 64。孢子球形，直径 9 ~ 12 μm，具细疣。

生境分布 生于林下土表。分布于江苏南通、常州、无锡、苏州等。

资源情况 野生资源较丰富。

| 采收加工 | 春、夏、秋季采收，去净杂质，晒干。

| 药材性状 | 本品为数株丛集在一起的团块，株长 8 ~ 25 cm，黄绿色或黄褐色，湿润分离后，每株茎单一，有的扭曲，叶丛生在茎上部，展平后上部叶披针形，渐尖，中肋突出叶尖成刺状，腹面可见栉片，叶缘有密锐齿，基部鞘状较宽；下部叶鳞片状。茎下部可见须状假根，有的雌株具棕红色、四棱柱形的孢蒴，脱盖后的孢蒴口具 64 蒴齿。气微，味淡。

| 功效物质 | 含有苯并萘并呫吨酮类化合物及其衍生物、苯乙烯醛基并联苄化合物和苯乙烯基并二氢黄酮类化合物等。药理活性分析表明，上述类型化合物对体外培养的多种肿瘤细胞均具有一定的抑制作用。

| 功能主治 | 甘，寒。归肺、肝、大肠经。滋阴清热，凉血止血。用于阴虚骨蒸，潮热盗汗，肺痨咳嗽，血热吐血，衄血，咯血，便血，崩漏，二便不通。

| 用法用量 | 内服煎汤，10 ~ 30 g；或入丸、散剂。外用适量，捣敷；或研末调涂。

蕨类植物

卷柏科 Selaginellaceae 卷柏属 *Selaginella* 凭证标本号 320282160607123LY

江南卷柏 *Selaginella moellendorffi* Hieron.

| 药 材 名 | 地柏枝（药用部位：全草）。

| 形态特征 | 多年生常绿草本。高达 40 cm。主茎直立，禾秆色，下部不分枝，有卵状三角形叶，疏生；上部 3 ~ 4 回分枝，分枝上叶二型，背腹各 2 列，腹叶（中叶）疏生，斜卵圆形，具锐尖头，基部心形，边缘膜质，白色，有微齿，背叶（侧叶）斜展，覆瓦状，长 0.3 ~ 0.6 cm，单生于枝顶；孢子叶卵状三角形，龙骨状，边缘有齿。孢子期 8 ~ 10 月。

| 生境分布 | 生于林下或沟边。分布于江苏无锡（宜兴）、苏州等。

| 资源情况 | 野生资源较丰富。

| 采收加工 | 夏、秋季采收，去净杂质，晒干。

| 药材性状 | 本品根茎灰棕色，屈曲，根自其左右发出，纤细，具根毛。茎禾秆色或基部稍带红色，高 10 ~ 40 cm，直径 1.5 ~ 2 mm，下部不分枝，疏生钻状三角形叶，贴伏于上；上部分枝羽状，侧叶呈卵状三角形。叶多扭曲皱缩，表面淡绿色，背面灰绿色，二型，枝上两侧的叶为卵状披针形，大小近等于茎上叶，贴生小枝中央的叶较小，卵圆形，先端尖。孢子囊穗少见。茎质柔韧，不易折断；叶质脆，易碎。气微，味淡。以体整、色绿、无泥杂者为佳。

| 功效物质 | 含有两种醛类成分，另有酚性、酸性及中性成分。

| 功能主治 | 辛、微甘，平。归肝、胆、肺经。止血，清热，利湿。用于肺热咯血，吐血，衄血，便血，痔疮出血，外伤出血，发热，小儿惊风，湿热黄疸，淋病，水肿，烫火伤。

| 用法用量 | 内服煎汤，15 ~ 30 g，大剂量可用至 60 g。外用适量，研末敷；或鲜品捣敷。

卷柏科 Selaginellaceae 卷柏属 *Selaginella* 凭证标本号 320703170421721LY

中华卷柏 *Selaginella sinensis* (Desv.) Spring

| **药 材 名** | 中华卷柏（药用部位：全草）。

| **形态特征** | 多年生草本。植株细弱，匍匐状，长 10 ~ 40 cm。主茎圆柱形，坚硬，禾秆色，多回分枝，各分枝处生根托。茎下部叶卵状椭圆形，长 1 ~ 1.5 mm，宽约 1 mm，基部近心形，钝尖，全缘，贴伏于茎，疏生；茎上部叶二型，4 列，侧叶长圆形或长卵形，长 1.3 ~ 2 mm，宽 0.8 ~ 1 mm，钝尖或有短刺，基部圆楔形，边缘膜质，有细锯齿和缘毛，干后常反卷；茎中部叶长卵形，长 1 ~ 1.2 mm，宽约 0.6 mm，具钝尖头，基部阔楔形，有膜质白边和微齿；叶草质，光滑。孢子囊穗单生于枝顶，四棱柱形，长约 1 cm；孢子叶卵形或三角形，先端锐尖，边缘膜质，背部有龙骨状突起；孢子囊圆肾形；大孢子囊通常少数，位于孢子囊穗的下部；小孢子囊多数，位于孢子囊穗的

中上部；孢子二型。

| 生境分布 | 生于干旱山坡的草丛、路边、林缘。分布于江苏连云港（赣榆、东海）、徐州（铜山、贾汪、鼓楼、云龙、睢宁）等。

| 资源情况 | 野生资源较少。

| 采收加工 | 夏、秋季采收，去净杂质，晒干。

| 功效物质 | 含有（7*S*,8*R*）-4,9,9′- 三羟基 -3,3′- 二甲氧基 -7,8- 二氢苯并呋喃 -1′- 丙基新木脂素、丁香脂素、松脂酚 -4-*O*-*β*-D- 葡萄糖苷、丁香脂素二葡萄糖苷、*β*- 甲基 -D- 吡喃木糖苷、*β*- 甲基 -D- 吡喃阿拉伯糖苷、扁柏双黄酮、阿曼托双黄酮等多种成分，具有抑菌、抗肿瘤等生物活性。

| 功能主治 | 微苦，凉。软坚散结，清热化痰，利水。用于瘰疬，瘿瘤，咽喉肿痛，咳嗽痰结，小便不利，水肿，疮疖，心绞痛。

| 用法用量 | 内服煎汤，9 ~ 15 g，大剂量可用至 30 ~ 60 g。外用适量，研末敷。

卷柏科 Selaginellaceae 卷柏属 *Selaginella* 凭证标本号 320703160908556LY

卷柏 *Selaginella tamariscina* (P. Beauv.) Spring

| 药 材 名 | 卷柏（药用部位：全草）。

| 形态特征 | 多年生草本，高 5 ~ 15 cm。主茎短或长，直立，下着须根。各枝丛生，直立，干后拳卷，密被覆瓦状叶，各枝扇状分枝至 2 ~ 3 回羽状分枝。叶小，异型，交互排列；侧叶披针状钻形，长约 3 mm，基部龙骨状，先端有长芒，远轴的一边全缘，宽膜质，近轴的一边膜质缘极狭，有微锯齿；中叶 2 行，卵圆状披针形，长 2 mm，先端有长芒，斜向，左右两侧不等，边缘有微锯齿，中脉在叶上面下陷。孢子囊穗生于枝顶，四棱形；孢子叶三角形，先端有长芒，边缘宽膜质；孢子囊肾形，大小孢子的排列不规则。

| 生境分布 | 生于山坡或溪边向阳的岩石上。分布于江苏徐州、连云港（灌云）、

扬州（仪征）、南京、镇江（句容）、无锡（宜兴）等的丘陵山区。

| 资源情况 | 野生资源较少。

| 采收加工 | 夏、秋季采收，去净杂质，晒干。

| 药材性状 | 本品全体紧缩如拳形，基部的须根大多已剪除或剪短，仅留须根残基，或簇生众多棕色至棕黑色须根，长短不一，长者长可达 10 cm。枝丛生，扁而有分枝，绿色或棕黄色，向内卷曲，枝上密生鳞片状小叶，叶片卵形，长 1.5 ~ 2.5 mm，宽约 1 mm，先端锐尖，有浅绿色至浅棕色长芒，叶缘膜质，有不整齐的细锯齿，中叶斜列。质脆，易折断。无臭，味淡。

| 功效物质 | 富含双黄酮类、炔酚类、酚酸类等多种类型的天然产物。双黄酮类成分具有抗细胞毒、抗微生物、抗炎、降血糖、保护血管内皮等活性。炔酚类成分具有抗细胞毒、抗微生物、抗氧化、抗衰老及神经保护等作用。

| 功能主治 | 辛，平。归肝、心经。活血通经。用于经闭，痛经，癥瘕痞块，跌扑损伤。

| 用法用量 | 内服煎汤，5 ~ 10 g。外用适量，研末敷。

卷柏科 Selaginellaceae 卷柏属 *Selaginella* 凭证标本号 320481170401056LY

伏地卷柏 *Selaginellu nipponica* Franch. et Sav.

| 药材名 | 小地柏（药用部位：全草）。

| 形态特征 | 多年生草本。植株长 8 ~ 12 cm。茎枝细弱，伏地蔓生，主茎分化不明显，淡禾秆色，节部常有纤细的不定根。叶薄草质，二型，互生；侧叶阔卵形，长 2 ~ 3 mm，宽 1 ~ 2 mm，向两侧平展，先端锐尖，稍弯向下，基部近心形，边缘有微齿；中叶卵状长圆形，先端渐尖，边缘有微齿，远较侧叶为狭，交互向上。孢子枝直立，枝上的孢子叶二型，和营养叶几相同，但排列稀疏，顶部孢子叶均为长卵形，具渐尖头，边缘有齿；中脉不明显。孢子囊单生于孢子叶的叶腋，不明显成穗。

| 生境分布 | 生于溪边湿地或岩石上。分布于江苏连云港、南京、镇江、苏州等。

| 资源情况 | 野生资源一般。

| 采收加工 | 夏、秋季采收，去净杂质，晒干。

| 功能主治 | 微苦，凉；有微毒。止咳平喘，止血，清热解毒。用于咳嗽气喘，吐血，痔血，外伤出血，淋证，烫火伤。

| 用法用量 | 内服煎汤，9 ~ 15 g。外用适量，研末撒。

石松科 Lycopodiaceae 石杉属 *Huperzia* 凭证标本号 NAS00567585

蛇足石杉 *Huperzia serrata* (Thunb.ex Murray) Trev.

| 药 材 名 |

千层塔（药用部位：全草）。

| 形态特征 |

多年生土生植物。茎直立或斜生，高 10 ~ 30 cm，中部直径 1.5 ~ 3.5 mm，枝连叶宽 1.5 ~ 4 cm，2 ~ 4 回二叉分枝，枝上部常有芽孢。叶螺旋状排列，疏生，平伸，狭椭圆形，向基部明显变狭，通直，长 1 ~ 3 cm，宽 1 ~ 8 mm，基部楔形，下延有柄，先端急尖或渐尖，边缘平直不皱曲，有粗大或略小而不整齐的尖齿，两面光滑，有光泽，中脉突出明显，薄革质。孢子叶与营养叶同形；孢子囊生于孢子叶的叶腋，两端露出，肾形，黄色。

| 生境分布 |

生于丘陵山区的密林下阴湿处。分布于江苏无锡（宜兴）、常州（溧阳）等。

| 资源情况 |

野生资源一般。

| 采收加工 | 夏末秋初采收，除去泥土，晒干。

| 功效物质 | 主要含有石杉碱类生物碱成分，其中尤以石杉碱甲活性为好，已被开发为治疗阿尔茨海默病的药物应用于临床。

| 功能主治 | 苦、辛、微甘，平；有小毒。散瘀止血，消肿止痛，除湿，清热解毒。用于跌打损伤，劳伤吐血，尿血，痔疮下血，水湿臌胀，带下，肿毒，溃疡久不收口，烫火伤。

| 用法用量 | 内服煎汤，5 ~ 15 g；或捣汁。外用适量，煎汤洗；或捣敷；或研末撒；或研末敷。

| 附　　注 | 本种民间还用于治疗痈疖肿毒、跌打损伤等。

木贼科 Equisetaceae 木贼属 *Equisetum* 凭证标本号 320922180714009LY

问荆 *Equisetum arvense* L.

| **药 材 名** | 问荆（药用部位：全草）。

| **形态特征** | 多年生草本。高 30 ~ 60 cm。根茎横生地下，黑褐色。地上茎直立，二型，有生殖枝和营养枝之分。生殖枝早春先发，常为紫褐色，肉质，不分枝，鞘长而大；营养枝在生殖枝枯萎后生出，绿色，多分枝，有棱脊 6 ~ 15。叶退化，下部联合成鞘，鞘齿披针形，黑色，边缘灰白色，膜质；分枝轮生，中实，有棱脊 3 ~ 4，单一或再分枝。孢子囊穗顶生，具钝头，长 2 ~ 3.5 cm；孢子叶六角形，盾状着生，螺旋排列，边缘着生长形孢子囊。孢子一形。

| **生境分布** | 生于田边、沟边、道旁和住宅附近。江苏各地均有分布。

| **资源情况** | 野生资源丰富。

| 采收加工 | 夏、秋季采收，去净杂质，晒干。

| 药材性状 | 本品全长约 30 cm，多干缩，或枝节脱落。茎略呈扁圆形或圆形，浅绿色，有细纵沟，节间长，每节有退化的鳞片叶，鞘状，先端齿裂，硬膜质。小枝轮生，梢部渐细。基部有时带有部分的根，呈黑褐色。气微，味稍苦、涩。

| 功效物质 | 全草含有犬问荆碱、二甲砜、胸嘧啶、3- 甲氧基吡啶等含氮有机物，以及异槲皮苷、木犀草苷等黄酮类资源性成分，具有抑制血管紧张素转化酶、抗高血压、利尿、保钾的作用。此外，尚含有问荆皂苷类、有机酸类、甾醇类、硅酸盐类等成分。

| 功能主治 | 甘、苦，平。归肺、胃、肝经。止血，利尿，明目。用于鼻衄，吐血，咯血，便血，崩漏，外伤出血，淋证，目赤翳膜。

| 用法用量 | 内服煎汤，3 ~ 15 g。外用适量，鲜品捣敷；或干品研末调敷。

木贼科 Equisetaceae 木贼属 *Equisetum* 凭证标本号 320803180703150LY

草问荆 *Equisetum pratense* Ehrh.

| 药材名 | 草问荆（药用部位：全草）。

| 形态特征 | 中型植物。根茎直立和横走，黑棕色，节和根疏生黄棕色长毛或光滑。地上枝当年枯萎。枝二型，能育枝与不育枝同期萌发。能育枝高 15 ~ 25 cm，中部直径 2 ~ 2.5 mm，节间长 2 ~ 3 cm，禾秆色，最终能形成分枝，有脊 10 ~ 14，脊上光滑；鞘筒灰绿色，长约 0.6 cm；鞘齿 10 ~ 14，淡棕色，长 4 ~ 6 mm，披针形，膜质，背面有浅纵沟。不育枝高 30 ~ 60 cm，中部直径 2 ~ 2.5 mm，节间长 2.2 ~ 2.8 cm，禾秆色或灰绿色，轮生分枝多，主枝中部以下无分枝，主枝有脊 14 ~ 22，脊的背部弧形，每脊常有一行小瘤；鞘筒狭长，长约 3 mm，下部灰绿色，上部除有一圈为淡棕色外，其余部分为灰绿色，鞘背有 2 棱；鞘齿 14 ~ 22，披针形，膜质，淡棕色，

但中间一线为黑棕色，宿存。侧枝柔软纤细，扁平状，有 3 ~ 4 狭而高的脊，脊的背部光滑；鞘齿不呈开张状。孢子囊穗椭圆柱状，长 1 ~ 2.2 cm，直径 3 ~ 7 mm，先端钝，成熟时柄伸长，柄长 1.7 ~ 4.5 cm。

| 生境分布 | 生于林地或道旁、撂荒地中。分布于江苏连云港（连云）等。

| 资源情况 | 野生资源丰富。

| 采收加工 | 夏、秋季采收，去净杂质，晒干。

| 药材性状 | 本品干缩，枝常脱落。茎有多数轮生的细长分枝。叶鞘齿分离，长三角形，长约 1.5 cm，先端尖，中部棕褐色，边缘白色膜质。气微，味淡。

| 功效物质 | 含有山柰酚 -3- 双葡萄糖苷、山柰酚 -3- 芸香糖苷、山柰酚 -3,7- 双葡萄糖苷、槲皮素 -3- 芸香糖苷 -7- 葡萄糖苷、槲皮素、山柰酚等黄酮类资源性成分等。生物活性评价表明，全草具有降血压、抗心肌缺血等多种药理活性。

| 功能主治 | 苦，平。活血，利尿，驱虫。用于动脉粥样硬化，小便涩痛不利，肠道寄生虫病。

| 用法用量 | 内服煎汤，5 ~ 10 g，鲜品 30 ~ 60 g。

木贼科 Equisetaceae 木贼属 *Equisetum* 凭证标本号 320382180630042LY

笔管草

Equisetum ramosissimum Desf. subsp. *debile* (Roxb. ex Vauch.) Hauke

| 药 材 名 |

土木贼（药用部位：全草）。

| 形态特征 |

多年生草本。根茎横走，黑褐色。茎一型，不分枝或不规则分枝，通常高可达 1 m，直径 2 ~ 15 mm，中空，表面有脊和沟，脊 6 ~ 30，近平滑，沟中有 2 组分离的气孔；小枝 1，或 2 ~ 3 一组，很少 4 ~ 5，小枝也可能再分枝。叶鞘常为管状或漏斗状，紧贴，顶部常为棕色，鞘齿狭三角形，上部膜质，淡棕色，早落，留下截形基部，因而使鞘之先端近全缘，叶鞘的脊部扁平。孢子囊穗顶生，长 1 ~ 2.5 cm，先端短尖或小凸尖。

| 生境分布 |

生于山坡湿地、沟边沙地。分布于江苏南京、无锡（宜兴）等。

| 资源情况 |

野生资源较丰富。

| 采收加工 |

夏、秋季采收，去净杂质，晒干。

| 功效物质 | 含有笔管草碱、笔管草三醇、9- 羰基 12-*O*-*β*-D- 葡萄糖基笔管草三醇苷、笔管草苷甲、笔管草苷乙、笔管草苷丙和笔管草木脂素苷等，具有抗肿瘤、降血脂、抗氧化、抗菌、增强免疫力等多种药理活性。

| 功能主治 | 微苦，寒。清热明目，利尿通淋，退翳。用于感冒，目翳，尿血，便血，石淋，痢疾，水肿。

| 用法用量 | 内服煎汤，10 ~ 15 g；或泡服。

木贼科 Equisetaceae 木贼属 *Equisetum* 凭证标本号 320803180703089LY

节节草 *Equisetum ramosissimum* Desf.

|药材名| 笔筒草（药用部位：全草）。

|形态特征| 多年生草本。根茎黑褐色，生少数黄色须根。茎直立，单生或丛生，高达 70 cm，直径 1 ~ 2 mm，灰绿色，肋棱 6 ~ 20，粗糙，有小疣状突起 1 列；沟中气孔线 1 ~ 4 列；中部以下多分枝，分枝常具 2 ~ 5 小枝。叶轮生，退化连接成筒状鞘，似漏斗状，亦具棱；鞘口随棱纹分裂成长尖三角形的裂齿，齿短，外面中心部分及基部黑褐色，先端及边缘渐成膜质，常脱落。孢子囊穗紧密，矩圆形，无柄，长 0.5 ~ 2 cm，有小尖头，顶生，孢子同型，具 2 丝状弹丝，“十”字形着生，绕于孢子上，遇水弹开，以便繁殖。

|生境分布| 生于路旁、溪边及沙地。江苏各地均有分布。

| 资源情况 | 野生资源较丰富。

| 采收加工 | 夏、秋季采收，去净杂质，晒干。

| 药材性状 | 本品茎灰绿色，基部多分枝，长短不等，直径 1 ~ 2 mm，中部以下节处有 2 ~ 5 小枝，表面粗糙，有肋棱 6 ~ 20，棱上有 1 列小疣状突起。叶鞘筒似漏斗状，长为直径的 2 倍，叶鞘背上无棱脊，先端有尖三角形裂齿，黑色，边缘膜质，常脱落。质脆，易折断，断面中央有小孔洞。气微，味淡、微涩。

| 功效物质 | 含有生物碱类、黄酮类、甾体类和脂肪酸等多种天然产物。

| 功能主治 | 甘、苦，微寒。清热，明目，止血，利尿。用于风热感冒，咳嗽，目赤肿痛，云翳，鼻衄，尿血，肠风下血，淋证，黄疸，带下，骨折。

| 用法用量 | 内服煎汤，9 ~ 30 g，鲜品 30 ~ 60 g。外用适量，捣敷；或研末撒敷。

阴地蕨科 Botrychiaceae 阴地蕨属 *Botrychium* 凭证标本号 320111151017004LY

华东阴地蕨 *Botrychium japonicum* (Prantl) Underw.

| 药 材 名 | 华东阴地蕨（药用部位：全草）。

| 形态特征 | 多年生草本。高 35 ~ 60 cm，较粗壮。具短而直立的根茎。根肉质，较粗壮。叶 2 裂；营养叶有长柄，长 10 ~ 15 cm；叶片略呈五角形，草质，长 12 ~ 20 cm，宽 15 ~ 18 cm，先端短而渐尖，3 回羽状分裂；羽片约 6 对，最下 1 对最大，有柄；末回小羽片或裂片为椭圆形，边缘有整齐的尖锯齿；叶脉明显，直达锯齿。孢子叶自总柄抽出，其柄常高出营养叶。孢子囊穗圆锥状，长可达 10 cm，二回羽状；孢子囊圆球形，无柄，横裂，孢子四面形。

| 生境分布 | 生于林下。分布于江苏南部及连云港（连云）等。

| 资源情况 | 野生资源一般。

| 采收加工 | 夏、秋季采收，去净杂质，晒干。

| 功能主治 | 甘、苦，微寒。清肝明目，化痰消肿。用于目赤肿痛，小儿高热抽搐，咳嗽，吐血，瘰疬，痈疮。

| 用法用量 | 内服煎汤，9 ~ 15 g。外用适量，捣敷。

阴地蕨科 Botrychiaceae 阴地蕨属 *Botrychium* 凭证标本号 320125141106087LY

阴地蕨 *Botrychium ternatum* (Thunb.) Sw.

| 药 材 名 | 阴地蕨（药用部位：全草）。

| 形态特征 | 多年生草本。高超过 20 cm。根茎粗壮，肉质，有多数纤维状肉质根。营养叶的柄长 3 ~ 8 cm，叶片三角形，长 8 ~ 10 cm，宽 10 ~ 12 cm，3 回羽状分裂，最下羽片最大，有长柄，呈长三角形，其上各羽片渐次无柄，呈披针形，裂片长卵形至卵形，宽 0.3 ~ 0.5 cm，有细锯齿，叶面无毛，质厚。孢子叶有长柄，长 12 ~ 25 cm；孢子囊穗集成圆锥状，长 5 ~ 10 cm，3 ~ 4 回羽状分枝；孢子囊无柄，黄色，沿小穗内侧成 2 行排列，不陷入，横裂。

| 生境分布 | 生于林下或灌丛阴处。分布于江苏常州（溧阳）、无锡（宜兴）等南部山区。

| 资源情况 | 野生资源较少。

| 采收加工 | 冬、春季采收，去净杂质，晒干。

| 药材性状 | 本品根茎长 0.5 ~ 1 cm，直径 2 ~ 3.5 mm；表面灰褐色，下部簇生数条须根。根长约 5 cm，直径 2 ~ 3 mm，常弯曲；表面黄褐色，具横向皱纹；质脆，易断，断面白色，粉性。总叶柄长 2 ~ 4 cm，表面棕黄色，基部有干缩、褐色的鞘；营养叶的柄长 3 ~ 8 cm，直径 1 ~ 2 mm，三角状而扭曲，具纵条纹，淡红棕色；叶片卷缩，黄绿色或灰绿色，展开后呈阔三角形，3 回羽裂，侧生羽片 3 ~ 4 对；叶脉不明显。孢子叶的柄长 12 ~ 22 cm，黄绿色或淡红棕色；孢子囊穗棕黄色。气微，味微甘而微苦。以根多、叶绿者为佳。

| 功效物质 | 含有黄酮类、酚酸类、长链脂肪酸酯类、芳香酯类、甾体类和萜类等化学成分。现代药理研究表明，阴地蕨具有增强机体免疫力、祛痰、抗肿瘤、抗氧化、改善肝功能、阻断和逆转肝纤维化等功效。

| 功能主治 | 甘、苦，微寒。归肺、肝经。清热解毒，平肝息风，止咳，止血，明目祛翳。用于小儿高热惊搐，肺热咳嗽，咯血，百日咳，癫狂，痫疾，疮疡肿毒，瘰疬，毒蛇咬伤，目赤火眼，目生翳障。

| 用法用量 | 内服煎汤，6 ~ 12 g，鲜品 15 ~ 30 g。外用适量，捣敷。

瓶尔小草科 Ophioglossaceae 瓶尔小草属 *Ophioglossum* 凭证标本号 320803180703151LY

瓶尔小草 *Ophioglossum vulgatum* L.

| 药 材 名 | 瓶尔小草（药用部位：全草）。

| 形态特征 | 多年生草本。高 7 ~ 20 cm，冬季无叶。根茎短，直立。根多数，黄色，细长。营养叶 1，狭卵形或狭披针形，少有矩圆形，长 3 ~ 12 cm，宽 1 ~ 4 cm，先端钝或稍急尖，基部短楔形，全缘，稍肉质；叶脉网状，中脉两侧的二次细脉与中脉平行。孢子叶初夏从营养叶叶腋间抽出，具柄，长约为营养叶片的 2 倍；孢子囊 10 ~ 50 对，排列为 2 行，形成穗状，淡黄色；孢子囊无环状盖，成熟时横裂；孢子球状四面形，具小凸起。

| 生境分布 | 生于阴湿山坡沟旁及草丛中。分布于江苏扬州（高邮）、南京、常州（溧阳）、无锡（宜兴）等。

| 资源情况 | 野生资源一般。

| 采收加工 | 夏末秋初采收，去净杂质，晒干。

| 药材性状 | 本品全体呈卷缩状。根茎短。根多数，肉质，具纵沟，深棕色。叶通常 1，总柄长 9 ～ 20 cm。营养叶从总柄基部以上 6 ～ 9 cm 处生出，皱缩，展开后呈卵状长圆形或狭卵形，长 3 ～ 6 cm，宽 2 ～ 3 cm，先端钝或稍急尖，基部楔形下延，微肉质，两面均淡褐黄色，叶脉网状。孢子叶线形，自总柄先端生出。孢子囊穗长 2 ～ 3.5 cm，先端尖，孢子囊排成 2 列，无柄。质地柔韧，不易折断。气微，味淡。

| 功效物质 | 全草含瓶尔小草醇、3-*O*- 甲基槲皮素和瓶尔小草醇 4′-*O*-*β*-D- 葡萄糖苷等黄酮类成分，此外还含有蛋白质和氨基酸等。黄酮类成分具有抗炎和抗乙肝病毒活性。

| 功能主治 | 甘，微寒。归肺、胃经。清热凉血，解毒镇痛。用于肺热咳嗽，肺痈，肺痨吐血，小儿高热惊风，目赤肿痛，胃痛，疔疮痈肿，蛇虫咬伤，跌打肿痛。

| 用法用量 | 内服煎汤，10 ～ 15 g；或研末，3 g。外用适量，鲜品捣敷。

| 附　　注 | 本种的同属植物狭叶瓶尔小草 *Ophioglossum thermale* Komar.、心叶瓶尔小草 *Ophioglossum reticulatum* L. 具同等药用。

紫萁科 Osmundaceae 紫萁属 *Osmunda* 凭证标本号 320506150426001LY

紫萁 *Osmunda japonica* Thunb.

| 药 材 名 | 紫萁贯众（药用部位：根茎、叶柄残基）。

| 形态特征 | 多年生草本。植株高 50 ~ 80 cm 或更高。根茎短粗，或呈短树干状而稍弯。叶簇生，直立，柄长 20 ~ 30 cm，基部膨大，两侧有红棕色至褐色翅状附属物；叶三角状广卵形，长 30 ~ 50 cm，宽 20 ~ 40 cm，顶部一回羽状，其下二回羽状；羽片 3 ~ 5 对，对生，长圆形，基部 1 对羽片稍大，斜向上；小羽片 5 ~ 9 对，对生或近对生，无柄，长圆形或长圆状披针形，先端稍钝或急尖，基部圆形或近平截，叶边缘具细齿；叶脉两面明显，自中脉斜向上，二回分叉，小脉平行，达于锯齿；叶纸质，后无毛，干后棕绿色。孢子叶与营养叶等高或稍高，羽片收缩呈线形，长 1 ~ 2 cm，沿下面主脉两侧密生孢子囊，成熟后枯死。

| **生境分布** | 生于林下、林缘、沟旁坡地的酸性土壤中。分布于江苏无锡（宜兴）、常州（溧阳）、连云港（灌云）等。

| **资源情况** | 野生资源较少。

| **采收加工** | 春、秋季采挖，削去叶柄、须根，除净泥土，鲜用或晒干。

| **药材性状** | 本品根茎呈圆锥状、近纺锤形、类球形或不规则长球形，稍弯曲，先端钝，有时具分枝，下端较尖，长 10 ~ 30 cm，直径 4 ~ 8 cm；表面棕褐色，密被斜生的叶柄基部和黑色须根，无鳞片。叶柄残基呈扁圆柱形，长径 0.7 cm，短径 0.35 cm，背面稍隆起，边缘钝圆，耳状翅易剥落，多已不存或呈撕裂状。质硬，折断面呈新月形或扁圆形，多中空，可见一个“U”形的中柱。气微弱而特异，味淡、微涩。

| **功效物质** | 叶含有异白果双黄酮、三甲基穗花杉双黄酮、金松双黄酮、7,4′,7″,4‴- 四甲基醚穗花杉双黄酮等黄酮类成分。根茎含有坡那甾酮 A、蜕皮激素、蜕皮甾酮、紫萁灵等甾酮类资源性成分。

| **功能主治** | 苦，微寒；有小毒。清热解毒，止血，杀虫。用于疫毒感冒，热毒泻痢，痈疮肿毒，吐血，衄血，便血，崩漏，虫积腹痛。

| **用法用量** | 内服煎汤，3 ~ 15 g；或捣汁；或入丸、散剂。外用适量，鲜品捣敷；或研末调敷。

| **附　　注** | 本种在江苏作“贯众”使用，又名“土贯众”。

里白科 Gleicheniaceae 芒萁属 *Dicranopteris* 凭证标本号 320282150729192LY

芒萁 *Dicranopteris pedata* (Houtt.) Nakaike

| 药 材 名 | 芒萁骨（药用部位：幼叶及叶柄）。

| 形态特征 | 多年生草本。高 30 ~ 60 cm。根茎横走，细长，褐棕色，被棕色鳞片及根。叶远生，叶柄褐棕色，无毛；叶片重复假二歧分叉，在每一交叉处具一密被绒毛的休眠芽，并有 1 对叶状苞片，在最后一分叉处有羽片二歧着生；羽片披针形或宽披针形，长 20 ~ 30 cm，宽 4 ~ 7 cm，先端渐尖，羽片深裂；裂片长线形，长 3.5 ~ 5 cm，宽 4 ~ 6 mm，先端渐尖，具钝头，边缘干后稍反卷；叶下白色，与羽轴、裂片轴均被棕色鳞片；细脉 2 ~ 3 次叉状分裂，每组 3 ~ 4。孢子囊群着生于细脉中段，有孢子囊 6 ~ 8。

| 生境分布 | 生于丘陵荒坡或松林下的强酸性土壤中。分布于江苏镇江（句容）、

无锡（宜兴）、常州（溧阳）等。

| 资源情况 | 野生资源较丰富。

| 采收加工 | 春季采收，去净杂质，晒干。

| 药材性状 | 本品叶卷缩，叶柄褐棕色，光滑，长 24 ~ 56 cm，叶轴 1 ~ 2 回或多回分叉，各回分叉的腋间有 1 休眠芽，密被绒毛，并有 1 对叶状苞片；末回羽片展开后呈披针形，长 16 ~ 23.5 cm，宽 4 ~ 5.5 cm，篦齿状羽裂，裂片条状披针形，先端常微凹，侧脉每组有小脉 3 ~ 5；上表面黄绿色，下表面灰白色。气微，味淡。

| 功效物质 | 含有芦丁、槲皮苷、山柰酚 -3-*O*-*α*-L- 鼠李糖苷、槲皮素和山柰酚等黄酮类资源性化学成分。

| 功能主治 | 微苦、涩，凉。化瘀止血，清热利尿，解毒消肿。用于妇女血崩，跌打伤肿，外伤出血，热淋涩痛，带下，小儿腹泻，痔瘘，目赤肿痛，烫火伤，毒虫咬伤。

| 用法用量 | 内服煎汤，9 ~ 15 g；或研末。外用适量，研末敷；或鲜品捣敷。

里白科 Gleicheniaceae 里白属 *Hicriopteris* 凭证标本号 PE00234432

里白 *Hicriopteris glauca* (Thunb.) Ching

| 药 材 名 | 里白（药用部位：根茎）。

| 形态特征 | 多年生草本。植株高约 1.5 m。根茎横走，直径约 3 mm，被鳞片。叶柄长约 60 cm，直径约 4 mm，光滑，暗棕色；一回羽片对生，具短柄，长 55 ~ 70 cm，长圆形，中部最宽，宽 18 ~ 24 cm，向先端渐尖，基部稍变狭；小羽片 22 ~ 35 对，近对生或互生，平展，几无柄，长 11 ~ 14 cm，宽 1.2 ~ 1.5 cm，线状披针形，先端渐尖，基部不变狭，截形，羽状深裂；裂片 20 ~ 35 对，互生，几平展，长 7 ~ 10 mm，宽 2.2 ~ 3 mm，宽披针形，具钝头，基部汇合，缺刻尖狭，全缘，干后稍内卷。中脉上面平，下面凸起，侧脉两面可见，10 ~ 11 对，叉状分枝，直达叶缘。叶草质，上面绿色，无毛，下面灰白色，沿小羽轴及中脉疏被锈色短星状毛，后变无毛。羽轴棕

绿色，上面平，两侧有边，下面圆，光滑。孢子囊群圆形，中生，生于上侧小脉上，由 3 ~ 4 孢子囊组成。

| 生境分布 | 生于林下或沟边。分布于江苏无锡（宜兴）、常州（溧阳）等。

| 资源情况 | 野生资源一般。

| 采收加工 | 秋、冬季采挖，洗净，晒干。

| 药材性状 | 本品细长，有分枝，直径 2.2 ~ 4 mm，褐棕色。质坚硬，木质，被棕黄色毛，具短须根；易折断，断面明显分为 2 层，外层为棕色皮层，中央为淡黄色中柱。

| 功效物质 | 含有二萜类化合物等。

| 功能主治 | 微苦，凉。软坚散结，清热化痰，利水。用于瘰疬，瘿瘤，咽喉肿痛，咳嗽痰结，小便不利，水肿，疮疖，心绞痛。

| 用法用量 | 内服煎汤，15 ~ 30 g；或研末。外用适量，鲜品捣敷。

海金沙科 Lygodiaceae 海金沙属 *Lygodium* 凭证标本号 320830160711009LY

海金沙 *Lygodium japonicum* (Thunb.) Sw.

| 药 材 名 | 海金沙（药用部位：孢子）。

| 形态特征 | 多年生草本。植株攀缘长达 1 ～ 4 m。叶二型，纸质，对生于叶轴短枝上，先端有一密被黄色柔毛的休眠芽；不育羽片尖三角形，二回羽状，末回小羽片通常 3 裂，边缘有不整齐的浅钝齿，小羽柄先端无关节；能育羽片卵状三角形，长、宽均为 10 ～ 20 cm，二回羽状，末回小羽片边缘生流苏状的孢子囊穗；孢子囊穗长 2 ～ 4 mm，宽 1 ～ 1.5 mm，暗褐色。孢子表面有小疣。

| 生境分布 | 生于路边或溪旁山坡疏灌丛中。江苏各地均有分布。

| 资源情况 | 野生资源较丰富。

| 采收加工 | 夏、秋季采收，去净杂质，晒干。

| 药材性状 | 本品粉状，棕黄色或黄褐色。质轻滑润，撒入水中浮于水面，加热后则逐渐下沉，燃烧时发出爆鸣及闪光，无灰渣残留。气微，味淡。以色棕黄、体轻、手捻光滑者为佳。

| 功效物质 | 含有黄酮类、酚酸及其糖苷类、三萜类等多种资源性化学成分。生物活性评价表明，孢子具有抗肿瘤、降血脂、抗氧化、抗菌、增强免疫力等多种药理活性。

| 功能主治 | 甘、淡，寒。归膀胱、小肠、脾经。软坚散结，清热化痰，利水。用于瘰疬，瘿瘤，咽喉肿痛，咳嗽痰结，小便不利，水肿，疮疖，心绞痛。

| 用法用量 | 内服煎汤，5 ~ 9 g，包煎；或研末，2 ~ 3 g。

碗蕨科 Dennstaedtiaceae 姬蕨属 *Hypolepis* 凭证标本号 320125141103009LY

姬蕨 *Hypolepis punctata* (Thunb.) Mett.

| 药 材 名 | 姬蕨（药用部位：全草）。

| 形态特征 | 多年生草本。株高 70 ~ 100 cm。根茎长而横走，密被棕色节状长毛。叶疏生，柄长 15 ~ 25 cm，基部暗褐色，向上为棕禾秆色，粗糙有毛；叶片长卵状三角形，长 25 ~ 70 cm，宽 20 ~ 28 cm，3 或 4 回羽状深裂，顶部为一回羽状；侧生羽片 10 ~ 20 对，近互生，卵状披针形，先端渐尖，柄密生灰色腺毛，尤以腋间为多，2 或 3 回羽裂；二回羽片长圆形或长圆状披针形，先端圆而有齿，基部近圆形，下延，和小羽轴的狭翅相连，羽状深裂；末回裂片长约 5 mm，长圆形，具钝头，边缘有钝锯齿，侧脉羽状分枝，直达锯齿；叶坚草质或纸质，干后黄绿色或草绿色，两面沿叶脉有短刚毛；叶轴、羽轴及小羽轴与叶柄同色，上面有狭沟，粗糙，有透明的灰色

节状毛。孢子囊群圆形，生于中脉两侧，1 ~ 4 对；囊群盖由锯齿多少反卷而成，无毛。

| 生境分布 | 生于溪边、林缘。分布于江苏南京、镇江、无锡（宜兴）等。

| 资源情况 | 野生资源一般。

| 采收加工 | 夏、秋季采收，去净杂质，晒干。

| 药材性状 | 本品根茎被有棕色毛。叶柄略粗曲，长 22 ~ 25 cm，表面棕褐色。叶片常皱缩，展平后呈长卵状三角形，长 35 ~ 70 cm，宽 20 ~ 25 cm，顶部叶片 1 回羽状深裂，中部以下 3 ~ 4 回羽状深裂；羽片卵状披针形，2 回羽状分裂；小裂矩圆形，长约 5 mm，边缘有钝锯齿。有时在末回裂片基部两侧或上侧的近缺刻处可见孢子囊群。气微，味苦、辛。

| 功效物质 | 地上部分含有姬蕨苷、姬蕨酮、欧蕨伊鲁苷、蕨素、3*S*-蕨苷、2*R*,3*R*- 蕨素 L-2′-*O*-*β*-D 葡萄糖苷、2*S*,3*R*- 蕨素 L-2′-*O*-*β*-D- 葡萄糖苷、3*S*- 蕨素、3*R*- 蕨素、金粉蕨素等化学成分。

| 功能主治 | 苦、辛，凉。清热解毒，收敛止血。用于烫火伤，外伤出血。

| 用法用量 | 外用适量，鲜品捣敷；或干品研末敷。

碗蕨科 Dennstaedtiaceae 鳞盖蕨属 *Microlepia* 凭证标本号 320482180617238LY

边缘鳞盖蕨 *Microlepia marginata* (Houtt.) C. Chr.

| 药 材 名 | 边缘鳞盖蕨（药用部位：嫩叶）。

| 形态特征 | 多年生草本。植株高约 60 cm。根茎长而横走，密被锈色长柔毛。叶远生；叶柄长 20 ~ 30 cm，直径 1.5 ~ 2 mm，深禾秆色，上面有纵沟，几光滑；叶片长圆状三角形，先端渐尖，羽状深裂，基部不变狭，与叶柄略等长，宽 13 ~ 25 cm，一回羽状；羽片 20 ~ 25 对，基部对生，远离，上部互生，接近，平展，有短柄，披针形，近镰状，长 10 ~ 15 cm，宽 1 ~ 1.8 cm，先端渐尖，基部不等，上侧钝耳状，下侧楔形，边缘缺裂至浅裂，小裂片三角形，具圆头或急尖，偏斜，全缘，或有少数牙齿，上部各羽片渐短，无柄；侧脉明显，在裂片上为羽状，2 ~ 3 对，上先出，斜出，到达边缘以内；叶纸质，干后绿色，叶下面灰绿色，叶轴密被锈色开展的硬毛，在叶下面各

脉及囊群盖上较稀疏，叶上面多少有毛，少光滑。孢子囊群圆形，每小裂片上 1 ～ 6，向边缘着生；囊群盖杯形，长、宽几相等，上边截形，棕色，坚实，多少被短硬毛，距叶缘较远。

| 生境分布 | 生于灌丛或溪边。分布于江苏南京、无锡（宜兴）等。

| 资源情况 | 野生资源一般。

| 采收加工 | 夏、秋季采收，去净杂质，晒干。

| 药材性状 | 本品叶柄长 20 ～ 30 cm，深禾秆色，有纵沟，几光滑；叶片矩圆状三角形，长可达 55 cm，宽 13 ～ 25 cm，1 回羽裂，纸质，绿色，叶两面有短硬毛；羽片披针形，先端渐尖，基部上侧稍呈耳状突起，下侧楔形，边缘近羽裂，裂片三角形，急尖或钝尖，侧脉在裂片上为羽状。孢子囊群每小裂片有 1 ～ 6，囊群盖浅杯形，棕色，有短硬毛。气微，味淡。

| 功效物质 | 地上部分含有鳞盖蕨苷，17-*O*- 乙酰鳞盖蕨苷，4- 表鳞盖蕨素，6′-*O*-*α*-L- 吡喃鼠李糖 -4- 表鳞盖蕨苷，6′-*O*- 乙酰鳞盖蕨素，边缘鳞盖蕨素 A、B、C，边缘鳞盖蕨苷 A、B，3*α*,12*α*- 二羟基–对映–海松 -8（14）,15- 二烯，柚皮素，柚皮素 -7-*O*-（4- 甲基）- 葡萄糖（1 → 2）- 鼠李糖苷等化学成分。

| 功能主治 | 微苦，寒。清热解毒，祛风活络。用于痈疮疖肿，风湿痹痛，跌打损伤。

| 用法用量 | 内服煎汤，9 ～ 15 g。外用适量，捣敷。

碗蕨科 Dennstaedtiaceae 鳞盖蕨属 *Microlepia* 凭证标本号 321183151105l155LY

粗毛鳞盖蕨 *Microlepia strigosa* (Thunb.) Presl

| 药 材 名 |

粗毛鳞盖蕨（药用部位：全草）。

| 形态特征 |

多年生草本。植株高达 110 cm。根茎长而横走，直径 4 mm，密被灰棕色长针状毛。叶远生；柄长达 50 cm，基部直径 4 mm，褐棕色，下部被灰棕色长针状毛，易脱落，有粗糙的斑痕；叶片长圆形，长达 60 cm，宽 22 ~ 28 cm，先端渐尖，基部不缩短或稍缩短，二回羽状；羽片 25 ~ 35 对，近互生，相距 4 ~ 5.5 cm，斜展，有柄（长 2 ~ 3 mm），线状披针形，长 15 ~ 17 cm，宽 3 cm，先端长渐尖，基部不对称，下侧略短；小羽片 25 ~ 28 对，接近，无柄，开展，近菱形，长 1.4 ~ 2 cm，宽 6 ~ 8 mm，先端急尖，基部不对称，上侧截形而与羽轴并行，下侧狭楔形，多少下延，上边为不同程度的羽裂，基部上侧的裂片最大，边缘有粗而不整齐的锯齿。叶脉在下面隆起，在上面明显，在上侧基部 1 ~ 2 组为羽状，其余各脉二叉分枝；叶纸质，干后绿色或褐棕色，叶轴及羽轴下面密被褐色短毛，上面光滑，叶片上面光滑，下面沿各细脉疏被灰棕色短硬毛。孢子囊群小形，每小羽片上有 8 ~ 9，位于裂片基部；囊群盖杯形，棕色，被棕色短毛。

| 生境分布 | 生于林下石灰岩上。分布于江苏南京等。

| 资源情况 | 野生资源一般。

| 采收加工 | 夏、秋季采收，去净杂质，晒干。

| 药材性状 | 本品根茎圆柱形，直径约 4 mm；表面密生灰棕色长针状毛。叶柄长达 50 cm，褐棕色，有粗糙的斑痕；叶片矩圆形，长可达 60 cm，宽 15 ~ 28 cm，2 回羽裂，厚纸质，绿色或褐棕色；叶轴、羽轴及叶脉都有短硬毛，羽片条状披针形，有柄，小羽片长 1.4 ~ 2 cm，边缘浅裂或粗钝齿状。孢子囊群生于小脉先端，每小羽片上有 8 ~ 9；囊群盖半杯形，有棕色短毛。气微，味微苦。

| 功效物质 | 地上部分含有（3*R*）- 蕨素、（2*R*,3*R*）- 蕨素、2*R*- 蕨素、2*R*- 蕨素 O、2*R*- 蕨素 F、2*S*- 蕨素、2*S*,3*S*- 蕨素、2*S*,3*S*- 蕨素 C-*O*-3-*β*-D- 吡喃葡萄糖苷、欧蕨伊鲁苷等化学成分。

| 功能主治 | 微苦，寒。清热利湿。用于肝炎，流行性感冒。

| 用法用量 | 内服煎汤，9 ~ 15 g。

鳞始蕨科 Lindsaeaceae 乌蕨属 *Odontosoria* 凭证标本号 320125141105055LY

乌蕨 *Odontosoria chinensis* J. Sm.

| 药 材 名 |

大叶金花草（药用部位：全草或根茎）。

| 形态特征 |

多年生草本。根茎短而横走，密生深褐色钻状鳞片，鳞片长 2 mm，基部 1 ～ 2 细胞宽，先端针形，坚硬。叶柄长 20 ～ 30 cm，禾秆色至深禾秆色，上面有沟；叶片披针形或卵状披针形，长 20 ～ 50 cm，宽 5 ～ 15 cm，3 ～ 4 回羽状细裂，具尾状尖头，基部楔形，坚草质至纸质；羽片卵状披针形，15 ～ 20 对，互生，下部 3 回羽裂；一回小羽片 10 ～ 15 对，互生，先端尾尖，基部楔形，末回小羽片楔形，宽 1 mm，具截头及钝齿；叶脉下面明显，在小裂片上二叉分枝。孢子囊群顶生于 1（少有 2 ～ 3）小脉上；囊群盖以基部和两侧下部着生于叶肉上。孢子椭圆形，单裂缝。

| 生境分布 |

生于路旁或林缘。分布于江苏连云港、南京、苏州（常熟）、无锡（宜兴）等。

| 资源情况 |

野生资源一般。

| 采收加工 | 夏、秋季采收，去净杂质，晒干。

| 药材性状 | 本品根茎粗壮，长 2 ～ 7 cm；表面密被赤褐色钻状鳞片，上方近生多数叶，下方众多紫褐色须根。叶柄长 10 ～ 25 cm，直径约 2 mm，呈不规则的细圆柱形，表面光滑，禾秆色或基部红棕色，有数条角棱及 1 凹沟；叶片披针形，3 ～ 4 回羽状分裂，略折皱，棕褐色至深褐色，小裂片楔形，先端平截或 1 ～ 2 浅裂；孢子囊群 1 ～ 2 着生于每个小裂片先端边缘。气微，味苦。

| 功效物质 | 叶含有牡荆素、丁香酸、山柰酚、原儿茶醛、原儿茶酸等化学成分。生物活性评价表明，10% 乌蕨全草煎剂用平板海绵片法，对金黄色葡萄球菌、铜绿假单胞菌、福氏痢疾杆菌、伤寒杆菌有抑制作用，对人型结核菌也有抑制作用；全草煎剂用平板稀释法，1 ∶ 400 浓度对钩端螺旋体有抑制作用。

| 功能主治 | 微苦，寒。归肝、脾、大肠经。清热解毒，利湿，止血。用于感冒发热，咳嗽，咽喉肿痛，肠炎，痢疾，肝炎，湿热带下，痈疮肿毒，痄腮，口疮，烫火伤，毒蛇、狂犬咬伤，皮肤湿疹，吐血，尿血，便血，外伤出血。

| 用法用量 | 内服煎汤，15 ～ 30 g；或绞汁。外用适量，捣敷；或研末敷；或煎汤洗。

蕨科 Pteridiaceae 蕨属 *Pteridium* 凭证标本号 320506150821004LY

蕨 *Pteridium aquilinum* (L.) Kuhn var. *latiusculum* (Desv.) Underw. ex Heller

| 药 材 名 | 蕨（药用部位：嫩叶）。

| 形态特征 | 多年生草本。植株高达 2 m。根茎长而横走，密被栗色长茸毛。叶长 50 ~ 150 cm，叶柄深禾秆色，长 40 cm，基部被褐色短毛，上部光滑；叶片三角形或卵状长圆形，革质，3 或 4 回羽裂；小羽片斜展，长圆状披针形或线状披针形，先端尾状渐尖，裂片长圆形，具圆钝头。孢子囊群线形，生于小脉先端的联结脉上，沿叶缘分布；外层囊群盖宽约 0.5 mm，膜质，被毛，内层囊群盖退化。

| 生境分布 | 生于林缘或山地阳坡。江苏各地均有分布。

| 资源情况 | 野生资源较丰富。

| 采收加工 | 春季采收，去净杂质，晒干。

| 功效物质 | 含有蕨素、乙酰蕨素、苯甲酸蕨素、苯乙酸蕨素、棕榈酰蕨素、野樱苷、延胡索酸、琥珀酸、紫云英苷、异槲皮苷，以及鞣质类、生物碱类、酚酸类等天然化合物。

| 功能主治 | 甘，寒。软坚散结，清热化痰，利水。用于瘰疬，瘿瘤，咽喉肿痛，咳嗽痰结，小便不利，水肿，疮疖，心绞痛。

| 用法用量 | 内服煎汤，9 ~ 15 g。外用适量，捣敷；或研末撒。

凤尾蕨科 Pteridaceae 凤尾蕨属 *Pteris* 凭证标本号 NAS00087658

刺齿凤尾蕨 *Pteris dispar* Kze.

| 药材名 | 刺齿凤尾蕨（药用部位：全草）。

| 形态特征 | 多年生植物。植株高 30 ~ 80 cm。根茎短而横生，密生棕色披针形鳞片。叶草质，密生，二型。营养叶叶柄栗色至栗褐色，长 8 ~ 12 cm，具 3 ~ 4 棱，光滑，仅在基部有棕色线形鳞片，叶轴及羽轴两侧隆起的狭边上有短轴；叶片长圆形至长圆状披针形，长 15 ~ 40 cm，宽 6 ~ 15 cm，先端尾状，2 回奇数深羽裂或 2 回半边深羽裂；侧生羽片 4 ~ 6 对，柄极短，羽片三角状披针形或三角形，基部偏斜，先端尾状，羽裂几达羽轴，第 1 对最大，长 5 ~ 8 cm，宽 2 ~ 3 cm；裂片 4 ~ 9，长圆形或狭长圆形，仅营养叶顶部有刺尖锯齿；侧脉分叉，小脉伸于锯齿内。孢子叶与营养叶相似而较长，叶片狭卵形；侧生羽片 5 ~ 7 对，裂片先端渐尖。孢子囊群线形，

生于羽片边缘的小脉上，仅顶部不育；囊群盖线形，膜质，灰绿色，全缘。

| 生境分布 | 生于浅海中。分布于江苏南通、南京、常州（溧阳）、苏州、无锡（宜兴）等。

| 资源情况 | 野生资源较少。

| 采收加工 | 夏、秋季采收，去净杂质，晒干。

| 功效物质 | 含有贝壳杉烷型二萜类化合物。研究表明，该类成分具有广谱的抗肿瘤药理活性。

| 功能主治 | 苦、涩，凉。清热解毒，凉血祛瘀。用于痢疾，泄泻，痄腮，风湿痹痛，跌打损伤，痈疮肿毒，毒蛇咬伤。

| 用法用量 | 内服煎汤，15 ~ 30 g。外用适量，捣敷。

凤尾蕨科 Pteridaceae 凤尾蕨属 *Pteris* 凭证标本号 320116180610001LY

井栏边草 *Pteris multifida* Poir.

| 药材名 | 凤尾草（药用部位：全草或根茎）。

| 形态特征 | 多年生草本。高 30 ~ 70 cm。根茎粗壮，直立，密被钻形黑褐色鳞片。叶二型，丛生，无毛；叶柄长 5 ~ 35 cm，灰棕色或禾秆色；生孢子囊的孢子叶片卵形，一回羽状，上面绿色，下面淡绿色，长 20 ~ 45 cm，宽 15 ~ 25 cm，下部羽片常二至三叉，除基部 1 对有叶柄外，其余各对基部下延，在叶轴两侧形成狭翼，羽片线形，3 ~ 7 对，对生或近对生，宽 3 ~ 7 mm，全缘，沿羽片下面边缘着生孢子囊群。孢子囊群线形，囊群盖稍超出叶缘，膜质；上部羽片多不分裂，先端渐尖，不育，边缘有细锯齿；不生孢子囊群的羽片或小羽片均较宽，线形或卵圆形，边缘有不整齐的尖锯齿。

| 生境分布 | 生于墙缝、井边和石灰岩上。江苏各地均有分布。

| 资源情况 | 野生资源较丰富。

| 采收加工 | 夏、秋季采收，去净杂质，用淡水洗净，晒干。

| 药材性状 | 本品多扎成小捆。全草长 25 ～ 70 cm。根茎短，棕褐色，下面丛生须根，上面有簇生叶。叶柄细，有棱，棕黄色或黄绿色，长 5 ～ 30 cm，易折断；叶片草质，一回羽状，灰绿色或黄绿色；营养叶羽片长 4 ～ 8 cm，边缘有不整齐锯齿，孢子叶长条形，宽 3 ～ 6 cm，边缘反卷。孢子囊群生于羽片下面边缘。气微，味淡或微涩。

| 功效物质 | 含有木犀草素、芹菜素、槲皮素 -3-*O*-*β*-D- 吡喃葡萄糖苷等黄酮类资源性成分。活性评价表明，全草具有抗肿瘤、降血脂、抗氧化、抗菌、增强免疫力等多种药理活性。

| 功能主治 | 淡、微苦，寒。归大肠、肝、心经。清热利湿，消肿解毒，凉血止血。用于痢疾，泄泻，淋浊，带下，黄疸，疔疮肿毒，喉痹乳蛾，淋巴结结核，腮腺炎，乳腺炎，高热抽搐，蛇虫咬伤，吐血，衄血，尿血，便血，外伤出血。

| 用法用量 | 内服煎汤，9 ～ 15 g，鲜品 30 ～ 60 g；或捣汁。外用适量，捣敷。

凤尾蕨科 Pteridaceae 凤尾蕨属 *Pteris* 凭证标本号 320111140829032LY

蜈蚣草 *Pteris vittata* L.

| 药 材 名 | 蜈蚣草（药用部位：全草或根茎）。

| 形态特征 | 多年生草本。植株高（20 ~ ）30 ~ 100（ ~ 150）cm。根茎直立，短而粗健，直径 2 ~ 2.5 cm，木质，密被蓬松的黄褐色鳞片。叶簇生；柄坚硬，长 10 ~ 30 cm 或更长，基部直径 3 ~ 4 mm，深禾秆色至浅褐色，幼时密被与根茎上相同的鳞片，以后渐变稀疏；叶片倒披针状长圆形，长 20 ~ 90 cm 或更长，宽 5 ~ 25 cm 或更宽，一回羽状；顶生羽片与侧生羽片同形，侧生羽片多数（可达 40 对），互生或有时近对生，下部羽片较疏离，相距 3 ~ 4 cm，斜展，无柄，不与叶轴合生，向下羽片逐渐缩短，基部羽片仅为耳形，中部羽片最长，狭线形，长 6 ~ 15 cm，宽 5 ~ 10 mm，先端渐尖，基部扩大并为浅心形，其两侧稍呈耳形，上侧耳片较大并常覆盖叶轴，各

羽片间的间隔为 1 ~ 1.5 cm，不育的叶缘有微细而均匀的密锯齿，不为软骨质；主脉在下面隆起并为浅禾秆色，侧脉纤细，密接，斜展，单一或分叉。叶干后薄革质，暗绿色，无光泽，无毛；叶轴禾秆色，疏被鳞片。在成熟的植株上除下部缩短的羽片不育外，几乎全部羽片均能育。

| 生境分布 | 生于旧石灰墙壁上。分布于江苏南京、镇江（句容）、南通等。

| 资源情况 | 野生资源一般。

| 采收加工 | 全年均可采收，去净杂质，用淡水洗净，晒干。

| 功效物质 | 含有黄酮醇等黄酮类资源性成分。研究报道，蜈蚣草黄酮对金黄色葡萄球菌、副溶血性弧菌有较强的抑制作用。

| 功能主治 | 淡、苦，凉。归肝、大肠、膀胱经。祛风活血，杀虫解毒。用于流行性感冒、痢疾、风湿疼痛、跌打损伤。

| 用法用量 | 内服煎汤，6 ~ 12 g。外用适量，捣敷；或煎汤熏洗。

凤尾蕨科 Pteridaceae 凤丫蕨属 *Coniogramme* 凭证标本号 320481151024160LY

凤丫蕨 *Coniogramme japonica* (Thunb.) Diels

| 药 材 名 | 散血莲（药用部位：全草或根茎）。

| 形态特征 | 多年生草本。植株高 60 ~ 120 cm。叶柄长 30 ~ 50 cm，直径 3 ~ 5 mm，禾秆色或栗褐色，基部以上光滑；叶片和叶柄等长或稍长，宽 20 ~ 30 cm，长圆状三角形，二回羽状；羽片通常 5 对（少则 3 对），基部 1 对最大，长 20 ~ 35 cm，宽 10 ~ 15 cm，卵圆状三角形，柄长 1 ~ 2 cm，羽状（偶有二叉）；侧生小羽片 1 ~ 3 对，长 10 ~ 15 cm，宽 1.5 ~ 2.5 cm，披针形，有柄或向上的无柄，顶生小羽片远较侧生的为大，长 20 ~ 28 cm，宽 2.5 ~ 4 cm，阔披针形，具长渐尖头，通常向基部略变狭，基部为不对称的楔形或叉裂；第 2 对羽片三出、二叉或从这对起向上均为单一，但略渐变小，和其下羽片的顶生小羽片同形；顶羽片较其下的为大，有长柄；羽片和

小羽片边缘有向前伸的疏矮齿。叶脉网状，在羽轴两侧形成 2 ~ 3 行狭长网眼，网眼外的小脉分离，小脉先端有纺锤形水囊，不到锯齿基部。叶干后纸质，上面暗绿色，下面淡绿色，两面无毛。孢子囊群沿叶脉分布，几达叶边。

| 生境分布 | 生于湿润林下和山谷阴湿处。分布于江苏无锡（宜兴）、常州（溧阳）、南京（江宁）、镇江（句容）等南部山区。

| 资源情况 | 野生资源一般。

| 采收加工 | 夏、秋季采收，去净杂质，晒干。

| 药材性状 | 本品根茎疏生鳞片。叶草质，无毛；叶柄黄棕色，基部有少数披针形鳞片；叶片矩圆状三角形，长 50 ~ 70 cm，宽 22 ~ 30 cm，下部二回羽状，向上一回羽状；小羽片或中部以上的羽片狭长披针形，先端渐尖，基部楔形，边缘有细锯齿；叶脉网状，在主脉两侧各形成 2 ~ 3 行网眼，网眼外的小部分分离，先端有纺锤形水囊，伸到锯齿基部。孢子囊群沿叶脉分布，无盖。气微，味苦。

| 功效物质 | 含有 β- 谷甾醇棕榈酸酯、β- 谷甾醇、胡萝卜苷、豆甾 -4- 烯 -3β,6β- 二醇等多种甾醇类化学成分，以及芹菜素、棕榈酸等。

| 功能主治 | 辛、微苦，凉。归肝经。 祛风除湿，散血止痛，清热解毒。用于风湿关节痛，瘀血腹痛，闭经，跌打损伤，目赤肿痛，乳痈，各种肿毒初起。

| 用法用量 | 内服煎汤，15 ~ 30 g；或浸酒。

中国蕨科 Sinopteridaceae 碎米蕨属 *Cheilanthes* 凭证标本号 NAS00147756

毛轴碎米蕨 *Cheilanthes chusana* Hook.

| 药 材 名 | 川层草（药用部位：全草）。

| 形态特征 | 多年生草本。植株高 10 ~ 30 cm。根茎短而直立，被栗黑色披针形鳞片。叶簇生，柄长 2 ~ 5 cm，亮栗色，密被红棕色披针形和钻状披针形鳞片及少数短毛，向上直到叶轴上面有纵沟，沟两侧有隆起的锐边，其上有棕色粗短毛；叶片长 8 ~ 25 cm，中部宽（2 ~ ）4 ~ 6 cm，披针形，具短渐尖头，向基部略变狭，2 回羽状全裂；羽片 10 ~ 20 对，斜展，几无柄，中部羽片最大，长 1.5 ~ 3.5 cm，基部宽 1 ~ 1.5 cm，三角状披针形，先端短尖或钝，基部上侧与羽轴并行，下侧斜出，深羽裂；裂片长圆形或长舌形，无柄，或基部下延而有狭翅相连，具钝头，边缘有圆齿；下部羽片渐缩短，彼此疏离，有阔的间隔，基部 1 对三角形。叶脉在裂片上羽状，单一或

分叉，极斜向上，两面不显。叶干后草质，绿色或棕绿色，两面无毛，羽轴下面下半部栗色，上半部绿色。孢子囊群圆形，生于小脉先端，位于裂片的圆齿上，每齿有 1 ～ 2；囊群盖椭圆状肾形或圆肾形，黄绿色，宿存，彼此分离。

| 生境分布 | 生于林下或溪边石上。江苏各地均有分布。

| 资源情况 | 野生资源一般。

| 采收加工 | 夏、秋季采收，去净杂质，晒干。

| 功效物质 | 具有抗肿瘤、降血脂、抗氧化、抗菌、增强免疫力等多种药理活性。

| 功能主治 | 微苦，寒。归胃、肺、肝经。清热利湿，解毒。用于湿热黄疸，泄泻，痢疾，小便涩痛，咽喉肿痛，痈肿疮疖，毒蛇咬伤。

| 用法用量 | 内服煎汤，15 ～ 30 g。

中国蕨科 Sinopteridaceae 金粉蕨属 *Onychium* 凭证标本号 320102190601108LY

野雉尾金粉蕨 *Onychium japonicum* (Thunb.) Kze.

| 药 材 名 | 小野鸡尾（药用部位：全草或叶）。

| 形态特征 | 多年生草本。植株高 60 cm 左右。根茎长而横走，直径 3 mm 左右，疏被鳞片，鳞片棕色或红棕色，披针形，筛孔明显。叶散生；柄长 2 ~ 30 cm，基部褐棕色，略有鳞片，向上禾秆色（有时下部略饰有棕色），光滑；叶片几与叶柄等长，宽约 10 cm 或过之，卵状三角形或卵状披针形，具渐尖头，4 回羽状细裂；羽片 12 ~ 15 对，互生，柄长 1 ~ 2 cm，基部 1 对最大，长 9 ~ 17 cm，宽 5 ~ 6 cm，长圆状披针形或三角状披针形，先端渐尖，并具羽裂尾头，3 回羽裂；各回小羽片彼此接近，均为上先出，照例基部 1 对最大；末回能育小羽片或裂片长 5 ~ 7 mm，宽 1.5 ~ 2 mm，线状披针形，有不育

的急尖头；末回不育裂片短而狭，线形或短披针形，具短尖头；叶轴和各回羽轴上面有浅沟，下面凸起，不育裂片仅有中脉 1，能育裂片有斜上侧脉，与叶缘的边脉汇合。叶干后坚草质或纸质，灰绿色或绿色，遍体无毛。孢子囊群长（3 ～）5 ～ 6 mm；囊群盖线形或短长圆形，膜质，灰白色，全缘。

| 生境分布 | 生于林下、沟边或灌丛阴处及溪边石缝中。江苏各地均有分布。

| 资源情况 | 野生资源一般。

| 采收加工 | 夏、秋季采收，去净杂质，用淡水洗净，晒干。

| 药材性状 | 本品根茎细长，略弯曲，直径 2 ～ 4 mm，黄棕色或棕黑色，两侧着生向上弯的叶柄残基和细根。叶柄细长，略呈方柱形，表面浅棕黄色，具纵沟；叶片卷缩，展开后呈卵状披针形或三角状披针形，长 10 ～ 30 cm，宽 6 ～ 15 cm，浅黄绿色或棕褐色，4 回羽状分裂，营养叶的小裂片有齿。孢子叶末回裂片短线形，下面边缘生有孢子囊群，囊群盖膜质，与中脉平行，向内开口。质脆，较易折断。气微，味苦。

| 功效物质 | 含有金粉蕨素等黄酮类化学成分，以及三萜类、二萜类、茚酮类等化学成分。

| 功能主治 | 苦，寒。归心、肝、肺、胃经。清热解毒，利湿，止血。用于风热感冒，咳嗽，咽痛，泄泻，痢疾，小便淋痛，湿热黄疸，吐血，咯血，便血，痔血，尿血，疮毒，跌打损伤，毒蛇咬伤，烫火伤。

| 用法用量 | 内服煎汤，15 ～ 30 g，鲜品加倍。外用适量，研末调敷；或鲜品捣敷。

水蕨科 Parkeriaceae 水蕨属 *Ceratopteris* 凭证标本号 321284190914005LY

水蕨 *Ceratopteris thalictroides* (L.) Brongn.

| 药 材 名 | 水蕨（药用部位：全草）。

| 形态特征 | 湿地植物，通常固着生长，植株高 5 ~ 70 cm，多汁柔软。根茎短而直立。叶簇生，二型；营养叶高 3 ~ 30 cm，直径不及 1 cm，肉质，无毛，叶片幼时直立或漂浮，卵形至披针形，长 6 ~ 30 cm，宽 3 ~ 15 cm，基部圆楔形，2 ~ 4 回羽状分裂，先端渐尖；孢子叶的叶柄与营养叶的相同，叶片长圆形或卵状三角形，长 15 ~ 40 cm，宽 10 ~ 22 cm，先端渐尖，基部圆楔形或圆截形，2 ~ 3 回羽状深裂；羽片 3 ~ 8 对，下部 1 ~ 2 对羽片最大，卵形或长三角形，裂片边缘薄而透明，无色，强度反卷达叶脉，形如假囊群盖。主脉两侧小脉联结成网状，孢子囊群沿孢子叶的裂片主脉两侧的网眼着生，为反卷的叶缘覆盖。

| **生境分布** | 生于水田、池沼或湖边阴湿地。分布于江苏扬州、南京、苏州（昆山、吴江）、无锡（宜兴）等。

| **资源情况** | 野生资源稀少。

| **采收加工** | 夏、秋季采收，去净杂质，晒干。

| **药材性状** | 本品根茎短，密生须根。叶二型，无毛；营养叶狭短圆形，长 10 ～ 30 cm，宽 5 ～ 15 cm，2 ～ 4 回羽裂，末回裂片披针形或矩圆状披针形，宽约 6 mm；孢子叶较大，矩圆形或卵状三角形，长 15 ～ 40 cm，宽 10 ～ 20 cm，2 ～ 3 回羽状深裂，末回裂片条形，角果状，宽不超过 2 mm；叶脉网状，无内藏小脉。孢子囊沿网脉疏生。气微，味甘、苦。

| **功效物质** | 含有多糖类、生物碱类、黄酮类、甾体类和脂肪酸类等多种化学成分。

| **功能主治** | 苦，寒。软坚散结，清热化痰，利水。用于瘰疬，瘿瘤，咽喉肿痛，咳嗽痰结，小便不利，水肿，疮疖，心绞痛。

| **用法用量** | 内服煎汤，15 ～ 30 g。外用适量，捣敷。

蹄盖蕨科 Athyriaceae 蹄盖蕨属 *Athyrium* 凭证标本号 320703160908534LY

禾秆蹄盖蕨 *Athyrium yokoscense* (Franch. et Sav.) Christ

| 药材名 | 禾秆蹄盖蕨（药用部位：根茎）。

| 形态特征 | 多年生草本。植株高 40 ~ 60 cm。根茎直立。叶簇生；叶柄长 20 ~ 30 cm，基部密生条状披针形鳞片，淡禾秆色；叶片厚纸质，矩圆状披针形，长 20 ~ 30 cm，宽 10 ~ 18 cm，具渐尖头，基部不变狭，仅叶轴和羽轴下面略有条形小鳞片，2 回深羽裂达羽轴的狭翅（或 3 回浅裂）；下部 1 ~ 2 对羽片略缩短，中部的长 7 ~ 9 cm，宽 1.5 ~ 2 cm；小羽片基部以狭翅相连，具尖头，边缘有前伸的粗齿或浅裂；裂片顶部有 2 ~ 3 短尖齿；侧脉在小羽片上分叉，在下面明显。孢子囊群近圆形或椭圆形；囊群盖马蹄形、椭圆形或弯钩形。

| **生境分布** | 生于林缘石缝中。分布于江苏连云港（连云）等。

| **资源情况** | 野生资源一般。

| **采收加工** | 夏、秋季采收，除去须根，去净杂质，晒干。

| **功能主治** | 微苦，凉。软坚散结，清热化痰，利水。用于瘰疬，瘿瘤，咽喉肿痛，咳嗽痰结，小便不利，水肿，疮疖，心绞痛。

| **用法用量** | 内服煎汤，10 ~ 15 g。外用适量，研末调敷。

金星蕨科 Thelypteridaceae 毛蕨属 *Cyclosorus* 凭证标本号 321183151104956LY

渐尖毛蕨 *Cyclosorus acuminatus* (Houtt.) Nakai

| 药 材 名 | 渐尖毛蕨（药用部位：全草或根茎）。

| 形态特征 | 多年生草本，高 80 ~ 150 cm。根茎长而横走，顶部密生棕色披针形鳞片。叶远生；叶柄长 30 ~ 60 cm，褐色，鳞片稀少，被毛或无毛；一回羽状复叶，叶片倒披针形，长 60 ~ 100 cm，宽 15 ~ 30 cm，先端有急细的顶片，下部羽片稍缩短，亚革质；羽片 13 ~ 20 对，线形，长 8 ~ 15 cm，宽 10 ~ 18 mm，先端长渐尖，羽状浅裂至中裂，裂片宽 2 ~ 3 mm，具尖，全缘或有微锯齿，基部向上的裂片常稍长，顶羽片长 8 ~ 15 cm，宽 1.2 ~ 1.5 cm；叶脉羽状分离，中肋及叶下各脉偶被毛，仅基部 1 对侧脉联结并延伸至膜质的弯缺处。孢子囊群大，圆形，着生于叶下侧脉上近边缘处；囊群盖圆肾形。孢子期 6 ~ 12 月。

| 生境分布 | 生于林下、沟边、路旁或山谷阴湿地。分布于江苏南京、镇江（句容）、无锡（宜兴）、苏州等。

| 资源情况 | 野生资源较丰富。

| 采收加工 | 夏、秋季采收，去净杂质，晒干。

| 功效物质 | 含有柯伊利素、山柰酚、木犀草素、金丝桃苷、芦丁等黄酮类资源性成分，以及胡萝卜苷、豆甾醇、荠草酸和原儿茶酸等。

| 功能主治 | 微苦，平。清热解毒，祛风除湿，健脾。用于泄泻，痢疾，热淋，咽喉肿痛，风湿痹痛，小儿疳积，狂犬咬伤，烫火伤。

| 用法用量 | 内服煎汤，15 ~ 30 g，大剂量可用至 150 ~ 180 g。

金星蕨科 Thelypteridaceae 针毛蕨属 *Macrothelypteris* 凭证标本号 321183151105 1134LY

雅致针毛蕨 *Macrothelypteris oligophlebia* (Bak.) Ching var. *elegans* (Koidz.) Ching

| 药 材 名 | 金鸡尾巴草根（药用部位：根茎）。

| 形态特征 | 株高 60 ～ 150 cm。根茎短而斜升，连同叶柄基部被棕色披针形鳞片。叶簇生；叶柄禾秆色，无毛；叶片与叶柄近等长，下部宽 30 ～ 45 cm，三角状卵形，先端渐尖并羽裂，基部不变狭，3 回羽裂羽片约 14 对，基部 1 对长圆状披针形，长达 33 cm，向基部略变狭，2 回羽裂；羽片下面沿羽轴、小羽轴均被有灰白色、单细胞针状短毛。末回裂片开展，长 5 ～ 12 mm，宽 2 ～ 3. 5 mm，先端钝或钝尖，基部沿小羽轴彼此以狭翅相连，全缘或锐裂；叶脉下面明显，侧脉单一或二叉，斜上，每裂片 4 ～ 8 对；叶草质，下面有橙黄色、透明的头状腺毛，或沿小羽轴及主脉的近先端偶有少数单细胞的针状毛，上面沿羽轴及小羽轴被灰白色的短针毛，羽轴常具浅紫红色斑。

孢子囊群每裂片有 3 ～ 6 对；囊群盖灰绿色，无毛，易脱落。

| 生境分布 | 生于山林下阴湿处或沟边。江苏各地均有分布。

| 资源情况 | 野生资源一般。

| 采收加工 | 夏、秋季采收，去净杂质，晒干。

| 功效物质 | 根中含有的原芹菜素、5,7- 二羟基 -2-（1,2- 异丙二氧基 -4- 酮 - 环己 -5- 烯）- 色原酮、5,7- 二羟基 -2-（1- 羟基 -2,6- 二甲氧基 -4- 酮 - 环己烷）- 色原酮等化合物具有抗肿瘤活性。

| 功能主治 | 微苦，平。利水消肿，清热解毒，止血，杀虫。用于水肿，疮疖，烫火伤，外伤出血，蛔虫病。

| 用法用量 | 内服煎汤，15 ～ 30 g。外用适量，研末敷；或捣敷。

金星蕨科 Thelypteridaceae 金星蕨属 *Parathelypteris* 凭证标本号 320703160908526LY

金星蕨 *Parathelypteris glanduligera* (Kze.) Ching

| 药材名 | 金星蕨（药用部位：全草）。

| 形态特征 | 多年生草本。植株高 35 ~ 50（~ 60）cm。根茎长而横走，直径约 2 mm，光滑，先端略被披针形鳞片。叶近生；叶柄长 15 ~ 20（~ 30）cm，直径约 1.5 mm，禾秆色，多少被短毛或有时光滑；叶片长 18 ~ 30 cm，宽 7 ~ 13 cm，披针形或阔披针形，先端渐尖并羽裂，向基部不变狭，2 回羽状深裂；羽片约 15 对，平展或斜上，互生或下部的近对生，无柄，彼此相距 1.5 ~ 2.5 cm，长 4 ~ 7 cm，宽 1 ~ 1.5 cm，披针形或线状披针形，先端渐尖，基部对称，稍变宽，或基部 1 对向基部略变狭，截形，羽裂几至羽轴；裂片 15 ~ 20 对或更多，开展，彼此接近，长 5 ~ 6 mm，宽约 2 mm，长圆状披针形，具圆钝头或钝尖头，全缘，基部 1 对，尤其上侧 1 片通常较长。叶

脉明显，侧脉单一，斜上，每裂片 5 ~ 7 对，基部 1 对出自主脉基部以上。叶草质，干后草绿色或有时褐绿色，羽片下面除密被橙黄色圆球形腺体外，光滑或疏被短毛，上面沿羽轴的纵沟密被针状毛，沿叶脉偶有少数短针毛，叶轴多少被灰白色柔毛。孢子囊群小，圆形，每裂片有 4 ~ 5 对，背生于侧脉的近顶部，靠近叶边；囊群盖中等大小，圆肾形，棕色，厚膜质，背面疏被灰白色刚毛，宿存。孢子两面型，圆肾形，周壁具折皱，其上的细网状纹饰明显而规则。

| 生境分布 | 生于溪边林下。分布于江苏南部及连云港（东海）等。

| 资源情况 | 野生资源较少。

| 采收加工 | 夏、秋季采收，去净杂质，晒干。

| 功效物质 | 含有生物碱类、黄酮类和脂肪酸类等化学成分。

| 功能主治 | 微苦，平。清热解毒，利尿，止血。用于痢疾，小便不利，吐血，外伤出血，烫伤。

| 用法用量 | 内服煎汤，15 ~ 30 g。外用适量，捣敷。

金星蕨科 Thelypteridaceae 卵果蕨属 *Phegopteris* 凭证标本号 320282170628476LY

延羽卵果蕨 *Phegopteris decursive-pinnata* (van Hall) Fée

| 药 材 名 | 小叶金鸡尾巴草（药用部位：根茎）。

| 形态特征 | 多年生草本。高 30 ~ 60 cm。根茎长而横走，稍被棕色、披针状线形鳞片。叶远生，叶柄禾秆色，稍被毛，基部稍被鳞片，营养叶叶柄长 10 ~ 20 cm，孢子叶叶柄长 15 ~ 40 cm；叶片纸状草质，黑绿色，一般具 3 羽片，顶羽片长椭圆状披针形，长 15 ~ 20 cm，宽 3 ~ 4 cm，先端渐尖，基部圆形或圆楔形，侧羽片大小约为顶片的一半，长披针形，长 4 ~ 10 cm，宽 10 ~ 25 mm，长渐尖，基部圆形，多少呈镰状，全缘，有极短的柄，脉羽状，侧脉斜上，联结，结合脉上下相连，网眼稍呈斜方形，各脉被毛；孢子叶叶片稍缩小或不缩小。孢子囊群每裂片有 2 对或 3 对，幼时有分叉毛，无盖。

| 生境分布 | 生于沟边或林下。分布于江苏南京、无锡（宜兴）、苏州等。

| 资源情况 | 野生资源一般。

| 采收加工 | 夏、秋季采挖，去净杂质，晒干。

| 功能主治 | 微苦，平。软坚散结，清热化痰，利水。用于瘰疬，瘿瘤，咽喉肿痛，咳嗽痰结，小便不利，水肿，疮疖，心绞痛。

| 用法用量 | 内服煎汤，15 ~ 30 g。

铁角蕨科 Aspleniaceae 铁角蕨属 *Asplenium* 凭证标本号 320125161130026LY

虎尾铁角蕨 *Asplenium incisum* Thunb.

| 药 材 名 | 岩春草（药用部位：全草）。

| 形态特征 | 多年生草本。植株高 10 ~ 30 cm。根茎短而直立或横卧，先端密被鳞片；鳞片狭披针形，长 3 ~ 5 mm，宽不超过 0.5 mm，膜质，黑色，略有虹色光泽，全缘。叶密集簇生；叶柄长 4 ~ 10 cm，直径约 1 mm，淡绿色，或通常为栗色或红棕色，而在上面两侧各有一淡绿色的狭边，有光泽，上面有浅阔纵沟，略被少数褐色纤维状小鳞片，以后脱落；叶片阔披针形，长 10 ~ 27 cm，中部宽 2 ~ 4（~ 5.5）cm，两端渐狭，先端渐尖，二回羽状（有时为一回羽状）；羽片 12 ~ 22 对，下部的对生或近对生，向上互生，斜展或近平展，有极短柄（长达 1 mm），下部羽片逐渐缩短成卵形或半圆形，长、宽均不及 5 mm，逐渐远离，中部各对羽片相距 1 ~ 1.5 cm，彼此疏

离，间隔约等于羽片的宽度，三角状披针形或披针形，长 1 ~ 2 cm，基部宽 6 ~ 12 mm，先端渐尖并有粗牙齿，一回羽状或深羽裂达羽轴；小羽片 4 ~ 6 对，互生，斜展，彼此密接，基部 1 对较大，长 4 ~ 7 mm，宽 3 ~ 5 mm，椭圆形或卵形，具圆头及粗牙齿，基部阔楔形，无柄或多少与羽轴合生并沿羽轴下延。叶脉两面均可见，小羽片上的主脉不显著，侧脉二叉或单一，基部的常为二至三叉，纤细，斜向上，先端有明显的水囊，伸入牙齿，但不达叶边。叶薄草质，干后草绿色，光滑；叶轴淡禾秆色，或下面为栗色或红棕色，有光泽，光滑，上面有浅阔纵沟，顶部两侧有线状狭翅。孢子囊群椭圆形，长约 1 mm，棕色，斜向上，生于小脉中部或下部，紧靠主脉，不达叶边，基部一对小羽片上常有 2 ~ 4 对，彼此密接，整齐；囊群盖椭圆形，灰黄色，后变淡灰色，薄膜质，全缘，开向主脉，偶有开向叶边。

| 生境分布 | 生于林下潮湿岩石上。分布于江苏连云港（赣榆、连云）、南京（玄武、江宁）、扬州（仪征）、常州（溧阳）、苏州、无锡（宜兴）等。

| 资源情况 | 野生资源一般。

| 采收加工 | 夏、秋季采收，去净杂质，晒干。

| 功能主治 | 苦、甘，凉。清热解毒，平肝镇惊，止血利尿。用于急性黄疸性病毒性肝炎，肺热咳嗽，小儿惊风，小便不利，指头炎，毒蛇咬伤。

| 用法用量 | 内服煎汤，15 ~ 30 g。外用适量，捣敷。清热生用；止血炒用。

铁角蕨科 Aspleniaceae 铁角蕨属 *Asplenium* 凭证标本号 320721181018306LY

华中铁角蕨 *Asplenium sarelii* Hook.

| 药 材 名 | 孔雀尾（药用部位：全草）。

| 形态特征 | 多年生草本。植株高 10 ~ 23 cm。根茎短而直立，先端密被鳞片；鳞片狭披针形，长 3 ~ 3.5 mm，厚膜质，黑褐色，有光泽，边缘有微牙齿。叶簇生；叶柄长 5 ~ 10 cm，直径 0.5 ~ 1 mm，淡绿色，近光滑或略被 1 ~ 2 褐色纤维状的小鳞片，上面有浅阔纵沟；叶片椭圆形，长 5 ~ 13 cm，宽 2.5 ~ 5 cm，3 回羽裂；羽片 8 ~ 10 对，相距 1 ~ 1.2 cm，基部的较远离，对生，向上互生，斜展，有短柄（长 0.5 ~ 1.5 mm），基部 1 对最大或与第 2 对同大（偶有略缩短），长 1.5 ~ 3 cm，宽 1 ~ 2 cm，卵状三角形，具渐尖头或尖头，基部不对称，上侧截形，与叶轴平行或覆盖叶轴，下侧楔形，2 回羽裂；小羽片 4 ~ 5 对，互生，上先出，斜展，基部上侧 1 片较大，长

5 ~ 11 mm，宽 4 ~ 7 mm，卵形，具尖头，基部为对称的阔楔形，下延，羽状深裂达小羽轴；裂片 5 ~ 6，斜向上，疏离，狭线形，长 1.5 ~ 5 mm，宽 0.5 ~ 2 mm，基部 1 对常 2 ~ 3 裂，小裂片先端有 2 ~ 3 具钝头或尖头的小牙齿，向上各裂片先端有尖牙齿；其余的小羽片较小，彼此疏离。叶脉两面均明显，上面隆起，小脉在裂片上为二至三叉，在小羽片基部的裂片为二回二叉，斜向上，不达叶边。叶坚草质，干后灰绿色；叶轴及各回羽轴均与叶柄同色，两侧均有线形狭翅，叶轴两面显著隆起。孢子囊群近椭圆形，长 1 ~ 1.5 mm，棕色，每裂片有 1 ~ 2，斜向上，生于小脉上部，不达叶边；囊群盖同形，灰绿色，膜质，全缘，开向主脉，宿存。

| 生境分布 | 生于潮湿背阴的石质山坡。分布于江苏南京（栖霞）、镇江（句容）、无锡（宜兴）、苏州、常熟等。

| 资源情况 | 野生资源一般。

| 采收加工 | 夏、秋季采收，去净杂质，晒干。

| 药材性状 | 本品叶的尾羽长短不一，尾上复羽特长，上部羽支分离，呈金属绿色并有铜紫色反光，近羽端有圆形或椭圆形斑，圆斑中部深蓝色，外围呈铜褐色，复缀以青蓝色与金黄色。每根羽毛之下部羽干呈管状，光滑无毛。气微，味淡。

| 功能主治 | 苦、微甘，凉。清热解毒，利湿，止血，生肌。用于流行性感冒，目赤肿痛，扁桃体炎，咳嗽，黄疸，肠炎，痢疾，胃肠出血，跌打损伤，疮肿疔毒，烫火伤。

| 用法用量 | 内服烧焦研末，5 ~ 10 g。

铁角蕨科 Aspleniaceae 铁角蕨属 *Asplenium* 凭证标本号 320481150409185LY

铁角蕨 *Asplenium trichomanes* L.

| 药 材 名 | 铁角凤尾草（药用部位：全草）。

| 形态特征 | 多年生草本。植株高 10 ~ 30 cm。根茎短而直立，直径约 2 mm，密被鳞片；鳞片线状披针形，长 3 ~ 4 mm，基部宽约 0.5 mm，厚膜质，黑色，有光泽，略带虹色，全缘。叶多数，密集簇生；叶柄长 2 ~ 8 cm，直径约 1 mm，栗褐色，有光泽，基部密被与根茎上相同的鳞片，向上光滑，上面有 1 阔纵沟，两边有棕色的膜质全缘狭翅，下面圆形，质脆，通常叶片脱落而柄宿存；叶片长线形，长 10 ~ 25 cm，中部宽 9 ~ 16 mm，具长渐尖头，基部略变狭，一回羽状；羽片 20 ~ 30 对，基部的对生，向上对生或互生，平展，近无柄，中部羽片同大，长 3.5 ~ 6（~ 9）mm，中部宽 2 ~ 4（~ 5）mm，椭圆形或卵形，具圆头，有钝牙齿，基部为近对称或

不对称的圆楔形，上侧较大，偶有或有小耳状突起，全缘，两侧边缘有小圆齿；中部各对羽片相距 4 ~ 8 mm，彼此疏离，下部羽片向下逐渐远离并缩小，卵形、圆形、扇形、三角形或耳形。叶脉羽状，纤细，两面均不明显，小脉极斜向上，二叉，偶有单一，羽片基部上侧一脉常为二回二叉，不达叶边。叶纸质，干后草绿色、棕绿色或棕色；叶轴栗褐色，有光泽，光滑，上面有平阔纵沟，两侧有棕色的膜质全缘狭翅，下面圆形。孢子囊群阔线形，长 1 ~ 3.5 mm，黄棕色，极斜向上，通常生于上侧小脉，每羽片有 4 ~ 8，位于主脉与叶边之间，不达叶边；囊群盖阔线形，灰白色，后变棕色，膜质，全缘，开向主脉，宿存。

| 生境分布 | 生于林下、山谷中的岩石上或石缝中。分布于江苏扬州（仪征）、常州（金坛）等。

| 资源情况 | 野生资源较少。

| 采收加工 | 夏、秋季采收，去净杂质，晒干。

| 药材性状 | 本品全长约 20 cm。根茎短，被有多数黑褐色鳞片，下部丛生极纤细的须根。叶簇生；叶柄与叶轴呈细长扁圆柱形，直径约 1 mm，栗褐色而有光泽，有纵沟，上面两侧常可见全缘的膜质狭翅，质脆，易折断，断面常中空；叶片条状披针形，长约 15 cm，小羽片黄棕色，多已皱缩破碎，完整者展开后呈斜卵形或扇状椭圆形，两侧边缘有小钝齿，背面可见孢子囊群。气无，味淡。

| 功效物质 | 含有三萜类和酚酸类成分。

| 功能主治 | 淡，凉。清热利湿，解毒消肿，调经止血。用于小儿高热惊风，肾炎水肿，食积腹泻，痢疾，咳嗽，咯血，月经不调，带下，疮疖肿毒，毒蛇咬伤，水火烫伤，外伤出血。

| 用法用量 | 内服煎汤，10 ~ 30 g。外用适量，鲜品捣敷。

乌毛蕨科 Blechnaceae 狗脊属 *Woodwardia* 凭证标本号 320124140808064LY

狗脊 *Woodwardia japonica* (L. f.) Sm.

| 药 材 名 | 狗脊贯众（药用部位：根茎）。

| 形态特征 | 多年生草本。植株高 40 ~ 120 cm。根茎粗短，直立或斜升，密被棕褐色披针形鳞片。叶簇生；叶柄长 30 ~ 50 cm，深禾秆色，基部以上至叶轴具与小羽轴相同的鳞片；叶片厚纸质或近革质，长椭圆形， 2 回羽裂；羽片约 10 对，互生，披针形至线状披针形，下部羽片长 11 ~ 15 cm，宽 2 ~ 3 cm，向基部变狭，羽裂 1/2 或深裂；裂片近下先出，三角形，具锐尖头，基部下侧缩短成圆耳形，边缘具细锯齿；叶脉正面可见，背面不明显，网状，网眼外侧的小脉分离。孢子囊群线形，先端直向前，生于主脉两侧的网眼上；囊群盖线形，开向主脉。

| 生境分布 | 生于疏林下阴湿处。分布于江苏常州（溧阳）、苏州、无锡（宜兴）等。

| 资源情况 | 野生资源一般。

| 采收加工 | 春、秋季采挖，削去叶柄、须根，去净杂质，晒干。

| 药材性状 | 本品呈圆柱状或四方柱形，挺直或稍弯曲，上端较粗钝，下端较细，长 6 ~ 26 cm，直径 2 ~ 7 cm，红棕色或黑褐色，密被粗短的叶柄残基、棕红色鳞片和棕黑色细根。叶柄残基近半圆柱形，镰状弯曲，背面呈肋骨状排列，腹面呈短柱状密集排列。质坚硬，难折断，叶柄残基横切面可见黄白色小点 2 ~ 4（分体中柱），内面的 1 对呈“八”字形排列。气微弱，味微苦、涩。

| 功效物质 | 含有儿茶酚衍生物等成分。

| 功能主治 | 苦，凉；有毒。归肝、胃、肾、大肠经。清热解毒，杀虫，止血，祛风湿。用于风热感冒，时行瘟疫，恶疮痈肿，虫积腹痛，小儿疳积，痢疾，便血，崩漏，外伤出血，风湿痹痛。

| 用法用量 | 内服煎汤，9 ~ 15 g，大剂量可用至 30 g；或浸酒；或入丸、散剂。外用适量，捣敷；或研末调涂。

鳞毛蕨科 Dryopteridaceae 复叶耳蕨属 *Arachniodes* 凭证标本号 320282170428450LY

斜方复叶耳蕨 *Arachniodes amabilis* (Blume) Tindole

| 药 材 名 | 大叶鸭脚莲（药用部位：根茎）。

| 形态特征 | 多年生草本。植株高 40 ~ 80 cm。叶柄长 20 ~ 38 cm，直径 3 ~ 6 mm，禾秆色，基部密被棕色、阔披针形鳞片，向上光滑或偶有 1 ~ 2 同样鳞片；叶片长卵形，长 25 ~ 45 cm，宽 16 ~ 32 cm，顶生羽状羽片长尾状，二回羽状，往往基部三回羽状，侧生羽片（3 ~ ）4 ~ 6 对，互生，有柄，斜展，密接，基部 1 对最大，三角状披针形，长 15 ~ 22 cm，基部宽 5 ~ 7 cm，具渐尖头，基部圆楔形，羽状或二回羽状；小羽片 16 ~ 22 对，互生，有短柄，基部下侧 1 片不伸长或伸长，若伸长，则为披针形，长 4 ~ 7.5 cm，宽 1.7 ~ 2 cm，具尖头，基部圆楔形，羽状；末回小羽片 7 ~ 12 对，菱状椭圆形，长约 1 cm，中部宽约 5 mm，具急尖头，基部不对称，上侧近

截形，下侧斜切，上侧边缘有具芒刺的尖锯齿；第 2 对羽片线状披针形，长 15 ~ 20 cm，宽 2.5 ~ 3.8 cm，具渐尖头，基部圆楔形，羽状；小羽片 14 ~ 20 对，有短柄，斜方形或菱状长圆形，长 1.2 ~ 2.2 cm，宽 0.8 ~ 1 cm，具急尖头，基部不对称，上侧截形并耳状突起，下侧斜切，上侧边缘有具芒刺的尖锯齿；第 3 对羽片起，向上逐渐缩小，同形。叶干后薄纸质，褐绿色，光滑。孢子囊群生于小脉先端，近叶边，通常上侧边 1 行，下侧边上部半行，耳片有时 3 ~ 6；囊群盖棕色，膜质，边缘有睫毛，脱落。

| 生境分布 | 生于林下或溪边。分布于江苏无锡（宜兴）、常州（溧阳）等。

| 资源情况 | 野生资源一般。

| 采收加工 | 夏、秋季采挖，去净杂质，晒干。

| 功效物质 | 含有黄酮醇类等多种成分。

| 功能主治 | 微苦，温。祛风止痛，益肺止咳。用于关节痛，肺痨咳嗽。

| 用法用量 | 内服煎汤，10 ~ 15 g，鲜品 30 ~ 60 g。

鳞毛蕨科 Dryopteridaceae 复叶耳蕨属 *Arachniodes* 凭证标本号 321183151105 1154LY

异羽复叶耳蕨 *Arachniodes simplicior* (Makino) Ohwi

药材名 长尾复叶耳蕨（药用部位：根茎）。

形态特征 多年生草本。植株高 75 cm。叶柄长 40 cm，直径约 3 mm，禾秆色，基部被褐棕色、披针形鳞片，向上偶有 1 ～ 2 同形鳞片；叶片卵状五角形，长 35 cm，宽约 20 cm，顶部有一具柄的顶生羽状羽片，与其下侧生羽片同形，基部近平截，三回羽状；侧生羽片 4 对，基部一对对生，向上的互生，有柄，斜展，分开，基部 1 对最大，斜三角形，长 16 cm，宽 8 cm，具渐尖头，基部不对称，斜楔形，基部二回羽状；小羽片 22 对，互生，有短柄，基部下侧 1 片特别伸长，披针形，长 8 cm，基部宽 2.2 cm，具渐尖头，基部近圆形，羽状；末回小羽片约 16 对，互生，几无柄，长圆状，长 1.5 cm，宽约 6 mm，具钝尖头，基部不对称，上侧截形，下侧斜切，边缘有具芒

刺的尖锯齿；第 2 至第 4 对羽片披针形，羽状，基部上侧的小羽片较下侧的大。叶干后纸质，灰绿色，光滑，叶轴和各回羽毛轴下面偶被褐棕色、钻形小鳞片。孢子囊群每小羽片有 4 ～ 6 对（耳片 3 ～ 5），略近叶边生；囊群盖深棕色，膜质，脱落。

| 生境分布 | 生于林下。分布于江苏常州（溧阳）等。

| 资源情况 | 野生资源一般。

| 采收加工 | 夏、秋季采挖，去净杂质，晒干。

| 药材性状 | 本品呈圆柱形，表面具棕色叶柄残基，并有棕褐色鳞片；鳞片披针形或条状钻形，长 3 ～ 13 mm。质较硬。气微，味淡。

| 功能主治 | 苦，寒。清热解毒。用于内热腹痛。

| 用法用量 | 内服煎汤，10 ～ 15 g。

鳞毛蕨科 Dryopteridaceae 贯众属 *Cyrtomium* 凭证标本号 320115170714061LY

贯众 *Cyrtomium fortunei* J. Sm.

| 药 材 名 | 小贯众（药用部位：根茎）、公鸡头叶（药用部位：叶）。

| 形态特征 | 多年生草本。根茎短，直立或斜升，连同叶柄基部有密的阔卵状披针形的黑褐色大鳞片。叶簇生；叶柄长 15 ~ 25 cm，禾秆色，有疏鳞片；叶片阔披针形或矩圆状披针形，纸质，长 25 ~ 45 cm，宽 10 ~ 15 cm，沿叶轴和羽柄有少数纤维状鳞片，奇数一回羽状；羽片镰状披针形，基部上侧稍呈耳状突起，下侧圆楔形，边缘有缺刻状细锯齿。叶脉网状，有内藏小脉 1 ~ 2。孢子囊群生于内藏小脉先端，在主脉两侧各排成不整齐的 3 ~ 4 行；囊群盖大，圆盾形，全缘。

| 生境分布 | 生于山坡林下、沟边、岩缝及墙角边等阴湿处。江苏各地均有分布。

| 资源情况 | 野生及栽培资源较丰富。

| 采收加工 | **小贯众：**全年均可采挖，以秋季采挖较好，除去须根和部分叶柄，晒干。

公鸡头叶：全年均可采收，摘取叶，洗净，鲜用或晒干。

| 药材性状 | **小贯众：**本品为带叶柄残基的根茎，呈块状圆柱形或一端略细，微弯曲，长 10 ~ 30 cm，直径 2 ~ 5 cm。表面棕褐色，密集多数叶柄残基，倾斜的作覆瓦状围绕于根茎，并被有红棕色、膜质、半透明的鳞片；下部着生黑色较硬的须根。叶柄残基长 2 ~ 4 cm，直径 3 ~ 5 mm，棕黑色，有不规则的纵棱。根茎质较硬，折断面鲜品绿棕色，干品红棕色，有 4 ~ 8 类白色小点（分体中柱）排列成环；叶柄残基断面略呈马蹄形，红棕色，有 3 ~ 4 类白色小点呈三角形或四方形角隅排列。气微，味涩、微甘。易引起恶心。

| 功效物质 | 根茎及柄含有黄绵马酸等酚酸类成分。叶片含有贯众明及冷蕨灵等黄酮苷类化学成分。

| 功能主治 | **小贯众：**苦、涩，寒；有小毒。归肝、肺、大肠经。清热解毒，凉血祛瘀，驱虫。用于感冒，热病斑疹，白喉，乳痈，瘰疬，痢疾，黄疸，吐血，便血，崩漏，痔血，带下，跌打损伤，肠道寄生虫病。

公鸡头叶：苦，微寒。凉血止血，清热利湿。用于崩漏，带下，刀伤出血，烫火伤。

| 用法用量 | **小贯众：**内服煎汤，9 ~ 15 g。外用适量，捣敷；或研末调敷。

公鸡头叶：内服煎汤，9 ~ 15 g；研末，3 ~ 6 g。外用适量，捣敷；或研末调涂。

| 附　　注 | 商品贯众的植物来源多为鳞毛蕨科鳞毛蕨属植物粗茎鳞毛蕨、辽东鳞毛蕨，乌毛蕨科狗脊蕨属植物狗脊、顶芽狗脊，以及乌毛蕨科乌毛蕨属植物乌毛蕨等蕨类植物。

鳞毛蕨科 Dryopteridaceae 鳞毛蕨属 *Dryopteris* 凭证标本号 32011115112800lLY

阔鳞鳞毛蕨 *Dryopteris championii* (Benth.) C. Chr.

| 药 材 名 | 毛贯众（药用部位：根茎）。

| 形态特征 | 多年生草本。植株高 50 ~ 80 cm。根茎横卧或斜升，先端及叶柄基部密被披针形、棕色、全缘的鳞片。叶簇生；叶柄长 30 ~ 40 cm，直径 4 ~ 5 mm，禾秆色，密被鳞片，鳞片阔披针形，先端渐尖，边缘有尖齿；叶片卵状披针形，长 40 ~ 60 cm，宽 20 ~ 30 cm，二回羽状，小羽片羽状浅裂或深裂；羽片 10 ~ 15 对，基部的近对生，上部的互生，卵状披针形，基部略收缩，先端斜向叶尖，小羽片 10 ~ 13 对，披针形，长 2 ~ 3 cm，基部浅心形至阔楔形，具短柄，先端钝圆并具细尖齿，边缘羽状浅裂至羽状深裂，基部 1 对裂片明显最大而使小羽片基部最宽；裂片具圆钝头，先端具尖齿。侧脉羽状，在叶片下面明显可见。叶轴密被基部阔披针形、先端毛状渐尖、

边缘有细齿的棕色鳞片，羽轴具有较密的泡状鳞片。叶草质，干后褐绿色。孢子囊群大，在小羽片中脉两侧或裂片两侧各 1 行，位于中脉与边缘之间或略靠近边缘着生；囊群盖圆肾形，全缘。

| 生境分布 | 生于疏林下或灌丛中。分布于江苏连云港、南京、镇江、无锡（宜兴）、常州（溧阳）等。

| 资源情况 | 野生资源一般。

| 采收加工 | 全年均可采挖，去净杂质，晒干。

| 功效物质 | 根茎含有绵马素、白绵马素、低绵马素、黄绵马酸、三环黄绵马酸、三环低绵马素等酚酸类成分。

| 功能主治 | 苦，寒。归脾、大肠经。清热解毒，平喘，止血敛疮，驱虫。用于感冒，目赤肿痛，气喘，便血，疮毒溃烂，烫伤，钩虫病。

| 用法用量 | 内服煎汤，15 ~ 30 g。外用适量，捣敷。

鳞毛蕨科 Dryopteridaceae 鳞毛蕨属 *Dryopteris* 凭证标本号 320125161130023LY

黑足鳞毛蕨 *Dryopteris fuscipes* C. Chr.

| 药 材 名 | 黑色鳞毛蕨（药用部位：根茎）。

| 形态特征 | 植株高 50 ~ 80 cm。根茎横卧或斜升，连同残存的叶柄基部直径约 3 cm。叶簇生；叶柄长 20 ~ 40 cm，除最基部为黑色外，其余部分为深禾秆色，基部密被披针形、棕色、有光泽的鳞片，鳞片长 1.5 ~ 2 cm，宽 1 ~ 1.5 mm，先端渐尖或毛状，全缘，叶柄上部至叶轴的鳞片较短小和稀疏；叶片卵状披针形或三角状卵形，二回羽状，长 30 ~ 40 cm，宽 15 ~ 25 cm；羽片 10 ~ 15 对，披针形，中部的羽片长 10 ~ 15 cm，宽 3 ~ 4 cm，基部的羽片略宽，上部的羽片则更短和更狭；小羽片 10 ~ 12 对，三角状卵形，基部最宽，有柄或无柄，先端钝圆，边缘有浅齿，通常长 1.5 ~ 2 cm，宽 8 ~ 10 mm，基部羽片的基部小羽片通常缩小，基部羽片的中部下侧小羽片则通

常较长，先端较尖。叶轴、羽轴和小羽片中脉的上面具浅沟；侧脉羽状，上面不明显，下面略可见。叶纸质，干后褐绿色，叶轴具有较密的披针形、线状披针形小鳞片和少量泡状鳞片，羽轴具有较密的泡状鳞片和稀疏的小鳞片。孢子囊群大，在小羽片中脉两侧各 1 行，略靠近中脉着生；囊群盖圆肾形，全缘。

| 生境分布 | 生于疏林下或灌丛中。分布于江苏无锡（宜兴）、苏州（常熟）等。

| 资源情况 | 野生资源一般。

| 采收加工 | 全年均可采挖，除去叶及杂质，洗净，鲜用或晒干。

| 功能主治 | 清热解毒，生肌敛疮。用于目赤肿痛，疮疡溃烂，久不收口。

| 用法用量 | 内服煎汤，3 ~ 9 g。外用适量，捣敷。

鳞毛蕨科 Dryopteridaceae 耳蕨属 *Polystichum* 凭证标本号 320703170421681LY

戟叶耳蕨 *Polystichum tripteron* (Kunze) Presl

| 药 材 名 | 三叉耳蕨（药用部位：根茎）。

| 形态特征 | 植株高 30 ~ 65 cm。根茎短而直立，先端连同叶柄基部密被深棕色、有缘毛的披针形鳞片。叶簇生；叶柄长 12 ~ 30 cm，直径约 2 mm，基部以上禾秆色，连同叶轴和羽轴疏生披针形小鳞片；叶片戟状披针形，长 30 ~ 45 cm，基部宽 10 ~ 16 cm，具 3 椭圆状披针形的羽片；侧生 1 对羽片较短小，长 5 ~ 8 cm，宽 2 ~ 5 cm，有短柄，斜展，羽状，有小羽片 5 ~ 12 对；中央羽片远较大，长 30 ~ 40 cm，宽 5 ~ 8 cm，有长柄，一回羽状，有小羽片 25 ~ 30 对；小羽片均互生，近平展，下部的有短柄，向上近无柄，中部的长 3 ~ 4 cm，宽 0.8 ~ 1.2 cm，镰形，具渐尖头，基部下侧斜切，上侧截形，具三角形耳状突起，边缘有粗锯齿或浅羽裂，锯齿及裂

片先端有芒状小刺尖。叶脉在裂片上羽状，小脉单一，罕二分叉。叶草质，干后绿色，上面色较深，沿叶脉疏生卵状披针形或披针形的浅棕色小鳞片。孢子囊群圆形，生于小脉先端；囊群盖圆盾形，边缘略呈啮蚀状，早落。孢子极面观椭圆形，赤道面观超半圆形，周壁具折皱，常连结成网状，薄而透明。

| 生境分布 | 生于林下石隙或岩面薄土的藓丛中。分布于江苏连云港（连云）、无锡（宜兴）等。

| 资源情况 | 野生资源一般。

| 采收加工 | 夏、秋季采挖，去净杂质，晒干。

| 功效物质 | 根茎中挥发油的主要成分是十六醛、正十六酸和十六烷等，脂肪酸的主要药效成分是亚油酸和 d- 亚麻酸等。

| 功能主治 | 清热解毒，利尿通淋。用于内热腹痛，痢疾，淋浊。

骨碎补科 Davalliaceae 骨碎补属 *Davallia* 凭证标本号 320703160908540LY

骨碎补 *Davallia mariesii* Moore ex Bak.

| 药 材 名 | 海州骨碎补（药用部位：根茎）。

| 形态特征 | 多年生草本。植株高 15 ~ 40 cm。根茎长而横走，直径 4 ~ 5 mm，密被蓬松的灰棕色鳞片；鳞片阔披针形或披针形，长达 8 mm，先端长渐尖，边缘有睫毛，中部色较深，边缘色较浅。叶远生，相距 1 ~ 5 cm；叶柄长 6 ~ 20 cm，直径 1 ~ 1. 5 mm，深禾秆色或带棕色，上面有浅纵沟，基部被鳞片，向上光滑；叶片五角形，长、宽均 8 ~ 25 cm，先端渐尖，基部浅心形，4 回羽裂；羽片 6 ~ 12 对，下部 1 ~ 2 对对生或近对生，向上的互生，有短柄，斜展，基部 1 对最大，三角形，长、宽均 5 ~ 10 cm 或稍长；一回小羽片 6 ~ 10 对，互生，有短柄，斜向上，基部下侧 1 片特大，长 2.5 ~ 7 cm，宽 2 ~ 3 cm，长卵形，具钝头或尖头，基部不对称，上侧截形并与

羽轴平行，下侧楔形，羽裂达具翅的小羽轴；二回小羽片 5 ~ 8 对，无柄，稍斜向上，彼此密接，基部上侧 1 片略大，长 8 ~ 15 mm，宽 4 ~ 8 mm，椭圆形，具钝头，基部下侧下延，下部几对深羽裂几达具阔翅的主脉，向上的浅羽裂；裂片椭圆形，宽 1.5 ~ 2 mm，极斜向上，具钝头，单一或 2 裂为不等长的钝齿；向上的羽片逐渐缩小并为椭圆形，先端短渐尖，基部偏斜，彼此密接，下部的二回羽状，上部的深羽裂达具翅的羽轴。叶脉可见，叉状分枝，每钝齿有小脉 1，几达叶边。叶坚草质，干后棕褐色至褐绿色。孢子囊群生于小脉先端，每裂片有 1；囊群盖管状，长约 1 mm，约为宽的 1.5 倍，先端截形，不达钝齿的弯缺处，外侧有 1 尖角，褐色，厚膜质。

| 生境分布 | 生于山地及林中的阴湿岩石上。分布于江苏连云港（连云）等。

| 资源情况 | 野生资源一般。

| 采收加工 | 夏、秋季采挖，去净杂质，晒干。

| 功效物质 | 根茎含淀粉 16.4%、葡萄糖 5.37%，还含柚皮苷。

| 功能主治 | 苦，温。归肾经。行血活络，祛风止痛，补肾坚骨。用于跌打损伤，风湿痹痛，肾虚牙痛，腰痛，久泻。

| 用法用量 | 内服煎汤，9 ~ 15 g。

水龙骨科 Polypodiaceae 槲蕨属 *Drynaria* 凭证标本号 321202190512066LY

槲蕨 *Drynaria roosii* Nakaike

| 药 材 名 | 骨碎补（药用部位：根茎）。

| 形态特征 | 多年生草本。植株匍匐生长，螺旋状攀缘。根茎肉质，较粗，直径 1 ~ 2 cm，密被鳞片；鳞片长披针形，长 1 ~ 1.2 cm，宽 0.1 ~ 0.2 cm，边缘有齿和睫毛，盾状着生，先端纤细。叶二型；基生营养叶卵圆形，长 5 ~ 8 cm，宽 3 ~ 7 cm，基部心形，浅裂达叶缘至主脉的 1/3，全缘，黄绿色或棕色，厚膜质，下面有疏短毛；孢子叶长 25 ~ 40 cm，具叶柄，柄长 4 ~ 10 cm，具明显的狭翅；叶片纸质，长椭圆形，长 20 ~ 35 cm，宽 12 ~ 20 cm，深羽裂几达距叶轴 0.2 ~ 0.5 cm 处，向基部下延而呈波状，裂片 9 ~ 13 对，互生，稍斜向上，披针形，长 6 ~ 10 cm，宽 2 ~ 3 cm，边缘有不明显的疏钝齿或缺刻，先端短尖；叶脉两面均明显，具内藏小脉，微凸出，

无毛，仅上面中肋略被短毛。孢子囊群圆形或椭圆形，生于叶片背面，沿裂片中肋两侧各排列成 2 ~ 4 行，无隔丝。

| 生境分布 | 生于树干上。苏南地区有栽培。

| 资源情况 | 野生资源较少。

| 采收加工 | 夏、秋季采挖，去净杂质，晒干。

| 药材性状 | 本品表面密被棕色或红棕色细小鳞片，紧贴者呈膜质盾状；直伸者披针形，先端尖，边缘流苏状，并于中柄基部和根茎嫩端较密集。鳞片脱落处显棕色，可见细小纵向纹理和沟脊。上面有叶柄痕，下面有纵脊纹及细根痕。质坚硬，断面红棕色，有白色分体中柱，排成长扁圆形。气香，味微甜、涩。

| 功效物质 | 含有生物碱类、黄酮类、甾类、多糖和脂肪酸等多种化学成分。

| 功能主治 | 苦，温。归肝、肾经。疗伤止痛，补肾强骨，消风祛斑。用于跌扑闪挫，筋骨折伤，肾虚腰痛，筋骨痿软，耳鸣耳聋，牙齿松动；外用于斑秃，白癜风。

| 用法用量 | 内服煎汤，10 ~ 20 g；或入丸、散剂。外用适量，捣敷；或晒干研末敷；或浸酒搽。

水龙骨科 Polypodiaceae 骨牌蕨属 *Lepidogrammitis* 凭证标本号 320481151024033LY

抱石莲 *Lepidogrammitis drymoglossoides* (Baker.) Ching

| 药 材 名 | 鱼鳖金星（药用部位：全草）。

| 形态特征 | 多年生草本。根茎细长横走，被钻状有齿、棕色披针形鳞片。叶远生，相距 1.5 ~ 5 cm，二型；营养叶长圆形至卵形，长 1 ~ 2 cm 或稍长，具圆头或钝圆头，基部楔形，几无柄，全缘；孢子叶舌状或倒披针形，长 3 ~ 6 cm，宽不及 1 cm，基部狭缩，几无柄或具短柄，有时与营养叶同形，肉质，干后革质，上面光滑，下面疏被鳞片。孢子囊群圆形，沿主脉两侧各成 1 行，位于主脉与叶边之间。

| 生境分布 | 附生于阴湿树干和岩石上。分布于江苏无锡（宜兴）、常州（溧阳）等。

| 资源情况 | 野生资源一般。

|采收加工| 夏、秋季采收，去净杂质，晒干。

|功效物质| 含有大黄素甲醚、里白醇、乙酸橙酰胺、棕榈酸、2,4- 二羟基 -3,6- 二甲基苯甲酸甲酯、伊谷甾醇等多种成分。

|功能主治| 微苦，平。归肝、胃、膀胱经。清热解毒，利水通淋，消瘀，止血。用于小儿高热，痄腮，风火牙痛，痞块，臌胀，淋浊，咯血，吐血，衄血，便血，尿血，崩漏，外伤出血，疔疮痈肿，瘰疬，跌打损伤，高血压，鼻炎，气管炎。

|用法用量| 内服煎汤，15 ~ 30 g。外用适量，捣敷。

水龙骨科 Polypodiaceae 瓦韦属 *Lepisorus* 凭证标本号 320411190607048LY

瓦韦

Lepisorus thunbergianus (Kaulf.) Ching

| 药 材 名 | 瓦韦（药用部位：全草）。

| 形态特征 | 多年生草本。植株高 8 ~ 20 cm。根茎横走，密被披针形鳞片；鳞片褐棕色，大部分不透明，仅叶边 1 ~ 2 行网眼透明，具锯齿。叶柄长 1 ~ 3 cm，禾秆色；叶片线状披针形或狭披针形，中部最宽 0.5 ~ 1.3 cm，具渐尖头，基部渐变狭并下延，干后黄绿色至淡黄绿色或淡绿色至褐色，纸质。主脉上下均隆起，小脉不见。孢子囊群圆形或椭圆形，彼此相距较近，成熟后扩展，几密接，幼时被圆形褐棕色的隔丝覆盖。

| 生境分布 | 附生于山坡林下树干或岩石上。分布于江苏镇江（句容）、常州（溧阳）、无锡（宜兴）等。

| 资源情况 | 野生资源较丰富。

| 采收加工 | 夏、秋季采收，去净杂质，晒干。

| 药材性状 | 本品常多株卷集成团。根茎横生，柱状，外被须根及鳞片。叶线状披针形，土黄色至绿色，皱缩卷曲，沿两边向背面反卷。孢子囊群 10 ~ 20，排列于叶背成 2 行。味淡，根茎味苦。以干燥、色绿、背有棕色孢子囊群者为佳。

| 功效物质 | 含有脱皮甾酮、异荭草素等成分。

| 功能主治 | 苦，寒。 清热解毒，利尿通淋，止血。用于小儿高热惊风，咽喉肿痛，痈肿疮疡，毒蛇咬伤，小便淋沥涩痛，尿血，咳嗽，咯血。

| 用法用量 | 内服煎汤，9 ~ 15 g。外用适量，捣敷；或煅存性研末撒。

水龙骨科 Polypodiaceae 瓦韦属 *Lepisorus* 凭证标本号 320506160916294LY

阔叶瓦韦 *Lepisorus tosaensis* (Makino) H. Ito

| 药 材 名 | 拟瓦韦（药用部位：全草）。

| 形态特征 | 多年生草本。植株高 15 ~ 30 cm。根茎短促横卧，密被卵状披针形鳞片；鳞片深棕色，大部分不透明，仅边缘有 1 ~ 2 行淡棕色透明的细胞。叶簇生或近生；叶柄长 1 ~ 5 cm，禾秆色；叶片披针形，中部最宽 1 ~ 2 cm，向两端渐变狭，先端具渐尖头，基部渐狭并下延，长（10 ~）13 ~ 20 cm，干后淡棕色或灰绿色，革质，两面光滑无毛。主脉上下均隆起，小脉不见。孢子囊群圆形，位于主脉与叶缘之间，聚生于叶片上半部，幼时被淡棕色圆形的隔丝覆盖。

| 生境分布 | 生于林下或岩石上。分布于江苏南京等。

| 资源情况 | 野生资源一般。

| 采收加工 | 夏、秋季采收，去净杂质，晒干。

| 功能主治 | 清热利湿，凉血解毒。用于热淋，小便不利，赤白带下，痢疾，黄疸，咳血，衄血，痔疮出血，瘰疬结核，痈肿疮毒，毒蛇咬伤，风湿疼痛，跌打骨折。

水龙骨科 Polypodiaceae 星蕨属 *Microsorium* 凭证标本号 NAS00088858

江南星蕨 *Microsorium fortunei* (T. Moore) Ching

| 药 材 名 | 大叶骨牌草（药用部位：全草）。

| 形态特征 | 多年生草本。附生，植株高 30 ~ 100 cm。根茎长而横走，顶部被鳞片；鳞片棕褐色，卵状三角形，先端锐尖，基部圆形，有疏齿，筛孔较密，盾状着生，易脱落。叶远生，相距 1.5 cm；叶柄长 5 ~ 20 cm，禾秆色，上面有浅沟，基部疏被鳞片，向上近光滑；叶片线状披针形至披针形，长 25 ~ 60 cm，宽 1.5 ~ 7 cm，先端长渐尖，基部渐狭，下延于叶柄并形成狭翅，全缘，有软骨质的边。中脉两面明显隆起，侧脉不明显，小脉网状，略可见，内藏小脉分叉。叶厚纸质，下面淡绿色或灰绿色，两面无毛，幼时下面沿中脉两侧偶有极少数鳞片。孢子囊群大，圆形，沿中脉两侧排列成较整齐的 1 行或有时为不规则的 2 行，靠近中脉。孢子豆形，周壁具不规则折皱。

| 生境分布 | 生于林下或岩石上。分布于江苏无锡（宜兴）等。

| 资源情况 | 野生资源一般。

| 采收加工 | 夏、秋季采收，去净杂质，晒干。

| 功效物质 | 含有槲皮素 -3-*O*- 芸香糖苷、山柰酚 -3,7-*O*-*α*-L- 二鼠李糖苷、山柰酚 -7-*O*-*α*-L-鼠李糖苷、迷迭香酸甲酯、迷迭香酸、咖啡酸、原儿茶酸、七叶内酯、5- 羟甲基 -2- 呋喃甲醛等多种资源性成分。

| 功能主治 | 苦，寒。归肝、脾、心、肺经。清热利湿，凉血解毒。用于热淋，小便不利，赤白带下，痢疾，黄疸，咳血，衄血，痔疮出血，瘰疬结核，痈肿疮毒，毒蛇咬伤，风湿疼痛，跌打骨折。

| 用法用量 | 内服煎汤，15 ~ 30 g；或捣汁。外用适量，鲜品捣敷。

水龙骨科 Polypodiaceae 盾蕨属 *Neolepisorus* 凭证标本号 NAS00593540

盾蕨 *Neolepisorus ovatus* (Bedd.) Ching

| **药 材 名** | 大金刀（药用部位：全草）。

| **形态特征** | 多年生草本。植株高 20 ～ 40 cm。根茎横走，密生鳞片；鳞片卵状披针形，具长渐尖头，边缘有疏锯齿。叶远生；叶柄长 10 ～ 20 cm，密被鳞片；叶片卵状，基部圆形，宽 7 ～ 12 cm，具渐尖头，全缘或下部多少分裂。主脉隆起，侧脉明显，开展直达叶边，小脉网状，有分叉的内藏小脉。叶干后厚纸质，上面光滑，下面多少被小鳞片。孢子囊群圆形，沿主脉两侧排成不整齐的多行或在侧脉间排成不整齐的 1 行，幼时被盾状隔丝覆盖。

| **生境分布** | 生于林下阴湿土坡上。分布于江苏无锡（宜兴）、常州（溧阳）等。

| **资源情况** | 野生资源一般。

| 采收加工 | 夏、秋季采收，去净杂质，晒干。

| 功效物质 | 含有黄酮类、甾醇类、酚酸类等化学成分。

| 功能主治 | 苦，凉。清热利湿，止血，解毒。用于热淋，小便不利，尿血，肺痨咯血，吐血，外伤出血，痈肿，烫火伤。

| 用法用量 | 内服煎汤，15 ~ 30 g；或浸酒。外用适量，鲜品捣敷；或干品研末调敷。

水龙骨科 Polypodiaceae 石韦属 *Pyrrosia* 凭证标本号 320282151017056LY

石韦 *Pyrrosia lingua* (Thunb.) Farwell

| 药 材 名 |

石韦（药用部位：叶）。

| 形态特征 |

多年生草本。植株高 10 ~ 30 cm。根茎如粗铁丝，长而横走，密生鳞片；鳞片披针形，有睫毛。叶近二型，远生，革质，上面绿色，偶有 1 ~ 2 星状毛，并有小凹点，下面密覆灰棕色星状毛，营养叶与孢子叶同形或略较短而阔；叶柄基部均有关节；孢子叶叶柄长 5 ~ 10 cm，叶片披针形至矩圆状披针形，长 8 ~ 12（~ 18） cm，宽 2 ~ 5 cm，下面侧脉多少凸起可见。孢子囊群在侧脉间紧密而整齐地排列，初为星状毛包被，成熟时露出，无盖。

| 生境分布 |

附生于树干或岩石上。分布于江苏无锡（宜兴）、常州（溧阳）等。

| 资源情况 |

野生资源一般。

| 采收加工 |

夏、秋季采收，去净杂质，晒干。

| 药材性状 | 本品向内卷或平展，二型，革质。叶片均为披针形或矩圆状披针形，长 6 ~ 20 cm，宽 2 ~ 5 cm。上表面黄棕色；下表面主、侧脉明显，用放大镜观察可见密被浅棕色的星状毛，孢子叶下表面除有星状毛外，尚有孢子囊群。叶柄长 3 ~ 10 cm。气微，味淡。

| 功效物质 | 含有绵马三萜及蒽醌类、黄酮类、甾醇类等多种化学成分。

| 功能主治 | 苦、甘，寒。归肺、肾、膀胱经。利尿通淋，清肺止咳，凉血止血。用于热淋，血淋，石淋，小便不通，淋沥涩痛，肺热喘咳，吐血，衄血，尿血，崩漏。

| 用法用量 | 内服煎汤，9 ~ 15 g；或研末。外用适量，研末涂敷。

水龙骨科 Polypodiaceae 石韦属 *Pyrrossia* 凭证标本号 320111170509014LY

有柄石韦 *Pyrrossia petiolosa* (Christ) Ching

| 药 材 名 | 石韦（药用部位：叶）。

| 形态特征 | 多年生草本。植株高 5 ～ 15 cm。根茎细长横走，幼时密被披针形棕色鳞片；鳞片具长尾状渐尖头，边缘具睫毛。叶远生，一型；具长柄，长通常为叶片的 1/2 ～ 2 倍，基部被鳞片，向上被星状毛，棕色或灰棕色；叶片椭圆形，具急尖短钝头，基部楔形，下延。主脉在下面稍隆起，在上面凹陷，侧脉和小脉均不明显。叶干后厚革质，全缘，上面灰淡棕色，有洼点，疏被星状毛，下面被厚层星状毛，初为淡棕色，后为砖红色。孢子囊群布满叶片下面，成熟时扩散并汇合。

| 生境分布 | 附生于干旱裸露的岩石上。江苏各地均有分布。

| 资源情况 | 野生资源一般。

| 采收加工 | 夏、秋季采收，去净杂质，晒干。

| 药材性状 | 本品叶片多卷曲成筒状，展开后呈长圆形或卵状长圆形，长 3 ~ 8 cm，宽 1 ~ 2.5 cm，基部楔形，对称。下表面侧脉不明显，布满孢子囊群。叶柄长 3 ~ 12 cm，直径约 1 mm。

| 功效物质 | 含有 *α*- 生育酚、里白烯、24- 亚甲基环阿尔廷醇乙酸酯、*β*- 谷甾醇、胡萝卜苷、香草酸、原儿茶醛、3,4- 二羟基苯丙酸及咖啡酸等多种成分。

| 功能主治 | 苦、甘，寒。归肺、肾、膀胱经。利尿通淋，清肺止咳，凉血止血。用于热淋，血淋，石淋，小便不通，淋沥涩痛，肺热喘咳，吐血，衄血，尿血，崩漏。

| 用法用量 | 内服煎汤，9 ~ 15 g；或研末。外用适量，研末涂敷。

蘋科 Marsileaceae 蘋属 *Marsilea* 凭证标本号 320722181016352LY

蘋 *Marsilea quadrifolia* L. Sp.

|药材名| 蘋（药用部位：全草）。

|形态特征| 多年生草本。植株高 5 ~ 20 cm。根茎细长横走，有分枝，先端被褐色毛，茎节远离，向上发出数枚营养叶。叶柄长 5 ~ 20 cm，先端着生倒三角形小叶 4，排成“十”字形，长、宽均 1 ~ 2.5 cm，外缘半圆形，基部楔形，全缘，幼时被毛，草质。叶脉由基部放射分叉成网状。孢子果双生或单生于短柄上，而柄着生于叶柄基部，长椭圆形，幼时被毛，深褐色，木质，坚硬；每个孢子果内含多数孢子囊，大小孢子囊同生于孢子囊托上，大孢子囊内有一大孢子，小孢子囊内有多数小孢子。

|生境分布| 生于水田或沟塘中。江苏各地均有分布。江苏扬州（宝应）有少量

栽培。

| **资源情况** | 野生及栽培资源较少。

| **采收加工** | 夏、秋季采收，去净杂质，晒干。

| **药材性状** | 本品根茎细长，多分枝。叶柄纤细，长 3 ～ 18 cm，光滑，棕绿色；小叶 4，卷缩，展开后呈"田"字形，小叶片倒三角形，长约 1.6 cm，宽约 1.7 cm，上面绿色，下面黄绿色。气微，味淡。

| **功效物质** | 全草含有 22（29）- 何帕烯、17（21）- 何帕烯、9（11）- 羊齿烯、香草酸、3,5-二羟基苯甲酸、对羟基苯甲酸等。

| **功能主治** | 甘，寒。归肺、肝、肾经。利水消肿，清热解毒，止血，除烦安神。用于水肿，热淋，小便不利，黄疸，吐血，衄血，尿血，崩漏带下，月经量多，心烦不眠，消渴，感冒，小儿夏季热，痈肿疮毒，瘰疬，乳腺炎，咽喉肿痛，急性结膜炎，毒蛇咬伤。

| **用法用量** | 内服煎汤，15 ～ 30 g，鲜品 60 ～ 90 g；或捣汁。外用适量，鲜品捣敷。

槐叶蘋科 Salviniaceae 槐叶蘋属 *Salvinia* 凭证标本号 320621181124021LY

槐叶蘋 *Salvinia natans* (L.) All.

| 药 材 名 | 蜈蚣萍（药用部位：全草）。

| 形态特征 | 多年生草本。茎被褐色节状毛。叶 3 轮生；2 叶漂浮于水面，形如槐叶，长 8 ~ 14 mm，宽 5 ~ 8 mm，基部圆形或略呈心形，全缘，先端钝圆，叶柄长 1 mm 或无柄。叶脉斜出，在主脉两侧有小脉 15 ~ 20 对，每条小脉上面有白色刚毛 5 ~ 8 束。叶草质，表面深绿色，背面密被棕色茸毛；沉水叶细裂成线状，状如须根，起着根的作用。孢子果 4 ~ 8 簇生于沉水叶的基部，表面疏生成束的短毛；小孢子果表面淡黄色，大孢子果表面褐色。

| 生境分布 | 生于水田、池塘和静水溪河、沟渠中。江苏各地均有分布。

| 资源情况 | 野生资源丰富。

| 采收加工 | 夏、秋季采收，洗净，鲜用或晒干。

| 药材性状 | 本品茎细长，有毛。叶二型，一种细长如根，一种羽状排列于茎的两侧；叶片矩圆形，长 8 ~ 12 mm，宽 5 ~ 6 mm，具圆钝头，基部圆形或稍心形，全缘，上面淡绿色，在侧脉间有 5 ~ 9 凸起，其上生一簇粗短毛，下面灰褐色，生有节的粗短毛。根状叶基部生出短小枝，枝上集生有大孢子果和小孢子果 4 ~ 8。气微，味辛。

| 功效物质 | 含有磷脂、糖脂等脂类，以及多种微量元素等。

| 功能主治 | 辛、苦，寒。清热解表，利水消肿，解毒。用于风热感冒，麻疹不透，水肿，热淋，小便不利，热痢，痔疮，痈肿疔疮，丹毒，腮腺炎，湿疹，烫火伤。

| 用法用量 | 内服煎汤，15 ~ 30 g。外用适量，捣敷；或煎汤洗。

裸子植物

○

○

○

苏铁科 Cycadaceae 苏铁属 *Cycas* 凭证标本号 321112180719028LY

苏铁 *Cycas revoluta* Thunb.

| 药 材 名 | 苏铁根（药用部位：根）、苏铁果（药用部位：种子）、苏铁花（药用部位：花）、苏铁叶（药用部位：叶）。

| 形态特征 | 树干高达 8 m，通常 1 ~ 3 m，圆柱形，粗糙，基部有明显的菱形叶柄残痕。羽状叶长 75 ~ 200 cm，叶柄两侧有齿状刺，刺间距 4 ~ 5 mm，刺长 2 ~ 3 mm；裂片超过 100 对，条形，厚革质，长 9 ~ 18 cm，宽 4 ~ 6 mm，向上斜展，微呈“V”形，边缘显著地向下反卷，上部微渐窄，先端锐尖，有刺状尖头，基部下延生长，两侧不对称，叶面深绿色，有光泽，中央微凹，凹槽内有微隆起的中脉，背面浅绿色。雄球花圆柱形，长 30 ~ 70 cm，直径 8 ~ 15 cm，小孢子叶窄披针状楔形，长 3.5 ~ 6 cm，先端宽平，其两角近圆形，宽 1.7 ~ 2.5 cm，先端有急尖头，上面光滑无毛，有龙

骨状突起，下面中肋至先端密生黄褐色绒毛，花药通常3聚生；大孢子叶密被淡黄色或淡灰黄色绒毛，上部的顶片宽卵形至长卵形，边缘羽状深裂，裂片12～18对，条状钻形，长2.5～6 cm，先端有刺状尖头，胚珠2～6，生于大孢子叶叶柄的中上部两侧，亦密生绒毛。种子红褐色或橘红色，倒卵圆形或卵圆形，稍扁，先端凹，长2～4 cm，直径1.5～3 cm，密生灰黄色短绒毛，后渐脱落，中种皮木质，两侧有2棱脊。花期6～7月，果期10月。

| 生境分布 | 江苏各地多盆栽，冬季置于温室越冬。江苏南京、苏州、无锡等栽植于庭园。

| 资源情况 | 栽培资源丰富。

| 采收加工 | **苏铁根、苏铁叶**：全年均可采收，晒干。

苏铁果：秋、冬季采收，晒干。

苏铁花：夏季采摘，鲜用或阴干。

| 药材性状 | **苏铁根**：本品呈细长圆柱形，略弯曲，长 10 ~ 35 cm，直径约 2 mm。表面灰黄色至灰棕色，具瘤状突起；外皮易横断成环状裂纹。质略韧，不易折断，断面皮部灰褐色，木部黄白色。气微，味淡。

苏铁花：本品大孢子叶略呈匙状，上部扁宽，下部圆柱形，长 10 ~ 20 cm，宽 5 ~ 8 cm。全体密被褐黄色绒毛，扁宽部分两侧羽状深裂为细条形，下部圆柱部分两侧各生 1 ~ 5 近球形的胚珠。气微，味淡。

苏铁叶：本品大型，一回羽状，叶轴扁圆柱形，叶柄基部两侧具刺，黄褐色。质硬，断面纤维性。羽片线状披针形，长 9 ~ 18 cm，宽 4 ~ 6 mm，黄色或黄褐色，边缘向背面反卷，背面疏生褐色柔毛。质脆，易折断，断面平坦。气微，味淡。

| 功效物质 | 叶含有苏铁双黄酮、扁柏双黄酮、穗花杉双黄酮等双黄酮类及儿茶素类等酚性成分。种子含有生物碱类、有机酸类、萜类、糖类、脂肪油等资源性成分，生物碱类成分既包括胆碱、葫芦巴碱等芳杂环类成分，也包括苏铁苷、新苏铁苷等偶氮糖苷类成分，具有抗肿瘤作用；萜类成分包括玉米黄质等四萜色素类，可用于保健食品的开发。

| 功能主治 | **苏铁根**：甘、淡，平；有小毒。祛风通络，活血止血。用于风湿麻木，筋骨疼痛，跌打损伤，劳伤吐血，腰痛，带下，口疮。

苏铁果：苦、涩，平；有毒。归肺、肝、大肠经。平肝降压，镇咳祛痰，收敛固涩。用于高血压，慢性肝炎，咳嗽痰多，痢疾，遗精，带下，跌打，刀伤。

苏铁花：甘、平。理气祛湿，活血止血，益肾固精。用于胃痛，慢性肝炎，风湿疼痛，跌打损伤，咯血，吐血，痛经，遗精，带下。

苏铁叶：甘、淡，平；有小毒。归肝、胃经。理气止痛，散瘀止血，消肿解毒。用于肝胃气滞疼痛，经闭，吐血，便血，痢疾，肿毒，外伤出血，跌打损伤。

| 用法用量 | **苏铁根**：内服煎汤，10 ~ 15 g；或研末。外用适量，煎汤含漱。

苏铁果：内服煎汤，9 ~ 15 g；或研末。外用适量，研末敷。

苏铁花：内服煎汤，15 ~ 60 g。

苏铁叶：内服煎汤，9 ~ 15 g；或烧存性研末。外用适量，烧灰；或煅存性研末敷。

银杏科 Ginkgoaceae 银杏属 *Ginkgo* 凭证标本号 320282151018090LY

银杏 *Ginkgo biloba* L.

| 药 材 名 | 银杏叶（药用部位：叶）、白果（药用部位：成熟种子）。

| 形态特征 | 落叶乔木。叶片具细长的叶柄，扇形，在宽阔的叶缘具缺刻或 2 裂，多数具二分歧平行脉，光滑无毛，易纵向撕裂。雌雄异株，稀同株，球花单生于短枝的叶腋；雄花成下垂的柔荑花序，雄蕊多数，各有 2 花药；雌花有长梗，梗端常分二叉，叉端生一具有盘状珠托的胚珠，常 1 胚珠发育成种子。种子核果状，具长柄，下垂；假种皮肉质，被白粉，成熟时淡黄色或橙黄色；种皮骨质，白色，常具 2 纵棱；内种皮膜质，淡红褐色。

| 生境分布 | 江苏各地均有栽培，主要分布于徐州（邳州、新沂）、泰州、盐城（东台）、苏州、扬州等。

|资源情况| 栽培资源丰富。

|采收加工| **银杏叶**：秋季采收，除去杂质，洗净，晒干或鲜用。

白果：9 月下旬至 10 月初采收，除去肉质外种皮，洗净，稍蒸或略煮后，烘干。

|功效物质| 叶主要含有黄酮类、萜内酯类、聚戊烯醇类、酚酸类、多糖类、甾醇类、氨基酸类等成分，其活血化瘀、通络止痛、化浊降脂的功效物质主要是黄酮类和内酯类功能性成分。果实含有多种黄酮类、内酯类、酚酸类及多糖类成分，其中酚酸类成分被认为具有潜在的致敏和致突变作用，同时具有良好的抗菌作用，有一定的抗过敏、抗病毒、抗炎、抗肿瘤等作用。

|功能主治| **银杏叶**：甘、苦、涩，平。归心、肺经。活血化瘀，通络止痛，敛肺平喘，化浊降脂。用于瘀血阻络，胸痹心痛，中风偏瘫，肺虚咳喘，高脂血症。

白果：甘、苦、涩，平；有毒。归肺、肾经。敛肺定喘，止带缩尿。用于痰多喘咳，带下白浊，遗尿，尿频。

|用法用量| **银杏叶**：内服煎汤，3 ~ 9 g；或用提取物作片剂；或入丸、散剂。外用适量，捣敷或搽；或水煎洗。

白果：内服煎汤，3 ~ 9 g；或捣汁。外用适量，捣敷；或切片涂。

|附　　注| 我国是世界银杏的起源、进化及分布中心，全世界 70% 以上的银杏资源分布于我国，分布区域主要在江苏、山东、重庆、贵州、广西等地。江苏银杏栽培历史悠久，银杏产业规模和效益均居全国之首，银杏已被确定为江苏的“省树”。各产区主栽银杏种类不同，淮北产区为叶用银杏、果材两用银杏、行道观赏银杏；里下河产区为果材两用银杏、行道观赏银杏；环太湖产区为果材两用银杏、绿化观赏用银杏；沿海产区为材用银杏、绿化观赏用银杏等。

松科 Pinaceae 雪松属 *Cedrus* 凭证标本号 321284190913056LY

雪松 *Cedrus deodara* (Roxb.) G. Don

| 药 材 名 | 香柏叶（药用部位：叶）、香柏（药用部位：木材）。

| 形态特征 | 常绿乔木，树冠圆锥形；树皮灰褐色，鳞片状裂。大枝不规则轮生，平展；一年生长枝淡黄褐色，有毛，短枝灰色。叶针状，灰绿色，宽与厚相等，各面有数条气孔线。雌雄异株，少数同株；雄球花椭圆状卵形，长 2 ~ 3 cm；雌球花卵圆形，长约 0.8 cm。球果椭圆状卵形，先端圆钝，成熟时红褐色；种鳞阔扇状倒三角形，背面密被锈色短绒毛；种子三角形，种翅宽大。花期 10 ~ 11 月，球果翌年 9 ~ 10 月成熟。

| 生境分布 | 江苏各地广泛栽培。

| 资源情况 | 栽培资源丰富。

| 采收加工 | **香柏叶：**全年均可采收，晒干。

香柏：伐木时采收，去皮，晒干。

| 功效物质 | 木部含有倍半萜类、吡喃酮类、不饱和脂肪酸类等资源性成分。树皮含有 9.8% 糖类及木质素雪松醇、异雪松醇、喜马拉雅杉醇、别喜马拉雅杉醇。叶含有 9-羟基 - 十二烷酸、月桂酸乙酯、硬脂酸乙酯、二十九烷醇 -10、邻苯二甲酸二丁酯、邻苯二甲酸二（2- 乙基）己酯、*β*- 谷甾醇、3*β*- 羟基 - 齐墩果酸甲酯、原儿茶酸、荠草酸、甲基松柏苷、阿魏酸 -*β*-D- 吡喃葡萄糖苷等。

| 功能主治 | 清热利湿，散瘀止血。用于痢疾，肠风便血，水肿，风湿痹痛，麻风病。

| 用法用量 | **香柏：**内服煎汤，10 ~ 15 g。

松科 Pinaceae 松属 *Pinus* 凭证标本号 320703170420702LY

赤松 *Pinus densiflora* Sieb. et Zucc.

| 药 材 名 | 松花粉（药用部位：花粉）、松根（药用部位：幼根或根皮）、松油（药用部位：油树脂）、松香（药材来源：油树脂经蒸馏或提取除去挥发油后所余固体树脂）、松节油（药材来源：油树脂经蒸馏或提取得到的挥发油）。

| 形态特征 | 常绿乔木。高达 30 m，胸径达 1.5 m；树皮橘红色，裂成不规则的鳞片状块片脱落，树干上部树皮红褐色。一年生枝淡橘黄色或红黄色，微被白粉，无毛；冬芽红褐色。针叶 2 针一束，长 8 ~ 12 cm；树脂管 6 ~ 7，边生；叶鞘宿存。球果圆锥状卵形，长 3 ~ 3.5 cm，成熟后淡褐黄色或淡黄色；种鳞较薄，鳞盾平或微厚，鳞脐背生，

通常有刺；种子长倒卵形或卵圆形，长 4 ~ 7 mm，种翅淡褐色，长 1 ~ 1.5 cm。花期 4 月，球果翌年 9 月下旬至 10 月成熟。

| 生境分布 | 生于低山丘陵山区，常组成次生纯林。江苏淮安（盱眙）、扬州（仪征）、南京（六合）等有零星栽培。

| 资源情况 | 野生及栽培资源较少。

| 采收加工 | **松花粉：**春季开花时采收雄花穗，晾干，搓下花粉，过筛，收取细粉，再晒。

松根：全年均可采挖，或剥取根皮，洗净，切段或片，晒干。

松油：将有油老松柴截成二三寸长，劈如灯心粗，用麻线扎把如茶杯口粗；用水盆一个，内盛水半盆，以碗一只，坐于水盆内，用席一块，盖于碗上，中间挖一孔如钱大；将扎好的松把直竖于席孔中，以火点着，少时再以炉灰将孔周围盖紧，勿令走烟（如走烟，其油则无），候温养一二时，其油尽滴碗内，去灰席，取出听用。

松香、松节油：采集树脂有上升式（即“V”形法）、下降式（即“Y”形法）采脂法及化学药剂处理法。我国现以下降式采脂法为主。选直径 20 ~ 50 cm 的松树，在距地面 2 m 高的树干处开割口。在开割割口前先要刮去粗皮，但不要损伤木质部，刮面长 50 ～ 60 cm、宽 25 ～ 40 cm，在刮面中央开割长 35 ～ 50 cm、宽 1 ～ 1.3 cm、深入木质部 1 ～ 1.2 cm 的中沟，中沟基部装一受脂器，再自中沟顶部开割另一对侧沟，可将油树脂不断收集起来。以在 30 ～ 35 ℃采收为宜，即长江以南地区在 5 ～ 10 月。将收集的松油脂与水共热，滤去杂质，通过水蒸气蒸馏，所得的馏出物分离除去水分，即为松节油。蒸馏后所余物质，放冷凝固，即是松香。

| 药材性状 |

松花粉：本品为淡黄色的细粉，质轻，易飞扬，手捻有滑润感，不沉于水。气微香，味有油腻感。以匀细、色淡黄、流动性较强者为佳。

松香：本品呈透明或半透明不规则块状物，大小不等，颜色由浅黄色至深棕色。常温时质地较脆，破碎面平滑，有玻璃样光泽，气微弱。遇热先变软，而后融化，经燃烧产生黄棕色浓烟；不溶于水，部分溶于石油醚，易溶于乙醇、乙醚、苯、氯仿及乙酸乙酯等溶剂中。

松节油：本品为无色至微黄色的澄清液体。气臭特异，久贮或暴露空气中，臭味渐增强，色渐变黄。易燃，燃烧时发生浓烟；在乙醇中易溶，与氯仿、乙醚或冰醋酸能任意混合；在水中不溶。

| 功效物质 |

叶含有原儿茶酸、槲皮素、荠草酸等药用成分。花粉含有 β- 谷甾醇、双氢山柰素、山柰酚等化学成分。

| 功能主治 |

松花粉：甘，温。归肝、胃经。祛风，益气，收湿，止血。用于头痛眩晕，泄泻下痢，湿疹湿疮，创伤出血。

松根：苦，温。归肺、胃经。祛风除湿，活血止血。用于风湿痹痛，风疹瘙痒，带下，咳嗽，跌打吐血，风虫牙痛。

松油：苦，温。祛风，杀虫。用于疥疮，皮癣。

松香：苦、甘，温。归肝、脾经。祛风燥湿，排脓拔毒，生肌止痛。用于痈疽恶疮，瘰疬，瘘证，疥癣，白秃疮，疠风，痹病，金疮，扭伤，带下，血栓闭塞性脉管炎。

松节油：活血通络，消肿止痛。用于关节肿痛，肌肉痛，跌打损伤。

| 用法用量 |

松花粉：内服煎汤，3 ～ 9 g；或冲服。外用适量，干撒；或调敷。

松根：内服煎汤，30 ～ 60 g。外用适量，鲜品捣敷；或煎汤洗。

松油：外用适量，涂擦。

松香：内服煎汤，3 ~ 5 g；或入丸、散剂；或浸酒。外用适量，研末干掺；或调敷。

松节油：外用适量，涂擦。

松科 Pinaceae 松属 *Pinus* 凭证标本号 320125150507252LY

马尾松 *Pinus massoniana* Lamb.

药材名

松花粉（药用部位：花粉）、松根（药用部位：幼根或根皮）、松油（药用部位：油树脂）、松香（药材来源：油树脂经蒸馏或提取除去挥发油后所余固体树脂）、松节油（药材来源：油树脂经蒸馏或提取得到的挥发油）。

形态特征

乔木。高可达 45 m，胸径 1.5 m；树皮下部灰褐色，裂成不规则的鳞状厚块片，上部红褐色。枝条斜展，小枝微下垂；一年生小枝红黄色或淡黄褐色，无毛及白粉，稀微有白粉；冬芽圆柱形或卵状圆柱形，褐色，先端尖。针叶 2 针一束，稀 3 针一束，长 12 ~ 20 cm，细柔；横切面树脂道 6 ~ 7，边生；叶鞘宿存。球果卵圆形，较小，长 4 ~ 7 cm，直径 2.5 ~ 4 cm，成熟时栗褐色；鳞盾平或微隆起，微具横脊；鳞脐微凹，无刺或生于干燥环境者有微小刺；种子长 4 ~ 5 mm，连翅长 1.5 cm。花期 4 ~ 5 月，果期翌年 10 ~ 12 月。

生境分布

生于丘陵地区，常组成次生纯林。分布于江

苏南部及西部低山丘陵地区等。江苏淮安（盱眙）、扬州（仪征）、南京（六合）等有零星栽培。

| 资源情况 | 野生及栽培资源较丰富。

| 采收加工 | **松花粉：** 春季开花时采收雄花穗，晾干，搓下花粉，过筛，收取细粉，再晒。

松根： 全年均可采挖，或剥取根皮，洗净，切段或片，晒干。

松油： 将有油老松柴截成二三寸长，劈如灯心粗，用麻线扎把如茶杯口粗；用水盆一个，内盛水半盆，以碗一只，坐于水盆内，用席一块，盖于碗上，中间挖一孔如钱大；将扎好的松把直竖于席孔中，以火点着，少时再以炉灰将孔周围盖紧，勿令走烟（如走烟，其油则无），候温养一二时，其油尽滴碗内，去灰席，取出听用。

松香、松节油： 采集树脂有上升式（即“V”形法）、下降式（即“Y”形法）采脂法及化学药剂处理法。我国现以下降式采脂法为主。选直径 20 ～ 50 cm 的松树，在距地面 2 m 高的树干处开割口。在开割割口前先要刮去粗皮，但不要损伤木质部，刮面长 50 ～ 60 cm、宽 25 ～ 40 cm，在刮面中央开割长 35 ～ 50 cm、宽 1 ～ 1.3 cm、深入木质部 1 ～ 1.2 cm 的中沟，中沟基部装一受脂器，再自中沟顶部开割另一对侧沟，可将油树脂不断收集起来。以在 30 ~ 35 ℃采收为宜，即长江以南地区在 5 ~ 10 月。将收集的松油脂与水共热，滤去杂质，通过水蒸气蒸馏，所得的馏出物分离除去水分，即为松节油。蒸馏后所余物质，放冷凝固，即是松香。

| 药材性状 |

松花粉：本品为淡黄色的细粉，质轻，易飞扬，手捻有滑润感，不沉于水。气微香，味有油腻感。以匀细、色淡黄、流动性较强者为佳。

松香：本品呈透明或半透明不规则块状物，大小不等，颜色由浅黄色至深棕色。常温时质地较脆，破碎面平滑，有玻璃样光泽，气微弱。遇热先变软，而后融化，经燃烧产生黄棕色浓烟；不溶于水，部分溶于石油醚，易溶于乙醇、乙醚、苯、氯仿及乙酸乙酯等溶剂中。

松节油：本品为无色至微黄色的澄清液体。气臭特异，久贮或暴露空气中，臭味渐增强，色渐变黄。易燃，燃烧时发生浓烟；在乙醇中易溶，与氯仿、乙醚或冰醋酸能任意混合；在水中不溶。

| 功效物质 |

叶含有开环异落叶松脂素、4-（4′- 羟基 -3′- 甲氧基苯基）-2- 丁醇、4-（对羟基苯基）-2- 丁醇、伞花内酯、原儿茶酸、槲皮素、莽草酸等药用成分。花粉含有 *β*- 谷甾醇、单硬脂酸甘油酯、1- 正十六烷酸甘油酯、对羟基苯甲醛、3- 羟基 -4- 甲氧基苯甲酸、3,3′,5,5′,7- 五羟基二氢黄酮醇、双氢山柰素、对羟基苯甲酸、3,4- 二羟基苯甲酸、山柰酚、丁二酸等资源性成分。

| 功能主治 |

松花粉：甘，温。归肝、胃经。祛风，益气，收湿，止血。用于头痛眩晕，泄泻下痢，湿疹湿疮，创伤出血。

松根：苦，温。归肺、胃经。祛风除湿，活血止血。用于风湿痹痛，风疹瘙痒，带下，咳嗽，跌打吐血，风虫牙痛。

松油：苦，温。祛风，杀虫。用于疥疮，皮癣。

松香：苦、甘，温。归肝、脾经。祛风燥湿，排脓拔毒，生肌止痛。用于痈疽恶疮，瘰疬，瘘证，疥癣，白秃疮，疠风，痹病，金疮，扭伤，带下，血栓闭塞性脉管炎。

松节油：活血通络，消肿止痛。用于关节肿痛，肌肉痛，跌打损伤。

| 用法用量 |

松花粉：内服煎汤，3 ~ 9 g；或冲服。外用适量，干撒；或调敷。

松根：内服煎汤，30 ~ 60 g。外用适量，鲜品捣敷；或煎汤洗。

松油： 外用适量，涂擦。

松香： 内服煎汤，3 ~ 5 g；或入丸、散剂；或浸酒。外用适量，研末干掺；或调敷。

松节油： 外用适量，涂擦。

松科 Pinaceae 松属 *Pinus* 凭证标本号 320115150516040LY

油松 *Pinus tabulieformis* Carr.

| 药材名 |

松花粉（药用部位：花粉）、松节油（药材来源：油树脂经蒸馏或提取得到的挥发油）。

| 形态特征 |

常绿乔木。高达 25 m，胸径可超过 1 m；树皮灰褐色或褐灰色，裂成不规则较厚的鳞状块片，裂缝及上部树皮红褐色。大树的枝条平展或微向下伸，树冠近平顶状；一年生枝淡红褐色或淡灰黄色，无毛；二、三年生枝上的苞片宿存；冬芽红褐色。针叶 2 针一束，粗硬，长 10 ~ 15 cm；树脂管约 10，边生；叶鞘宿存。球果卵圆形，长 4 ~ 10 cm，成熟后宿存，暗褐色；种鳞的鳞盾肥厚，横脊显著，鳞脐凸起，有刺尖；种子长 6 ~ 8 mm，种翅长约 10 mm。花期 4 ~ 5 月，球果翌年 10 月成熟。

| 生境分布 |

江苏徐州（新沂）、南京、无锡等有栽培。

| 资源情况 |

栽培资源较少。

| 采收加工 | **松花粉：**春季采收。

松节油：伐木时采收油树脂，经蒸馏或提取后得。

| 药材性状 | **松花粉：**本品为淡黄色的细粉，质轻，易飞扬，手捻有滑润感，不沉于水。气微香，味有油腻感。以匀细、色淡黄、流动性较强者为佳。

松节油：本品为无色至微黄色的澄清液体。气臭特异，久贮或暴露空气中，臭味渐增强，色渐变黄。易燃，燃烧时发生浓烟；在乙醇中易溶，与氯仿、乙醚或冰醋酸能任意混合；在水中不溶。

| 功效物质 | 针叶含有挥发油类、黄酮类、糖类、氨基酸类、维生素类、粗蛋白、粗脂肪等资源性成分。挥发油类含量约为 2%，其中尤以龙脑含量最高，达 45.13%，具有抑菌、抗肿瘤等活性。油树脂经蒸馏或提取得到的挥发油主要含有海松醛、二萜烃、树脂酸甲酯及少量其他单萜及倍半萜烯烃。

| 功能主治 | **松花粉：**甘，温。归肝、胃经。收敛止血，燥湿敛疮。用于外伤出血，湿疹，黄水疮，皮肤糜烂，脓水淋漓。

松节油：祛风除湿，通络止痛。用于风寒湿痹，历节风痛，转筋挛急，跌打伤痛。

| 用法用量 | **松花粉：**内服煎汤，3 ~ 9 g；或冲服。外用适量，干撒；或调敷。

松节油：外用适量，涂擦。

松科 Pinaceae 松属 *Pinus* 凭证标本号 320721180413028LY

黑松 *Pinus thunbergii* Parl.

药材名

松花粉（药用部位：花粉）、松根（药用部位：幼根或根皮）、松油（药用部位：油树脂）、松香（药材来源：油树脂经蒸馏或提取除去挥发油后所余固体树脂）、松节油（药材来源：油树脂经蒸馏或提取得到的挥发油）。

形态特征

常绿乔木。高达 30 m，胸径可达 2 m；幼树树皮暗灰色，老则灰黑色，粗厚，裂成块片脱落。枝条开展，树冠宽圆锥状或伞形；一年生枝淡黄褐色，无毛；冬芽银白色。针叶粗硬，2 针一束，长 6 ~ 12 cm；树脂管 6 ~ 11，中生；叶鞘宿存。球果圆锥状卵形或卵圆形，长 4 ~ 6 cm，有短柄，成熟时栗褐色；种鳞的鳞盾隆起，横脊显著，鳞脐微凹，有短刺；种子倒卵状椭圆形，长 5 ~ 7 mm，种翅灰褐色，有深色条纹，长 10 ~ 12 mm。花期 4 ~ 5 月，种子翌年 10 月成熟。

生境分布

生于酸性土山区。江苏各地丘陵曾普遍栽培，现连云港（赣榆）、南京等有引种栽培。

| 资源情况 | 野生及栽培资源较少。

| 采收加工 | **松花粉：**春季开花时采收雄花穗，晾干，搓下花粉，过筛，收取细粉，再晒。

松根：全年均可采挖，或剥取根皮，洗净，切段或片，晒干。

松油：将有油老松柴截成二三寸长，劈如灯心粗，用麻线扎把如茶杯口粗；用水盆一个，内盛水半盆，以碗一只，坐于水盆内，用席一块，盖于碗上，中间挖一孔如钱大；将扎好的松把直竖于席孔中，以火点着，少时再以炉灰将孔周围盖紧，勿令走烟（如走烟，其油则无），候温养一二时，其油尽滴碗内，去灰席，取出听用。

松香、松节油：采集树脂有上升式（即“V”形法）、下降式（即“Y”形法）采脂法及化学药剂处理法。我国现以下降式采脂法为主。选直径 20 ～ 50 cm 的松树，在距地面 2 m 高的树干处开割口。在开割割口前先要刮去粗皮，但不要损伤木质部，刮面长 50 ～ 60 cm、宽 25 ～ 40 cm，在刮面中央开割长 35 ～ 50 cm、宽 1 ～ 1.3 cm、深入木质部 1 ～ 1.2 cm 的中沟，中沟基部装一受脂器，再自中沟顶部开割另一对侧沟，可将油树脂不断收集起来。以在 30 ～ 35 ℃采收为宜，即长江以南地区在 5 ～ 10 月。将收集的松油脂与水共热，滤去杂质，通过水蒸气蒸馏，所得的馏出物分离除去水分，即为松节油。蒸馏后所余物质，放冷凝固，即是松香。

| 药材性状 | **松花粉：** 本品为淡黄色的细粉，质轻，易飞扬，手捻有滑润感，不沉于水。气微香，味有油腻感。以匀细、色淡黄、流动性较强者为佳。

松香： 本品呈透明或半透明不规则块状物，大小不等，颜色由浅黄色到深棕色。常温时质地较脆，破碎面平滑，有玻璃样光泽，气微弱。遇热先变软，而后融化，经燃烧产生黄棕色浓烟；不溶于水，部分溶于石油醚，易溶于乙醇、乙醚、苯、氯仿及乙酸乙酯等溶剂中。

松节油： 本品为无色至微黄色的澄清液体。气臭特异，久贮或暴露空气中，臭味渐增强，色渐变黄。易燃，燃烧时发生浓烟；在乙醇中易溶，与氯仿、乙醚或冰醋酸能任意混合；在水中不溶。

| 功效物质 | 针叶含有萜烯类、烯烃类、醇类和酯类等挥发油类资源性成分，其中，烯烃类成分占 54.97%，醇类成分占 12.88%，具有镇咳、抗炎、祛痰及抗真菌活性。球果中含有黄酮类、酚类、香豆素类、皂苷、挥发油、植物甾醇、有机酸等资源性成分。

| 功能主治 | **松花粉：** 甘，温。归肝、胃经。祛风益气，收湿止血。用于头痛眩晕，泄泻下痢，湿疹湿疮，创伤出血。

松根： 苦、温，归肺、胃经。祛风除湿，活血止血。用于风湿痹痛，风疹瘙痒，带下，咳嗽，跌打吐血，风虫牙痛。

松油： 苦，温。祛风，杀虫。用于疥疮，皮癣。

松香： 苦、甘，温。归肝、脾经。祛风燥湿，排脓拔毒，生肌止痛。用于痈疽恶疮，瘰疬，疥癣，白秃，疠风，痹证，金疮，扭伤，带下，血栓闭塞性脉管炎。

松节油： 活血通络，消肿止痛。用于关节肿痛，肌肉痛，跌打损伤。

| 用法用量 | **松花粉：** 内服煎汤，3 ~ 9 g；或冲服。外用适量，干撒；或调敷。

松根： 内服煎汤，30 ~ 60 g。外用适量，鲜品捣敷；或煎汤洗。

松油： 外用适量，涂擦。

松香： 内服煎汤，3 ~ 5 g；或入丸、散剂；或浸酒。外用适量，研末干掺；或调敷。

松节油： 外用适量，涂擦。

松科 Pinaceae 金钱松属 *Pseudolarix* 凭证标本号 320282161113689LY

金钱松 *Pseudolarix amabilis* (Nelson) Rehd.

|药材名|

土荆皮（药用部位：根皮或近根树皮）。

|形态特征|

落叶乔木。枝平展，不规则轮生，高达 40 m，胸径可达 1.5 m；树干通直，树皮灰色或灰褐色，裂成鳞状块片；具长枝和矩状短枝。叶在长枝上螺旋状散生，在短枝上 20 ~ 30 簇生，伞状平展，线形或倒披针状线形，柔软，长 3 ~ 7 cm，宽 1.5 ~ 4 mm，淡绿色，上面中脉不隆起或微隆起，下面沿中脉两侧有 2 灰色气孔带，秋季叶呈金黄色。雌雄同株，球花生于短枝先端，具梗；雄球花 20 ~ 25 簇生；雌球花单生，苞鳞大于珠鳞，珠鳞的腹面基部有 2 胚珠。球果当年成熟，直立，卵圆形，长 6 ~ 7.5 cm，直径 4 ~ 5 cm，成熟时淡红褐色，具短柄；种鳞木质，卵状披针形，先端有凹缺，基部两侧耳状，长 2.5 ~ 3.5 cm，成熟时脱落；苞鳞短小，长为种鳞的 1/4 ~ 1/3；种子卵圆形，有与种鳞近等长的种翅；种翅膜质，较厚，三角状披针形，淡黄色，有光泽。

|生境分布|

生于酸性土山区。分布于江苏宜溧山区。江

苏各地有栽培。

| 资源情况 | 野生及栽培资源一般。

| 采收加工 | 立夏后采收，平叠，晒干。

| 药材性状 | 本品根皮呈不规则的长条状或稍扭曲而卷成槽状，长短及宽度不一，厚 2 ~ 5 mm；外表面粗糙，深灰棕色，具纵横皱纹，并有横向灰白色皮孔，栓皮常呈鳞片状剥落；内表面黄棕色至红棕色，平坦，有细致的纵向纹理。质坚韧，折断面裂片状。树皮呈板片状，栓皮较厚；外表面龟裂状，内表面较粗糙。气微，味苦、涩。以片大而整齐、色黄褐者为佳。

| 功效物质 | 含有二萜类、三萜类、倍半萜类、木脂素类、甾醇类及有机酸类等资源性成分。二萜类成分结构类型以土荆皮酸及其衍生物为主，此外尚含有少数贝杉烷型二萜，土荆皮酸及其衍生物有着较好的抑菌和抗肿瘤活性，目前已有衍生物进入临床研究。有机酸类成分对我国常见的致病真菌有显著的抗菌作用，可开发为抗菌药物及洗剂。此外，还含有熊果苷，可抑制酪氨酸酶活性，阻止黑色素的生成，同时具有杀菌、消炎的作用。

| 功能主治 | 辛、苦，温；有毒。杀虫，疗癣，止痒。用于疥癣瘙痒。

| 用法用量 | 外用适量，浸酒涂擦；或研末调敷。

杉科 Taxodiaceae 杉木属 *Cunninghamia* 凭证标本号 32011160306001LY

杉木 *Cunninghamia lanceolata* (Lamb.) Hook.

| 药 材 名 |

杉材（药用部位：心材及树枝）、杉木根（药用部位：根或根皮）、杉木节（药用部位：枝干上的结节）、杉皮（药用部位：树皮）、杉叶（药用部位：叶）、杉塔（药用部位：球果）、杉子（药用部位：种子）、杉木油（药材来源：木材沥出的油脂）。

| 形态特征 |

常绿乔木。高达 30 m。树皮灰褐色，裂成长条片脱落，内皮淡红色；主干笔直，大枝近轮生。叶条状披针形，革质，长 3 ~ 6 cm，边缘有锯齿，上下两面均有气孔带，螺旋状着生，但在侧枝上的叶基部扭转成二列状。雌雄同株；雄球花簇生于枝顶；雌球花单生或簇生于枝顶，卵圆形，苞鳞大于珠鳞，苞鳞和珠鳞的下部愈合，苞鳞上部边缘有不规则细齿；珠鳞先端 3 裂，腹面有胚珠 3。球果下垂，近圆球形或卵圆形；种子两侧具窄翅。花期 4 月，球果 10 月下旬成熟。

| 生境分布 |

生于酸性土山区。分布于江苏无锡（宜兴）、常州（溧阳）、南京（溧水、江宁）、镇江（句容）、淮安（盱眙）等丘陵山区。

| 资源情况 | 野生及栽培资源丰富。

| 采收加工 | **杉材：**全年均可采收，鲜用或晒干。

杉木根：全年均可采收，鲜用或晒干。

杉木节：全年均可采收，鲜用或晒干。

杉皮：全年均可采剥，鲜用或晒干。

杉叶：全年均可采收，鲜用或晒干。

杉塔：7 ~ 8 月间采摘，晒干。

杉子：7 ~ 8 月间采摘球果，晒干后收集种子。

杉木油：全年可采制。取碗，先用绳把碗口扎成“十”字形，后于碗口处盖以卫生纸，上放杉木锯末堆成塔状，从尖端点火燃烧杉木，待烧至接近卫生纸时除去灰烬和残余锯末，碗中液体即为杉木油。

| 药材性状 | **杉皮：**本品呈板块状或扭曲的卷状，大小不一。外表面灰褐色或淡褐色，具粗糙的裂纹，内表面棕红色，稍光滑。干皮较厚，枝皮较薄。气微，味涩。

杉叶：本品呈条状披针形，长 2.5 ~ 6 cm，先端锐渐尖，基部下延而扭转，边

缘有细齿。表面墨绿色或黄绿色，主脉 1，上表面主脉两侧的气孔线较下表面为少，下表面可见白色粉带 2。质坚硬，气微香，味涩。

杉子： 本品扁平，长 6 ~ 8 mm。表面褐色，两侧有狭翅；种皮较硬，种仁含丰富的脂肪油。气香，味微涩。

｜功效物质｜ 根或根皮主要含有甾体类、脂肪酸类、维生素类、游离氨基酸类等资源性成分，此外，根和叶中尚含有挥发油类成分，叶中双黄酮类成分为金松双黄酮、穗花杉双黄酮等及其衍生物，种子含有杉木酸 A、B 等有机酸类成分。

｜功能主治｜ **杉材：** 辛，微温。归肺、脾、胃经。辟恶除秽，除湿散毒，降逆气，活血止痛。用于脚气肿满，奔豚，霍乱，心腹胀痛，风湿毒疮，跌打肿痛，创伤出血，烫火伤。

杉木根： 辛，微温。祛风利湿，行气止痛，理伤接骨。用于风湿痹痛，胃痛，疝气痛，淋病，带下，血瘀崩漏，痔疮，骨折，脱臼，刀伤。

杉木节： 辛，微温。祛风止痛，散湿毒。用于风湿骨节疼痛，胃痛，脚气肿痛，带下，跌打损伤，臁疮。

杉皮： 辛，微温。利湿，消肿解毒。用于水肿，脚气，漆疮，流火，烫伤，金疮出血，毒虫咬伤。

杉叶： 辛，微温。祛风，化痰，活血，解毒。用于半身不遂初起，风疹，咳嗽，牙痛，天疱疮，脓疱疮，鹅掌风，跌打损伤，毒虫咬伤。

杉塔： 辛，微温。温肾壮阳，杀虫解毒，宁心，止咳。用于遗精，阳痿，白癜风，乳痛，心悸，咳嗽。

杉子： 辛，微温。理气散寒，止痛。用于疝气疼痛。

杉木油： 苦、辛，微温。利尿排石，消肿杀虫。用于淋证，尿路结石，遗精，带下，顽癣，疔疮。

｜用法用量｜ **杉材：** 内服煎汤，15 ~ 30 g。外用适量，煎汤熏洗；或烧存性研末调敷。

杉木根： 内服煎汤，30 ~ 60 g。外用适量，捣敷；或烧存性研末调敷。

杉木节： 内服煎汤，10 ~ 30 g；或入散剂；或浸酒。外用适量，煎汤浸泡；或烧存性研末调敷。

杉皮： 内服煎汤，10 ~ 30 g。外用适量，煎汤熏洗，或烧存性研末调敷。

杉叶： 内服煎汤，15 ~ 30 g。外用适量，煎汤含漱；或捣汁搽；或研末调敷。

杉塔： 内服煎汤，10 ~ 90 g。外用适量，研末调敷。

杉子： 内服煎汤，5 ~ 10 g。

杉子油： 内服煎汤，3 ~ 20 g；或冲服。外用适量，搽患处。

杉科 Taxodiaceae 水松属 *Glyptostrobus* 凭证标本号 320621181124059LY

水松 *Glyptostrobus pensilis* (Staunt.) Koch

| 药 材 名 | 水松皮（药用部位：树皮）、水松球果（药用部位：球果）、水松枝叶（药用部位：枝叶）。

| 形态特征 | 半常绿性乔木。高 10 ~ 25 m；基部常膨大，具圆棱，有膝状呼吸根。叶螺旋状排列，基部下延，有三种类型：鳞叶较厚，长约 2 mm，在一至三年生主枝上贴枝生长；线形叶扁平、薄，长 1 ~ 3 cm，生于幼树一年生小枝或大树萌芽枝上，常排成 2 列；线状锥形叶，长 0.4 ~ 1.1 cm，生于大树的一年生小枝上，辐射伸展成 3 列状；后两种叶在秋季与侧生小枝一同脱落。球花单生于小枝先端，雄蕊和珠鳞均螺旋状排列，每雄蕊具花药 2 ~ 9，珠鳞 20 ~ 22，苞鳞稍大于珠鳞。球果直立，倒卵形，长 2 ~ 2.5 cm；种鳞木质，倒卵形，背面上部边缘有 6 ~ 10 三角状尖齿，微外曲，苞鳞与种鳞近全部合生，

仅先端分离成三角形外曲的尖头，发育的种鳞具种子 2；种子椭圆形，微扁，长 5 ~ 7 mm，下端具长翅；子叶 4 ~ 5，发芽时出土。

| 生境分布 | 生于河流两岸。江苏南京、苏州等有栽培。

| 资源情况 | 栽培资源较少。

| 采收加工 | **水松皮：**全年均可采剥，鲜用或晒干。

水松球果：秋、冬季采摘，阴干。

水松枝叶：全年均可采收，去净杂质，晒干。

| 药材性状 | **水松球果：**本品呈倒卵圆形，长约 2 cm，绿棕色或棕色，种鳞木质，大小不等，螺旋形层状排列，最下层种鳞扁平肥厚，背部上缘有 6 ~ 10 微外反的三角状尖齿，近中部有 1 反曲的尖头，种鳞间有种子。种子基部有长翅。气微香，味涩。

水松枝叶：本品小枝呈圆柱形，具鳞形叶或钻形叶，紧密排列。鳞形叶小，长约 4 mm；钻形叶稍大，长 6 ~ 10 mm，绿色或枯绿色，羽状排列。质稍硬。气微香，味微涩。

| 功效物质 | 针叶含有黄酮类、莽草酸及其衍生物类等资源性成分，具有较强的抗真菌活性，可作为抗真菌医药原料。莽草酸及其衍生物具有较强的抗血小板聚集活性及艾滋病病毒逆转录酶抑制活性，同时是抗流行性感冒药物“达菲”的原料，可作为先导化合物进行结构修饰和改造，为新药研究提供候选模板。

| 功能主治 | **水松皮：**苦，平。杀虫止痒，祛火毒。用于水疱疮，烫火伤。

水松球果：苦，平。理气止痛。用于胃痛，疝气痛。

水松枝叶：苦，温。祛风湿，通络止痛，杀虫止痒。用于风湿骨痛，高血压，腰痛，皮炎。

| 用法用量 | **水松皮：**外用适量，煎汤洗；或煅炭研末调敷。

水松球果：内服煎汤，15 ~ 30 g。

水松枝叶：内服煎汤，15 ~ 30 g。外用适量，煎汤洗；或捣敷。

杉科 Taxodiaceae 水杉属 *Metasequoia* 凭证标本号 321284190501033LY

水杉 *Metasequoia glyptostroboides* Hu et Cheng

| 药材名 |

水杉叶（药用部位：叶）、水杉果实（药用部位：果实）。

| 形态特征 |

乔木，高达 35 m，胸径达 2.5 m；树干基部常膨大；树皮灰色、灰褐色或暗灰色，幼树裂成薄片状脱落，大树裂成长条状脱落，内皮淡紫褐色。枝斜展，小枝下垂，幼树树冠尖塔形，老树树冠广圆形，枝叶稀疏；一年生枝光滑无毛，幼时绿色，后渐变成淡褐色，二、三年生枝淡褐灰色或褐灰色；侧生小枝排成羽状，长 4 ~ 15 cm，冬季凋落；主枝上的冬芽卵圆形或椭圆形，先端钝，长约 4 mm，直径 3 mm，芽鳞宽卵形，先端圆或钝，长、宽几相等，均为 2 ~ 2.5 mm，边缘薄而色浅，背面有纵脊。叶条形，长 0.8 ~ 3.5 cm（常 1.3 ~ 2 cm），宽 1 ~ 2.5 mm（常 1.5 ~ 2 mm），上面淡绿色，下面色较淡，沿中脉有 2 较边带稍宽的淡黄色气孔带，每带有 4 ~ 8 气孔线，叶在侧生小枝上列成 2 列，羽状，冬季与枝一同脱落。球果下垂，近四棱状球形或矩圆状球形，成熟前绿色，成熟时深褐色，长 1.8 ~ 2.5 cm，直径 1.6 ~ 2.5 cm，柄长 2 ~ 4 cm，其上有交互对生的条形叶；种鳞木质，盾形，通常 11 ~ 12 对，交叉对生，鳞顶扁菱形，中央有 1 横槽，基部楔形，高 7 ~ 9 mm，能育种鳞有种子 5 ~ 9；种子扁平，倒卵形、圆形或矩圆形，周围有翅，先端有凹缺，长约 5 mm，直径 4 mm；子叶 2，条形，长 1.1 ~ 1.3 cm，宽 1.5 ~ 2 mm，两面中脉微隆起，上面有气孔线，下面无气孔线；初生叶条形，交叉对生，长 1 ~ 1.8 cm，下面有气孔线。花期 2 月下旬，球果 11 月成熟。

| 生境分布 | 江苏各地均有栽培。

| 资源情况 | 栽培资源丰富。

| 采收加工 | **水杉叶：**夏、秋季采收，去净杂质，晒干。

水杉果实：秋、冬季采摘，阴干。

| 功效物质 | 针叶及树皮含有黄酮类、木脂素类、萜类、甾醇类、多糖类等资源性成分。黄酮类成分中双黄酮类成分含量及种类均较为丰富，木脂素类成分以降木脂素 metasequirin、北美红杉素等为主，萜类成分以劳丹烷型、松香烷型二萜结构母核为主，此外还有少量的环菠萝蜜烷型三萜类、杜松烷型及菖蒲烷型倍半萜类资源性成分。

| 功能主治 | 清热解毒，消炎止痛。用于痈疮肿毒，疮癣。

| 用法用量 | **水杉叶：**外用适量，煎汤洗；或煅炭，研水调敷。

水杉果实：内服煎汤，15 ~ 30 g。

| 附　　注 | 本种喜温暖湿润气候。土层深厚、湿润或稍有积水处均可生长。

柏科 Cupressaceae 刺柏属 *Juniperus* 凭证标本号 320925190629265LY

刺柏 *Juniperus formosana* Hayata

| 药 材 名 | 山刺柏（药用部位：根或根皮、枝叶）。

| 形态特征 | 常绿乔木或灌木。小枝下垂，常有棱脊；冬芽显著。叶全为刺形，3 轮生，基部有关节，不下延，先端渐锐尖，长 1.2 ~ 2.5（~ 3.2）cm，宽 1.2 ~ 2 mm，上面中脉两侧各有一白色、稀淡紫色或淡绿色的气孔带，气孔带较绿色边带稍宽，在叶端汇合，下面有纵钝脊。雌雄异株，球花单生于叶腋；雄球花具雄蕊 9 ~ 12，3 轮生，各具 4 花药或更多；珠鳞 3，轮生，胚珠位于珠鳞之间。球果近球形或宽卵圆形，长 6 ~ 10 mm，成熟时淡红色或淡红褐色，有白粉，先端有时稍张开；种子通常 3，半月形。

| 生境分布 | 生于林缘或多石砾山坡。分布于江苏连云港、南京、无锡（宜兴）、

常州（溧阳）、南通、苏州等。

| 资源情况 | 野生资源较丰富。

| 采收加工 | 夏、秋季采收，去净杂质，晒干。

| 功效物质 | 含有挥发油类、二萜类、黄酮类及酚性等资源性成分。其中，挥发油类成分对肺癌细胞具有抑制作用，黄酮类及酚类成分既可以作为天然抗氧化剂应用于食品、医药等领域，又可以作为天然植物化学成分应用于医药、香料等行业。叶子中双黄酮类成分含量丰富，种子以含氧二萜类为特征性成分。

| 功能主治 | 苦，寒。清热解毒，燥湿止痒。用于麻疹高热，湿疹，疮癣。

| 用法用量 | 内服煎汤，6 ~ 15 g。外用适量，煎汤洗。

柏科 Cupressaceae 侧柏属 *Platycladus* 凭证标本号 320115150714045LY

侧柏 *Platycladus orientalis* (L.) Franco

| 药 材 名 | 侧柏叶（药用部位：枝梢、叶）、柏子仁（药用部位：种仁）。

| 形态特征 | 乔木，高达 20 m；幼树树冠卵状尖塔形，老则广圆形；树皮淡灰褐色。生鳞叶的小枝直展，扁平，排成一平面，两面同形。鳞叶二型，交互对生，背面有腺点。雌雄同株，球花单生于枝顶；雄球花具 6 对雄蕊，每雄蕊具花药 2 ~ 4；雌球花具 4 对珠鳞，仅中部 2 对珠鳞各具胚珠 1 ~ 2。球果当年成熟，卵状椭圆形，长 1.5 ~ 2 cm，成熟时褐色；种鳞木质，扁平，厚，背部先端下方有一弯曲的钩状尖头，成熟时张开，最下部 1 对很小，不发育，发育的种鳞各具种子 1 ~ 2；种子椭圆形或卵圆形，长 4 ~ 6 mm，灰褐色或紫褐色，无翅，或先端有短膜，种脐大而明显，子叶 2，发芽时出土。花期 3 ~ 4 月，球果 10 月成熟。

| 生境分布 | 生于石灰岩山地及轻度盐碱地。江苏各地均有栽培。

| 资源情况 | 野生及栽培资源丰富。

| 采收加工 | **侧柏叶：**全年均可采收，以夏、秋季采收为佳，去净杂质，晒干。

柏子仁：秋、冬季采收成熟球果，晒干，收集种子，碾去种皮，簸净。

| 药材性状 | **侧柏叶：**本品枝长短不一，多分枝，小枝扁平。叶细小鳞片状，交互对生，贴伏于枝上，深绿色或黄绿色。质脆，易折断。气清香，味苦、涩、微辛。以叶嫩、色青绿、无碎末者为佳。

| 功效物质 | 枝梢、叶主要含有萜类、挥发油类、黄酮类及鞣质类等资源性成分。其中，黄酮类成分含量及种类丰富，是其主要活性成分，尤以槲皮苷含量最高，具有显著的止血、降尿酸及促进毛发生长的作用，可用于保健食品的开发与利用；挥发油类成分具有显著的抗菌、抗炎、抗肿瘤及促进毛发生长的作用。种子含脂肪油约 14%，并含少量挥发油及皂苷类资源性成分。

| 功能主治 | **侧柏叶：**苦、涩，微寒。归肺、肝、大肠经。凉血止血，化痰止咳，生发乌发。用于吐血，衄血，咯血，便血，崩漏下血，肺热咳嗽，血热脱发，须发早白。

柏子仁：甘，平。归心、肾、大肠经。养心安神，润肠通便，止汗。用于阴血不足，虚烦失眠，心悸怔忡，肠燥便秘，阴虚盗汗。

| 用法用量 | **侧柏叶：**内服煎汤，6 ~ 15 g；或入丸、散剂。外用适量，煎汤洗；或捣敷；或研末调敷。

柏子仁：内服煎汤，6 ~ 15 g；或入丸、散剂。便溏者制霜用。外用适量，研末调敷；或鲜品捣敷。

柏科 Cupressaceae 圆柏属 *Sabina* 凭证标本号 320922180713018LY

圆柏 *Sabina chinensis* (L.) Ant.

| 药 材 名 | 桧叶（药用部位：叶）。

| 形态特征 | 乔木，高达 20 m，胸径达 3.5 m；树冠尖塔形或圆锥形，老树则呈广卵形、球形或钟形；树皮灰褐色，呈浅纵条剥离，有时呈扭转状。老枝常扭曲状；小枝直立、斜生或略下垂；冬芽不显著。叶二型，鳞叶交互对生，多见于老树或老枝上，先端钝，背面中部具腺点；刺叶常 3 轮生，长 0.6 ~ 1.2 cm，叶上面微凹，有 2 白色气孔带。雌雄异株，极少同株；雄球花具雄蕊 5 ~ 7 对，对生，各有花药 3 或 4。球果翌年或第 3 年成熟，成熟时暗褐色，被白粉，有种子 1 ~ 4；种子卵圆形，子叶 2，发芽时出土。花期 4 月下旬。

| 生境分布 | 生于山地。江苏各地均有分布。

| 资源情况 | 野生资源丰富。

| 采收加工 | 夏、秋季采收，去净杂质，晒干。

| 药材性状 | 本品二型，包括刺状叶及鳞叶，生于不同枝上，鳞叶 3 叶轮生，直伸而紧密，近披针形，先端渐尖，长 2.5 ~ 5 mm；刺叶 3 叶交互轮生，斜展，疏松，披针形，长 6 ~ 12 mm。气微香，味微涩。

| 功效物质 | 叶枝含有黄酮类、挥发油类等资源性成分，其中黄酮类成分以穗花杉双黄酮、扁柏双黄酮、扁柏双黄酮甲醚等为特征，具有显著的抗炎、抑菌等活性。

| 功能主治 | 辛、苦，温；有小毒。祛风散寒，活血解毒。用于风寒感冒，风湿关节痛，荨麻疹，阴疽肿毒初起，尿路感染。

| 用法用量 | 内服煎汤，鲜品 15 ~ 30 g。外用适量，捣敷；或煎汤熏洗；或烧烟熏。

罗汉松科 Podocarpaceae 罗汉松属 *Podocarpus* 凭证标本号 321023170422161LY

罗汉松 *Podocarpus macrophyllus* (Thunb.) D. Don

|药材名|

罗汉松实（药用部位：种子）、罗汉松根皮（药用部位：根皮）、罗汉松叶（药用部位：枝叶）。

|形态特征|

常绿乔木，高达 20 m；树皮灰色或灰褐色，浅纵裂，呈薄片状脱落。枝开展或斜展，较密，小枝密被黑色软毛或无；顶芽卵圆形，芽鳞先端长渐尖。叶螺旋状着生，革质，线状披针形，微弯，长 7 ~ 12 cm，宽 7 ~ 10 mm，先端尖，基部楔形，上面深绿色，有光泽，中脉显著隆起，下面灰绿色，被白粉。雄球花穗状，常 3 ~ 5 簇生于极短的总梗上；雌球花单生于叶腋，有梗。种子卵圆形，直径约 1 cm，先端圆，成熟时肉质假种皮紫黑色，被白粉，肉质种托柱状椭圆形，红色或紫红色，长于种子，种柄长于种托，长 1 ~ 1.5 cm。花期 4 ~ 5 月，种子 8 ~ 9 月成熟。

|生境分布|

江苏南部等有栽培。

| 资源情况 | 栽培资源较丰富。

| 采收加工 | **罗汉松实：**秋季种子成熟时连同花托一起摘下，晒干。

罗汉松根皮：全年或秋季采挖，洗净，鲜用或晒干。

罗汉松叶：夏、秋季采收，去净杂质，晒干。

| 药材性状 | **罗汉松实：**本品呈椭圆形、类圆形或斜卵圆形，长 8 ~ 11 mm，直径 7 ~ 9 mm。外表灰白色或棕褐色，多数被白霜，具凸起的网纹，基部着生于倒钟形的肉质花托上。质硬，不易破碎，折断面种皮厚，中心粉白色。气微，味淡。

罗汉松叶：本品枝条直径 2 ~ 5 mm；表面淡黄褐色，粗糙，具似三角形的叶基脱落痕。叶条状披针形，长 7 ~ 12 cm，宽 4 ~ 7 mm；先端短尖或钝，上面灰绿色至暗褐色，下面黄绿色至淡棕色。质脆，易折断。气微，味淡。

| 功效物质 | 种子主要含有二萜类、挥发油类、生物碱类、黄酮类、多糖类等资源性成分。其中，二萜类成分以桃拓烷型二萜及降二萜双内酯类成分为主，具有抗菌、抗肿瘤、驱虫、植物生长抑制等活性；挥发油类中含有丰富的川芎嗪，可用于冠心病及脑缺血等心脑血管疾病治疗药物的开发。花托含有丰富的黄酮类及多糖类成分。黄酮类成分以芹菜素型双黄酮成分为特征，具有神经保护、抗氧化等活性；多糖的含量约为 0.047%，抗氧化活性显著。

| 功能主治 | **罗汉松实：**甘，微温。行气止痛，温中补血。用于胃脘疼痛，血虚面色萎黄。

罗汉松根皮：甘、苦，微温。活血祛瘀，祛风除湿，杀虫止痒。用于跌打损伤，风湿痹痛，癣疾。

罗汉松叶：淡，平。止血。用于吐血，咯血。

| 用法用量 | **罗汉松实：**内服煎汤，10 ~ 20 g。

罗汉松根皮：内服煎汤，9 ~ 15 g。外用适量，捣敷；或煎汤熏洗。

罗汉松叶：内服煎汤，10 ~ 30 g。

| 附　　注 | 本种喜温暖湿润气候，适生于排水良好的砂壤土。

罗汉松科 Podocarpaceae 罗汉松属 *Podocarpus* 凭证标本号 320482180721358LY

竹柏 *Podocarpus nagi* (Thunb.) Zoll. et Mor. ex Zoll.

| 药 材 名 | 竹柏（药用部位：叶）、竹柏根（药用部位：根）。

| 形态特征 | 乔木，高达 20 m，胸径 50 cm；树皮近平滑，红褐色或暗紫红色，呈小块薄片状脱落；枝条开展或伸展；树冠广圆锥形。叶对生，革质，长卵形、卵状披针形或披针状椭圆形，有多数并列的细脉，无中脉，长 3.5 ~ 9 cm，宽 1.5 ~ 2.5 cm，上面深绿色，有光泽，下面浅绿色，上部渐窄，基部楔形或宽楔形，向下窄成柄状。雄球花穗状圆柱形，单生于叶腋，常呈分枝状，长 1.8 ~ 2.5 cm，总梗粗短，基部有少数三角状苞片；雌球花单生于叶腋，稀成对腋生，基部有数枚苞片，花后苞片不肥大成肉质种托。种子圆球形，直径 1.2 ~ 1.5 cm，成熟时假种皮暗紫色，有白粉，柄长 7 ~ 13 mm，其上有苞片脱落的痕迹；骨质外种皮黄褐色，先端圆，基部尖，其上

密被细小的凹点，内种皮膜质。花期 3 ~ 4 月，种子 10 月成熟。

| 生境分布 | 散生于低海拔常绿阔叶林中。江苏南京、无锡等有栽培。

| 资源情况 | 野生资源较少。

| 采收加工 | **竹柏：**夏、秋季采收，去净杂质，晒干。

竹柏根：全年或秋季采挖根部，除净泥土、杂质，切段，晒干。

| 功效物质 | 主要资源性成分为二萜类、黄酮类、木脂素类、环肽类等。其中，二萜双内酯类成分具有良好的抗肿瘤、抑制动脉粥样硬化及调节植物生长的作用；黄酮类以双黄酮类成分为特征。尚有研究报道，叶具有抗肿瘤、抗菌等药理活性；果皮及果壳中的挥发油类成分具有显著的抗肿瘤活性。

| 功能主治 | **竹柏：**止血，接骨。用于外伤出血，骨折。

竹柏根：淡、涩，平。祛风除湿。用于风湿痹痛。

| 用法用量 | **竹柏：**外用适量，鲜品捣敷；或干品研末调敷。

竹柏根：外用适量，捣敷。

三尖杉科 Cephalotaxaceae 三尖杉属 *Cephalotaxus* 凭证标本号 320481170417257LY

粗榧 *Cephalotaxus sinensis* (Rehd. et Wils.) Li

| 药 材 名 | 粗榧枝叶（药用部位：枝叶）、粗榧根（药用部位：根、树皮）。

| 形态特征 | 常绿灌木或小乔木。高达 10 m；树皮灰色或灰褐色，呈薄片状脱落。叶线形，排列成 2 列，质地较厚，通常直伸，稀微弯，长 2 ~ 5 cm，宽约 3 mm，上部通常与中、下部等宽或微窄，先端渐尖或微急尖，基部近圆形，几无柄，上面中脉明显，下面有 2 白色气孔带，较绿色边带宽 2 ~ 4 倍。雄球花卵圆形，6 ~ 7 聚生成头状，梗长约 3 mm，每雄球花有雄蕊 4 ~ 11，花药 2 ~ 4（多为 3）；雌球花头状，通常 2 ~ 5 胚珠发育成种子。种子卵圆形、椭圆状卵圆形或球形，长 1.8 ~ 3 cm，先端有 1 小尖头。花期 3 ~ 4 月，果期翌年 9 ~ 10 月。

| 生境分布 | 生于林缘或林下。分布于江苏无锡（宜兴）、常州（溧阳）山区等。

| 资源情况 | 野生资源较丰富。

| 采收加工 | **粗榧枝叶：** 全年或夏、秋季采收，去净杂质，晒干。

粗榧根： 全年均可采收，洗净，刮去粗皮，切片，晒干。

| 功效物质 | 主要含有生物碱类、黄酮类、二萜内酯类等资源性成分。其中，生物碱类成分以三尖杉碱型、三尖杉酯碱型和高刺酮碱型为主，对治疗白血病和淋巴肉瘤等有一定的疗效，我国已将三尖杉酯碱和高三尖杉酯碱开发为抗肿瘤药物；黄酮类成分以双黄酮物质为特征，部分双黄酮及二萜内酯具有明显的抗肿瘤活性及抗病毒作用。树皮含鞣质 3.7% ~ 6.1%。种仁含油量为 50%，出油率为 25%。尚有报道，从枝叶中分离的三尖杉酯碱、高三尖杉酯碱、异三尖杉酯碱的药理作用对急性及慢性粒细胞性白血病和恶性淋巴病有一定疗效。

| 功能主治 | **粗榧枝叶：** 苦、涩，寒。抗肿瘤。用于白血病，恶性淋巴瘤。

粗榧根： 淡、涩，平。祛风除湿。用于风湿痹痛。

| 用法用量 | **粗榧根：** 内服煎汤，15 ~ 30 g。

粗榧叶： 一般提取其生物碱制成注射剂使用。

红豆杉科 Taxaceae 红豆杉属 *Taxus* 凭证标本号 320621181028015LY

南方红豆杉 *Taxus chinensis* (Pilger) Rehd. var. *mairei* (Lemée et Lévl.) Cheng et L. K. Fu

|药 材 名|

血榧（药用部位：种子）。

|形态特征|

常绿乔木，高约 20 m；树皮淡灰色，纵裂成长条薄片；芽鳞先端钝或稍尖。叶螺旋状着生，排成 2 列，线形，微弯或近镰状，长 1 ~ 4.5 cm，宽 2.5 ~ 3.5 mm，先端渐尖，表面中脉凸起，背面中脉带上无角质乳头状突起，或有时有零星分布，或与气孔带相邻的中脉带两边有 1 至数条角质乳头状突起点，下面有 2 黄绿色气孔带，边缘常不反曲，绿色边带较宽。雌雄异株，球花单生于叶腋；胚珠单生于花轴上部侧生短轴的先端，基部托以圆盘状假种皮。种子倒卵圆形，微扁，先端微有 2 纵脊，生于红色肉质杯状假种皮中。花期 3 ~ 6 月，果期 9 ~ 11 月。

|生境分布|

生山地。江苏各地均有栽培。

|资源情况|

栽培资源较丰富。

| **采收加工** | 夏、秋季采收，去净杂质，晒干。

| **功效物质** | 主要含有紫杉烷类二萜类、木脂素类、黄酮类及多糖类等资源性成分，其中最重要的化学成分是其二萜类化合物紫杉醇，具有抗肿瘤作用，多糖类成分具有辅助治疗肿瘤、提高免疫力、保肝护肝等作用。种子含油量较高，主要为不饱和脂肪酸、饱和脂肪酸及烷烃类成分。此外，枝叶中含有蜕皮甾酮等甾体类化合物。

| **功能主治** | 甘、涩，平。归肺、大肠经。消积食，驱蛔虫。

| **用法用量** | 内服煎汤，6 ~ 15 g；或炒熟食。

| **附　　注** | 本种喜温暖湿润的气候，自然生长在山谷、溪边、缓坡腐殖质丰富、较为潮湿的酸性土壤中。

红豆杉科 Taxaceae 红豆杉属 *Taxus* 凭证标本号 320282170629487LY

曼地亚红豆杉 *Taxus* × *media* Rehder

| 药 材 名 | 曼地亚红豆杉（药用部位：全株）。

| 形态特征 | 常绿针叶树种，多为灌木型；树冠卵形；树皮灰色或赤褐色，有浅裂纹。枝条平展或斜上直立密生，一年生枝绿色，秋后呈淡红褐色，二至三年生枝呈红褐色或黄褐色。叶 2 列，条形，为镰状弯曲，长 1 ~ 3 cm，宽 0.3 ~ 0.4 cm，浓绿色，中肋稍隆起，背面灰绿色，有 2 气孔带。雌雄异株。种子广卵形，长 0.5 ~ 0.7 cm，直径 0.35 ~ 0.5 cm，生于鲜红色杯状肉质假种皮中，上部稍外露。4 ~ 5 月开花，7 ~ 8 月种子成熟，9 ~ 10 月可采收果实。

| 生境分布 | 江苏各地均有栽培。

| 资源情况 | 栽培资源较丰富。

| 采收加工 | 夏、秋季采收，去净杂质，晒干。

| 功效物质 | 树皮和树叶含有丰富的紫杉烷类三环二萜资源性成分，其中紫杉醇含量高达 0.03% ~ 0.04%，紫杉醇被证实可用于多种恶性肿瘤的治疗。此外，全株含有丰富的鞣质类、黄酮类及酚酸类化合物，具有收敛抑菌的作用。

| 功能主治 | 软坚散结，清热化痰，利水。用于瘰疬，瘿瘤，咽喉肿痛，咳嗽痰结，小便不利，水肿，疮疖，心绞痛。

| 附　　注 | 本种喜温暖湿润的气候，适宜于排水良好的砂壤土。

被子植物

○

○

○

杨梅科 Myricaceae 杨梅属 *Myrica* 凭证标本号 321112180523023LY

杨梅 *Myrica rubra* (Lour.) Siebold. et Zucc.

| 药 材 名 |

杨梅（药用部位：果实）。

| 形态特征 |

常绿灌木或小乔木；树冠圆球形；树皮灰色。小枝近无毛。叶革质，倒卵状披针形或倒卵状长椭圆形，长 6 ~ 11 cm，宽 1.5 ~ 3 cm，全缘，叶背密生金黄色腺体。花单性异株；雄花序穗状，单生或数条丛生于叶腋，长 1 ~ 2 cm，小苞片半圆形，雄蕊 4 ~ 6；雌花序单生于叶腋，长 0.5 ~ 1.5 cm，密生覆瓦状苞片，每苞片有 1 雌花，雌花有 4 卵形小苞片，子房卵形。核果球形，直径 1 ~ 1.5 cm，栽培品种可达 3 cm，有小疣状突起，成熟时深红色、紫红色或白色，味甜酸。花期 4 月，果期 6 ~ 7 月。

| 生境分布 |

生于低山丘陵向阳山坡或山谷中。江苏南部有栽培，主要分布于苏州等。

| 资源情况 |

栽培资源丰富。

| 采收加工 | 6 月果实成熟后分批采摘，鲜用或烘干。

| 药材性状 | 本品球形，直径 1 ~ 1.5 cm，栽培品种可达 3 cm，有小疣状突起，成熟时深红色、紫红色或白色。味甜、酸。

| 功效物质 | 果实含有较为丰富的杨梅黄素等黄酮类资源性成分，成熟时富含花色苷等色素类及糖类、氨基酸类营养成分。种子含类脂，包括中性类脂、糖脂和磷脂，其中脂肪酸主要为棕榈酸、油酸、亚油酸等。

| 功能主治 | 酸、甘，温。归脾、胃、肝经。生津除烦，和中消食，解酒，涩肠，止血。用于烦渴，呕吐，呃逆，胃痛，食欲不振，食积腹痛，饮酒过度，腹泻，痢疾，衄血，头痛，跌打损伤，骨折，烫火伤。

| 用法用量 | 内服煎汤，15 ~ 30 g；或烧灰；或盐藏。外用适量，烧灰涂敷。

| 附　　注 | 本种喜温暖湿润多云雾气候。稍耐阴，不耐强光，不耐寒。以山地北向或东向、土层深厚、疏松肥沃、排水良好的酸性黄壤土栽种为宜。

胡桃科 Juglandaceae 山核桃属 *Carya* 凭证标本号 NAS00282684

山核桃 *Carya cathayensis* Sarg.

| 药 材 名 |

山核桃仁（药用部位：种仁）。

| 形态特征 |

落叶乔木，高达 20 m；具裸芽；树皮灰白色，平滑。幼枝髓部实心。幼枝、叶柄、叶背、花序轴等部位密被橙黄色腺鳞。叶片长 16 ~ 30 cm；小叶 5 ~ 7，卵状披针形至倒卵状披针形，长 9 ~ 18 cm，宽 2 ~ 5 cm，边缘有细锯齿。雄花序长 10 ~ 15 cm，雄花有 1 苞片和 2 小苞片，雄蕊 2 ~ 7；雌花 1 ~ 3 成穗状，顶生，直立，有 4 裂的总苞。果实核果状，倒卵圆形或近球形，幼时有 4 狭翅状纵棱；外果皮成熟后革质，沿纵棱 4 瓣裂开；隔膜内及壁内无空隙；果核倒卵圆形、椭圆状卵圆形或近球形，微具 4 纵棱，先端具短凸尖。花期 4 月，果期 9 月。

| 生境分布 |

生于山坡疏林中或干燥山谷。江苏南京等有引种栽培。

| 资源情况 |

栽培资源较少。

| 采收加工 | 秋季采收成熟果实，干燥，临用时敲击果皮，剥取种仁。

| 功效物质 | 种仁含有脂肪油、蛋白质、碳水化合物、膳食纤维和多种氨基酸等营养成分，还含有胡桃醌等标志性醌类化学成分。

| 功能主治 | 甘，平。归肺、肾经。补益肝肾，纳气平喘。用于腰膝酸软，隐痛，虚喘久咳。

| 用法用量 | 内服煎汤，9 ~ 15 g；或研末，3 ~ 5 g。

胡桃科 Juglandaceae 山核桃属 *Carya* 凭证标本号 320411191006258LY

美国山核桃 *Carya illinoinensis* (Wangenheim.) K. Koch.

| 药 材 名 |

美国山核桃（药用部位：种仁）。

| 形态特征 |

落叶大乔木，高可达 50 m；芽鳞镊合状排列，黄褐色，被柔毛；树皮粗糙、纵裂。奇数羽状复叶，小叶（9 ~ ）11 ~ 17；小叶片卵状披针形或长椭圆状披针形，稀长椭圆形，通常稍镰形弯曲，先端渐尖，基部歪斜，初被腺鳞及柔毛，边缘有粗锯齿。雄柔荑花序每束 5 ~ 6；雌花序 1 ~ 6 成穗状，具 3 ~ 10 雌花。核果长圆形、长椭圆形或卵形，光滑，先端尖，基部近圆形，长 4 ~ 7 cm，具 4 纵棱；外果皮薄，裂成 4 瓣；果核光滑。花期 4 ~ 5 月，果期 9 ~ 11 月。

| 生境分布 |

江苏淮安、泰州、南京、无锡（江阴）等有栽培。

| 资源情况 |

栽培资源丰富。

| 采收加工 |

秋季采收成熟果实，晒干，临用时敲击果

皮，剥取种仁。

| 功效物质 | 富含脂肪酸类、蛋白质类、氨基酸类、维生素 B_1、维生素 B_2 等营养成分。

| 功能主治 | 滋养强壮，润肺通便。

| 附　　注 | （1）薄壳山核桃适时采收非常重要。采收过早，青皮不易剥离，种仁不饱满，出仁率和出油率低，且不耐储藏；采收过晚，果实易脱落。

（2）本种耐水湿，生长良好。喜温暖湿润气候，花期遇低温会影响开花授粉和花的发育。

胡桃科 Juglandaceae 胡桃属 *Juglans* 凭证标本号 320703170419679LY

野核桃 *Juglans cathayensis* Dode

| 药 材 名 | 野核桃仁（药用部位：种仁）。

| 形态特征 | 落叶乔木，高 25 m；树皮灰褐色，具纵条纹。顶芽、小枝及叶柄密生黄褐色星状毛和柔毛。小枝粗壮，髓部薄片状。奇数羽状复叶长 40 ~ 50 cm，具小叶 9 ~ 17，无柄，卵形或卵状长椭圆形，先端渐尖，基部圆形或近心形，稍偏斜，边缘有细锯齿，叶背黄绿色，密生星状毛和短柔毛，脉上被腺毛。花单性，雌雄同株；雄花序长达 35 cm，下垂；雌花序穗状，长 20 ~ 25 cm。果序长，下垂，常具果实 6 ~ 10；果实卵圆形，先端尖，被黄褐色细毛及腺毛；果核球形，有 6 ~ 8 纵棱，各棱间有不规则折皱。花期 3 ~ 4 月，果期 9 月。

| 生境分布 | 生于山地杂木林中。分布于江苏南京、扬州、无锡（宜兴）等。

| 资源情况 | 野生资源较丰富。

| 采收加工 | 10 月采收成熟果实，堆积 6 ~ 7 天，待果皮霉烂后，擦去果皮，洗净，晒至半干，再击碎果核，捡取种仁，晒干。

| 功效物质 | 种仁含油（40% ~ 50%）、蛋白质（15% ~ 20%）、糖类，以及维生素 A、B、C 等。

| 功能主治 | 甘，温。入肺、肾、大肠经。润肺止咳，温肾助阳，润肤，通便。用于燥咳无痰，虚喘，腰膝酸软，肠燥便秘，皮肤干裂。

| 用法用量 | 内服煎汤，30 ~ 50 g；或捣碎嚼，10 ~ 30 g；或捣烂冲酒服。外用适量，捣涂。

胡桃科 Juglandaceae 胡桃属 *Juglans* 凭证标本号 320323170512884LY

胡桃 *Juglans regia* L.

| 药 材 名 | 核桃仁（药用部位：种仁）。

| 形态特征 | 乔木，高达 25 m；树皮灰褐色至灰白色，浅纵裂。幼枝有密毛。奇数羽状复叶，长 22 ~ 30 cm，具小叶 5 ~ 13；小叶片椭圆状卵形至长椭圆形，长 6 ~ 15 cm，宽 3 ~ 12 cm，全缘，先端短尖或钝圆，基部歪斜，近圆形，侧脉 11 ~ 15 对，背面侧脉腋簇生短柔毛。雄花序长 5 ~ 12（~ 15）cm，苞片、小苞片及花被片均被腺毛，雄蕊 6 ~ 30；雌花单生或 2 ~ 3（~ 4）聚生于枝端，直立，花柱 2，羽毛状。果序短，下垂，有核果 1 ~ 3；果实近球形，无毛，形状、大小及内果皮的厚薄均因品种而异，果核稍皱曲，有 2 纵棱；种子肥厚。花期 4 ~ 5 月，果期 9 ~ 10 月。

| 生境分布 | 江苏平原及丘陵地区有栽培。

| 资源情况 | 栽培资源丰富。

| 采收加工 | 9 ~ 10 月中旬外果皮变黄、大部分果实顶部已经开裂或少数已脱落时，打落果实。青果可用乙烯利 200 ~ 300 倍液浸 0.5 分钟，捞起，放通风水泥地上 2 ~ 3 天，或收货前 3 周用乙烯利 200 ~ 500 倍液喷于果面催熟；核果用水洗净，倒入漂白粉中，待变黄白色时捞起，冲洗，晾晒，在 40 ~ 50 ℃下烘干。将核桃的合缝线与地面平行放置，击开核壳，取出核仁，晒干。

| 药材性状 | 本品多破碎，为不规则的块状，有皱曲的沟槽，大小不一；完整者类球形，直径 2 ~ 3 cm。种皮淡黄色或黄褐色，膜状，维管束脉纹深棕色。子叶类白色。质脆，富油性。无臭，味甘，种皮味涩、微苦。

| 功效物质 | 种子含有丰富的脂肪酸类、蛋白质类、多种游离氨基酸类、胡桃醌类以及鞣花酸单体、聚合鞣花单宁和其他酚酸类成分。研究报道，外果皮（青龙衣）具有广谱抗肿瘤作用。

| 功能主治 | 甘，温。归肾、肺、大肠经。补肾，温肺，润肠。用于肾阳不足，腰膝酸软，阳痿，遗精，虚寒喘嗽，肠燥便秘。

| 用法用量 | 内服煎汤，6 ~ 9 g。

| 附　　注 | 本种适生于土层深厚的土壤中。

胡桃科 Juglandaceae 化香树属 *Platycarya* 凭证标本号 320829170422082LY

化香树 *Platycarya strobilacea* Sieb. et Zucc.

| **药 材 名** | 化香树叶（药用部位：叶）、化香树果（药用部位：果实）。

| **形态特征** | 落叶小乔木，高 2 ~ 8 m；树皮纵深裂。枝条褐黑色，幼枝棕色，有绒毛，髓实心。奇数羽状复叶，小叶 7 ~ 23，长 15 ~ 30 cm，互生；小叶片薄革质，卵状披针形或长椭圆状披针形，长 3 ~ 11 cm，宽 1.5 ~ 4 cm，先端长渐尖，基部阔楔形，稍偏斜，边缘有重锯齿，叶面暗绿色，叶背黄绿色，幼时有密毛。花单性，雌雄同序；雄花序在上，苞片披针形，长 3 ~ 5 mm，表面密生褐色绒毛，雄蕊通常 8；雌花序在下，长约 2 cm。果序卵状椭圆形或长椭圆状圆柱形，暗褐色，长 2.5 ~ 5 cm；宿存苞片卵状披针形，先端长渐尖，木质；小坚果扁平，直径约 5 mm，有狭翅。花期 5 ~ 6 月，果期 7 ~ 10 月。

| **生境分布** | 生于向阳山地杂木林中。分布于江苏南部及连云港等。

| 资源情况 | 野生资源较丰富。

| 采收加工 | **化香树叶：** 夏、秋季采收，鲜用或晒干。

化香树果： 秋季果实近成熟时采收，晒干。

| 药材性状 | **化香树叶：** 本品奇数羽状复叶多不完整，叶柄及叶轴较粗，淡黄色至棕色。小叶片多皱缩破碎，完整者宽披针形，不等边，略呈镰状弯曲，长 4 ~ 11 cm，宽 2 ~ 4 cm，上表面灰绿色，下表面黄绿色，边缘有重锯齿，薄革质。气微清香，味淡。以叶多、色绿、气清香者为佳。

化香树果： 本品扁平，直径约 5 mm，有狭翅。

| 功效物质 | 主要含有萘醌类化合物，此外还含有酚类、黄酮类、萜类等化学成分。

| 功能主治 | **化香树叶：** 辛，温；有毒。解毒疗疮，杀虫止痒。用于疮痈肿毒，骨痈流脓，顽癣，阴囊湿疹，癞头疮。

化香树果： 辛，温。活血行气，止痛，杀虫止痒。用于内伤胸腹胀痛，跌打损伤，筋骨疼痛，痈肿，湿疮，疥癣。

| 用法用量 | **化香树叶：** 外用适量，捣敷；或浸水洗。

化香树果： 内服煎汤，10 ~ 20 g。外用适量，煎汤洗；或研末调敷。

| 附　　注 | 民间将化香树叶用于治疗疮毒、湿疹，将化香树果用于治疗牙痛及小儿头疮。

胡桃科 Juglandaceae 枫杨属 *Pterocarya* 凭证标本号 321324160510035LY

枫杨 *Pterocarya stenoptera* C. DC.

| 药 材 名 | 枫柳皮（药用部位：树皮）。

| 形态特征 | 乔木，高达 30 m；裸芽常数个叠生，密被锈褐色腺鳞；老树皮深纵裂，黑灰色。小枝有灰黄色皮孔；髓部薄片状。偶数羽状复叶，少有奇数羽状复叶，互生，长 8 ~ 16（~ 25）cm，叶轴有翅，有小叶 10 ~ 16（~ 25）；小叶无柄，长椭圆形，长 8 ~ 12 cm，宽 2 ~ 3 cm，先端短尖，基部楔形，偏斜，边缘具内弯的细锯齿，叶面有细小疣状突起，脉上有星状毛，叶背少有盾状腺体，侧脉腋内具簇生星状毛。雄葇荑花序单生于去年生枝叶痕腋内，下垂；雌葇荑花序顶生。果序长 15 ~ 40 cm，下垂；果实长椭圆形，长约 6 mm，果翅 2，条状长圆形至长圆状披针形，斜上开展，长约 17 mm。花期 4 ~ 5 月，果期 7 ~ 9 月。

| 生境分布 | 生于溪边、河滩等低湿地及山脚林缘。江苏各地均有分布，亦有栽培。

| 资源情况 | 野生及栽培资源丰富。

| 采收加工 | 夏、秋季采剥，鲜用或晒干。

| 药材性状 | 本品老树皮深纵裂，黑灰色。

| 功效物质 | 含有萜类、黄酮类、挥发油等多种结构类型的化学成分。

| 功能主治 | 辛、苦，温，有小毒。归肝、大肠经。祛风止痛，杀虫，敛疮。用于风湿麻木，寒湿骨痛，头颅伤痛，齿痛，疥癣，水肿，痔疮，烫伤，溃疡久不敛。

| 用法用量 | 外用适量，煎汤含漱；或熏洗；或乙醇浸搽。

| 附　　注 | 本种耐水性强。

杨柳科 Salicaceae 杨属 *Populus* 凭证标本号 321324160422009LY

响叶杨 *Populus adenopoda* Maxim.

| 药 材 名 | 响叶杨（药用部位：根皮、树皮、叶）。

| 形态特征 | 乔木，高达 30 m；树冠卵圆形；树干皮灰白色，光滑，有菱形皮孔及沟纹。小枝细长，有红褐色柔毛；老枝灰褐色，无毛；芽圆锥形，富黏性，无毛。叶片卵形或卵圆形，长 5 ~ 10（~ 15）cm，宽 4 ~ 7 cm，先端渐尖或尾尖，基部截形或心形，边缘锯齿内弯，有腺体，叶面暗绿色，有光泽，叶背幼时密生短绒毛；叶柄扁，幼时有短柔毛，先端有 1 对显著的腺体；托叶线形，长 2 ~ 2.5 cm，早落。雄花序长 6 ~ 10 cm，花盘齿裂，雄蕊 7 ~ 9；雌花序长 5 ~ 6 cm，花轴密生短柔毛，子房长卵形，柱头 4 裂。果序长 12 ~ 16 cm；苞片掌状深裂，倒卵状椭圆形，边缘有长睫毛；蒴果长卵圆形，长 4 ~ 6 mm，无毛，2 裂，有短柄；种子黑色。花期 3 ~ 4 月，果期 4 ~ 5 月。

| **生境分布** | 分布于丘陵地带。生于山坡树林中。江苏南京、无锡（宜兴）等有栽培。

| **资源情况** | 野生及栽培资源丰富。

| **采收加工** | 冬、春季趁鲜剥取根皮和树皮，鲜用或晒干；夏季采收叶，鲜用或晒干。

| **药材性状** | 本品树干皮灰白色，光滑，有菱形皮孔及沟纹。叶片卵形或卵圆形，长 5 ~ 10（~ 15）cm，宽 4 ~ 7 cm，先端渐尖或尾尖，基部截形或心形，边缘锯齿内弯，有腺体，叶面暗绿色，有光泽，叶背幼时密生短绒毛。

| **功能主治** | 苦，平。归肝、脾经。祛风止痛，活血通络。用于风湿痹痛，四肢不遂，龋齿疼痛，损伤瘀血肿痛。

| **用法用量** | 内服煎汤，9 ~ 15 g；或浸酒。外用适量，煎汤洗；或鲜品捣敷。

杨柳科 Salicaceae 杨属 *Populus* 凭证标本号 320623190417030LY

加杨 *Populus × canadensis* Moench.

| 药 材 名 | 杨树花（药用部位：雄花序）。

| 形态特征 | 大乔木，高 30 ~ 60 m；树冠呈卵形；树干直立，树皮灰褐色，老时深纵裂，粗糙。枝斜上开展，分枝披散，小枝圆柱形，稍倾斜，无毛，很少有短柔毛；芽大，初为绿色，后呈棕绿色，很黏，圆锥形，先端尖而反曲。叶片大，三角状卵形，长、宽均 8 ~ 16 cm，先端渐尖，基部平截或阔楔形，边缘半透明，有粗圆锯齿，两面无毛，叶面暗绿色，叶背淡绿色；叶柄粗壮，扁，长 3.5 ~ 10 cm，先端很少有 1 或 2 腺体。雄花序长 7 ~ 15 cm，无毛，苞片绿褐色，撕裂状，有长缘毛，花盘黄绿色，全缘，雄蕊 15 ~ 25；雌花序成熟时长 25 ~ 27 cm，柱头 4 裂。蒴果卵形，长约 8 mm，2 ~ 3 瓣裂。花期 4 月，果期 5 ~ 6 月。

| **生境分布** | 江苏各地普遍栽培。

| **资源情况** | 栽培资源较丰富。

| **采收加工** | 春季现蕾花开时分批摘取，鲜用或晒干。

| **药材性状** | 本品较短细，表面黄绿色或黄棕色。芽鳞片常分离成梭形，单个鳞片长卵形，长可达 2.5 cm，光滑无毛。花盘黄棕色或深黄棕色；雄蕊 15 ~ 25，棕色或黑棕色，有的脱落。苞片宽卵圆形或扇形，边缘呈条片状或丝状分裂，无毛。体轻。气微，味微。以花序粗长、身干、完整者为佳。

| **功效物质** | 花含有槲皮素、花旗松素、木犀草素、圣草酚、杨梅素、二氢杨梅素、（2*S*）-5,7- 二羟基黄烷酮 -7-*O*-*β*-D- 葡萄糖苷、原儿茶酸、咖啡酸、1,3- 二咖啡酰基 -2- 乙酰基甘油、柳皮苷 -6′- 苯甲酸酯、胡萝卜苷。

| **功能主治** | 苦，寒。归大肠经。清热解毒，化湿止痢。用于细菌性痢疾，肠炎。

| **用法用量** | 内服煎汤，9 ~ 15 g。外用适量，热熨。

| **附　　注** | 本种适应性很强，喜向阳，耐旱，耐渍。宜栽植于土层深厚的平地、中性或微酸性土壤中，忌在低洼及盐碱地生长。

杨柳科 Salicaceae 杨属 *Populus* 凭证标本号 TIE00002882

钻天杨 *Populus nigra* L. var. *italica* (Muench) Koehne

| 药 材 名 | 钻天杨（药用部位：树皮）。

| 形态特征 | 乔木，高达 30 m；树冠呈圆柱状；树皮灰褐色，老时有沟裂。枝分叉夹角小，直立上升，黄褐色，近圆柱形，幼时疏生短柔毛；芽黄褐色，长卵形，先端尖，微反曲，很黏。短枝和幼枝的叶片形状不一致，两面沿脉有柔毛，先端长尖，基部阔楔形或近圆形，边缘半透明，有细圆锯齿，具缘毛；短枝上的叶片菱状卵形或菱状三角形，长 5 ~ 10 cm，宽 4 ~ 9 cm；幼枝上的叶片宽三角形；叶柄纤细，扁平，与叶片近等长。雄花序长 4 ~ 8 cm，苞片褐色，膜质，边缘细裂，雄蕊 6 ~ 30，花药紫红色；雌花序长 3 ~ 4 cm，子房卵形，柱头 2 裂。果序长 5 ~ 10 cm；蒴果卵形，2 裂，有短柄。花期 4 月，果期 5 月。

| 生境分布 | 生于山区、丘陵地区。江苏各地均有栽培。

| 资源情况 | 栽培资源丰富。

| 采收加工 | 秋、冬季采剥或结合栽培伐木采剥，鲜用或晒干。

| 药材性状 | 本品呈板片状。外表面暗灰褐色或黑褐色，粗糙，有沟槽，除去外皮后显黄白色或棕黄色，纤维性；内表面较平坦，黄白色或黄棕色，质轻，折断面呈片状，纤维性。气微，味淡。

| 功效物质 | 皮层含有鼠李素及鼠李柠檬素。花蕾含有 3,3- 二甲基烯丙基 - 反 - 咖啡酸酯、3,3- 二甲基烯丙基 - 顺 - 咖啡酸酯、3- 异戊烯 - 顺 - 咖啡酸酯、3- 异戊烯 - 反 - 咖啡酸酯。

| 功能主治 | 苦，寒。凉血解毒，祛风除湿。用于感冒，肝炎，痢疾，风湿疼痛，脚气肿，烫火伤，疥癣秃疮。

| 用法用量 | 内服煎汤，10 ~ 30 g；或浸酒。外用适量，烧炭研末调搽；或熬膏涂。

杨柳科 Salicaceae 杨属 *Populus* 凭证标本号 321322181127251LY

毛白杨 *Populus tomentosa* Carr.

| 药 材 名 | 毛白杨（药用部位：树皮或嫩枝）、杨树花（药用部位：雄花序）。

| 形态特征 | 乔木，高 25 ~ 30 m；树冠卵圆形至圆锥形；树干直立，树皮初平滑，后变成灰白色或黑灰色，有纵沟，皮孔显著，粗糙。侧枝蔓延，老时下垂；幼枝有灰色绒毛，后期脱落；芽卵圆形至近球形，被微绒毛。叶片三角状卵形或卵形，老枝或短枝上的叶片常较小，长枝上的叶片较大，长 6 ~ 11（~ 15）cm，宽 5 ~ 10（~ 13）cm，先端尖，基部心形，通常具 2（或 4）腺体，边缘有不规则浅波状齿缺，叶面深绿色，有光泽，叶背幼时密生灰白色绒毛，后近无毛；叶柄幼时有灰色绒毛。雄花序盛开时长 6 ~ 10 cm，苞片褐色，边缘细裂，有睫毛，连同花轴密生灰色绒毛，雄蕊 6 ~ 12；雌花序长 4 ~ 7 cm，柱头 4 裂。果序长达 14 cm；蒴果长卵形，成熟时 2 裂。花期 3 月，

果期 4 ~ 5 月。

| 生境分布 | 江苏各地均有栽培，主要分布于北部平原地区等。

| 资源情况 | 栽培资源丰富。

| 采收加工 | **毛白杨：**秋、冬季或结合伐木采剥树皮，刮去粗皮，鲜用或晒干。

杨树花：春季现蕾开花时分批摘取雄花序，鲜用或晒干。

| 药材性状 | **毛白杨：**本品树皮呈板片状或卷筒状，厚 2 ~ 4 mm。外表面鲜时暗绿色，干后棕黑色，常残存银灰色的栓皮，皮孔明显，菱形，长 2 ~ 14.5 mm，宽 3 ~ 13 mm；内表面灰棕色，有细纵条纹理。质地坚韧，不易折断，断面显纤维性及颗粒性。气微，味微。

杨树花：本品呈长条状圆柱形，长 6 ~ 10 cm，直径 0.4 ~ 1 cm，多破碎，表面红棕色或深棕色。芽鳞多紧抱而呈杯状，单个鳞片宽卵形，长 0.3 ~ 1.3 cm，边缘有细毛，表面略光滑。花序轴上具多数带雄蕊的花盘，花盘扁，半圆形或类圆形，深棕褐色；每雄花具雄蕊 6 ~ 12，有的脱落，花丝短，花药 2 室，棕色。苞片卵圆形或宽卵圆形，边缘深尖裂，具长白柔毛。体轻。气微，味微苦、涩。

| 功效物质 | 根皮含有生物碱类成分，树皮含有酚酸类、黄酮类等成分。叶提取出的白杨苷具有解热、镇痛作用。

| 功能主治 | 苦，寒。清热利湿，止咳化痰。用于肝炎，痢疾，淋浊，咳嗽痰喘。

| 用法用量 | **毛白杨：**内服煎汤，10 ~ 15 g。外用适量，捣敷。

杨树花：内服煎汤，9 ~ 15 g。外用适量，热熨。

| 附　　注 | 本种宜栽植于土层深厚、排水良好的中性或微碱性土壤中。

杨柳科 Salicaceae 柳属 *Salix* 凭证标本号 320829150508064LY

垂柳 *Salix babylonica* L.

| 药 材 名 | 柳枝（药用部位：枝条）。

| 形态特征 | 乔木，高达 15 m；树皮灰黑色，具不规则沟纹。小枝细长，下垂，淡紫绿色、褐绿色或棕黄色，无毛或幼时有毛；芽线形，先端尖锐。托叶披针形或卵状圆形；叶片狭披针形或线状披针形，长 7 ~ 15 cm，宽 5 ~ 15 mm，先端长渐尖，基部楔形，有时歪斜，边缘有细锯齿，两面无毛或幼时有柔毛，叶背淡绿色；叶柄长 6 ~ 12 mm，有短柔毛。花序轴有短柔毛；雄花序长 2 ~ 4 cm，苞片长圆形，背面有较密的柔毛，雄蕊 2，花丝与苞片近等长，基部微有毛，腺体 2；雌花序长 1.5 ~ 2.5 cm，花腹面有腺体 1，子房椭圆形，无毛或近端具细短柔毛，柱头 4 裂。蒴果黄褐色，长 3 ~ 4 mm。花期 3 ~ 4 月，果期 4 ~ 5 月。

| 生境分布 | 分布于河流、水塘或湖泊边。江苏各地均有栽培。

| 资源情况 | 野生及栽培资源丰富。

| 采收加工 | 春季摘取嫩树枝条，鲜用或晒干。

| 药材性状 | 本品呈圆柱形，直径 5 ~ 10 mm。表面微有纵皱纹，黄色，节间长 0.5 ~ 5 cm，上有交叉排列的芽或残留的三角形瘢痕。质脆，易断，断面不平坦，皮部薄而浅棕色，木部宽而黄白色，中央有黄白色髓部。气微，味微苦、涩。

| 功效物质 | 枝含有水杨苷，4% ~ 10% 水杨苷元可作局部麻醉用。

| 功能主治 | 苦，寒。归胃、肝经。祛风利湿，解毒消肿。用于风湿痹痛，小便淋浊，黄疸，风疹瘙痒，疔疮，丹毒，龋齿，龈肿。

| 用法用量 | 内服煎汤，15 ~ 30 g。外用适量，煎汤含漱；或熏洗。

| 附　　注 | 本种喜温暖湿润气候，喜光，不耐阴，较耐寒，耐湿性强，短期淹水没顶不致死亡。以土层深厚、疏松肥沃的壤土或石灰石性土壤为宜。

杨柳科 Salicaceae 柳属 *Salix* 凭证标本号 320116180401027LY

杞柳 *Salix integra* Thunb.

| 药 材 名 | 杞柳皮（药用部位：树皮）。

| 形态特征 | 灌木，高 1 ~ 3 m；树皮灰绿色。小枝淡黄色或淡红色，无毛，有光泽；芽卵形，尖，黄褐色，无毛。叶近对生或对生，萌枝叶有时 3 叶轮生，椭圆状长圆形，长 2 ~ 5 cm，宽 1 ~ 2 cm，先端短渐尖，基部圆形或微凹，全缘或上部有尖齿，幼叶发红褐色，成叶上面暗绿色，下面苍白色，中脉褐色，两面无毛；叶柄短或近无柄而抱茎。花先于叶开放，花序长 1 ~ 2（~ 2.5）cm，基部有小叶；苞片倒卵形，褐色至近黑色，被柔毛，稀无毛；腺体 1，腹生；雄蕊 2，花丝合生，无毛；子房长卵圆形，有柔毛，几无柄，花柱短，柱头小，2 ~ 4 裂。蒴果长 2 ~ 3 mm，有毛。花期 5 月，果期 6 月。

| 生境分布 | 江苏有少量引种栽培。

| 资源情况 | 栽培资源较少。

| 采收加工 | 夏、秋季采剥，晒干。

| 功效物质 | 树皮含有水杨酸、鞣质等。

| 功能主治 | 祛风湿，消炎解毒。

| 附　　注 | 本种喜光，喜温暖湿润气候，喜水湿，较耐盐碱。

杨柳科 Salicaceae 柳属 *Salix* 凭证标本号 320829150507060LY

旱柳 *Salix matsudana* Koidz.

|药 材 名|

旱柳（药用部位：嫩叶、枝、树皮）。

|形态特征|

乔木，高 18 m；树冠广圆状；树皮灰黑色，有沟纹。小枝细长，棕黄色或黄绿色，后变成褐色，幼时微有毛，后为无毛；芽稍被短柔毛。叶片披针形，长 5 ~ 8（~ 10）cm，宽 10 ~ 15 mm，基部狭圆形，很少楔形，边缘有具腺锯齿，先端长渐尖，叶面绿色，有光泽，叶背有白粉或苍白色，幼时有伏生绢状毛；叶柄长 5 ~ 8 mm，有柔毛；托叶披针形，边缘有细腺锯齿。花序柄和花序轴有白色绒毛；苞片卵形，仅背面基部有疏柔毛；雌、雄花的背、腹面均有腺体 2；雄花序圆筒状，长 1 ~ 3 cm，雄蕊 2，花丝基部有疏长柔毛；雌花序长约 2 cm，基部具 3 ~ 5 小叶，子房长椭圆形，无毛，近无柄，花柱几无，柱头卵形。蒴果长约 3 mm。花期 4 月，果期 4 ~ 5 月。

|生境分布|

江苏各地均有栽培，主要分布于北部河网及沿海地区等。

| **资源情况** | 野生及栽培资源丰富。

| **采收加工** | 春季采收嫩叶及枝条，鲜用或晒干。

| **药材性状** | 本品树皮灰黑色，有沟纹。小枝细长，棕黄色或黄绿色，后变成褐色，幼时微有毛，后为无毛；芽稍被短柔毛。叶片披针形，长 5 ~ 8（~ 10）cm，宽 10 ~ 15 mm，基部狭圆形，很少楔形，边缘有具腺锯齿，先端长渐尖，叶面绿色，有光泽，叶背有白粉或苍白色，幼时有伏生绢状毛。

| **功效物质** | 叶含有水杨苷、柳皮苷、毛柳苷、三蕊柳苷、蒿柳苷、木犀草素 -7-*O*-*β*-D- 吡喃葡萄糖苷、木犀草素、柯伊利素及鞣质。鲜叶含有碘。茎皮、根皮含有水杨苷、芦丁、柚皮素 -7-*O*-*β*-D- 葡萄糖苷、柚皮素 -5-*O*-*β*-D- 葡萄糖苷、木犀草素 -7-*O*-*β*-D- 葡萄糖苷、槲皮苷和槲皮素。木材含有水杨苷。

| **功能主治** | 苦，寒。清热除湿，祛风止痛。用于黄疸，急性膀胱炎，小便不利，关节炎，黄水疮，疮毒，牙痛。

| **用法用量** | 内服煎汤，9 ~ 15 g。外用适量。

| **附　　注** | 本种喜光，不耐阴；耐寒性强；喜水湿，亦耐干旱。对土壤要求不严，以肥沃、疏松、潮湿土最为适宜，在固结、黏重土壤及重盐碱地上生长不良。

杨柳科 Salicaceae 柳属 *Salix* 凭证标本号 320829150507061LY

紫柳 *Salix wilsonii* Seem.

| 药 材 名 | 威氏柳（药用部位：根皮）。

| 形态特征 | 乔木，高可达 13 m。一年生枝暗褐色，嫩枝有毛，后无毛。叶椭圆形、广椭圆形至长圆形，稀椭圆状披针形，长 4 ~ 5（~ 6）cm，宽 2 ~ 3 cm，先端急尖至渐尖，基部楔形至圆形，幼叶常发红色，上面绿色，下面苍白色，边缘有圆锯齿或圆齿；叶柄长 7 ~ 10 mm，有短柔毛，通常上端无腺点；托叶不发达，卵形，早落，萌枝上的托叶发达，肾形，长超过 1 cm，有腺齿。花与叶同时开放；花序柄长 1 ~ 2 cm，有 3（~ 5）小叶；雄花序长 2.5 ~ 6 cm，直径 6 ~ 7 mm，盛开时，疏花，轴密生白柔毛，雄蕊 3 ~ 5（~ 6），苞片椭圆形，中、下部多少有柔毛和缘毛，长约 1 mm；花有背腺和腹腺，常分裂；雌花序长 2 ~ 4 cm（果期达 6 ~ 8 cm），疏花，直径

约 5 mm，花序轴有白柔毛，子房狭卵形或卵形，无毛，有长柄，花柱无，柱头短，2 裂，苞片同雄花，腹腺宽厚，抱柄，两侧常有 2 小裂片，背腺小。蒴果卵状长圆形。花期 3 月底至 4 月上旬，果期 5 月。

| 生境分布 | 生于平原、水边、堤岸、山沟。分布于江苏连云港、南京、镇江（句容）、无锡（宜兴）等。

| 资源情况 | 野生资源一般。

| 采收加工 | 全年均可采挖根，除去木心，切段，晒干。

| 功能主治 | 祛风除湿，活血化瘀。用于风湿痹痛，跌打损伤。

桦木科 Betulaceae 桤木属 *Alnus* 凭证标本号 320282161113340LY

桤木 *Alnus cremastogyne* Burk.

| 药 材 名 | 桤木皮（药用部位：树皮）。

| 形态特征 | 乔木，高达 40 m；树皮灰色，平滑。小枝无毛；芽具柄及 2 芽鳞，无毛。叶片倒卵形至倒卵状长圆形或椭圆形，长 4 ~ 14 cm，先端骤尖，基部楔形或稍圆，疏生不明显钝齿，侧脉 8 ~ 10 对，叶面疏被腺点，有时被柔毛，叶背密被腺点，近无毛，脉腋具髯毛。雌、雄花序单生于叶腋。果序椭圆形，长 1 ~ 3.5 cm；果序柄长 2 ~ 8 cm，柔软下垂；果苞木质，先端 5 浅裂；小坚果卵形，果翅膜质，宽为果实的 1/2。花期 3 ~ 6 月，果期 8 月。

| 生境分布 | 江苏南京等有栽培。

| 资源情况 | 栽培资源较少。

| 采收加工 | 7 ~ 10 月剥取，除去杂质，鲜用或晒干。

| 药材性状 | 本品呈灰色，平滑。

| 功效物质 | 含有环状二芳基庚烷类化合物等抗炎成分。

| 功能主治 | 苦、涩，凉。凉血止血，清热解毒。用于吐血，衄血，崩漏，肠炎，痢疾，风火赤眼，黄水疮。

| 用法用量 | 内服煎汤，10 ~ 15 g。外用适量，鲜品捣敷；或煎汤洗。

| 附　　注 | 本种喜光，喜温暖气候，适生于丘陵平原及山区。对土壤适应性强，喜水湿，多生于河滩低湿地。

桦木科 Betulaceae 鹅耳枥属 *Carpinus* 凭证标本号 320703170420714LY

鹅耳枥 *Carpinus turczaninowii* Hance

| 药 材 名 | 鹅耳枥（药用部位：树皮、根）。

| 形态特征 | 乔木，高 5 ~ 10 m；树皮暗灰褐色，粗糙，浅纵裂。枝细瘦，灰棕色，无毛；小枝被短柔毛。叶卵形、宽卵形、卵状椭圆形或卵菱形，有时卵状披针形，长 2.5 ~ 5 cm，宽 1.5 ~ 3.5 cm，先端锐尖或渐尖，基部近圆形或宽楔形，有时微心形或楔形，边缘具规则或不规则的重锯齿，上面无毛或沿中脉疏生长柔毛，下面沿脉通常疏生长柔毛，脉腋间具髯毛，侧脉 8 ~ 12 对；叶柄长 4 ~ 10 mm，疏被短柔毛。果序长 3 ~ 5 cm；果序梗长 10 ~ 15 mm，与果序轴均被短柔毛；果苞变异较大，半宽卵形、半卵形、半矩圆形至卵形，长 6 ~ 20 mm，宽 4 ~ 10 mm，疏被短柔毛，先端钝尖或渐尖，有时钝，内侧的基部具一内折的卵形小裂片，外侧的基部无裂片，中裂片内侧全缘或

疏生不明显的小齿，外侧边缘具不规则的缺刻状粗锯齿或具 2 ~ 3 齿裂。小坚果宽卵形，长约 3 mm，无毛，有时先端疏生长柔毛，无或有时上部疏生树脂腺体。

| 生境分布 | 生于背阴山谷林中。分布于江苏连云港、镇江（句容）等。

| 资源情况 | 野生资源较丰富。

| 采收加工 | 全年均可采收，取根或剥取树皮，洗净，切片，鲜用或晒干。

| 药材性状 | 本品树皮暗灰褐色，粗糙，浅纵裂。叶卵形、宽卵形、卵状椭圆形或卵菱形，有时卵状披针形，长 2.5 ~ 5 cm，宽 1.5 ~ 3.5 cm，先端锐尖或渐尖，基部近圆形或宽楔形，有时微心形或楔形，边缘具规则或不规则的重锯齿，上面无毛或沿中脉疏生长柔毛，下面沿脉通常疏生长柔毛，脉腋间具髯毛，侧脉 8 ~ 12 对。

| 功效物质 | 主要含有萜类化合物，其中鹅耳枥楝素具有抗肿瘤活性。

| 功能主治 | 淡，平。活血消肿，利湿通淋。用于跌打损伤，痈肿疮毒，淋证。

| 用法用量 | 内服煎汤，20 ~ 30 g。外用适量，捣敷。

桦木科 Betulaceae 榛属 *Corylus* 凭证标本号 321112180601009LY

川榛 *Corylus heterophylla* Fisch. var. *szechuenensis* Franch.

| 药 材 名 | 榛子（药用部位：种仁）。

| 形态特征 | 灌木或小乔木，高 1 ~ 7 m；树皮灰色；枝条暗灰色，无毛，小枝黄褐色，密被短柔毛兼被疏生的长柔毛，无或多少具刺状腺体。叶圆卵形至宽倒卵形，长 4 ~ 13 cm，宽 2.5 ~ 10 cm，先端尾尖，中央具三角状突尖，基部心形，有时两侧不相等，边缘具不规则的重锯齿，中部以上具浅裂，上面无毛，下面于幼时疏被短柔毛，以后仅沿脉疏被短柔毛，其余无毛，侧脉 3 ~ 5 对；叶柄纤细，长 1 ~ 2 cm，疏被短毛或近无毛。雄花序单生，长约 4 cm。果单生或 2 ~ 6 枚簇生成头状；果苞钟状，外面具细条棱，密被短柔毛兼有疏生的长柔毛，密生刺状腺体，很少无腺体，较果实长但不超过 1 倍，很

少较果实短，果苞先端裂片常具锯齿及浅裂；序梗长约 1.5 cm，密被短柔毛。坚果近球形，长 7 ~ 15 mm，无毛或仅先端疏被长柔毛。

| **生境分布** | 生于海拔 400 ~ 600 m 的山坡灌丛中。分布于江苏连云港、无锡（宜兴）等。江苏南京等有栽培。

| **资源情况** | 野生及栽培资源较少。

| **采收加工** | 秋季及时采摘成熟果实，晒干，除去总苞及果壳。

| **功效物质** | 含有丰富的油脂，可降血压、降血脂、保护视力、延缓衰老；并富含 16 种氨基酸成分，天冬氨酸和精氨酸可增强精氨酸酶活性，促进排出血液中的氨，从而增强免疫力。

| **功能主治** | 甘，平。健脾和胃，润肺止咳。用于病后体弱，脾虚泄泻，食欲不振，咳嗽。

| **用法用量** | 内服煎汤，30 ~ 60 g；或研末。

壳斗科 Fagaceae 栗属 *Castanea* 凭证标本号 320482181013044LY

锥栗 *Castanea henryi* (Skan) Rehd. et Wils.

| 药 材 名 | 锥栗叶（药用部位：叶）、锥栗壳斗（药用部位：壳斗）、锥栗子（药用部位：种子）。

| 形态特征 | 大乔木，高达 30 m，胸径 1.5 m。冬芽长约 5 mm；小枝暗紫褐色，托叶长 8 ~ 14 mm。叶长圆形或披针形，长 10 ~ 23 cm，宽 3 ~ 7 cm，顶部长渐尖至尾状长尖，新生叶的基部狭楔尖，两侧对称，成长叶的基部圆形或宽楔形，一侧偏斜，叶缘的裂齿有长 2 ~ 4 mm 的线状长尖，叶背无毛，但嫩叶有黄色腺鳞且在叶脉两侧有疏长毛；开花期的叶柄长 1 ~ 1.5 cm，果期延长至 2.5 cm。雄花序长 5 ~ 16 cm，花簇有花 1 ~ 3（~ 5）；每壳斗有雌花 1（偶有 2 或 3），仅 1 花（稀 2 或 3）发育结实，花柱无毛，稀在下部有疏毛。成熟壳斗近圆球形，连刺直径 2.5 ~ 4.5 cm，刺密或稍疏生，长 4 ~ 10 mm；

坚果长 12 ~ 15 mm，宽 10 ~ 15 mm，顶部有伏毛。花期 5 ~ 7 月，果期 9 ~ 10 月。

| 生境分布 | 生于土壤肥厚、排水良好的山坡。分布于江苏南部山区等。

| 资源情况 | 野生资源较丰富。

| 采收加工 | **锥栗叶：**春、夏、秋季均可采收，鲜用或晒干。

锥栗壳斗：夏、秋季剥种子时采集，晒干。

锥栗子：夏、秋季采集果实，剥去果壳，晒干。

| 功效物质 | 种子以淀粉、糖类为主，并含有较丰富的蛋白质、脂肪、维生素 C 及钙、钾、镁、锰等矿质元素。

| 功能主治 | **锥栗叶、锥栗壳斗：**苦、涩，平。清热燥湿，涩肠止泻。用于湿热泄泻。

锥栗子：甘，平。健胃补肾，除湿热。用于肾虚，痿弱，消瘦。

| 用法用量 | **锥栗叶：**内服煎汤，15 ~ 30 g。

锥栗壳斗：内服煎汤，15.5 ~ 30 g。

锥栗子：内服炒食；或与瘦猪肉同煮。

| 附　　注 | 目前，野生锥栗资源正在遭受破坏，应尽快建立物种保护区，并适当采取人为措施以减少外界的破坏。

壳斗科 Fagaceae 栗属 *Castanea* 凭证标本号 320506150821010LY

栗 *Castanea mollissima* Bl.

| 药材名 | 栗子（药用部位：种仁）、栗树皮（药用部位：树皮）、栗叶（药用部位：叶）。

| 形态特征 | 落叶乔木，高达 20 m；树皮深灰色。小枝有灰色短毛或散生长绒毛。叶卵状椭圆形或椭圆状披针形，长 7 ~ 18 cm，宽 4 ~ 6 cm，先端短尖或骤渐尖，基部近圆形或宽楔形，常一侧斜而不对称，新叶基部狭楔形，边缘有锯齿，齿端芒状，叶背有灰白色星状短绒毛或近无毛；托叶长 1 ~ 1.5 cm，被长毛及腺毛。雄花序直立生于枝条上部，花序轴被毛，3 ~ 5 花簇生；雌花集生于雄花序基部。壳斗球形，苞片针刺状，分枝，刺密生星状毛；坚果半球形或扁球形，具 1 ~ 3 果实，通常 2，暗褐色，较大，直径 1.5 ~ 4.5 cm。花期 5 月，果熟期 9 ~ 10 月。

| 生境分布 | 生于土壤肥厚、排水良好的山坡。江苏各地均有栽培，主要分布于徐州（新沂）、宿迁（沭阳）、无锡（宜兴）、常州（溧阳）、苏州（吴中）等。

| 资源情况 | 栽培资源丰富。

| 采收加工 | **栗子：**总苞由青色转黄色、微裂时采收，放冷凉处散热，搭棚遮阴，棚四周夹墙，地面铺河砂，堆栗高 30 cm，覆盖湿沙，经常洒水保湿，10 月下旬至 11 月入窖贮藏；或剥出种子，晒干。

栗树皮：全年均可剥取，鲜用或晒干。

栗叶：夏、秋季采集，多鲜用。

| 药材性状 | **栗子：**本品呈半球形或扁圆形，先端短尖，直径 2 ~ 3 cm。外表面黄白色，光滑，有时具浅纵沟纹。质实稍重，碎断后内部富粉质。气微，味微甜。

栗树皮：本品外表面暗灰色，具不规则深纵裂；内表面黄白色或类白色。气微，味微苦、涩。

| 功效物质 | 种仁含有蛋白质、脂肪、氨基酸及铁、镁、磷、铜等元素。树皮含有天冬氨酸、丙氨酸等多种游离氨基酸，还含有地衣二醇、丁香酸、没食子酸等。虫瘿含有栗瘿鞣质。叶含有多糖、鞣质等，其挥发性成分主要为醇类化合物，还含有多种游离氨基酸。

| 功能主治 | **栗子：**甘，温。归脾、胃、肾经。益气健脾，补肾强筋，活血消肿，止血。用于脾虚泄泻，反胃呕吐，腰膝酸软，筋骨折伤肿痛，瘰疬，吐血，衄血，便血。

栗树皮：微苦、涩，平。行气止痛，活血调经。用于疝气偏坠，牙痛，风湿关节痛，月经不调。

栗叶：清肺止咳，解毒消肿。用于百日咳，肺结核，咽喉肿痛，肿毒，漆疮。

| 用法用量 | **栗子：**内服生食；或煮食；或炒存性研末服。外用适量，捣敷。

栗树皮：内服煎汤，5 ~ 10 g。外用适量，煎汤洗；或烧灰调敷。

栗叶：内服煎汤，9 ~ 15 g，冲糖服。

| 附　　注 | 本种除种仁、树皮、叶外，根、花序、总苞、外果皮和内果皮亦可入药，药材名分别为栗树根、栗花、栗毛球、栗壳、栗荴。

壳斗科 Fagaceae 青冈属 *Cyclobalanopsis* 凭证标本号 320282170426424LY

青冈 *Cyclobalanopsis glauca* (Thunb.) Oerst.

| 药 材 名 | 槠子（药用部位：种仁）。

| 形态特征 | 常绿乔木，高达 20 m；树皮淡灰色。小枝及芽无毛。叶片革质，长椭圆形或椭圆状卵形，长 6 ~ 13 cm，宽 2.5 ~ 4.5 cm，先端短尾尖或渐尖，基部宽楔形或近圆形，边缘中上部有锯齿，叶面无毛，叶背被平伏毛或近无毛，被灰白色粉霜；叶柄长 1 ~ 3 cm。雄花序长 5 ~ 6 cm；雌花序长 1.5 ~ 3 cm，生 2 ~ 3 果实。壳斗碗状，包围坚果 1/3 ~ 1/2，直径约 1 cm，苞片合生成同心环带 5 ~ 6；坚果椭圆形或长卵圆形，近无毛，稍带紫黑色，果脐隆起。花期 4 月，果熟期 10 月。

| 生境分布 | 生于丘陵山区。分布于江苏南京、扬州、镇江、南通、常州、无锡、

苏州等。江苏徐州等有栽培。

| 资源情况 | 野生及栽培资源丰富。

| 采收加工 | 秋季采收成熟果实，晒干后剥取种仁。

| 功效物质 | 种子含有淀粉 60% ~ 70%。壳斗、树皮含有鞣质。

| 功能主治 | 甘、苦、涩，平。涩肠止泻，生津止渴。用于泄泻，痢疾，津伤口渴，伤酒。

| 用法用量 | 内服煎汤，10 ~ 15 g。

| 附　　注 | 本种喜湿润、肥沃土壤。

壳斗科 Fagaceae 栎属 *Quercus* 凭证标本号 320111150721003LY

麻栎 *Quercus acutissima* Carr.

| 药 材 名 | 橡实（药用部位：果实）。

| 形态特征 | 落叶乔木，高达 25 m；树皮暗灰色，深纵裂。幼枝密生灰黄色绒毛，后脱落。叶片椭圆状披针形，长 8 ~ 18 cm，宽 2 ~ 6 cm，先端长渐尖，基部近圆形或阔楔形，边缘有锯齿，齿端呈刺芒状，侧脉 13 ~ 18 对，两面同色，叶背幼时有短绒毛，后脱落，仅在脉上有毛；叶柄长（1 ~ ）2 ~ 3（ ~ 5） cm。壳斗杯形，含苞片，直径 2 ~ 4 cm，包围坚果 1/2，苞片线形，粗长刺状，有灰白色绒毛，反曲；坚果卵球形或长卵形，直径 1.5 ~ 2 cm，果脐隆起。花期 4 月，果期翌年 10 月。

| 生境分布 | 生于海拔 50 ~ 600 m、土壤肥厚、排水良好的山坡。分布于江苏丘

陵山地等。

| 资源情况 | 野生资源较丰富。

| 采收加工 | 冬季果实成熟后采收，连壳斗摘下，晒干后除去壳斗，再晒至足干，贮放通风干燥处。

| 药材性状 | 本品呈卵状球形至长卵形，长约 2 cm，直径 1.5 ~ 2 cm。表面淡褐色，果脐凸起。种仁白色。气微，味淡、微涩。

| 功效物质 | 种仁富含淀粉、可溶性糖、单宁等。壳斗含有大量的色素和单宁等成分，橡实壳多酚对大肠埃希菌、金黄色葡萄球菌有较强的抑制效果。

| 功能主治 | 苦、涩，微温。收敛固涩，止血，解毒。用于泄泻痢疾，便血，痔血，脱肛，小儿疝气，疮痈久溃不敛，乳腺炎，睾丸炎。

| 用法用量 | 内服煎汤，3 ~ 10 g；或入丸、散剂，1.5 ~ 3 g。外用适量，炒焦研末调涂。

壳斗科 Fagaceae 栎属 *Quercus* 凭证标本号 321112180720004LY

槲栎 *Quercus aliena* Bl.

| 药材名 |

槲皮（药用部位：树皮）、槲实仁（药用部位：种子）、槲叶（药用部位：叶）。

| 形态特征 |

落叶乔木，高达 30 m；树皮暗灰色，深纵裂。小枝灰褐色，近无毛，具圆形淡褐色皮孔；芽卵形，芽鳞具缘毛。叶片长椭圆状倒卵形至倒卵形，长 10 ~ 20（~ 30）cm，宽 5 ~ 14（~ 16）cm，先端微钝或短渐尖，基部楔形或圆形，叶缘具波状钝齿，叶背被灰棕色细绒毛，侧脉每边 10 ~ 15，叶面中脉、侧脉不凹陷；叶柄长 1 ~ 1.3 cm，无毛。雄花序长 4 ~ 8 cm，雄花单生或数朵簇生于花序轴，微有毛，花被 6 裂，雄蕊通常 10；雌花序生于新枝叶腋，单生或 2 ~ 3 簇生。壳斗杯形，包着坚果约 1/2，直径 1.2 ~ 2 cm，高 1 ~ 1.5 cm；小苞片卵状披针形，长约 2 mm，排列紧密，被灰白色短柔毛；坚果椭圆形至卵形，直径 1.3 ~ 1.8 cm，高 1.7 ~ 2.5 cm，果脐微凸起。花期（3 ~）4 ~ 5 月，果期 9 ~ 10 月。

| 生境分布 |

生于丘陵山区。分布于江苏南部及北部丘陵

地区等。

｜资源情况｜ 野生资源一般。

｜采收加工｜ **槲皮：**全年均可采收，剥取树皮，洗净，切片，晒干。

槲实仁：冬季果实成熟后采收，连壳斗摘下，晒干，除去壳斗及种壳，取出种子，晒干，置通风干燥处。

槲叶：全年均可采收，鲜用或晒干。

｜功效物质｜ 种子富含淀粉。从叶中分离得到三萜类化合物槲栎醇和 *α*- 粘霉烯醇。树皮、壳斗含鞣质。叶含有丰富的膳食纤维。

｜功能主治｜ **槲皮：**苦、涩，平。解毒消肿，涩肠，止血。用于疮痈肿痛，溃破不敛，瘰疬，痔疮，痢疾，肠风下血。

槲实仁：苦、涩，平。涩肠止泻。用于腹泻，痢疾。

槲叶：甘、苦，平。止血，通淋。用于吐血，衄血，便血，痔血，血痢，小便淋痛。

｜用法用量｜ **槲皮：**内服煎汤，5 ~ 10 g；或熬膏；或烧灰研末。外用适量，煎汤洗；或熬膏敷。

槲实仁：内服煎汤，9 ~ 15 g；或研粉，0.5 ~ 1 g。

槲叶：内服煎汤，10 ~ 15 g；或捣汁；或研末。外用适量，煎汤洗；或烧灰研末敷。

｜附　　注｜ 本种喜阳，耐瘠薄土壤。幼苗对盐碱胁迫具有较强的抗性，宜在华北平原推广种植。

壳斗科 Fagaceae 栎属 *Quercus* 凭证标本号 320581180515090LY

白栎 *Quercus fabri* Hance

| 药材名 | 白栎蔀（药用部位：带虫瘿的果实、总苞、根）。

| 形态特征 | 落叶乔木或灌木状，高达 20 m；树皮白色浅纵裂。小枝密生灰褐色绒毛及条沟。叶片倒卵形或椭圆状倒卵形，长 7 ~ 15 cm，宽 3 ~ 7 cm，先端短钝尖，基部窄楔形或窄圆，边缘有波状钝齿 6 ~ 10，侧脉 8 ~ 12 对，幼叶两面被毛，老叶叶面近无毛，叶背被灰黄色星状绒毛；叶柄短，长 3 ~ 5 mm，有毛。壳斗杯形，直径约 1 cm，包围坚果 1/3；苞片鳞片状，排列紧密；坚果卵状椭圆形或近圆柱形，长约 2 cm，无毛，果脐略隆起。花期 4 月，果熟期 10 月。

| 生境分布 | 生于丘陵。分布于江苏丘陵地区等。

| 资源情况 | 野生资源一般。

| **采收加工** | 秋季采集带虫瘿的果实及总苞，晒干；全年均可采挖根，鲜用或晒干。

| **功效物质** | 含有蛋白质、氨基酸、类黄酮。

| **功能主治** | 苦、涩，平。理气消积，明目解毒。用于疳积，疝气，泄泻，痢疾，火眼赤痛，疮疖。

| **用法用量** | 内服煎汤，15 ~ 21 g。外用适量，煅炭研敷。

| **附　　注** | 本种喜阳，耐瘠薄。

壳斗科 Fagaceae 栎属 *Quercus* 凭证标本号 320506150704255LY

短柄枹栎 *Quercus serrata* Thunb. var. *brevipetiolata* (A. DC.) Nakai

| 药 材 名 | 短柄枹栎虫瘿（药用部位：带虫瘿的果实）。

| 形态特征 | 本种与枹栎的区别在于叶常聚生于枝顶，叶片较小，长椭圆状倒卵形或卵状披针形，长 5 ~ 11 cm，宽 1.5 ~ 5 cm；叶缘具内弯浅锯齿，齿端具腺；叶柄短，长 2 ~ 5 mm。

| 生境分布 | 生于山顶或林中。分布于江苏丘陵山区等。

| 资源情况 | 野生资源一般。

| 采收加工 | 秋季采集，晒干。

| 功效物质 | 种子中的三萜类化合物主要是齐墩果烷型、乌苏烷型、羽扇豆烷型，

具有抗炎作用。叶含有丰富的蛋白质。果实含有淀粉、鞣质、蛋白质。

| **功能主治** | 健脾胃，利尿，解毒。用于胃痛，小便淋涩。

| **用法用量** | 内服研粉冲，3 ~ 5 个。

壳斗科 Fagaceae 栎属 *Quercus* 凭证标本号 320111140731021LY

栓皮栎 *Quercus variabilis* Bl.

| 药 材 名 | 青杠碗（药用部位：果壳或果实）。

| 形态特征 | 落叶乔木，高达 30 m；树皮灰褐色，深纵裂，木栓层发达，厚而软，深褐色。小枝无毛；芽圆锥形，芽鳞褐色，有缘毛。叶片椭圆状披针形或椭圆状卵形，长 8 ~ 15（~ 20）cm，宽 2 ~ 5 cm，先端渐尖，基部圆形或阔楔形，边缘有刺芒状细锯齿，侧脉 9 ~ 18 对，老叶叶背密生灰白色星状细绒毛；叶柄长 1 ~ 2.5（~ 5）cm。雄花序长达 14 cm，雄蕊 10 或较多。壳斗杯状，包围坚果 2/3 以上，直径 1.9 ~ 2.1 cm；苞片条形，先端粗刺状，反曲；坚果近球形或宽卵圆形，直径 1.3 ~ 1.5 cm，果脐隆起。花期 3 ~ 4 月，果期翌年 9 ~ 10 月。

| **生境分布** | 生于丘陵山地。分布于江苏丘陵山区等。

| **资源情况** | 野生资源一般。

| **采收加工** | 秋季采收，晒干。

| **药材性状** | 本品果实呈近球形或宽卵圆形，直径 1.3 ~ 1.5 cm，果脐隆起。

| **功效物质** | 含有多酚类成分，主要以鞣花酸为主，具有较好的抑菌和抗氧化活性。

| **功能主治** | 苦、涩，平。止咳，止泻，止血，解毒。用于咳嗽，久泻，久痢，痔漏出血，头癣。

| **用法用量** | 内服煎汤，15.5 ~ 31 g。外用适量，研末调敷。

| **附　　注** | 本种喜土层深厚、排水良好的山坡。

大麻科 Cannabaceae 糙叶树属 *Aphananthe* 凭证标本号 320703170418758LY

糙叶树 *Aphananthe aspera* (Thunb.) Planch.

| 药 材 名 | 糙叶树皮（药用部位：根皮、树皮）。

| 形态特征 | 落叶乔木，高达 25 m；树皮纵裂，粗糙。叶纸质，卵形至狭卵形，长 5 ~ 10 cm，宽 2 ~ 6 cm，先端渐尖或长渐尖，基部宽楔形或浅心形，基脉三出，侧脉 6 ~ 10 对，伸达齿间，边缘基部以上有单锯齿，锯齿锐尖，两面粗糙，均有糙伏毛；托叶膜质，线形。雄花排成聚伞状伞房花序，生于新枝基部的叶腋，花被片倒卵状圆形，内凹成盔状；雌花单生于新枝顶或上部叶腋，花被片条状披针形，柱头 2 深裂，叉状，内侧宽，斜面具毛，宿存。核果近球形、椭圆形或卵球形，紫黑色，长约 8 mm，有平伏细毛；果柄长于叶柄，很少近等长，有毛。花期 3 ~ 5 月，果期 10 月。

| 生境分布 | 生于山坡林中、溪沟边，常与朴树、栎树等混生。江苏各地均有分

布，主要分布于南部。

| 资源情况 | 野生资源较丰富。

| 采收加工 | 春、秋季剥取，晒干。

| 药材性状 | 本品树皮呈槽状。表面黄褐色，有灰色斑及皱纹，老树干皮可见纵裂纹；内面黄白色，纤维性较强。气微，味淡。

| 功效物质 | 含抑菌活性成分表儿茶素、儿茶素、4-*O*-咖啡酰奎宁酸和3,4-二羟基苯甲醛等。

| 功能主治 | 用于腰肌劳损疼痛。

| 用法用量 | 内服煎汤，10 ~ 20 g。

榆科 Ulmaceae 朴属 *Celtis* 凭证标本号 320703150425175LY

紫弹树 *Celtis biondii* Pamp.

| 药 材 名 | 紫弹树叶（药用部位：叶）、紫弹树枝（药用部位：茎枝）。

| 形态特征 | 乔木，高达 18 m。幼枝密生红褐色或淡黄色柔毛，后渐脱落。冬芽黑褐色。叶片薄革质，宽卵形、卵形或卵状椭圆形，长 2.5 ～ 7 cm，宽 2 ～ 4 cm，先端渐尖或尾尖，基部楔形或近圆形，中上部边缘有浅齿，少全缘，幼时两面疏生毛，老时无毛；叶柄长 3 ～ 8 mm；托叶条状披针形，被毛，迟落。果序通常有 2 果实，腋生，总序柄极短，连同果柄被糙毛；果实幼时被柔毛，后渐脱落，近球形，成熟时黄色或橘红色；果柄长 9 ～ 18 mm，长于叶柄 1 倍以上；果核具 4 肋及明显网纹。花期 4 ～ 5 月，果期 8 ～ 10 月。

| 生境分布 | 生于海拔 50 ～ 500 m 的山地灌丛林中或石灰岩地区。分布于江苏

南京、镇江（句容）、常州（溧阳）、无锡（宜兴）、苏州等。

| 资源情况 | 野生资源较丰富。

| 采收加工 | **紫弹树叶：**春、夏季采集，鲜用或晒干。

紫弹树枝：全年均可采收，切片，晒干。

| 药材性状 | **紫弹树叶：**本品多破碎、皱缩，完整者展平后为卵形或卵状椭圆形，长 3.5 ~ 7 cm，宽 2 ~ 3.5 cm，先端渐尖，基部宽楔形，两边不相等，中上部边缘有锯齿，稀全缘；上表面暗黄绿色，较粗糙，下表面黄绿色；幼叶两面被散生毛，脉上的毛较多，脉腋毛较密，老叶无毛；叶柄长 3 ~ 7 mm，具细软毛。质脆，易碎。气微，味淡。

紫弹树枝：本品幼枝密生红褐色或淡黄色柔毛。

| 功能主治 | **紫弹树叶：**甘，寒。清热解毒。用于疮毒溃烂。

紫弹树枝：甘，寒。通络止痛。用于腰背酸痛。

| 用法用量 | **紫弹树叶：**外用适量，捣敷；或研末调敷。

紫弹树枝：内服煎汤，15 ~ 30 g。

榆科 Ulmaceae 朴属 *Celtis* 凭证标本号 320125150505166LY

朴树 *Celtis sinensis* Pers.

| 药材名 |

朴树皮（药用部位：树皮、根皮）。

| 形态特征 |

落叶乔木，高达 20 m；树皮灰色，光滑。当年生小枝密被柔毛；芽鳞无毛。叶片质较厚，阔卵形或卵状椭圆形，近全缘或中上部边缘有锯齿，先端尖或渐尖，基部近对称或稍偏斜，三出脉，表面无毛，背面叶脉处有毛，下面脉腋具簇生毛；叶柄长约 1 cm。花杂性同株；雄花簇生于当年生枝下部叶腋；雌花单生于枝上部叶腋，或稀 1 ~ 3 聚生。核果近球形，单生于叶腋，黄色或橙黄色，直径 5 ~ 7 mm；果柄等长或稍长于叶柄；果核白色，具肋、蜂窝状网纹及棱脊。花期 4 ~ 5 月，果期 10 月。

| 生境分布 |

生于平原、山坡。江苏各地均有分布。

| 资源情况 |

野生资源较丰富。

| 采收加工 |

全年均可采剥，晒干。

| **药材性状** | 本品树皮呈板块状。外表面棕灰色，粗糙而不开裂，有白色皮孔；内表面棕褐色。气微，味淡。

| **功效物质** | 树皮含有生物碱及四环三萜和五环三萜皂苷类成分。

| **功能主治** | 苦、辛，平。祛风透疹，消食化滞。用于麻疹透发不畅，消化不良。

| **用法用量** | 内服煎汤，15 ~ 60 g。

榆科 Ulmaceae 刺榆属 *Hemiptelea* 凭证标本号 320830150717001LY

刺榆 *Hemiptelea davidii* (Hance) Planch.

| 药 材 名 | 刺榆皮（药用部位：树皮、根皮）。

| 形态特征 | 小乔木，高达 19 m；树皮暗灰色。小枝坚硬，棘刺长 2 ~ 10 cm。叶片椭圆形，近无毛，长 3 ~ 7 cm，宽 1 ~ 2 cm，先端圆钝或急尖，基部圆形或浅心形，边缘有整齐的粗锯齿，侧脉 8 ~ 15 对，近平行，斜伸至齿尖；叶柄长 3 ~ 5 mm，被柔毛。花 1 ~ 4 生于小枝的苞腋和下部叶腋。小坚果黄绿色，斜卵圆形，扁平，上半边有斜翅，翅先端渐缩成喙状，喙常分叉。花期 4 ~ 5 月，果期 9 ~ 10 月。

| 生境分布 | 生于山坡、路旁，或栽培于村落附近。分布于江苏连云港、南京、镇江（句容）、无锡（宜兴）等。

| 资源情况 | 野生及栽培资源一般。

| 采收加工 | 全年均可采剥，刮去外层粗皮，鲜用。

| 药材性状 | 本品呈扁平的板块状或两边稍向内卷的块片状，厚 2 ~ 7 mm。外表面暗灰色，粗糙且具条状深沟裂；内表面灰褐色，光滑。易折断，断面纤维性。气微，味淡、微涩。

| 功效物质 | 含有黄酮类成分，具有抗肿瘤、降血糖作用。

| 功能主治 | 苦、辛，微寒。解毒消肿。用于疮痈肿毒，毒蛇咬伤。

| 用法用量 | 内服煎汤，3 ~ 6 g。外用适量，鲜品捣敷。

榆科 Ulmaceae 榆属 *Ulmus* 凭证标本号 320323161104932LY

大果榆 *Ulmus macrocarpa* Hance

| 药 材 名 | 芜荑（药材来源：果实的加工品）。

| 形态特征 | 落叶乔木或灌木，高达 20 m。树皮纵裂，灰黑色或暗灰色；小枝淡黄褐色或淡红褐色，无毛或疏被毛，常有木栓翅（萌芽枝及幼树小枝尤为明显）。叶片厚革质，阔倒卵形或椭圆状卵形，长 5 ~ 9 cm，宽 3 ~ 6 cm，先端短尾尖，基部渐窄至圆，稍心形或一边楔形，边缘具大而浅钝重锯齿，少为单锯齿，侧脉 6 ~ 16 对，叶面粗糙，叶背常疏被毛，脉上较密，脉腋常具簇生毛；叶柄有短柔毛。花 5 ~ 9 一簇，生于去年生枝的叶腋或苞腋，或散生于新枝基部。翅果大，宽倒卵状圆形、近圆形或宽椭圆形，长约 3 cm，两面和边缘有短细毛；果核位于翅果中部，果柄被毛。花期 4 月，果期 3 ~ 6 月。

| 生境分布 | 生于海拔 1 000 ~ 1 300 m 的向阳山坡、丘陵或固定沙丘上，在林区多生于林缘及河岸。分布于江苏连云港等。

| 资源情况 | 野生资源一般。

| 采收加工 | 夏季采收成熟果实，晒干，搓去膜翅，取出种子。将种子 55 kg 浸入水中，待发酵后，加入家榆树皮面 5 kg、红土 15 kg、菊花末 2.5 kg，加适量温开水混合均匀，如糊状，放板上摊平约 1.3 cm 厚，切成边长约 6.7 cm 的方块，晒干，即为成品。亦可在 5 ~ 6 月采收果实，取仁，用种子 60%、异叶败酱 20%、家榆树皮 10%、灶心土 10%，混合制成扁平方形，晒干。

| 药材性状 | 本品呈扁平方块状。表面棕黄色或棕褐色，有多数孔洞和孔隙，杂有纤维及种子。质地松脆而粗糙，易起层剥离。具特异恶骚臭气。

| 功效物质 | 含有鞣质、糖类、挥发油等成分。

| 功能主治 | 辛、苦，温。杀虫消积，除湿止痢。用于虫积腹痛，小儿疳积，久泻久痢，疮疡，疥癣。

| 用法用量 | 内服煎汤，15 g；或研末，9 g。

榆科 Ulmaceae 榆属 *Ulmus* 凭证标本号 320125141104046LY

榔榆 *Ulmus parvifolia* Jacq.

| 药材名 |

榔榆皮（药用部位：树皮、根皮）、榔榆叶（药用部位：叶）、榔榆茎（药用部位：茎）。

| 形态特征 |

乔木，高达 25 m。树皮灰色或灰褐色，呈不规则鳞状薄片剥落，内皮红褐色；小枝褐色，有柔毛；冬芽无毛。叶片革质，披针状卵形或窄椭圆形，稀卵形或倒卵形，长 2 ~ 5（~ 8）cm，宽 1 ~ 2 cm，先端尖或钝，基部楔形或一边圆形，两侧稍不相等，叶缘有单锯齿，侧脉 10 ~ 15 对，两面近光滑，脉腋处具簇生毛，冬季叶变黄色或红色，宿存至第 2 年新叶开放后才脱落。花秋季开放，3 ~ 6 簇生于当年生枝的叶腋；花被片 4，深裂至近基部。翅果椭圆形或卵状椭圆形，长 1 ~ 1.3 cm，翅较狭而厚；果柄细，长 1 ~ 4 mm；果核位于翅果中上部。花果期 8 ~ 10 月。

| 生境分布 |

生于平原、山丘或山坡。江苏各地均有分布。

| 资源情况 | 野生资源较丰富。

| 采收加工 | **榔榆皮：**全年均可采剥，洗净，晒干。

榔榆叶：夏、秋季采收，鲜用。

榔榆茎：夏、秋季采收，鲜用。

| 药材性状 | **榔榆皮：**本品呈板块状或卷筒状。表面光滑或呈鳞片状剥落，浅灰色至灰褐色，剥落的鳞片边缘常有棕红色点状突起。质坚硬，较韧，不易折断，断面略呈纤维性。

榔榆叶：本品呈椭圆形、卵圆形或倒卵形，长 1.5 ~ 5.5 cm，宽 1 ~ 2 cm，基部圆形，稍歪，先端短尖，叶缘有锯齿，上面微粗糙，棕褐色，下面淡棕色。气微，味淡，嚼之有黏液感。

| 功效物质 | 树皮含有淀粉、黏液质、鞣质、豆甾醇等成分，并含有纤维素（22.3%）、半纤维素（11.6%）、木质素（25.2%）、果胶（8.0%）以及油脂（7.7%）等成分。

| 功能主治 | **榔榆皮：**苦，寒。归肝、肾经。清热利水，解毒消肿，凉血止血。用于热淋，小便不利，疮疡肿毒，乳痈，烫火伤，痢疾，胃肠出血，尿血，痔血，腰背酸痛，外伤出血。

榔榆叶：甘、微苦，寒。清热解毒，消肿止痛。用于热毒疮疡，牙痛。

榔榆茎：甘、微苦，寒。通络止痛。用于腰背酸痛。

| 用法用量 | **榔榆皮：**内服煎汤，30 ~ 60 g。外用适量，捣敷。

榔榆叶：外用适量，鲜叶捣敷；或煎汤含漱。

榔榆茎：内服煎汤，10 ~ 15 g。

| 附　　注 | 本种耐旱喜光，适应性广。

榆科 Ulmaceae 榆属 *Ulmus* 凭证标本号 320722180411012LY

榆 *Ulmus pumila* L.

| 药材名 | 榆白皮（药用部位：树皮、根皮）。

| 形态特征 | 乔木，高达 25 m。树皮粗糙；小枝无木栓翅。叶椭圆形或椭圆状披针形，长 2 ~ 8 cm，宽 1.5 ~ 2.5 cm，叶面无毛，叶背幼时被短柔毛，后变无毛或脉腋有毛，叶缘有单锯齿，稀重锯齿，侧脉 9 ~ 16 对；叶柄长 2 ~ 10 mm。早春发叶前开花，簇生成聚伞花序；花被钟形，4 ~ 5 裂；雄蕊 4 ~ 5。翅果近圆形或宽倒卵形，长 1.2 ~ 2 cm，无毛，先端凹缺；果核位于翅果中部或近中部，很少接近凹缺处，色同果翅；果柄长约 2 mm。花期 3 月上旬，果期 4 月上旬。

| 生境分布 | 生于山坡丘陵，常见于村落房屋前后。江苏各地均有分布和栽培。

| 资源情况 | 野生及栽培资源较丰富。

| 采收加工 | 春季或 8 ~ 9 月间割下老枝条，立即剥取内皮，晒干。春、秋季采剥根皮。

| 药材性状 | 本品呈板片状或浅槽状，长短不一，厚 3 ~ 7 mm。外表面浅黄白色或灰白色，较平坦，皮孔横生，嫩皮较明显，有不规则的纵向浅裂纹，偶有残存的灰褐色粗皮；内表面黄棕色，具细密的纵棱纹。质柔韧，纤维性。气微，味稍淡，有黏性。

| 功效物质 | 含有 β- 谷甾醇、豆甾醇等多种甾醇类化合物，以及鞣质、树胶、脂肪油等成分。

| 功能主治 | 甘，微寒。归肺、脾、膀胱经。利水通淋，祛痰，消肿解毒。用于水肿，小便不利，淋浊，带下，咳喘痰多，失眠，内外出血，难产，胎死不下，痈疽，瘰疬，秃疮，疥癣。

| 用法用量 | 内服煎汤，9 ~ 15 g；或研末。外用适量，煎汤洗；或捣敷；或研末调敷。

榆科 Ulmaceae 榉属 *Zelkova* 凭证标本号 320703150425178LY

大叶榉树 *Zelkova schneideriana* Hand.-Mazz.

| 药 材 名 | 榉树皮（药用部位：根皮）。

| 形态特征 | 乔木，高达 35 m。树皮灰褐色至深灰色，呈不规则的片状剥落。一年生幼枝有灰白色柔毛；冬芽常 2 并生。叶片厚纸质，卵形至椭圆状披针形，大小悬殊，长 3 ~ 10 cm，宽 1.5 ~ 4 cm，先端渐尖、尾尖或锐尖，基部稍偏斜，圆形、宽楔形，稀浅心形，边缘有圆钝锯齿，侧脉 8 ~ 15 对，叶面粗糙，有脱落糙毛，叶背密生柔毛；叶柄粗短，长 1 ~ 4 mm。雄花 1 ~ 3 簇生于新枝下部叶腋或苞腋；雌花或两性花常单生于幼枝上部叶腋。核果上部歪斜，直径 2.5 ~ 4 mm；几无柄。花期 4 月，果期 9 ~ 11 月。

| 生境分布 | 生于山坡土层较肥厚的林中。江苏各地均有分布。江苏北部等有栽培。

| 资源情况 | 野生及栽培资源较丰富。

| 采收加工 | 全年均可采剥，鲜用或晒干。

| 功效物质 | 含有儿茶素、芦丁、槲皮素等类黄酮成分。

| 功能主治 | 苦，寒。清热解毒，止血，利水，安胎。用于感冒发热，血痢，便血，水肿，妊娠腹痛，目赤肿痛，烫伤，疮疡肿痛。

| 用法用量 | 内服煎汤，3 ~ 10 g。外用适量，煎汤洗。

| 附　　注 | 本种喜温暖湿润气候，在疏松肥沃、湿润的酸性、中性、石灰质土及轻度盐碱土中均能生长。

榆科 Ulmaceae 榉属 *Zelkova* 凭证标本号 320116180401005LY

榉树 *Zelkova serrata* (Thunb.) Makino

| 药 材 名 | 榉树皮（药用部位：树皮）、榉树叶（药用部位：叶）。

| 形态特征 | 落叶乔木，高达 30 m。树皮灰白色或灰褐色，呈不规则的片状剥落。一年生小枝紫褐色或褐色，有柔毛，后渐脱落。叶片纸质或厚纸质，卵形、椭圆形或狭卵形，长 3 ~ 10 cm，宽 1.5 ~ 5 cm，先端渐尖或尾尖，基部稍偏斜，圆形或浅心形，边缘有圆齿状锯齿，具短尖头，叶面幼时疏被糙毛，后渐脱落，叶背无毛或脉上被稀疏柔毛，侧脉（5 ~ ）7 ~ 15 对；叶柄长 2 ~ 6 mm，有柔毛；托叶紫褐色，披针形。雄花花被裂至中部，裂片（5 ~ ）6 ~ 7（ ~ 8）；雌花花被片 4 ~ 5（ ~ 6），分离。核果近无柄，斜卵状圆锥形，直径 2.5 ~ 3 mm，具背、腹脊，网肋明显，被柔毛，具宿存花被。花期 4 月，果期 9 ~ 10 月。

| 生境分布 | 生于海拔 500 ~ 1 900 m 的河谷、溪边疏林中。分布于江苏南京、镇江等。江苏南京、镇江等地有栽培。

| 资源情况 | 野生及栽培资源较丰富。

| 采收加工 | **榉树皮：** 全年均可采剥，鲜用或晒干。

榉树叶： 全年均可采收，鲜用或晒干。

| 药材性状 | **榉树皮：** 本品灰白色或灰褐色，呈不规则的片状剥落。

榉树叶： 本品纸质或厚纸质，卵形、椭圆形或狭卵形，长 3 ~ 10 cm，宽 1.5 ~ 5 cm，先端渐尖或尾尖，基部稍偏斜，圆形或浅心形，边缘有圆齿状锯齿，具短尖头，叶面幼时疏被糙毛，后渐脱落，叶背无毛或脉上被稀疏柔毛。

| 功效物质 | 含有挥发油、黄酮类成分。

| 功能主治 | 苦，寒。清热解毒，止血，利水，安胎。用于感冒发热，血痢，便血，水肿，妊娠腹痛，目赤肿痛，烫伤，疮疡肿痛。

| 用法用量 | 内服煎汤，3 ~ 10 g。外用适量，煎汤洗。

| 附　　注 | 本种喜光，适生于温暖湿润的环境，能耐瘠薄，耐 −8 ℃的持续低温。生于中性黄壤土和石灰岩发育的钙质土上，在石灰岩山地常形成以光叶榉为优势的落叶混交林。

杜仲科 Eucommiaceae 杜仲属 *Eucommia* 凭证标本号 321023160730088LY

杜仲 *Eucommia ulmoides* Oliver

| 药 材 名 |

杜仲（药用部位：树皮）、杜仲叶（药用部位：叶）。

| 形态特征 |

乔木，高达 15 m。小枝光滑，皮灰褐色；老枝有明显的皮孔。芽体卵圆形，红褐色，发亮。枝、叶折断处有白色细胶丝相连。叶片椭圆形或长圆状卵形，长 6 ~ 15 cm，宽 3 ~ 7 cm，先端急尾尖，基部宽楔形或圆形，边缘有锯齿，叶面暗绿，无毛，叶背淡绿，沿叶脉有柔毛，叶脉在正面下陷；叶柄长约 1.5 cm。雄花有短柄，长约 3 mm；基部苞片倒卵状匙形，先端有睫毛，早落。雌花的苞片倒卵形；子房狭长，先端叉状裂，花柱叉状，柱头外展反折。坚果具翅，长椭圆形，先端 2 裂，长约 3.5 cm。花期 3 ~ 4 月，果期 9 ~ 10 月。

| 生境分布 |

生于海拔 300 ~ 500 m 的低山、谷地或低坡疏林中。分布于长江中下游地区。江苏各地均有栽培。

| 资源情况 | 栽培资源丰富。

| 采收加工 | **杜仲：**4 ~ 6 月剥取树皮，刮去粗皮，堆置“发汗”至内皮呈紫褐色，晒干。

杜仲叶：秋末采收，除去杂质，洗净，晒干。

| 药材性状 | **杜仲：**本品呈板片状或两边稍向内卷，大小不一，厚 3 ~ 7 mm。外表面淡棕色或灰褐色，有明显的皱纹或纵裂槽纹；有的树皮较薄，未去粗皮，可见明显的皮孔。内表面暗紫色，光滑。质脆，易折断，断面有细密、银白色、富弹性的橡胶丝相连。气微，味稍苦。

杜仲叶：本品多皱缩、破碎，完整叶片展平后呈椭圆形或卵圆形，长 7 ~ 15 cm，宽 3.5 ~ 7 cm，暗黄绿色，先端渐尖，基部圆形或广楔形，边缘具锯齿，下表面脉上有柔毛；叶柄长 1 ~ 1.5 cm。质脆，折断面可见有银白色富弹性的橡胶丝相连。气微，味微苦。

| 功效物质 | 树皮主要含有木脂素类成分，其中松脂素二葡萄糖苷有双向调节血压的作用。叶的主要成分为绿原酸等有机酸，具有较强的抑菌和抗氧化作用。尚有报道，杜仲雄花具有镇静催眠、抗氧化、抗炎等作用。杜仲子还具有抗骨质疏松的作用。

| 功能主治 | **杜仲：**甘，温。归肝、肾经。补肝肾，强筋骨，安胎。用于肝肾不足，腰膝酸痛，筋骨无力，头晕目眩，妊娠漏血，胎动不安。

杜仲叶：微辛，温。归肝、肾经。补肝肾，强筋骨。用于肝肾不足，头晕目眩，腰膝酸痛，筋骨痿软。

| 用法用量 | **杜仲：**内服煎汤，6 ~ 9 g。

杜仲叶：内服煎汤，15 ~ 30 g。

| 附　　注 | 本种喜温暖湿润气候，耐寒性较强。对土壤的选择并不严格，在瘠薄的红土或岩石峭壁均能生长。以阳光充足、土层深厚肥沃、富含腐殖质的砂壤土、黏壤土栽培为宜。

桑科 Moraceae 构属 *Broussonetia* 凭证标本号 320381180524042LY

构树 *Broussonetia papyrifera* (L.) L'Hér. ex Vent.

| 药 材 名 |

楮实子（药用部位：果实）。

| 形态特征 |

乔木，高达 16 m。树皮平滑，浅灰色，有时有深灰色横向环斑。枝粗壮，红褐色，密生白色绒毛。叶片阔卵形，长 0.8 ~ 2 cm，宽 0.6 ~ 1.5 cm，先端锐尖，基部圆形或近心形，边缘有粗齿，不分裂或 3 ~ 5 深裂（幼枝上的叶更为明显），两面有厚柔毛，基生叶脉三出；叶柄长 2.5 ~ 8 cm，密生绒毛；托叶卵状长圆形，早落。花雌雄异株。雄花序为腋生下垂的柔荑花序，长 3 ~ 8 cm；苞片披针形，被毛；花被 4 裂，裂片三角状卵形；雄蕊 4。雌花序头状；苞片棒状，先端圆锥形，有毛；花被管状，先端与花柱紧贴。聚花果球形，直径约 3 cm，成熟时橙红色，肉质。花期 4 ~ 5 月，果期 6 ~ 9 月。

| 生境分布 |

多生于荒地、田园、沟旁或城镇边缘地带。江苏各地均有分布。

| 资源情况 |

野生资源丰富。

| 采收加工 | 移栽 4 ~ 5 年后，于 9 月果实变色时采摘，除去灰白色膜状宿萼及杂质，晒干。

| 药材性状 | 本品呈卵圆形至宽卵形，先端渐尖，长 2 ~ 2.5 mm，直径 1.5 ~ 2 mm。外表面黄红色至黄棕色，粗糙，具细皱纹。一侧具凹下的沟纹，另一侧显著隆起，呈脊纹状，基部具残留果柄，剥落果皮后可见白色充满油脂的胚体。气弱，味淡而有油腻感。以红色、子老、无杂质者为佳。

| 功效物质 | 主要含有生物碱类、皂苷类、不饱和脂肪酸类、氨基酸类以及微量元素等成分。生物碱类主要包括异两面针碱、白屈菜红碱等活性成分；皂苷类以薯蓣皂苷为主；不饱和脂肪酸类以亚油酸、油酸为主。

| 功能主治 | 甘，寒。归肝、脾、肾经。补肾清肝，明目，利尿。用于腰膝酸软，虚劳骨蒸，头晕目昏，目生翳膜，水肿胀满。

| 用法用量 | 内服煎汤，6 ~ 9 g；或入丸、散剂。外用适量，捣敷。脾胃虚寒者不宜。

| 附　　注 | （1）本种喜温暖湿润气候，适应性较强，耐干旱，耐湿热。对栽培土壤的要求不严，以土层深厚、疏松肥沃的土壤为宜。

（2）民间应用本种鲜叶捣汁外涂治疗顽癣及虫咬。

桑科 Moraceae 构属 *Broussonetia* 凭证标本号 302482180406403LY

楮 *Broussonetia kazinoki* Sieb.

| **药材名** | 构皮麻（药用部位：全株或根及根皮）。

| **形态特征** | 灌木。枝条斜上，细长，蔓生，幼时有钩状星状毛。叶卵状椭圆形或卵状披针形，长 3 ~ 7 cm，宽 3 ~ 4.5 cm，先端渐尖或尾尖，基部圆形或斜圆形，边缘具三角状锯齿，不裂或 3 裂，叶面粗糙，叶背近无毛；叶柄长约 1 cm；托叶线状披针形。花雌雄同株。雄花序球形，直径 0. 8 ~ 1 cm；雄花花被片被毛。雌花序球形；花被片管状，先端齿裂，具毛。聚花果球形，直径 0.5 ~ 1 cm，肉质，成熟时红色。花期 3 ~ 4 月，果期 5 ~ 7 月。

| **生境分布** | 多生于山坡、灌丛或次生林中、林缘及塘边。分布于江苏连云港、南京及南部地区等。

| 资源情况 | 野生资源丰富。

| 采收加工 | 春季挖嫩根或秋季挖根，剥取根皮，鲜用或晒干。春季采收枝条，晒干。春、秋季剥取树皮，除去外皮，晒干。

| 功效物质 | 根皮含有小构树醇、楮树黄酮醇。

| 功能主治 | 甘、淡，平。归肝、肾、膀胱经。祛风除湿，散瘀消肿。用于风湿痹痛，泄泻，痢疾，黄疸，水肿，痈疖，跌打损伤。

| 用法用量 | 内服煎汤，30 ~ 60 g。

| 附　　注 | 民间用本种治疗风湿痹痛、腹股沟淋巴结炎。

桑科 Moraceae 水蛇麻属 *Fatoua* 凭证标本号 320830151101004LY

水蛇麻 *Fatoua villosa* (Thunb.) Nakai

| 药 材 名 |

水蛇麻（药用部位：全株或叶、根皮）。

| 形态特征 |

一年生草本。高 30 ~ 80 cm。枝直立，纤细，少分枝或不分枝，幼时绿色，后变黑色，微被长柔毛。叶片膜质，卵圆形至宽卵圆形，长 5 ~ 10 cm，宽 3 ~ 5 cm，先端急尖，基部心形至楔形，边缘锯齿三角形，微钝，两面被粗糙贴伏柔毛，侧脉每边 3 ~ 4；叶片在基部稍下延成叶柄，叶柄被柔毛。花单性，聚伞花序腋生，直径约 5 mm；雄花钟形；花被裂片长约 1 mm，雄蕊伸出花被片外，与花被片对生；雌花花被片宽舟状，稍长于雄花花被片，子房近扁球形，花柱侧生，丝状，长 1 ~ 1.5 mm，约长于子房 2 倍。瘦果略扁，具 3 棱，表面散生细小瘤体。种子 1。花期 5 ~ 8 月。

| 生境分布 |

生于园圃、路旁或荒地上。江苏各地均有分布。

| 资源情况 |

野生资源丰富。

| 采收加工 | 全年均可采收。

| 功能主治 | 全株，清热解毒。用于刀伤，无名肿毒。叶，用于风热感冒，头痛，咳嗽，腹痛。根皮，清热解毒，凉血止血。用于喉炎，流行性腮腺炎，无名肿毒，刀伤出血。

| 用法用量 | 内服煎汤，9 ~ 15 g。外用适量，捣敷。

桑科 Moraceae 榕属 *Ficus* 凭证标本号 320982140804299LY

无花果 *Ficus carica* L.

| 药 材 名 | 无花果（药用部位：果实）。

| 形态特征 | 落叶灌木或小乔木。高达 3 ~ 10 m。树皮暗褐色，皮孔明显。多分枝，小枝直立，粗壮无毛。叶互生；叶片厚纸质，倒卵形或近圆形，长 10 ~ 15 cm，宽 8 ~ 14 cm，先端钝，基部心形，边缘波状或具不规则钝齿，常掌状 3 ~ 5 裂或深裂，小裂片卵形，具不规则钝齿，叶面粗糙，叶背有小钟乳体及短毛，掌状脉；叶柄粗壮，长 3 ~ 7 cm；托叶三角状卵形，淡红色至红色，长约 1 cm。雌雄异株；雄花和瘿花同生于一聚花果内壁，雄花位于近口部。隐花果单生于叶腋，大而呈梨形，先端中部下陷，长 3 ~ 5 cm，宽 4 cm，成熟时紫红色、黑紫色或黄色。花期 5 ~ 6 月，果期 6 ~ 10 月。

| **生境分布** | 江苏各地均有栽培，南京偶见有逸为野生者。

| **资源情况** | 野生资源较少，栽培资源丰富。

| **采收加工** | 7 ~ 10 月果实呈绿色时分批采摘，或拾取落地的未成熟果实，用沸水烫后，晒干或烘干。

| **药材性状** | 本品的干燥花序托呈倒圆锥形或类球形，长约 2 cm，直径 1.5 ~ 2 cm；表面淡黄棕色至暗棕色、青黑色，有波状弯曲的纵棱线；先端稍平截，中央有圆形突起，基部渐狭。内壁着生众多细小瘦果，有时壁的上部尚可见枯萎的雄花。瘦果呈卵形或三棱状卵形，长 1 ~ 2 cm，淡黄色，外有宿萼包被。气微，味甜、略酸。

| **功效物质** | 果实主要含有有机酸类成分，其中枸橼酸含量最为丰富，其次含有少量延胡索酸、琥珀酸、苹果酸、莽草酸、奎尼酸，以及双苄基异喹啉类生物碱、苷类、糖类、无花果蛋白酶等。

| **功能主治** | 甘，凉。归肺、胃、大肠经。清热生津，健脾开胃，解毒消肿。用于咽喉肿痛，燥咳声嘶，乳汁稀少，肠热便秘，食欲不振，消化不良，泄泻，痢疾，痈肿，癣疾。

| **用法用量** | 内服煎汤，9 ~ 15 g，大剂量可用至 30 ~ 60 g；或生食鲜果 1 ~ 2 枚。外用适量，煎汤洗；或研末调敷；或研末吹喉。

| **附　　注** | （1）本种喜温暖湿润的海洋性气候，喜光，喜肥，不耐寒，不抗涝，较耐干旱。以排水良好的砂壤土或黏壤土栽培为宜。

（2）鲜果的白色乳汁外涂可去疣。

桑科 Moraceae 榕属 *Ficus* 凭证标本号 321183150401014LY

薜荔 *Ficus pumila* L.

| 药材名 |

薜荔（药用部位：茎、叶）。

| 形态特征 |

常绿攀缘或匍匐灌木。小枝有棕色绒毛。叶两型；无花序托的枝上的叶小而薄，心状卵形，长 1 ~ 2.5 cm，基部斜；生花序托的枝上的叶较大而厚，革质，卵状椭圆形，长 3 ~ 9 cm，先端钝，叶面无毛，叶背有短柔毛，网脉明显，凸起成蜂窝状；叶柄长 0.5 ~ 1 cm；托叶 2，披针形，被黄褐色丝状毛。隐花果单生于叶腋；瘿花果梨形或倒卵形，雌花果近球形，长约 5 cm，直径约 3 cm，有粗短柄，果实先端平截，中部略具短尖头或脐状突起，下部渐窄。花期 6 月，果期 10 月。

| 生境分布 |

生于山坡树木间、岩石或断墙破壁上。江苏各地均有分布。

| 资源情况 |

野生资源丰富。

| 采收加工 | 4 ~ 6 月间采收带叶的茎枝，晒干，除去气根。

| 药材性状 | 本品茎呈圆柱形，节处具成簇状的攀缘根及点状突起的根痕。叶互生，长 0.6 ~ 2.5 cm，椭圆形，全缘，基部偏斜，上面光滑，深绿色，下面浅绿色，有显著凸起的网状叶脉，形成许多小凹窝，被细毛。枝质脆或坚韧，断面可见髓部，呈圆点状，偏于一侧。气微，味淡。

| 功效物质 | 叶含有脱肠草素、香柑内酯、内消旋肌醇、芸香苷、β- 谷甾醇、蒲公英赛醇乙酸酯、β- 香树脂醇乙酸脂。可从茎的乙酸乙酯部位中分离得到佛手柑内酯、6α (β)- 羟基豆甾 -4- 烯 -3- 酮、3β- 羟基豆甾 -5- 烯 -7- 酮、胡萝卜苷、柚皮素、金圣草黄素等。

| 功能主治 | 酸，凉。祛风除湿，活血通络，解毒消肿。用于风湿痹痛，坐骨神经痛，泻痢，尿淋，水肿，疟疾，闭经，产后瘀血腹痛，咽喉肿痛，睾丸炎，漆疮，痈疮肿毒，跌打损伤。

| 用法用量 | 内服煎汤，9 ~ 15 g，鲜品 60 ~ 90 g；或捣汁；或浸酒；或研末。外用适量，捣汁涂；或煎汤熏洗。

桑科 Moraceae 榕属 *Ficus* 凭证标本号 320111170814001LY

爬藤榕 *Ficus sarmentosa* Buch.-Ham. ex J. E. Sm. var. *impressa* (Champ.) Corner

| 药材名 | 爬藤榕（药用部位：根、茎）。

| 形态特征 | 常绿攀缘或匍匐藤状灌木。枝光滑，灰棕色，幼枝和芽有棕色绒毛。叶片革质，披针形或椭圆状披针形，长 3 ~ 9 cm，宽 1 ~ 3 cm，先端渐尖，基部圆钝至楔形，叶面光滑，深绿色，叶背灰白色至浅灰褐色，网脉凸起；叶柄长 4 ~ 7 mm，密生棕色毛。隐花果单生或成对腋生或簇生于老枝上，球形，直径 4 ~ 10 mm，有短毛或近无毛。花期 4 ~ 5 月，果期 6 ~ 7 月。

| 生境分布 | 生于石灰岩陡坡、城墙或屋墙上。江苏各地均有分布，以江苏南部地区为多。

| 资源情况 | 野生资源丰富。

| 采收加工 | 全年均可采收，鲜用或晒干。

| 功能主治 | 辛、甘，温。祛风除湿，行气活血，消肿止痛。用于风湿痹痛，神经性头痛，小儿惊风，胃痛，跌打损伤。

| 用法用量 | 内服煎汤，30 ～ 60 g；或炖肉。

桑科 Moraceae 葎草属 *Humulus* 凭证标本号 320830150717004LY

葎草 *Humulus scandens* (Lour.) Merr.

| 药 材 名 | 葎草（药用部位：全草）。

| 形态特征 | 一年生缠绕草本。茎、枝和叶柄均具倒生刺毛。叶片纸质，肾状五角形，直径 7 ~ 10 cm，掌状深裂，裂片 5 ~ 7，稀 3 裂，边缘有粗锯齿，两面均有粗糙刺毛，叶背有黄色小腺点；叶柄长 5 ~ 10 cm。花雌雄异株。雄花小，排成圆锥花序，长 15 ~ 25 cm，淡黄绿色，花被片和雄蕊各 5。雌花序近球果状，苞片纸质，三角状卵形，先端渐尖，有白色刺毛和黄色小腺点，包被子房，柱头 2，伸出苞片外。瘦果淡黄色，扁圆形，成熟时伸出苞片外。花期 5 ~ 8 月，果期 8 ~ 10 月。

| 生境分布 | 生于林缘、沟边、废墟、路旁或荒地。江苏各地均有分布。

|资源情况| 野生资源丰富。

|采收加工| 9 ~ 10 月晴天时采收，收割地上部分，除去杂质，晒干。

|药材性状| 本品叶皱缩成团，完整叶片展平后近肾形五角状，掌状深裂，裂片 5 ~ 7，边缘有粗锯齿，两面均有茸毛，下面有黄色小腺点；叶柄有纵沟和倒刺。茎圆形，有倒刺和茸毛。质脆，易碎，茎断面中空，不平坦，皮、木部易分离。有的可见花序或果穗。气微，味淡。

|功效物质| 全草主要含有木犀草素、葡萄糖苷、胆碱、天冬酰胺、葎草酮、蛇麻酮、大波斯菊苷，以及挥发油、鞣质、树脂等成分。球果主要含有葎草酮及蛇麻酮成分。叶主要含有大波斯菊苷、牡荆素及挥发油等成分。

|功能主治| 甘、苦，寒。归肺、肾经。清热解毒，利尿通淋。用于肺热咳嗽，肺痈，虚热烦渴，热淋，水肿，小便不利，湿热泻痢，热毒疮疡，皮肤瘙痒。

|用法用量| 内服煎汤，10 ~ 15 g，鲜品 30 ~ 60 g；或捣汁。外用适量，捣敷；或煎汤熏洗。

|附　　注| （1）本种喜温暖湿润气候，适应性较强。以疏松、肥沃、土层深厚、排水良好的砂壤土或壤土栽培为宜。

（2）花穗外用可治疗肿疖、湿疹、皮肤炎疮。另有记载，其种子可作开胃药。

桑科 Moraceae 柘属 *Cudrania* 凭证标本号 320323170510791LY

柘树 *Cudrania tricuspidata* (Carr.) Bur. ex Lavallee

| 药 材 名 |

柘木（药用部位：木材）。

| 形态特征 |

落叶灌木或小乔木。高 1 ~ 7 m。树皮灰褐色，小枝无毛，略具棱，有棘刺，刺长 5 ~ 20 mm；冬芽赤褐色。叶片卵形或菱状卵形，偶为 3 裂，长 5 ~ 14 cm，宽 3 ~ 6 cm，先端渐尖，基部楔形至圆形，表面深绿色，背面绿白色，无毛或被柔毛，侧脉 4 ~ 6 对；叶柄长 1 ~ 2 cm，被微柔毛。雌雄异株，雌雄花序均为球形头状花序，单生或成对腋生，具短总花梗；雄花序直径 0.5 cm，雄花有苞片 2，附着于花被片上，花被片 4，肉质，先端肥厚，内卷，内面有黄色腺体 2，雄蕊 4，与花被片对生，花丝在花芽时直立，退化雌蕊锥形；雌花序直径 1 ~ 1.5 cm，花被片与雄花同数，先端盾形，内卷，内面下部有 2 黄色腺体，子房埋于花被片下部。聚花果近球形，直径约 2.5 cm，肉质，成熟时橘红色。花期 5 ~ 6 月，果期 6 ~ 7 月。

| 生境分布 |

生于阳光充足的荒地、山坡林缘或路旁。江

苏各地均有分布。

| 资源情况 | 野生资源丰富。

| 采收加工 | 全年均可采收，砍取树干及粗枝，趁鲜剥去树皮，切段或切片，晒干。

| 药材性状 | 本品呈圆柱形，较粗壮。全体黄色或淡黄棕色。表面较光滑。质地硬，难折断，断面不平坦，黄色至黄棕色，中央可见小髓。气微，味淡。

| 功效物质 | 主要含有黄酮类、生物碱类、木脂素类、香豆素类化学成分。黄酮类成分以桑色素、山柰酚 -7- 葡萄糖苷为主；生物碱类成分包括水苏碱等。其中，桑色素具有显著的镇痛作用。

| 功能主治 | 甘，温。滋养血脉，调益脾胃。用于虚损，妇女崩中血结，疟疾。

| 用法用量 | 内服煎汤，15 ～ 60 g。外用适量，煎汤洗。

| 附　　注 | 本种根（穿破石）、树皮或根皮（柘木白皮）、茎叶（柘树茎叶）、果实（柘树果实）亦供药用。

桑科 Moraceae 桑属 *Morus* 凭证标本号 320282161112273LY

桑 *Morus alba* L.

药材名

桑叶（药用部位：叶）、桑椹（药用部位：果穗）、桑白皮（药用部位：根皮）、桑枝（药用部位：嫩枝）。

形态特征

乔木或灌木。高 3 ~ 10 m 或更高，胸径可达 50 cm，树皮厚，灰色，具不规则浅纵裂；冬芽红褐色，卵形，芽鳞覆瓦状排列，灰褐色，有细毛；小枝有细毛。叶卵形或广卵形，长 5 ~ 15 cm，宽 5 ~ 12 cm，先端急尖、渐尖或圆钝，基部圆形至浅心形，边缘锯齿粗钝，有时叶具多种分裂类型，表面鲜绿色，无毛，背面沿脉有疏毛，脉腋有簇毛；叶柄长 1.5 ~ 5.5 cm，具柔毛；托叶披针形，早落，外面密被细硬毛。花单性，腋生或生于芽鳞腋内，与叶同时生出；雄花序下垂，长 2 ~ 3.5 cm，密被白色柔毛，雄花花被片宽椭圆形，淡绿色，花丝在芽时内折，花药 2 室，球形至肾形，纵裂；雌花序长 1 ~ 2 cm，被毛，总花梗长 5 ~ 10 mm，被柔毛，雌花无梗，花被片倒卵形，先端圆钝，外面与边缘被毛，两侧紧抱子房，无花柱，柱头 2 裂，内面有乳头状突起。聚花果卵状椭圆形，长 1 ~ 2.5 cm，成熟时红色或暗紫色。花期

4 ~ 5 月，果期 5 ~ 8 月。

| **生境分布** | 江苏各地均有栽培。

| **资源情况** | 野生及栽培资源丰富。

| **采收加工** | **桑叶**：10 ~ 11 月霜降后采收经霜之叶，除去细枝及杂质，晒干。

桑椹：5 ~ 6 月当桑的果穗变红色时采收，晒干或蒸后晒干。

桑白皮：多在春、秋季挖取根部，南方地区冬季也可挖取。去净泥土及须根，趁鲜时刮去黄棕色粗皮，用刀纵向剖开皮部，以木槌轻击使皮部与木部分离，除去木心，晒干。

桑枝：春末夏初采收，去叶，略晒，趁新鲜时切成长 30 ~ 60 cm 的段或斜片，晒干。

| 药材性状 |

桑叶：本品多皱缩、破碎，完整者有柄，叶柄长 1 ~ 2.5 cm；叶片展平后呈卵形或宽卵形，长 8 ~ 15 cm，宽 5 ~ 12 cm，先端渐尖，基部截形、圆形或心形，边缘有锯齿或钝锯齿，有的不规则分裂。上表面黄绿色或浅黄棕色，有的有小疣状突起；下表面颜色稍浅，叶脉突出，小脉网状，脉上被疏毛，脉基具簇毛。质脆。气微，味淡、微苦、涩。

桑椹：聚花果由多数小瘦果集合而成，呈长圆形，长 1 ~ 2 cm，直径 5 ~ 8 mm；黄棕色、棕红色至暗紫色；有短果序梗。小瘦果卵圆形，稍扁，长约 2 mm，宽约 1 mm，外具肉质花被片 4 。气微，味微酸而甜。

桑白皮：本品呈扭曲的卷筒状、槽状或板片状，长短宽窄不一，厚 1 ~ 4 mm；外表面白色或淡黄白色，较平坦，有的残留橙黄色或棕黄色鳞片状粗皮；内表面黄白色或灰黄色，有细纵纹。体轻，质韧，纤维性强，不易折断，易纵向撕裂，撕裂时有粉尘飞扬。气微，味微。

桑枝：本品呈长圆柱形，少有分枝，长短不一，直径 0.5 ~ 1.5 cm。表面灰黄色或黄褐色，有多数黄褐色点状皮孔及细纵纹，并有灰白色略呈半圆形的叶痕和黄棕色的腋芽。质坚韧，不易折断，断面纤维性。切片厚 0.2 ~ 0.5 cm，皮部较薄，木部黄白色，射线放射状，髓部白色或黄白色。气微，味淡。

| 功效物质 |

含黄酮类、甾体类、三萜类、挥发油类、氨基酸类、生物碱类及香豆素等化学成分。

| 功能主治 |

桑叶：苦、甘，寒。归肺、肝经。疏散风热，清肺，明目。用于风热感冒，风温初起，发热头痛，汗出恶风，咳嗽胸痛，或肺燥干咳无痰，咽干，口渴，或风热及肝阳上扰，目赤肿痛。

桑椹：甘、酸，寒。归肝、肾经。滋阴养血，生津，润肠。用于肝肾不足、血虚精亏之证，头晕目眩，腰酸耳鸣，须发早白，失眠多梦，津伤口渴，消渴，肠燥便秘。

桑白皮：甘、辛，寒。归肺、脾经。泻肺平喘，利水消肿。用于肺热喘咳，水饮停肺，胀满喘急，水肿，脚气，小便不利。

桑枝：苦，平。归肝经。祛风湿，通经络，行水气。用于风湿痹痛，中风半身不遂，水肿脚气，肌体风痒。

| 用法用量 |

桑叶：内服煎汤，4.5 ~ 9 g；或入丸、散剂。外用适量，煎汤洗；或捣敷。

桑椹：内服煎汤，10 ~ 15 g；或熬膏；或浸酒；或生啖；或入丸、散剂。外用适量，浸水洗。

桑白皮：内服煎汤，9 ~ 15 g；或入散剂。外用适量，捣汁涂；或煎汤洗。

桑枝：内服煎汤，15 ~ 30 g。外用适量，煎汤熏洗。

| **附　注** | 本种同属植物鸡桑 *Morus australis* Poir. 和蒙桑 *Morus mongolica* (Bur.) Schneid. 及华桑 *Morus cathayana* Hemsl. 的叶在部分地区也作桑叶使用。

桑科 Moraceae 桑属 *Morus* 凭证标本号 320831180419010LY

鸡桑 *Morus australis* Poir.

| 药材名 | 桑叶（药用部位：叶）。

| 形态特征 | 灌木或小乔木。树皮灰褐色；枝开展；冬芽大，圆锥状卵圆形。叶片卵形或宽卵形，先端尖或长锐尖，基部截形或近心形，不分裂或 3 ~ 5 裂，叶缘具多个不规则缺刻状深裂，边缘具粗锯齿，锯齿先端无刺芒尖，叶面粗糙，密生短刺毛，叶背疏被粗毛，老时近光滑；叶柄长 1 ~ 1.5 cm，被毛；托叶线状披针形，早落。雄花序长 1 ~ 1.5 cm，被柔毛。雌花序球形，长约 1 cm，密被白色长柔毛，花柱长约 4 mm，柱头 2 裂，与花柱等长或略长。果实短椭圆形，长不及 2.5 cm，成熟时红色或暗紫色。花期 3 ~ 4 月，果期 4 ~ 5 月。

| 生境分布 | 生于荒地、石灰岩石壁或山坡上。分布于江苏平原地区以外各地。

| 资源情况 | 野生资源丰富。

| 采收加工 | 夏季采收，鲜用或晒干。

| 药材性状 | 本品多皱缩、破碎。完整者有柄，叶片展平后呈卵形或宽卵形，长 6 ~ 15 cm，宽 4 ~ 10 cm；先端渐尖，基部截形、圆形或心形，边缘具锯齿或钝锯齿，有的不规则分裂；上表面黄绿色或浅黄棕色，有的具小疣状突起；下表面颜色稍浅，叶脉凸出，小脉网状，脉上被疏毛，脉基具簇毛。质脆。气微，味淡、微苦、涩。

| 功效物质 | 主要含有黄酮类、二苯乙烯类、苯并呋喃类等功效成分，具有抗氧化、抗肿瘤等生物活性。

| 功能主治 | 甘、辛，寒。归肺经。疏散风热，清肺，明目。用于风热感冒，风温初起，发热头痛，汗出恶风，咳嗽胸痛，或肺燥干咳无痰，咽干，口渴，或风热及肝阳上扰，目赤肿痛。

| 用法用量 | 内服煎汤，3 ~ 9 g。

荨麻科 Urticaceae 苎麻属 *Boehmeria* 凭证标本号 320116180610027LY

大叶苎麻 *Boehmeria longispica* Steud.

| 药材名 | 水麻（药用部位：全草）、水麻根（药用部位：根）。

| 形态特征 | 多年生草本。高 1 ~ 1.5 m。茎基部圆形，上部带四棱形，密被白色短伏毛。叶对生，同一对叶等大或稍不等大；叶片纸质，卵形，长 8 ~ 19 cm，宽 6 ~ 10 cm，先端骤尖，有时不明显 3 骤尖，基部宽楔形或近圆形，边缘具粗大的锯齿，上部常有重锯齿，两面有糙伏毛或柔毛。雌雄异株；雄团伞花序直径约 1.5 mm，约有花 3，雌团伞花序直径 2 ~ 4 mm，有极多数雌花；苞片卵状三角形或狭披针形，长 0.8 ~ 1.5 mm。雄花花被片 4，椭圆形，基部合生，外面被短糙伏毛；雄蕊 4；退化雌蕊椭圆形。雌花花被片倒卵状纺锤形，先端有小齿 2，上部密被糙毛，果期呈菱状倒卵形。瘦果倒卵球形，长约 1 mm，被白色细毛或光滑。花果期 6 ~ 9 月。

| 生境分布 | 生于山坡林下、路旁、沟边或山地灌丛、疏林中。分布于江苏镇江（句容）等。

| 资源情况 | 野生资源一般。

| 采收加工 | **水麻：**夏季采收，鲜用或晒干。

水麻根：夏、秋季采收，晒干。

| 功效物质 | 根皮含有挥发油约 0.07%，尚含有胡萝卜苷、树脂鞣酚、*α*- 及 *β*- 香树脂醇、谷甾醇、硬脂酸和软脂酸。

| 功能主治 | **水麻：**辛、微苦，平。祛风除湿，接骨，解表寒。用于小儿疳积，小儿头疮，中耳炎。

水麻根：辛、微苦，平。发表祛风，除湿，解毒。用于感冒，风湿性关节炎，中耳炎。

| 用法用量 | **水麻：**外用适量，9 ~ 15 g。

水麻根：内服煎汤，6 ~ 15 g。外用适量，煎汤洗；或研末撒。

荨麻科 Urticaceae 苎麻属 *Boehmeria* 凭证标本号 320115150723004LY

苎麻 *Boehmeria nivea* (L.) Gaud.

| 药 材 名 | 苎麻根（药用部位：根及根茎）。

| 形态特征 | 半灌木。高 1 ~ 2 m。茎、花序和叶柄密生开展的长硬毛和近开展的贴伏短糙毛。叶互生；叶片草质，宽卵形或近圆形，长 6 ~ 15 cm，宽 4 ~ 11 cm，先端骤尖，基部近截形或宽楔形，叶面粗糙，叶背密生交织的白色柔毛；叶柄长 2.5 ~ 10 cm；托叶分生，钻状披针形。雌雄同株；团伞花序集成圆锥状，雌花序位于雄花序之上；雄团伞花序直径 1 ~ 3 mm，有少数雄花；雌团伞花序直径 0.5 ~ 2 mm，有多数密集的雌花。雄花花被片 4，狭椭圆形；雄蕊 4；退化雌蕊狭倒卵球形，先端有短柱头。雌花花被管状，先端有 2 ~ 3 小齿，被细毛，果期菱状倒披针形，柱头丝形。瘦果椭圆形，长约 1.5 mm，光滑。花果期 7 ~ 10 月。

| 生境分布 | 生于山谷林边或草坡。江苏各地均有分布。

| 资源情况 | 野生资源较丰富。

| 采收加工 | 冬、春季采挖，除去地上茎和泥土，晒干。

| 药材性状 | 本品根茎呈不规则圆柱形，稍弯曲，长 4 ～ 30 cm，直径 0.4 ～ 5 cm；表面灰棕色，有纵纹及多数皮孔，并有多数疣状突起及残留须根；质坚硬，不易折断，断面纤维性，皮部棕色，木部淡棕色，有的中间具数个同心环纹，中央有髓或中空。根略呈纺锤形，长约 10 cm，直径 1 ～ 1.3 cm；表面灰棕色，有纵皱纹及横长皮孔；断面粉性。气微，味淡，有黏性。

| 功效物质 | 含有三萜类、黄酮类、生物碱类、醌类、木脂素类、有机酸类、甾体类等化学成分。

| 功能主治 | 甘，寒。归肝、心、膀胱经。凉血止血，清热安胎，利尿，解毒。用于血热妄行所致的咯血、吐血、衄血、血淋、便血、崩漏、紫癜，胎动不安，胎漏下血，小便淋沥，痈疮肿毒，虫蛇咬伤。

| 用法用量 | 内服煎汤，5 ～ 30 g；或捣汁。外用适量，鲜品捣敷；或煎汤熏洗。

荨麻科 Urticaceae 苎麻属 *Boehmeria* 凭证标本号 320111170509003LY

悬铃木叶苎麻 *Boehmeria tricuspis* (Hance) Makino.

| 药材名 | 赤麻（药用部位：嫩茎叶）、山麻根（药用部位：根）。

| 形态特征 | 多年生草本或亚灌木。高 0.7 ~ 1.5 m。嫩枝带四棱形，密生细伏毛。叶对生；叶片近圆形、宽卵形或扁五角形，长 6 ~ 15 cm，宽 5 ~ 13 cm，先端 3 裂，裂片骤尖或尾尖，每侧有数个粗牙齿，基部宽楔形至截形，边缘有粗大重锯齿，侧脉 2 对，叶面粗糙，有糙伏毛，叶背密被短柔毛；叶柄长 5 ~ 10 cm。团伞花序直径 1 ~ 2.5 mm，集成长穗状，圆锥状分枝或不分枝，同一植株的全为雌性，或上部为雌性、下部为雄性。雄花花被片 4，椭圆形，下部合生，外面上部疏被短毛；雄蕊 4；退化雌蕊椭圆形。雌花花被片椭圆形，长约 0.5 mm，齿不明显，外面有密柔毛，果期呈楔形至倒卵状菱形。果实狭倒卵形，被白色细毛，先端较密。花果期 6 ~ 9 月。

｜生境分布｜ 生于山坡林边或溪旁阴湿处。分布于江苏南京（浦口、江宁）、无锡（宜兴）等的丘陵地区。

｜资源情况｜ 野生资源较丰富。

｜采收加工｜ **赤麻：**夏、秋季采收叶，洗净，鲜用或晒干。

山麻根：秋季采挖根，洗净，鲜用或晒干。

｜药材性状｜ **赤麻：**本品嫩枝带四棱形，密生细伏毛。

山麻根：本品呈圆柱形，略弯曲，直径 1 ~ 2 cm。表面暗赤色，有较多的点状突起及须根痕。质硬，断面棕白色，有较细密的放射状纹理。水浸略有黏性。气微，味微辛、微苦、涩。

｜功效物质｜ 根含有大黄素、大黄素甲醚、*β*- 谷甾醇等。地上部分含有紫云英苷，以及亚油酸、棕榈酸、菜油甾醇等。

｜功能主治｜ **赤麻：**涩、微苦，平。收敛止血，清热解毒。用于咯血，衄血，尿血，便血，崩漏，跌打损伤，无名肿毒，疮疡。

山麻根：微苦、辛，平。活血止血，解毒消肿。用于跌打损伤，胎漏下血，痔疮肿痛，疖肿。

｜用法用量｜ **赤麻：**内服煎汤，6 ~ 15 g。外用适量，捣敷；或研末调涂。

山麻根：内服煎汤，6 ~ 15 g；或浸酒。外用适量，鲜品捣敷；或煎汤洗。

荨麻科 Urticaceae 糯米团属 *Gonostegia* 凭证标本号 320581180714226LY

糯米团 *Gonostegia hirta* (Blume.) Miq.

| 药 材 名 | 糯米藤（药用部位：全草）。

| 形态特征 | 多年生草本。茎匍匐或倾斜，高 50 ~ 150 cm，不分枝或分枝，上部带四棱形，有柔毛。叶对生；叶片披针形、狭披针形至长卵形，长 3 ~ 10 cm，宽 1 ~ 4 cm，先端钝尖，基部浅心形，全缘，基出脉 3 ~ 5，直达叶尖汇合，叶面密生点状钟乳体和散生柔毛，叶面叶脉有柔毛；托叶钻形。花小，淡绿色，雌雄同株，稀异株；团伞状花序簇生于叶腋；苞片三角形。雄花花蕾在内折线上有稀疏长柔毛；花被片 5，分生，倒披针形，先端短骤尖；雄蕊 5；退化雌蕊极小，圆锥状。雌花花被片菱状狭卵形，先端有小齿 2，果期呈卵形，具纵肋 10；柱头有密毛。瘦果卵形，黑色，完全为花被管所包裹。花果期 7 ~ 9 月。

| 生境分布 | 生于山坡林下及沟边潮湿处。分布于江苏南京、无锡（宜兴）、常州（溧阳）等。

| 资源情况 | 野生资源较丰富。

| 采收加工 | 全年均可采收，鲜用或晒干。

| 药材性状 | 本品根粗壮，肉质，圆锥形，有支根；表面浅红棕色；不易折断，断面略粗糙，呈浅棕黄色。茎黄褐色。叶多破碎，暗绿色，粗糙有毛，润湿展平后 3 条基脉明显，背面网脉明显。有时可见簇生的花或瘦果，果实卵形，先端尖，约具 10 细纵棱。气微，味淡。

| 功效物质 | 含有黄酮类成分，以及木栓酮、表木栓醇、*β*- 谷甾醇、豆甾醇、齐墩果酸等。

| 功能主治 | 甘、微苦，凉。清热解毒，健脾消积，利湿消肿，散瘀止血。用于乳痈，肿毒，痢疾，消化不良，食积腹痛，疳积，带下，水肿，小便不利，痛经，跌打损伤，咯血，吐血，外伤出血。

| 用法用量 | 内服煎汤，10 ~ 30 g，鲜品加倍。外用适量，捣敷。

荨麻科 Urticaceae 艾麻属 *Laportea* 凭证标本号 3211831511051125LY

珠芽艾麻 *Laportea bulbifera* (Siebold. et Zucc.) Wedd.

| 药 材 名 | 野绿麻根（药用部位：根）。

| 形态特征 | 多年生草本。有纺锤状块根；茎高 50 ~ 150 cm，具 5 纵棱。叶互生，叶腋具球形珠芽；叶片卵形或椭圆形，长 5 ~ 12 cm，宽 3 ~ 6 cm，边缘有钝齿，基出脉 3，两面疏生长伏毛和短毛，钟乳体细点状，伸向齿尖。花雌雄同株，稀异株。雄花序圆锥状；花被片 4 ~ 5，白色，长圆状卵形；雄蕊 5；退化雌蕊倒梨形；小苞片三角状卵形。雌花序圆锥状；雌花柄先端膨大呈翅状；花被片 4，侧生 2 较大，长圆状卵形或狭倒卵形，花后增大，背生 1 圆卵形，兜状，腹生 1 三角状卵形；子房具柄，柱头丝状。瘦果圆状倒卵形或近半圆形，偏斜，扁平，有紫褐色细斑点。花果期 7 ~ 10 月。

| 生境分布 | 生于山坡林中或林边湿地。分布于江苏南京、无锡（宜兴）、常州（溧阳）等。

| 资源情况 | 野生资源一般。

| 采收加工 | 秋季采挖，除去茎、叶及泥土，晒干。

| 药材性状 | 本品根茎连接成团块状，大小不等，灰棕色或棕褐色，上面有多数茎的残基和孔洞。根簇生于根茎周围，呈长圆锥形或细长纺锤形，扭曲，长 6 ~ 20 cm，直径 3 ~ 6 mm。表面灰棕色至红棕色，具细纵皱纹，有纤细的须根或须根痕。质坚硬，不易折断，断面纤维性，浅红棕色。气微，味微苦、涩。

| 功效物质 | 含有山柰酚 -3-*O*-*β*-D- 葡萄糖苷、山柰酚 -3,7-*O*-*α*-L- 二鼠李糖苷、槲皮素 -3-*O*-*β*-D- 葡萄糖苷等黄酮类成分，具有抗 N1 神经氨酸酶的作用。

| 功能主治 | 辛，温。祛风除湿，活血止痛。用于风湿痹痛，肢体麻木，跌打损伤，骨折疼痛，月经不调，劳伤乏力，肾炎水肿。

| 用法用量 | 内服煎汤，9 ~ 15 g，鲜品 30g；或浸酒。外用适量，煎汤洗。

荨麻科 Urticaceae 花点草属 *Nanocnide* 凭证标本号 320581180428054LY

花点草 *Nanocnide japonica* Blume.

| 药 材 名 | 幼油草（药用部位：全草）。

| 形态特征 | 多年生草本。高 10 ~ 25 cm。茎直立，常半透明，被向上倾斜的微硬毛。叶片三角形至扇形，长、宽几相等，1.5 ~ 4 cm，边缘有粗钝圆齿，基出脉 3 ~ 5，钟乳体短线形或点状；托叶宽卵形，具缘毛。花淡紫色，雄花序为多回二歧聚伞花序，长于叶；雄花花被片 5 深裂，裂片卵形，背面近中部有横向的鸡冠状突起物，其上缘生长毛；雄蕊 5；退化雌蕊宽倒卵形。雌花序生于雄花序下部的叶腋；雌花花被片 4 深裂，绿色，外面 1 对生于雌蕊的背腹面，较大，具龙骨状突起，先端有 1 ~ 2 透明长刺毛，背面和边缘疏生短毛；内面 1 对裂片生于雌蕊的两侧，长倒卵形，顶生 1 透明长刺毛，柱头画笔头状。瘦果卵形，有点状突起。花期 4 ~ 5 月，果期 6 ~ 7 月。

| **生境分布** | 生于田边或山坡溪旁的阴湿地。分布于江苏南京、镇江（句容）、苏州（吴中）等。

| **资源情况** | 野生资源一般。

| **采收加工** | 全年均可采收，去净杂质，洗净，鲜用或晒干。

| **功能主治** | 淡，凉。清热解毒，止咳，止血。用于黄疸，肺结核咯血，潮热，痔疮，痱子。

| **用法用量** | 内服煎汤，30 ~ 60 g。外用适量，煎汤洗。

荨麻科 Urticaceae 花点草属 *Nanocnide* 凭证标本号 320829170422080LY

毛花点草 *Nanocnide lobata* Wedd.

| 药材名 | 雪药（药用部位：全草）。

| 形态特征 | 一年生或多年生草本。茎丛生，常半透明，被向下弯曲的微硬毛；有短根茎。叶片宽卵形至三角状卵形，边缘具不等大的粗圆齿，基出脉 3 ~ 5，脉上具短柔毛，两面散生短杆状钟乳体；叶柄被向下弯曲的短柔毛；托叶卵形，具缘毛。雄花序常生于枝的上部叶腋，稀数朵散生于雌花序的下部；雄花淡绿色，花被片 4 ~ 5 深裂，裂片卵形，背面上部有鸡冠样突起，边缘疏生白色小刺毛；雄蕊 4 ~ 5；退化雌蕊宽倒卵形。雌花序成团聚伞花序，生于枝的顶部叶腋；雌花花被片绿色，不等 4 深裂，外面 1 对较大，近舟形，长于子房，背部龙骨上和边缘密生小刺毛，内面 1 对裂片较小，狭卵形，与子房近等长。瘦果卵形，有点状突起，具宿存花被片。花期 4 ~ 6 月，

果期 6 ~ 8 月。

| 生境分布 | 生于山野或平原地区的阴湿处。分布于江苏苏州（常熟、昆山）、镇江（丹徒、句容）、无锡（江阴、宜兴）等。

| 资源情况 | 野生资源一般。

| 采收加工 | 春、夏季采收，鲜用或晒干。

| 药材性状 | 本品皱缩成团。根细长，棕黄色。茎纤细，多扭曲，直径约 1 mm，枯绿色或灰白色，被白色柔毛。叶皱缩，多脱落，完整的叶为三角状卵形或扇形，枯绿色。有的可见圆球状淡棕绿色花序。气微，味淡。

| 功能主治 | 苦，凉。清热解毒，消肿散结，止血。用于肺热咳嗽，瘰疬，咯血，烫火伤，痈肿，跌打损伤，蛇咬伤，外伤出血。

| 用法用量 | 内服煎汤，15 ~ 30 g。外用适量，鲜品捣敷；或浸菜油、麻油外搽。

荨麻科 Urticaceae 冷水花属 *Pilea* 凭证标本号 321281161018033LY

小叶冷水花 *Pilea microphylla* (L.) Liebm.

| 药 材 名 | 透明草（药用部位：全草）。

| 形态特征 | 纤细小草本。高 3 ~ 17 cm。茎肉质，多分枝，干时常变蓝绿色，密布条形钟乳体。叶对生，同对叶不等大；叶片倒卵形至匙形，长 3 ~ 7 mm，宽 1.5 ~ 3 mm，全缘，稍反曲，钟乳体条形，叶面明显，长 0.3 ~ 0.4 mm，横向排列，整齐；叶柄长 1 ~ 4 mm；托叶三角形。花雌雄同株，有时同序；聚伞花序密集成近头状，具花序梗或稀近无梗。雄花具短柄；花被片 4，卵形，外面近先端有短角；雄蕊 4；退化雌蕊不明显。雌花花被片 3，稍不等长，中间 1 长圆形，与果实近等长，稍增厚，侧生 2 卵形，较中间者短约 1/4；退化雄蕊不明显。瘦果卵形，长约 0.4 mm，成熟时变褐色。花期夏、秋季，果期秋季。

| 生境分布 | 生于路边、溪边或石缝等阴湿处。分布于江苏连云港和南京等。

| 资源情况 | 野生资源一般。

| 采收加工 | 夏、秋季采收，洗净，鲜用或晒干。

| 功效物质 | 含有棕榈油酸、棕榈酸、乌苏酸、反式植物醇、(-) - 丁香烯氧化物、(+) - 桉油烯醇、*α*- 香树精等化学成分。

| 功能主治 | 淡、涩，凉。清热解毒。用于痈疮肿痛，丹毒，无名肿毒，烫火伤，毒蛇咬伤。

| 用法用量 | 内服煎汤，5 ~ 15 g。外用适量，鲜品捣敷；或绞汁涂。

荨麻科 Urticaceae 冷水花属 *Pilea* 凭证标本号 320282160607125LY

冷水花 *Pilea notata* C. H. Wrigh.

| 药 材 名 | 冷水花（药用部位：全草）。

| 形态特征 | 多年生草本。具匍匐茎；茎直立，高 30 ~ 60 cm，密布条形钟乳体。叶对生，同对叶近等大；叶片卵形或狭卵形，长 5 ~ 12 cm，宽 2.5 ~ 5 cm，先端渐尖或尾状尖，边缘有浅锯齿，基出脉 3，两面密布线形钟乳体；叶柄长 2 ~ 5 cm；托叶长圆形，长 8 ~ 12 mm，脱落。花雌雄异株；雄聚伞花序长 2 ~ 5 cm，有分枝，团伞花簇较疏松，花序梗明显，雄花花被片 4，绿黄色，卵形，先端有小尖头，外面近先端有短角状突起；雄蕊 4，花药白色，花丝与药隔红色；退化雌蕊小。雌聚伞花序较短而密，有短花序梗或近无梗；雌花花被片 3，狭卵形。瘦果卵形，淡黄褐色，有疣状突起；宿存花被片 3 深裂，等大，卵状长圆形。花期 6 ~ 9 月，果期 9 ~ 11 月。

| 生境分布 | 生于谷地或山坡林下阴湿地。分布于江苏常州（溧阳）、无锡（宜兴）等。

| 资源情况 | 野生资源一般。

| 采收加工 | 夏、秋季采收，鲜用或晒干。

| 功效物质 | 含有 *α*- 香树脂醇乙酸酯、亚麻油酸乙酯、十六酸乙酯、咖啡酸乙酯、*α*- 香树脂醇、*β*- 谷甾醇、槲皮素、*β*- 胡萝卜苷等。

| 功能主治 | 淡、微苦，凉。清热利湿，退黄，消肿散结，健脾和胃。用于湿热黄疸，赤白带下，淋浊，尿血，小儿夏季热，疟母，消化不良，跌打损伤，外伤感染。

| 用法用量 | 内服煎汤，15 ~ 30 g；或浸酒。外用适量，捣敷。

荨麻科 Urticaceae 冷水花属 *Pilea* 凭证标本号 320111151013008LY

透茎冷水花 *Pilea pumila* (L.) A. Gray

| 药 材 名 | 透茎冷水花（药用部位：全草或根茎）。

| 形态特征 | 一年生草本。高 20 ~ 50 cm。茎肉质，新鲜时透明，无毛，分枝或不分枝。叶对生，同对叶近等大；叶片近膜质，卵形或宽卵形，先端渐尖，基部楔形或钝圆，基部以上边缘有三角状锯齿，基出脉 3，两面疏生透明硬毛和细密的线形钟乳体，上部近叶片基部常疏生短毛；叶柄长 0.5 ~ 4.5 cm；托叶卵状长圆形，早落。花雌雄同株或异株，常同序，成短而紧密的聚伞花序，无花序梗或有短梗；雄花常生于花序的下部。雄花具短柄或无柄；花被片 2，稀 3 ~ 4，裂片先端下有短角；雄蕊 2，稀 3 ~ 4；退化雌蕊不明显。雌花花被片 3，近等长，线状披针形；退化雄蕊 3，椭圆状长圆形。瘦果三角状卵形，表面散生褐色斑点。花期 6 ~ 8 月，果期 8 ~ 10 月。

| 生境分布 | 生于山谷溪边阴湿的石缝处。分布于江苏连云港、镇江（句容）、无锡（宜兴）等。

| 资源情况 | 野生资源一般。

| 采收加工 | 夏、秋季采收，洗净，鲜用或晒干。

| 功能主治 | 甘，寒。清热，利尿，解毒。用于尿路感染，急性肾炎，子宫内膜炎，子宫脱垂，赤白带下，跌打损伤，痈肿初起，虫蛇咬伤。

| 用法用量 | 内服煎汤，15 ~ 30 g。外用适量，捣敷。

檀香科 Santalaceae 百蕊草属 *Thesium* 凭证标本号 320506150426181LY

百蕊草 *Thesium chinense* Turcz.

| 药 材 名 | 百蕊草（药用部位：全草）、百蕊草根（药用部位：根）。

| 形态特征 | 多年生柔弱草本。株高 15 ~ 40 cm，全株无毛。茎丛生，细柔，簇生，基部以上疏分枝，斜上。叶互生，线形而尖，长 1.5 ~ 3.5 cm，宽 0.5 ~ 1.5 mm，具单脉。花小，单生于叶腋，花梗短，长 3 ~ 3.5 mm，苞片 1，线状披针形，小苞片 2，线形，长 2 ~ 6 mm，边缘粗糙。花 5 数，花被片绿白色，花被管呈管状，花被裂片先端锐尖，内弯，内面有不明显微毛；雄蕊生于裂片基部，不外伸；子房无柄，花柱短。坚果椭圆形或近球形，长 2 ~ 2.5 mm，表面有明显隆起的网脉，花被宿存，果柄长 3.5 mm。花期 4 ~ 5 月，果期 6 ~ 8 月。

| 生境分布 | 生于山坡路旁、溪边、田野的荫蔽或潮湿处。江苏各地均有分布。

| 资源情况 | 野生资源丰富。

| 采收加工 | **百蕊草：**春、夏季采收，去净泥土，晒干。

百蕊草根：夏、秋季采挖，洗净，晒干。

| 药材性状 | 本品全草多分枝，长 20 ~ 40 cm。根圆锥形，直径 1 ~ 4 mm；表面棕黄色，有纵皱纹，具细支根。茎丛生，纤细，长 12 ~ 30 cm，暗黄绿色，具纵棱；质脆，易折断，断面中空。叶互生，线状披针形，长 1 ~ 3 cm，宽 0.5 ~ 1.5 mm，灰绿色。小花单生于叶腋，近无梗。坚果近球形，直径约 2 mm，表面灰黄色，有网状雕纹，有宿存叶状小苞片 2。气微，味淡。以果多、灰绿色、无泥沙者为佳。

| 功效物质 | 全草的主要成分为黄酮类，其中百蕊草素 I 的含量最高。百蕊草总黄酮、有机酸、生物碱成分有一定的抗菌活性。百蕊草素Ⅵ（即对羟基苯甲酸）具有抗真菌作用。百蕊草多糖具有较好的抗氧化活性。全草还含有 3,5,7,4′- 四羟基黄酮 -3- 葡萄糖 - 鼠李糖苷、紫云英苷（即 3,5,7,4′- 四羟基黄酮 -3- 葡萄糖苷）、山柰酚、丁二酸（即琥珀酸）、D- 甘露醇，以及生物碱类、甾醇类、酚类、挥发油类等成分。

| 功能主治 | **百蕊草：**辛、微苦，寒。归脾、肾经。清热，利湿，解毒。用于风热感冒，中暑，肺痈，乳蛾，淋巴结核，乳痈，疖肿，淋证，黄疸，腰痛，遗精。

百蕊草根：微苦、辛，平。行气活血，通乳。用于月经不调，乳汁不下。

| 用法用量 | **百蕊草：**内服煎汤，9 ~ 30 g；或研末；或浸酒。外用适量，研末调敷。

百蕊草根：内服煎汤，3 ~ 10 g。

| 附　　注 | 本种变种长梗百蕊草的果柄可达 8 mm。

蓼科 Polygonaceae 金线草属 *Antenoron* 凭证标本号 321112180728008LY

金线草 *Antenoron filiforme* (Thunb.) Roberty et Vautier

| 药 材 名 | 金线草（药用部位：全草）、金线草根（药用部位：根茎）。

| 形态特征 | 多年生草本。全株密被长粗伏毛。根茎粗短，呈结节状；茎直立，高 50 ~ 100 cm，节稍膨大，少分枝。叶片宽卵圆形或椭圆形，长 6 ~ 15 cm，先端短渐尖或急尖，基部楔形，全缘，上面中央常有“八”字形墨绿色斑；托叶鞘筒状，膜质，褐色，具短缘毛。总状花序常数个，花序轴延伸，直挺；花排列稀疏；苞片斜漏斗状，具短缘毛；花 2 ~ 3 生于苞腋内，花梗与苞片近等长；花被深红色，4 深裂，裂片卵形，长约 2 mm；雄蕊 5；花柱 2。瘦果卵形或椭圆形，双凸镜状，长 2.5 ~ 3 mm。花果期 8 ~ 10 月。

| 生境分布 | 生于山地林缘阴湿处、沟谷溪边草丛中或山坡路旁。分布于江苏连

云港、南京、镇江、常州（溧阳）、无锡（宜兴）、苏州（常熟）等。

| 资源情况 | 野生资源较丰富。

| 采收加工 | **金线草：**夏、秋季采收，鲜用或晒干。

金线草根：夏、秋季采挖，洗净，鲜用或晒干。

| 药材性状 | **金线草：**本品根茎呈不规则结节状条块，长 2 ~ 15 cm，节部略膨大，表面红褐色，有细纵皱纹，并具众多根痕及须根，先端有茎痕或茎残基；质坚硬，不易折断，断面不平坦，粉红色，髓部色稍深。茎圆柱形，不分枝或上部分枝，有长糙伏毛。叶多卷曲，具柄；叶片展开后呈宽卵形或椭圆形，先端短渐尖或急尖；基部楔形或近圆形；托叶鞘膜质，筒状，先端截形，有条纹，叶的两面及托叶鞘均被长糙伏毛。气微，味涩、微苦。

| 功效物质 | 全草主要含有有机酸类和黄酮类成分，其中槲皮素具有抗氧化、清除自由基及抗菌作用。根含有多糖类、黄酮类、多酚类等活性成分，可以抑制尿液中草酸钙晶体的形成。

| 功能主治 | **金线草：**辛、苦，凉；有小毒。凉血止血，清热利湿，散瘀止痛。用于咳血，吐血，便血，血崩，泄泻，痢疾，胃痛，经期腹痛，产后血瘀腹痛，跌打损伤，风湿痹痛，瘰疬，痈肿。

金线草根：辛、苦，微寒。凉血止血，散瘀止痛，清热解毒。用于咳嗽，吐血，咯血，崩漏，月经不调，痛经，脘腹疼痛，泄泻，痢疾，跌打损伤，风湿痹痛，瘰疬，痈疽肿毒，烫火伤，毒蛇咬伤。

| 用法用量 | **金线草：**内服煎汤，9 ~ 30 g。外用适量，煎汤洗；或捣敷。

金线草根：内服煎汤，15 ~ 30 g；或浸酒；或炖肉。外用适量，捣敷；或磨汁涂。

蓼科 Polygonaceae 金线草属 *Antenoron* 凭证标本号 321183151104992LY

短毛金线草 *Antenoron filiforme* (Thunb.) Rob. et Vaut. var. *neofiliformis* (Nakai) A. J. Li

| 药 材 名 | 金线草（药用部位：全草）、金线草根（药用部位：根茎）。

| 形态特征 | 本变种与金线草的区别在于茎疏生粗伏毛或近无毛。叶片椭圆形、长椭圆形或倒卵形，先端长渐尖，基部楔形稍下延，两面疏生短糙伏毛或近无毛；苞片膜质，内有花 1 ~ 2。瘦果卵状扁圆形，暗褐色。

| 生境分布 | 生于山地林缘阴湿处、沟谷溪边草丛中或山坡路旁。分布于江苏连云港、南京、镇江、常州（溧阳）、无锡（宜兴）、苏州（常熟）等。

| 资源情况 | 野生资源丰富。

| 采收加工 | **金线草**：夏、秋季采收，鲜用或晒干。

金线草根：夏、秋季采挖，洗净，鲜用或晒干。

| 药材性状 | **金线草**：本品茎枝无毛或疏生短伏毛；叶片长椭圆形或椭圆形，先端长渐尖，略弯曲，有短糙伏毛；托叶鞘疏生短糙伏毛或近无毛。

| 功效物质 | 全草主要含有有机酸类和黄酮类成分，其中槲皮素具有抗氧化、清除自由基及抗菌作用。据研究报道，全草还具有抗病毒、抗肿瘤作用，对金黄色葡萄球菌有较强的抑制作用，对痢疾杆菌、伤寒杆菌、副伤寒杆菌、大肠埃希菌等也有不同程度的抑制作用。

| 功能主治 | **金线草**：辛、苦，凉；有小毒。凉血止血，清热利湿，散瘀止痛。用于咳血，吐血，便血，血崩，泄泻，痢疾，胃痛，经期腹痛，产后血瘀腹痛，跌打损伤，风湿痹痛，瘰疬，痈肿。

金线草根：苦、辛，微寒。凉血止血，散瘀止痛，清热解毒。用于咳嗽，吐血，咯血，崩漏，月经不调，痛经，脘腹疼痛，泄泻，痢疾，跌打损伤，风湿痹痛，瘰疬，痈疽肿毒，烫火伤，毒蛇咬伤。

| 用法用量 | **金线草**：内服煎汤，9 ~ 30 g。外用适量，煎汤洗；或捣敷。

金线草根：内服煎汤，15 ~ 30 g；或浸酒；或炖肉。外用适量，捣敷；或磨汁涂。

蓼科 Polygonaceae 荞麦属 *Fagopyrum* 凭证标本号 320381181027020LY

金荞麦 *Fagopyrum dibotrys* (D. Don) Hara

| 药 材 名 | 金荞麦（药用部位：根茎）、金荞麦茎叶（药用部位：茎叶）。

| 形态特征 | 多年生草本。无毛。块根粗大，横走，结节状，坚硬，黑褐色。茎高 0.5 ~ 1 m，分枝，有纵棱，有时一侧沿棱有柔毛。叶片卵状三角形，长 5 ~ 12 cm，先端渐尖，基部戟形，全缘，两面具乳头状突起；叶柄长达 10 cm；托叶鞘筒状，膜质，褐色，偏斜，先端截形。花簇排成总状花序，再组成伞房状花序，顶生或腋生；苞片卵状披针形，每苞内有花 2 ~ 4；花柄中部具关节；花被白色，5 深裂，裂片长椭圆形，长约 2 mm；雄蕊 8，4 长，4 稍短。瘦果宽卵形，具 3 锐棱，长 6 ~ 8 mm，超出宿存花被 2 ~ 3 倍，黑褐色，无光泽。花期 7 ~ 9 月，果期 8 ~ 10 月。

| 生境分布 | 生于路边或沟旁较阴湿地。江苏各地均有分布。江苏南京、无锡等有栽培。

| 资源情况 | 野生及栽培资源较丰富。

| 采收加工 | **金荞麦：**于秋季地上部分枯萎后采收，先割去茎叶，将根刨出，除去泥土，选出作种用根茎后，晒干，或阴干，或 50 ℃内炕干。

金荞麦茎叶：夏季采集，鲜用或晒干。

| 药材性状 | **金荞麦：**本品呈不规则团块或圆柱状，常有瘤状分枝，先端有的有茎残基，长 3 ~ 15 cm，直径 1 ~ 4 cm。表面棕褐色，有横向环节及纵皱纹，密布点状皮孔，并有凹陷的圆形根痕及残存须根。质坚硬，不易折断，断面淡黄白色或淡棕红色，有放射状纹理，中央髓部色较深。气微，味微涩。

金荞麦茎叶：本品茎圆柱形，具纵棱，枯绿色或微带淡紫红色，节明显，可见灰白色膜质叶鞘，断面多中空。叶互生，多皱缩，湿润展平后完整的叶片呈戟状三角形，先端渐尖，基部心状或戟形，基出脉 7，全缘；质脆，易碎。气微，味微苦、涩。

| 功效物质 | 全草富含多酚类、黄酮类等成分，其中表儿茶素为其重要的活性单体，具有抗菌、抗氧化、抗肿瘤等作用。茎叶含有黄酮类成分，具有抗氧化、抗肿瘤、提高免疫力等作用。

| 功能主治 | **金荞麦：**微辛、涩，凉。归肺经。清热解毒，排脓祛瘀。用于肺痈吐脓，肺热喘咳，乳蛾肿痛。

金荞麦茎叶：苦、辛，凉。归肺、脾、肝经。清热解毒，健脾利湿，祛风通络。用于肺痈，喉咙肿痛，肝炎腹胀，消化不良，痢疾，痈疽肿毒，瘰疬，蛇虫咬伤，风湿痹痛，头痛风。

| 用法用量 | **金荞麦：**用水或黄酒隔水密闭炖服，15 ~ 45 g。

金荞麦茎叶：内服煎汤，9 ~ 15 g，鲜品 30 ~ 60 g。外用适量，捣敷；或研末调敷。

| 附　　注 | 金荞麦茎叶中含有丰富的粗蛋白、钙、磷及氨基酸，可以用于开发保健茶、发酵茶咀嚼片、饲料添加剂或动物用中草药。

蓼科 Polygonaceae 荞麦属 *Fagopyrum* 凭证标本号 321283190420003LY

荞麦 *Fagopyrum esculentum* Moench

| 药材名 | 荞麦（药用部位：种子）、荞麦秸（药用部位：茎叶）、荞麦叶（药用部位：叶）。

| 形态特征 | 一年生草本。无毛。茎高 40 ~ 100 cm；直立，多分枝，光滑，红褐色或淡绿色。叶片卵状三角形，两侧中下部有时微内凹，先端渐尖，基部心形或戟形，全缘，两面仅沿叶脉具乳头状突起；托叶鞘膜质，短筒状，先端偏斜，长约 5 mm，早落。花簇密集，排成短总状花序；花序梗细长，2 ~ 4 cm，一侧具小凸起；苞片小，卵形，每苞内有 3 ~ 5 花。花柄无关节；花被淡红色或白色，5 深裂，裂片椭圆形，长 3 ~ 4 mm；雄蕊 8，近等长，短于花被。瘦果卵形，长 5 ~ 7 mm，有 3 锐棱，先端渐尖，暗褐色，光滑。花期 5 ~ 9 月，果期 6 ~ 10 月。

| 生境分布 | 生于荒地或路旁。江苏各地均有栽培，偶有野生。

| 资源情况 | 栽培资源丰富。

| 采收加工 | **荞麦：**霜降前后采收，去净杂质，晒干。

荞麦秸：夏、秋季采收，洗净，鲜用或晒干。

荞麦叶：夏、秋季采收，洗净，鲜用或晒干。

| 药材性状 | **荞麦秸：**本品茎枝长短不一，多分枝，绿褐色或黄褐色，节间有细条纹，节部略膨大；断面中空。叶多皱缩或破碎，完整叶展开后呈三角形或卵状三角形，长 3 ~ 10 cm，宽 3.5 ~ 11 cm，先端狭渐尖，基部心形，叶耳三角状，具尖头，全缘，两面无毛，纸质；叶柄长短不一；有的可见托叶鞘筒状，先端截形或斜截形，褐色，膜质。气微，味淡、略涩。

| 功效物质 | 荞麦含有蛋白质类、黄酮类、淀粉类成分，具有较好的降血压、抗氧化、降血糖、镇痛、抗炎作用。黄酮类化合物是荞麦叶的重要活性成分，且在叶中的含量远高于茎和根，芦丁为其主要的活性成分，具有降血糖、肝保护、抗肿瘤等作用。

| 功能主治 | **荞麦：**甘、微酸，寒。归脾、胃、大肠经。健脾消积，下气宽肠，解毒敛疮。用于肠胃积滞，泄泻，痢疾，绞肠痧，白浊，带下，自汗，盗汗，疱疹，丹毒，痈疽，发背，瘰疬，烫火伤。

荞麦秸：酸，寒。下气消积，清热解毒，止血，降血压。用于噎食，消化不良，痢疾，带下，痈肿，烫伤，咯血，紫癜，高血压，糖尿病并发视网膜炎。

荞麦叶：酸，寒。利耳目，下气，止血，降血压。用于眼目昏糊，耳鸣重听，嗳气，紫癜，高血压。

| 用法用量 | **荞麦：**内服，入丸、散剂；或制面食。外用适量，研末掺或调敷。

荞麦秸：内服煎汤，10 ~ 15 g。外用适量，烧灰淋汁熬膏涂；或研末调敷。

荞麦叶：内服煎汤，5 ~ 10 g，鲜品 30 ~ 60 g。

蓼科 Polygonaceae 虎杖属 *Reynoutria* 凭证标本号 320803181102215LY

虎杖 *Reynoutria japonica* Houtt.

药材名 虎杖（药用部位：根茎及根）。

形态特征 多年生灌木状草本。无毛。根茎横走，木质化，外皮黄褐色。茎直立，高 1 ~ 2 m，多丛生，粗壮，节间中空，表面散生红色或紫红色斑点，具小凸起。叶片近革质，宽卵状椭圆形或卵形，少数为近圆形，长 5 ~ 12 cm，宽 3 ~ 8 cm，先端急尖，基部圆形或阔楔形，下面浅绿色，有褐色腺点；托叶鞘褐色，膜质，早落。圆锥花序腋生；苞片漏斗状，内有 1 ~ 3 花；花柄细长，中下部有关节，上部有翅；花被浅绿色或白色，5 深裂，长约 2 mm，雌花花被的外轮 3 裂片于结果时增大，背部具翅，先端内凹，基部下延；雄蕊 8；花柱 3，柱头鸡冠状。瘦果椭圆形，有 3 棱，黑褐色，光亮，包于宿存花被中。花期 7 ~ 9 月，果期 9 ~ 10 月。

| 生境分布 | 生于田野的沟边、路旁或山谷溪边。江苏各地均有分布。

| 资源情况 | 野生资源较丰富。

| 采收加工 | 春、秋季采挖，除去须根，洗净，趁鲜切短段或厚片，晒干。

| 药材性状 | 本品多为圆柱形短段或不规则厚片，长 1 ~ 7 cm，直径 0.5 ~ 2.5 cm。外皮棕褐色，有纵皱纹及须根痕，切面皮部较薄，木部宽广，棕黄色，射线放射状，皮部与木部较易分离。根茎髓中有隔或呈空洞状。质坚硬。气微，味微苦、涩。

| 功效物质 | 主要含有蒽醌类、黄酮类、二苯乙烯类、香豆素类以及一些单糖类化合物。其中，虎杖苷为其主要的活性物质，具有抗血栓形成、防止脑出血、抗血小板聚集、扩张血管、保护心肌、抗休克、改善微循环、抗肿瘤、抗氧化等作用。大黄素等蒽醌类化合物具有抗病毒、抗菌作用。

| 功能主治 | 微苦，微寒。归肝、胆、肺经。利湿退黄，清热解毒，散瘀止痛，止咳化痰。用于湿热黄疸，淋浊，带下，风湿痹痛，痈肿疮毒，烫火伤，经闭，癥瘕，跌打损伤，肺热咳嗽。

| 用法用量 | 内服煎汤，9 ~ 15 g。外用适量，制成煎液或油膏涂敷。

蓼科 Polygonaceae 蓼属 *Polygonum* 凭证标本号 321183151023888LY

萹蓄 *Polygonum aviculare* L.

| 药 材 名 | 萹蓄（药用部位：地上部分）。

| 形态特征 | 一年生草本。常有白粉。茎绿色，匍匐、斜升或直立，高 10 ~ 40 cm，自基部多分枝，有沟纹。叶片椭圆形至披针形，长 1 ~ 4 cm，宽 0.5 ~ 1 mm，先端圆钝或急尖，基部楔形；近无柄，稀稍具柄，基部具关节；托叶鞘膜质，下部褐色，上部白色透明，有明显脉纹。花 1 ~ 5 簇生于叶腋，遍布各枝；花柄短，顶部有关节；花被 5 深裂，裂片椭圆形，暗绿色，边缘白色或淡红色；雄蕊 8，花丝基部扩大；花柱 3。瘦果卵形，常伸出花被片外，长 2 ~ 3 mm，具 3 棱，褐色或黑色，密被小点，排成细条纹状。花果期 5 ~ 9 月。

| 生境分布 | 生于田野、路旁或沟边湿地。江苏各地均有分布。

| 资源情况 | 野生资源丰富。

| 采收加工 | 夏季叶茂盛时采收，除去根和杂质，晒干。

| 药材性状 | 本品茎呈圆柱形而略扁，有分枝，长 15 ~ 40 cm，直径 0.2 ~ 0.3 cm；表面灰绿色或棕红色，有细密微凸起的纵纹；节部稍膨大，有浅棕色膜质的托叶鞘，节间长约 3 cm；质硬，易折断，断面髓部白色。叶互生，近无柄或具短柄，叶片多脱落或皱缩、破碎，完整者展平后呈披针形，全缘，两面均呈棕绿色或灰绿色。无臭，味微苦。

| 功效物质 | 主要含有黄酮类、酚酸类化合物，杨梅苷为其主要活性成分，其次是苯丙素类、生物碱类、醌类、糖类化合物等。此外，还含有丰富的氨基酸及人体必需的常量和微量元素等。具有利尿、降血压、抑菌、抗氧化、保肝等作用。

| 功能主治 | 苦，微寒。归膀胱经。利尿通淋，杀虫，止痒。用于热淋涩痛，小便短赤，虫积腹痛，皮肤湿疹，阴痒带下。

| 用法用量 | 内服煎汤，9 ~ 15 g；外用适量，煎汤洗。

蓼科 Polygonaceae 蓼属 *Polygonum* 凭证标本号 320115150723033LY

丛枝蓼 *Polygonum posumbu* Buch.-Ham. ex D. Don

| 药 材 名 | 丛枝蓼（药用部位：全草）。

| 形态特征 | 一年生草本。茎纤细，高 30 ~ 70 cm，无毛，伏卧，斜上升，近基部多分枝。叶片质薄，卵形或广披针形，长 5 ~ 8 cm，宽 1.5 ~ 3 cm，先端尾尖，基部楔形或圆形，两面有短柔毛或无毛，散生粒状细点，中脉上常有小刺状毛，叶面常有暗斑；托叶鞘筒状，先端平截，有长缘毛。花序穗状，细弱，线形，单生或分枝，长 3 ~ 8 cm，花簇常间断，下部尤甚，光线充足处者稍粗；苞片漏斗状，绿色或紫红色，先端有紫红色缘毛，内有 1 ~ 4 花；花柄远比苞片长，无毛；花被粉红色，5 深裂，裂片长 2 ~ 2.5 mm，基部有花盘；雄蕊 8，短于花被，近等长，排成 1 轮；花柱 3。瘦果卵形，有 3 棱，表面黑色而光亮。花果期 7 ~ 8 月。

| 生境分布 | 生于水边或阴湿处。分布于江苏连云港、泰州（姜堰）、扬州、南京、镇江、无锡（宜兴）、常州（溧阳）、苏州（常熟、吴中、昆山）等。

| 资源情况 | 野生资源较丰富。

| 采收加工 | 7 ~ 9 月花期采收，鲜用或晒干。

| 药材性状 | 本品茎枝圆柱形，基部多分枝，棕褐色至红褐色，节部稍膨大，无毛，断面中空。叶片皱缩，卷曲，易破碎，展平后卵形、卵状披针形，长 4 ~ 8 cm，宽 1.5 ~ 3 cm，先端急狭而成尾状，基部狭楔形，两面及叶缘有伏毛，或仅沿脉疏生伏毛，淡绿色至褐棕色，草质；托叶鞘短筒状，疏生伏毛，先端截形，有长睫毛。花序穗状，单生或 2 ~ 3 集生，花穗细弱，花簇稀疏间断；花被粉红色。瘦果三棱形，黑色、有光泽，包于宿存花被内。气微，味微涩。

| 功效物质 | 含有黄酮类、有机酸类、甾体类及糖苷类等成分，其中，黄酮类化合物对细菌和真菌都具有较强的抑制作用。

| 功能主治 | 辛，平。清热燥湿，健脾消疳，活血调经，解毒消肿。用于泄泻，痢疾，疳积，月经不调，湿疹，脚癣，毒蛇咬伤。

| 用法用量 | 内服煎汤，15 ~ 30 g。外用适量，捣敷；或煎汤洗。

蓼科 Polygonaceae 蓼属 *Polygonum* 凭证标本号 320831181013166LY

蓼子草 *Polygonum criopolitanum* Hance

| 药 材 名 | 蓼子草（药用部位：全草）。

| 形态特征 | 一年生匍匐状草本。全株被糙伏毛或腺毛。茎暗红色，高 5 ~ 20 cm，丛生，多分枝。叶片狭披针形，长 1 ~ 3 cm，宽 5 ~ 10 mm，先端急尖，基部楔形，两面均有小颗粒，间有腺毛；叶柄近无；托叶鞘短筒状，近轴面一侧开裂，先端截形，具长缘毛。花密生为头状，顶生，花序梗有腺毛；苞片卵形，具长缘毛，最下 1 叶状，承托着花序，每苞内具 1 花；花柄远伸出苞片外；花被片 5 深裂，裂片卵圆形，长 3 ~ 4 mm，上部淡红色，基部绿色，基部有花盘，呈 5 个腺体状；雄蕊 5，花药紫色；柱头 2，中下部合生。瘦果黑褐色。花期 7 ~ 10 月，果期 9 ~ 12 月。

| **生境分布** | 生于田旁、林下溪边或河漫滩。分布于江苏扬州（宝应）、盐城（建湖）、南京、镇江、无锡（宜兴）等。

| **资源情况** | 野生资源丰富。

| **采收加工** | 夏、秋季采收，鲜用或晒干。

| **功效物质** | 含有黄酮类、挥发油类、萜类、脂肪酸类等成分，具有杀虫、抑菌、抗氧化、抗炎活性。

| **功能主治** | 苦、辛，平。归肺经。祛风解表，清热解毒。用于感冒发热，毒蛇咬伤。

| **用法用量** | 内服煎汤，15 ~ 30 g。外用适量，鲜品捣敷。

蓼科 Polygonaceae 蓼属 *Polygonum* 凭证标本号 320621181124008LY

愉悦蓼 *Polygonum jucundum* Meisn.

| 药 材 名 |

黑果拔毒散（药用部位：根）。

| 形态特征 |

一年生草本。茎直立或下部平卧，高 50 ~ 100 cm，多分枝，无毛。叶片膜质，椭圆状披针形，长 3 ~ 10 cm，宽 1 ~ 2.5 cm，先端渐尖，基部楔形，两面密布粒状细点，主脉及叶缘常疏生细伏毛；托叶鞘筒状，膜质，疏生硬伏毛，先端有长缘毛。花序呈穗状，长 2 ~ 6 cm，花簇排列紧密，有时稍稀疏，小花柄紫红色，伸出于苞片上；苞片漏斗状，先端有短缘毛，内含 3 ~ 5 花；花被粉红色，5 深裂，长 2 ~ 3 mm，基部花盘明显，5 腺体状；雄蕊 8，与花被等长，2 轮，近等长；花柱 3，中下部合生。瘦果卵形，长约 2 mm，有 3 棱，黑色而光亮，3 花柱宿存。花果期 8 ~ 11 月。

| 生境分布 |

生于山坡草地、山谷阴湿处或沟边湿地。分布于江苏连云港、南京、镇江、无锡（宜兴）、苏州（吴中）等。

| 资源情况 | 野生资源较丰富。

| 采收加工 | 夏、秋季采挖，鲜用或晒干。

| 功效物质 | 主要含有黄酮类化合物，包括槲皮素 -3′-*O*-*β*-D- 半乳糖苷、8- 甲氧基槲皮素、芹菜素、木犀草素、槲皮素等。

| 功能主治 | 活血通经。用于瘀滞经闭，子宫下垂。

蓼科 Polygonaceae 蓼属 *Polygonum* 凭证标本号 321183151031916LY

拳参 *Polygonum bistorta* L.

| 药 材 名 | 拳参（药用部位：根茎）。

| 形态特征 | 多年生草本。全株无毛。根茎粗短肥厚，扭曲，褐黑色。茎直立，高 50 ~ 90 cm，中空，不分枝。基生叶有长柄，叶片椭圆状披针形、卵状披针形或狭卵形，长 10 ~ 18 cm，宽 2 ~ 5 cm，先端渐尖，基部截形或圆钝，沿叶柄下延成狭翅，叶缘粗波齿状窄翅，稍反卷；茎上部叶无柄或抱茎，叶片条形或披针形；托叶鞘筒状，膜质，长约 9 cm，先端常撕裂状。花序穗状，单一，顶生，粗壮，花密集呈圆柱状；苞片密集着生，膜质，卵状披针形，中脉明显；花被淡红色或白色，5 深裂，裂片椭圆形；雄蕊 8，1 轮；花柱 3。瘦果椭圆形，有 3 棱，红褐色。花期 5 ~ 8 月，果期 9 ~ 10 月。

| 生境分布 | 生于山坡阴湿处或草丛中。分布于江苏连云港等。

| 资源情况 | 野生资源一般。

| 采收加工 | 春 、秋季挖取，去掉茎、叶及须根，洗净，晒干或切片晒干，亦可鲜用。

| 药材性状 | 本品呈扁长条形或扁圆柱形而弯曲，两端略尖或一端渐细，有的对卷弯曲，长 6 ~ 13 cm，直径 1 ~ 2.5 cm。表面紫褐色或紫黑色，粗糙，一面隆起，一面稍平坦或略具凹槽，全体密具粗环纹，有残留须根或根痕。质硬，断面浅棕红色或棕红色，维管束呈黄白色点状，排列成环。无臭，味苦、涩。

| 功效物质 | 主要含有黄酮类和有机酸类成分，没食子酸为其主要活性成分，具有抗心律失常、抑菌、镇痛、心肌保护等作用。尚有研究报道，拳参具有抗病毒、抗炎、抗突变作用。

| 功能主治 | 苦、涩，微寒。归肺、肝、大肠经。清热解毒，消肿，止血。用于赤痢热泻，肺热咳嗽，痈肿，瘰疬，口舌生疮，血热吐衄，痔疮出血，蛇虫咬伤。

| 用法用量 | 内服煎汤，4.5 ~ 9 g。外用适量。

蓼科 Polygonaceae 蓼属 *Polygonum* 凭证标本号 320722181016300LY

水蓼 *Polygonum hydropiper* L.

| 药材名 |

水蓼（药用部位：地上部分）、蓼实（药用部位：果实）、水蓼根（药用部位：根）。

| 形态特征 |

一年生草本。有辣味。茎直立，高 40 ~ 80 cm，有时下部斜展，多分枝，红褐色，节常膨大，基部节上常生须根。叶片披针形，长 4 ~ 7 cm，宽 0.5 ~ 2.5 cm，先端渐尖，基部楔形，两面常有腺点，无毛，或中脉及叶缘上有小刺状毛；托叶鞘筒形，紫褐色，疏生短伏毛或无毛，先端有短缘毛，常内藏有花簇。总状花序呈穗状，细长，花簇间断；苞片钟形，疏生缘毛和腺点，内含 3 ~ 5 花；花柄远伸出苞片；花被绿色，上部淡白色或淡红色，5 深裂，有明显的黄褐色透明腺点，下部具 5 腺体状花盘；雄蕊通常 6（~ 8）；花柱 2 ~ 3，下部合生。瘦果卵形，一面凸一面平，少有 3 棱，表面有小点，暗褐色，稍有光泽。花果期 9 ~ 10 月。

| 生境分布 |

生于田野、水边或山谷湿地。江苏各地均有分布。

| 资源情况 | 野生资源丰富。

| 采收加工 | **水蓼**：播种当年 7 ~ 8 月收割，鲜用或晒干。

蓼实：秋季采收成熟果实，去净杂质，阴干。

水蓼根：秋季开花时采挖，洗净，鲜用或晒干。

| 药材性状 | **水蓼**：本品茎圆柱形，有分枝，长 30 ~ 70 cm；表面灰绿色或棕红色，有细棱线，节膨大；质脆，易折断，断面浅黄色，中空。叶互生，有柄；叶片皱缩或破碎，完整者展平后呈披针形或卵状披针形，长 5 ~ 7 cm，宽 0.7 ~ 1.5 cm，先端渐尖，基部楔形，全缘，上表面棕褐色，下表面褐绿色，两面有棕黑色斑点及细小的腺点；托叶鞘筒状，长 0.8 ~ 1.1 cm，紫褐色，缘毛长 1 ~ 3 mm。总状穗状花序长 4 ~ 10 cm，花簇稀疏间断；花被淡绿色，5 裂，密被腺点。气微，味辛、辣。

| 功效物质 | 主要含有萜类和黄酮类化学成分，其中黄酮类成分具有抗氧化活性。水蓼中挥发性成分具有抗乙酰胆碱酯酶活性及丁酰胆碱酯酶活性，对阿尔茨海默病具有潜在治疗作用。

| 功能主治 | **水蓼**：辛、苦，平。归脾、胃、大肠经。行滞化湿，散瘀止血，祛风止痒，解毒。用于湿滞内阻，胸闷腹痛，泄泻，痢疾，小儿疳积，崩漏，血滞经闭，痛经，跌打损伤，风湿痹痛，便血，外伤出血，皮肤瘙痒，湿疹，风疹，足癣，痈肿，毒蛇咬伤。

蓼实：辛，温。化湿利水，破瘀散结，解毒。用于吐泻腹痛，水肿，小便不利，癥积痞胀，痈肿疮疡，瘰疬。

水蓼根：辛，温。活血调经，健脾利湿，解毒消肿。用于月经不调，小儿疳积，痢疾，肠炎，疟疾，跌打肿痛，蛇虫咬伤。

| 用法用量 | **水蓼**：内服煎汤，15 ~ 30 g，鲜品 30 ~ 60 g；或捣汁。外用适量，煎汤浸洗；或捣敷。

蓼实：内服煎汤，6 ~ 15 g；或研末；或绞汁。外用适量，煎汤洗；或研末调敷。

水蓼根：内服煎汤，15 ~ 20 g；或浸酒。外用适量，鲜品捣敷；或煎汤洗。

蓼科 Polygonaceae 蓼属 *Polygonum* 凭证标本号 320830151101003LY

蚕茧草 *Polygonum japonicum* Meisn.

| 药 材 名 | 蚕茧草（药用部位：全草）。

| 形态特征 | 多年生草本。根茎横走；茎直立，高 1 m。单一或分枝，节部通常膨大，棕褐色，无毛或稀疏被伏毛。叶片近革质，披针形或狭披针形，长 5 ~ 15 cm，宽 1 ~ 2.5 cm，先端渐尖，基部楔形，两面均有短伏毛和腺点；叶柄极短；托叶鞘筒状，密生伏毛，先端有长缘毛。花簇排成穗状花序，有时有分枝，穗较长，长 5 ~ 12 cm；苞片长管状斜漏斗形，边缘有缘毛，苞内有 3 ~ 6 花；花柄伸出苞片外；雌雄异株；花较大，有两型，长花柱短雄蕊或短花柱长雄蕊；花被淡红色或白色，5 深裂，裂片长约 4 mm；雄蕊 8，2 轮；花柱 2。瘦果卵形，长 2 ~ 3 mm，双凸镜状，黑色，平滑。花期 7 ~ 9 月，果期 9 ~ 11 月。

| 生境分布 | 生于水边或路旁草丛中。分布于江苏连云港、盐城、淮安（盱眙）、南通（如东）、南京、镇江（句容）、无锡（宜兴）、常州（溧阳）、苏州（常熟）等。

| 资源情况 | 野生资源较丰富。

| 采收加工 | 花期采收，鲜用或晾干。

| 药材性状 | 本品茎枝圆柱形，上部或有分枝，表面棕褐色，无毛，断面中空。叶皱缩，易破碎，亚革质，长椭圆状披针形或披针形，长 6 ~ 12 cm，宽 1 ~ 1.5 cm，先端渐尖，基部楔形，两面均被短伏毛；托叶鞘筒状，褐色，膜质，先端截形，有长缘毛。花序穗状，圆柱形，常 2 ~ 3，间或单个着生于枝端；花被白色或黄白色，长 3 ~ 6 mm。瘦果卵圆形，两面凸出，黑色，有光泽，包被于宿存花被内。气微，味微涩。

| 功效物质 | 含有矢车菊素 3,5- 二葡萄糖苷、矢车菊素、飞燕草素、锦葵花素等成分，具有抗生育作用。

| 功能主治 | 辛，温。解毒，止痛透疹。用于疮疡肿痛，诸虫咬伤，腹泻，痢疾，腰膝寒痛，麻疹透发不畅。

| 用法用量 | 内服煎汤，9 ~ 15 g。外用适量，捣敷。

蓼科 Polygonaceae 蓼属 *Polygonum* 凭证标本号 321324160511047LY

酸模叶蓼 *Polygonum lapathifolium* L.

| 药 材 名 | 鱼蓼（药用部位：全草）。

| 形态特征 | 一年生草本。茎直立，高 30 ～ 150 cm，上部分枝，粉红色，无毛，节部膨大。叶片卵状宽披针形或长卵状披针形，大小变化明显，先端渐尖或长渐尖，基部楔形，下延，叶面绿色，常有黑褐色新月形斑点，叶背有腺点，两面沿主脉及叶缘有伏生的粗硬毛；叶柄短，有短硬伏毛；托叶鞘筒状，无毛，淡褐色，先端截形。花序呈穗状，近直立，花簇紧密，数个花穗构成圆锥花序状，花序梗被腺体；苞片斜漏斗状，膜质，边缘疏生短睫毛；花被粉红色或白色，具黄色腺点，4 深裂，外侧 2 较大，结果时脉纹增粗明显，先端二叉分，反曲；雄蕊 6；花柱 2，分离，上部向外弯曲。瘦果卵形，扁平，两面微凹，黑褐色，光亮。花期 6 ～ 8 月，果期 7 ～ 10 月。

| 生境分布 | 生于路旁湿地、荒地、水边或沟边。江苏各地均有分布。

| 资源情况 | 野生资源较丰富。

| 采收加工 | 夏、秋季间采收，晒干。

| 药材性状 | 本品茎圆柱形，褐色或浅绿色，无毛，常具紫色斑点。叶片卷曲，展平后呈披针形或长圆状披针形，长 7 ~ 15 cm，宽 1 ~ 3 cm，先端渐尖，基部楔形，主脉及叶缘具刺伏毛；托叶鞘筒状，膜质，无毛。花序圆锥状，由数个花穗组成；苞片漏斗状，内具数花；花被通常 4 裂，淡绿色或粉红色，具腺点；雄蕊 6，花柱 2，向外弯曲。瘦果卵圆形，侧扁，两面微凹，黑褐色，有光泽，直径 2 ~ 3 mm，包于宿存花被内。气微，味微涩。

| 功效物质 | 黄酮类化合物为其主要活性成分，具有抗菌、抗炎、抗氧化、降血糖、抗补体等作用。

| 功能主治 | 辛、苦，微温。解毒，除湿，活血。用于疮疡肿痛，瘰疬，腹泻，痢疾，湿疹，疳积，风湿痹痛，跌打损伤，月经不调。

| 用法用量 | 内服煎汤，3 ~ 10 g。外用适量，捣敷；或煎汤洗。

蓼科 Polygonaceae 蓼属 *Polygonum* 凭证标本号 320323170510844LY

绵毛酸模叶蓼 *Polygonum lapathifolium* L. var. *salicifolium* Sibth.

药 材 名 辣蓼草（药用部位：全草）。

形态特征 本变种与原变种酸模叶蓼的区别在于叶片长披针形，下面密生白色绵毛；茎、托叶鞘、花序梗和苞片有时被绵毛。

生境分布 生于路旁湿地、荒地、水边或沟边。江苏各地均有分布。

资源情况 野生资源较丰富。

采收加工 夏、秋季间采收，晾干。

药材性状 本品茎直径约 6 mm，表面有紫红色斑点。叶上面中央常有黑褐色新月形斑，无毛或被稀白色绵毛，下面密被白色绵毛，有腺点；托叶

鞘无缘毛。圆锥花序，花密生；花被 4 裂，有腺点。气微，辛、辣。

| **功效物质** | 全草中甾醇类成分的含量较高，具有防治恶性肿瘤、防治前列腺疾病、激素样作用和消炎退热等药理活性。

| **功能主治** | 辛，温。解毒，健脾，化湿，活血，截疟。用于疮疡肿痛，暑湿腹泻，肠炎，痢疾，小儿疳积，跌打伤痛，疟疾。

| **用法用量** | 内服煎汤，10 ～ 20 g。

蓼科 Polygonaceae 蓼属 *Polygonum* 凭证标本号 320125161130008LY

长鬃蓼 *Polygonum longisetum* De Bruyn

| 药材名 | 白辣蓼（药用部位：全草）。

| 形态特征 | 一年生草本。茎直立、上升或基部近平卧，自基部分枝，高 30 ~ 60 cm，无毛，节部稍膨大。叶片披针形或宽披针形，长 5 ~ 13 cm，宽 1 ~ 2 cm，先端急尖或狭尖，基部楔形，上面近无毛，下面沿叶脉具短伏毛，边缘具缘毛；叶柄短或近无柄；托叶鞘筒状，长 7 ~ 8 mm，疏生柔毛，先端截形，缘毛。长 6 ~ 7 mm。总状花序呈穗状，顶生或腋生，细弱，下部间断，直立，长 2 ~ 4 cm；苞片漏斗状，无毛，边缘具长缘毛，每苞内具 5 ~ 6 花；花梗长 2 ~ 2.5 mm，与苞片近等长；花被 5 深裂，淡红色或紫红色，花被片椭圆形，长 1.5 ~ 2 mm；雄蕊 6 ~ 8；花柱 3，中下部合生，柱头头状。瘦果宽卵形，具 3 棱，黑色，有光泽，长约 2 mm，包于

宿存花被内。花期 6 ~ 8，果期 7 ~ 9 月。

| 生境分布 | 生于山坡林缘、路边或河边湿地。分布于江苏连云港、泰州（姜堰）、扬州、南京、镇江（句容）、常州、无锡（宜兴）、苏州（常熟）、南通等。

| 资源情况 | 野生资源丰富。

| 采收加工 | 夏、秋季间采收，晾干。

| 功效物质 | 富含脂肪酸类成分，以亚油酸、油酸和棕榈酸为主。

| 功能主治 | 辛，温。解毒，除湿。用于肠炎，无名肿毒，阴疳，瘰疬，毒蛇咬伤，风湿痹痛。

| 用法用量 | 内服煎汤，9 ~ 30 g。外用适量，捣敷；或煎汤洗。

蓼科 Polygonaceae 蓼属 *Polygonum* 凭证标本号 320115170714026LY

红蓼 *Polygonum orientale* L.

药材名

水红花子（药用部位：果实）。

形态特征

一年生草本。密生开展的长柔毛。茎直立，高 1 ~ 2 m，粗壮，上部多分枝。叶片宽卵形或卵形，长 10 ~ 20 cm，宽 6 ~ 12 cm，先端渐尖，基部圆形或近心形，稍下延，两面疏生短柔毛，叶脉被长柔毛；有长柄 2 ~ 10 cm；托叶鞘筒状，膜质，被长柔毛和长缘毛，先端有草质反卷的环状边，上部托叶鞘无环边。花序穗状，粗壮，长 2 ~ 8 cm，花紧密，不间断；苞片斜漏斗状，绿色，草质，有长缘毛；花较大，有两型，长花柱短雄蕊或短花柱长雄蕊，花被淡红色或白色，5 深裂，有 3 脉纹；雄蕊 7；腺体状花盘明显；花柱 2，柱头头状。瘦果近圆形，扁平，两面中央微凹，黑色，有光泽。花期 7 ~ 9 月，果期 8 ~ 10 月。

生境分布

生于山谷或路边阴湿草地。江苏各地均有分布。

| 资源情况 | 野生资源丰富。

| 采收加工 | 秋季采收成熟果穗，晒干，打落果实，除去杂质。

| 药材性状 | 本品近圆形，扁平，两面中央微凹，黑色，有光泽。

| 功效物质 | 富含黄酮类化学成分，以槲皮素和花旗松素为主，具有良好的平喘作用。

| 功能主治 | 辛，平；有小毒。归肝、脾经。散血消癥，消积止痛，利水消肿。用于癥瘕痞块，瘿瘤，食积不消，胃脘胀痛，水肿，腹水。

| 用法用量 | 内服煎汤，9 ~ 15 g；或浸酒；或研末。外用适量，或研末；或捣敷；或煎汤洗。

蓼科 Polygonaceae 蓼属 *Polygonum* 凭证标本号 320124151016003LY

杠板归 *Polygonum perfoliatum* L.

| 药 材 名 | 杠板归（药用部位：地上部分）。

| 形态特征 | 一年生攀缘草本。茎长 1 ~ 2 m，多分枝，红褐色，有棱，棱及叶柄有倒生钩刺。叶片近三角形，长 4 ~ 6 cm，下部宽 3 ~ 6 cm，先端急尖，基部微心形或截形，两面无毛，仅叶背沿叶脉疏生钩刺；叶柄长，具棱，盾状着生；托叶鞘叶状，草质，近圆形，穿茎，直径 1 ~ 3 cm。花序短穗状，单一，顶生或生于上部叶腋；苞片 2，生于基部，大型，绿色，托叶鞘状，上部者三角状卵形，每苞内生 2 花；花被淡红色或白色，5 深裂，裂片结果时增大呈卵圆形，肉质，变为深蓝色；雄蕊 8，2 轮；花柱 3。瘦果圆球形，黑色，有光泽，包于花被内。花果期 6 ~ 10 月。

| 生境分布 | 生于山谷灌丛中、田边、路边或水沟边。江苏各地均有分布。

| 资源情况 | 野生资源丰富。

| 采收加工 | 夏、秋季收割，鲜用或晾干。

| 功效物质 | 主要含有黄酮类成分，主要结构类型有黄酮、黄酮醇、二氢黄酮和新黄酮，具有良好的抗病毒、抗肝纤维化作用。

| 功能主治 | 酸，微寒。清热解毒，利水消肿，止咳。用于咽喉肿痛，肺热咳嗽，小儿顿咳，水肿尿少，湿热泻痢，湿疹，疖肿，蛇虫咬伤。

| 用法用量 | 内服煎汤，15.5 ~ 31 g。外用适量，鲜品捣敷；或干品煎汤洗。

蓼科 Polygonaceae 蓼属 *Polygonum* 凭证标本号 320722181016366LY

春蓼 *Polygonum persicaria* L.

|药 材 名|

马蓼（药用部位：全草）。

|形态特征|

一年生草本。茎直立或上升，高 40 ~ 100 cm，粗壮，节上生根，多分枝，紫红色，无毛或疏生伏毛。叶片薄，披针形至椭圆状披针形，长 5 ~ 15 cm，宽 1 ~ 3 cm，先端渐尖，基部狭楔形，两面疏生短伏毛，上面中部有暗斑，边缘有粗缘毛；托叶鞘膜质，疏被柔毛，先端截形，有细短缘毛。花序穗状，长 1 ~ 10 cm，花簇紧密，圆柱状，常数个呈圆锥花序状；花序梗无毛或具腺毛；苞片漏斗状，紫红色，先端具缘毛，内含 5 ~ 7 花；花被紫红色，5 深裂，外侧 2 裂片大，结果时脉纹凸起明显；雄蕊 6 ~ 7，花柱 2（~ 3）。瘦果近圆形或卵形，双凸镜状，稀具 3 棱，扁平，黑褐色，有光泽。花果期 6 ~ 10 月。

|生境分布|

生于山坡草地或沟边湿地。分布于江苏徐州、连云港、宿迁、苏州、无锡（宜兴）等。

|资源情况|

野生资源丰富。

| **采收加工** | 6 ~ 9 月花期采收，晒干。

| **功效物质** | 主要含有黄酮类成分，其中 5,7- 二羟基色原酮具有抑菌作用。

| **功能主治** | 辛、苦，温。归肺、脾、大肠经。发汗除湿，消食，杀虫。用于风寒感冒，风寒湿痹，伤食泄泻，以及肠道寄生虫病。

| **用法用量** | 内服煎汤，6 ~ 12 g。

蓼科 Polygonaceae 蓼属 *Polygonum* 凭证标本号 320721180713243LY

习见蓼 *Polygonum plebeium* R. Br.

| 药 材 名 | 小萹蓄（药用部位：全草）。

| 形态特征 | 一年生草本。茎平卧，长 15 ~ 30 cm，自基部多分枝，纤细有棱，棱上有小凸起，节间常较叶片短。叶片灰绿色，狭倒卵形或匙形，长 0.5 ~ 2 cm，宽约 3 mm，先端急尖，近圆形，基部狭楔形，下延，全缘，无毛，仅显中脉；叶柄基部具关节；托叶鞘膜质，白色，无脉纹，先端多撕裂。花小，4 ~ 6 生于叶腋的托叶鞘内，粉红色；花被 5 深裂；雄蕊 5，稀 4；花柱 3，稀 2，极短。瘦果宽卵形，长 2 mm 以下，具 3 棱或双凸镜状，褐黑色，有光泽。花果期 5 ~ 9 月。

| 生境分布 | 生于田边、路旁、沙地或河岸边。分布于江苏徐州（铜山、丰县、邳州）、连云港（赣榆）、淮安、扬州（宝应）、盐城（东台）、

南京等。

| **资源情况** | 野生资源较丰富。

| **采收加工** | 开花时采收，晒干。

| **功效物质** | 主要含有黄酮类成分，以萹蓄苷为主。

| **功能主治** | 苦，凉。归膀胱、大肠、肝经。利尿通淋，清热解毒，化湿杀虫。用于热淋，石淋，黄疸，痢疾，恶疮疥癣，外阴湿痒，蛔虫病。

| **用法用量** | 内服煎汤，10 ~ 15 g，鲜品 30 ~ 60 g；或捣汁。外用适量，捣敷；或煎汤洗。

蓼科 Polygonaceae 蓼属 *Polygonum* 凭证标本号 320482181006473LY

箭叶蓼 *Polygonum sieboldii* Meisn.

药材名

雀翘（药用部位：全草）、雀翘实（药用部位：果实）。

形态特征

一年生草本。茎棱上、花序梗、叶柄上和叶背中脉上有倒生皮刺。茎纤细，高 50 ~ 100 cm，蔓延或近直立，四棱形。叶片箭形，长 5 ~ 10 cm，宽 1.5 ~ 2.5 cm，先端圆钝或急尖，基部近箭形分裂，两侧耳微内收或少外展，叶面绿色，叶背淡绿色，两面无毛；托叶鞘膜质，偏斜，无毛，下部的常呈撕裂状，顶尖有细小缘毛。花序头状，常成对，顶生或腋生，花序梗细长，疏具短皮刺；苞片椭圆状卵形，先端急尖；花密集，花被白色或淡红色，5 深裂；雄蕊 8，2 轮；花柱 3，短，基部合生，柱头极小。瘦果卵形，长约 3 mm，具 3 棱，黑色，有光泽。花果期 7 ~ 10 月。

生境分布

生于水边或山坡。分布于江苏连云港、无锡（宜兴）、苏州（常熟）等。

| 资源情况 | 野生资源丰富。

| 采收加工 | **雀翘：**夏、秋季采收，扎成束，鲜用或晒干。

雀翘实：夏、秋季采收成熟果实，除去杂质，晒干。

| 药材性状 | **雀翘实：**本品卵形，长约 3 mm，具 3 棱，黑色，有光泽。

| 功效物质 | 主要含有黄酮醇及其苷类成分，具有抗氧化作用。

| 功能主治 | **雀翘：**辛、苦，平。祛风除湿，清热解毒。用于风湿关节疼痛，疮痈疔肿，泄泻，痢疾，毒蛇咬伤。

雀翘实：益气，明目。用于气虚视物不清。

| 用法用量 | **雀翘：**内服煎汤，6 ~ 15 g，鲜品 15 ~ 30 g；或捣汁。外用适量，煎汤熏洗；或鲜品捣敷。

雀翘实：内服煎汤，3 ~ 9 g。

蓼科 Polygonaceae 蓼属 *Polygonum* 凭证标本号 320703150820379LY

刺蓼 *Polygonum senticosum* (Meisn.) Franch. et Sav.

| 药 材 名 | 廊茵（药用部位：全草）。

| 形态特征 | 多年生蔓生草本。茎、枝、叶柄、叶背沿脉及花序梗有倒生皮刺。茎蔓延或斜升，长 1 ~ 2 m，四棱形，有小腺体，下部紫红色。叶片三角状戟形或三角形，长 4 ~ 8 cm，宽 3 ~ 6 cm，先端狭尖或渐尖，基部心形，通常两面无毛或稀生细毛；托叶鞘短筒状，上部草质，绿色，边缘具叶状翅，翅肾圆形，但不贯茎。花序头状，再集成伞房状或圆锥状，花序梗有腺毛和短柔毛；苞片淡绿色，长卵形，具缘毛，内含 2 ~ 3 花；花被粉红色，5 深裂，裂片椭圆形；雄蕊 8，2 轮，近等长；花柱 3，基部合生。瘦果近球形，黑色，无光泽。花果期 6 ~ 10 月。

| 生境分布 | 生于山沟、山谷灌丛或山坡石缝中。分布于江苏连云港、常州（溧阳）、无锡（宜兴）等。

| 资源情况 | 野生资源丰富。

| 采收加工 | 夏、秋季采收，洗净，鲜用或晒干。

| 功效物质 | 主要含有黄酮醇类成分，以异槲皮苷为主。

| 功能主治 | 苦、酸、微辛，平。清热解毒，利湿止痒，散瘀消肿。用于痈疮疔疖，毒蛇咬伤，湿疹，黄水疮，带状疱疹，跌打损伤，内痔，外痔。

| 用法用量 | 内服煎汤，15 ~ 30 g；或研末，1.5 ~ 3 g。外用适量，鲜品捣敷；或榨汁涂；或煎汤洗。

蓼科 Polygonaceae 蓼属 *Polygonum* 凭证标本号 320506170818425LY

戟叶蓼 *Polygonum thunbergii* Sieb. et Zucc.

| 药 材 名 | 水麻（药用部位：全草）。

| 形态特征 | 一年生草本。茎直立或斜升，高 30 ~ 70 cm，有棱，沿棱有倒生皮刺，下部平卧或匍匐，上部分枝。叶片戟形，常 3 浅裂，长 4 ~ 6 cm，宽 2 ~ 4 cm，先端渐尖，基部截形或近浅心形，边缘生短缘毛，叶面和叶背脉上疏生伏毛，中部裂片卵形或宽卵形，上面有“∧”形墨色斑；叶柄有狭翅和刺毛；托叶鞘圆筒状，边缘有短缘毛，有时有一圈向外反卷的绿色叶状边缘。花序头状，再聚成聚伞状；花序梗密生腺毛和短毛；苞片卵形，绿色，有短毛；花被白色或淡红色，5 深裂，基部有花盘，边缘具齿；雄蕊 8，排成 2 轮；花柱 3。瘦果卵形，有 3 棱，黄褐色，无光泽。花果期 7 ~ 10 月。

| 生境分布 | 生于山谷阴湿地或水边。分布于江苏连云港、镇江、南京、常州（溧阳）、无锡（宜兴）等。

| 资源情况 | 野生资源丰富。

| 采收加工 | 夏季采收，鲜用或晒干。

| 功效物质 | 主要含有黄酮类成分，以槲皮苷为主，具有抗病毒活性。

| 功能主治 | 苦、辛，寒。归胃经。祛风清热，活血止痛。用于风热头痛，咳嗽，痧疹，痢疾，跌打伤痛，干血痨。

| 用法用量 | 内服煎汤，9 ~ 15 g。外用适量，研末调敷。

蓼科 Polygonaceae 蓼属 *Polygonum* 凭证标本号 320830150714017LY

香蓼 *Polygonum viscosum* Buch.-Ham. ex D. Don

| 药 材 名 | 香蓼（药用部位：茎叶）。

| 形态特征 | 一年生草本。全株有香气，各部位密生长毛和有柄的短腺毛，常分泌黏液。茎直立，高 50 ~ 120 cm，多分枝，质稍硬。叶片卵状披针形或椭圆状披针形，长 5 ~ 14 cm，宽 1.5 ~ 3.5（~ 4.5）cm，先端渐尖，基部楔形，沿叶柄下延；托叶鞘筒形，先端平或稍斜，有长缘毛。穗状花序紧密，长 3 ~ 5 cm，单一或数枝顶生，呈圆锥状；苞片绿色，阔斜漏斗状，内有 3 ~ 5 花；花被红色，5 深裂；雄蕊 8，2 轮，短于花被；花柱 3，中下部合生，柱头头状。瘦果宽卵形，长约 3 mm，有 3 棱，黑色，有光泽，3 个花柱宿存。花果期 8 ~ 10 月。

| 生境分布 | 生于水边或路旁湿地。分布于江苏连云港、盐城、南京、镇江、无锡（宜兴）、苏州等。

| 资源情况 | 野生资源丰富。

| 采收加工 | 花期采收地上部分，扎成束，晾干。

| 药材性状 | 本品茎枝长圆柱形，上部或有分枝，表面褐绿色至黑绿色，密被长茸毛，并具腺毛，故粗糙而黏，断面中空。叶卷曲，易破碎，展平后呈披针形或宽披针形，长 4 ~ 13 cm，宽 1 ~ 2.5 cm，先端渐尖，基部楔形，褐绿色至黑绿色，两面及叶缘均被短伏毛，沿主脉并有长茸毛；托叶鞘筒状，先端截形，基部有狭翅，密被长茸毛。气芳香，味微涩。

| 功效物质 | 香蓼总黄酮具有较强的抗氧化活性，香蓼精油对枯草芽孢杆菌和大肠埃希菌的抑制效果明显。

| 功能主治 | 辛，平。理气除湿，健胃消食。用于胃气痛，消化不良，小儿疳积，风湿疼痛。

| 用法用量 | 内服煎汤，6 ~ 15 g。

蓼科 Polygonaceae 首乌属 *Fallopia* 凭证标本号 320381181125012LY

何首乌 *Fallopia multiflora* (Thunb.) Harald.

| 药 材 名 | 何首乌（药用部位：块根）、首乌藤（药用部位：茎藤）。

| 形态特征 | 多年生草本。无毛。根细长，先端有膨大的长椭圆形、肉质块根，皮黑色或黑紫色，内部紫红色。茎缠绕，中空，多分枝，基部木质化。叶片卵形，长 3 ~ 7 cm，宽 2 ~ 5 cm，先端渐尖，基部心形；托叶鞘干膜质，短筒状，偏斜。花序圆锥状，顶生或腋生，长 10 ~ 15 cm，大而开展，沿棱密被小凸起，苞片三角状卵形，每苞内具 2 ~ 4 花；花梗下部有关节；花被绿白色或白色，5 深裂，裂片椭圆形，大小不等，结果时增大至 5 ~ 6 mm，外面 3 裂片肥厚，近圆形，背部有翅，翅顶部深凹，下部下延至果柄；雄蕊短于花被；花柱极短。瘦果椭圆形，有 3 棱，黑色，平滑，包于翼状的宿存花被内。花期 8 ~ 10 月，果期 10 ~ 11 月。

| 生境分布 | 生于山坡灌丛中或沟边石隙。分布于江苏各地低山丘陵地带。

| 资源情况 | 野生资源较丰富。

| 采收加工 | **何首乌：**培育 3 ~ 4 年，在秋季落叶后或早春萌发前采挖，除去茎藤，洗净泥土，大的切成 2 cm 左右的厚片，小的不切，晒干或烘干。

首乌藤：夏、秋季或秋、冬季采割，除去残叶，捆成把，晒干或烘干。

| 药材性状 | **何首乌：**本品呈团块状或不规则纺锤形，长 6 ~ 15 cm，直径 4 ~ 12 cm。表面红棕色或红褐色，皱缩不平，有浅沟，并有横长皮孔及细根痕。体重，质坚实，不易折断，断面浅黄棕色或浅红棕色，显粉性，皮部有 4 ~ 11 类圆形异型维管束环列，形成云锦状花纹，中央木部较大，有的呈木心。气微，味微苦而甘、涩。

首乌藤：本品呈长圆柱形，稍扭曲，具分枝，长短不一，直径 4 ~ 7 mm。表面紫红色至紫褐色，粗糙，具扭曲的纵皱纹，节部略膨大，有侧枝痕，外皮菲薄，可剥离。质脆，易折断，断面皮部紫红色，木部黄白色或淡棕色，导管孔明显，髓部疏松，类白色。无臭，味微苦、涩。

| 功效物质 | 富含蒽醌类化学成分，以大黄素和大黄素甲醚为主，具有润肠通便作用。

| 功能主治 | **何首乌：**苦、甘、涩，温。归肝、心、肾经。解毒，消痈，截疟，润肠通便。用于疮痈，瘰疬，风疹瘙痒，久疟体虚，肠燥便秘。

首乌藤：甘，平。归心、肝经。养血安神，祛风通络。用于失眠多梦，血虚身痛，风湿痹痛，皮肤瘙痒。

| 用法用量 | **何首乌：**内服煎汤，6 ~ 12 g。

首乌藤：内服煎汤，9 ~ 15 g。外用适量，煎汤洗。

蓼科 Polygonaceae 酸模属 *Rumex* 凭证标本号 321324160510039LY

酸模 *Rumex acetosa* L.

| 药材名 | 酸模（药用部位：根）。

| 形态特征 | 多年生草本。有酸味。主根粗短，有数个须根，断面黄色。茎直立，高 30 ~ 80 cm，细弱，不分枝，具沟槽，上部呈红色，中空。基生叶箭状椭圆形或卵状长圆形，长 3 ~ 12 cm，宽 1 ~ 3 cm，先端急尖或圆钝，基部箭形，全缘；叶柄长 3 ~ 10 cm；茎上部的叶较小，披针形，无柄；托叶鞘斜形。花序狭圆锥状，顶生；花单性异株；花被片椭圆形，淡红色；雄花花被片内轮较外轮大；雌花外轮花被片小，反折，内轮花被片直立，结果时增大，近圆形，全缘，网脉明显，基部具极小的小瘤。瘦果椭圆形，黑褐色，有光泽。花期 3 ~ 5 月，果期 4 ~ 7 月。

| 生境分布 | 生于路边荒地或山坡阴湿地。江苏各地均有分布。

| 资源情况 | 野生资源丰富。

| 采收加工 | 夏季采收，洗净，鲜用或晒干。

| 药材性状 | 本品根茎粗短，先端有残留的茎基，常数条根相聚簇生；根稍肥厚，长 3.5 ~ 7 cm，直径 1 ~ 6 mm，表面棕紫色或棕色，有细纵皱纹。质脆，易折断，断面棕黄色，粗糙，纤维性。气微，味微苦、涩。

| 功效物质 | 主要含有蒽醌类、黄酮类、萘类等成分，具有利尿作用。

| 功能主治 | 酸、苦，寒。凉血止血，泄热通便，利尿，杀虫。用于吐血，便血，月经过多，热痢，目赤，便秘，小便不通，淋浊，恶疮，疥癣，湿疹。

| 用法用量 | 内服煎汤，9 ~ 15 g；或捣汁。外用适量，捣敷。

蓼科 Polygonaceae 酸模属 *Rumex* 凭证标本号 320803180702065LY

网果酸模 *Rumex chalepensis* Mill.

| 药材名 | 血当归（药用部位：根）。

| 形态特征 | 多年生草本。主根粗肥。茎直立，高 40 ~ 60 cm，具深沟槽，有分枝。基生叶长圆形，长 2 ~ 10 cm，先端圆钝或急尖，基部圆形，边缘稍波状，两面无毛，叶背中脉有凸起；茎生叶向上渐小，叶柄长 2 ~ 4 cm；托叶鞘膜质。圆锥花序顶生，分枝稀疏，花簇轮生，下部有叶间隔，上部无叶；花柄细长，中下部有关节；外轮花被片披针形，内轮花被片结果时增大，三角状心形，长 5 ~ 6 mm，先端急尖，具极明显的网纹，边缘具锐齿，齿长 1 ~ 1.5 mm，背面基部有长约 2 mm 的长圆形小瘤。瘦果椭圆形，长 2 ~ 3 mm，淡褐色，有光泽。花果期 4 ~ 7 月。

| 生境分布 | 生于沟边、田边或水边湿地。分布于江苏徐州、淮安、扬州、南京等。

| 资源情况 | 野生资源较丰富。

| 采收加工 | 秋季采挖，洗净，鲜用或晒干。

| 药材性状 | 本品根茎粗短，直径约 3 cm，有少数分枝，先端有茎基与叶基残余，呈棕色鳞片状及须毛纤维状，有的具侧芽及须状根，并有少数横纹。根类长圆锥形，长约 17 cm，直径达 1.8 cm，表面棕色至棕褐色，上段具横纹，其下具多数纵皱纹，散有横长皮孔样疤痕及点状须根痕。质硬，断面黄色，可见棕色形成层环及放射状纹理。气微，味稍苦。

| 功效物质 | 主要含有蒽醌类成分，以大黄酚为主，具有抗菌、消炎和止血作用。

| 功能主治 | 苦、酸，寒。归肺、肝经。凉血止血，清热通便，解毒杀虫。用于吐血，咯血，崩漏，便秘，痈肿疮毒，烫火伤，疥癣，湿疹。

| 用法用量 | 内服煎汤，6 ~ 10 g。外用适量，捣涂。

蓼科 Polygonaceae 酸模属 *Rumex* 凭证标本号 320682190413060LY

皱叶酸模 *Rumex crispus* L.

| 药 材 名 | 牛耳大黄（药用部位：根）、牛耳大黄叶（药用部位：叶）。

| 形态特征 | 多年生草本。无毛或散生乳头状毛。茎直立，高 50 ~ 100 cm，单一不分枝或上部少分枝。基生叶披针形或狭披针形，长 10 ~ 25 cm，宽 2 ~ 4 cm，先端急尖，基部楔形，边缘波状折皱；茎生叶较小，狭披针形，向上渐小；叶柄 3 ~ 10 cm；托叶鞘膜质，先端平截，无毛。花序狭圆锥状；花梗细长，具关节，结果时稍膨大；花被片淡绿色，外轮 3，椭圆形，小，内轮 3 卵形，开花后增大，长 4 ~ 5 mm，网脉明显，先端圆钝，基部平截，全缘或微波状，背部中下具瘤状突起，瘤长卵形。瘦果椭圆状卵形或卵形，褐色，有光泽。花果期 5 ~ 7 月。

| 生境分布 | 生于河滩、沟边湿地。分布于江苏连云港、无锡（宜兴）等。

| 资源情况 | 野生资源较少。

| 采收加工 | **牛耳大黄：** 4 ~ 5 月采挖，洗净，鲜用或晒干。

牛耳大黄叶： 4 ~ 5 月采收，鲜用或晒干。

| 药材性状 | **牛耳大黄：** 本品呈不规则圆锥状条形，长 10 ~ 20 cm，直径达 2.5 cm，单根或于中段有数个分枝。根头先端具干枯的茎基，其周围可见多数片状棕色的干枯叶基。表面棕色至深棕色，有不规则纵皱纹及多数近圆形的须根痕。质硬，断面黄棕色，纤维性。气微，味苦。

| 功效物质 | 根富含蒽醌类化学成分，以酸模素为主，具有抗真菌作用。叶主要含有维生素 A，用于眼疾的治疗。

| 功能主治 | **牛耳大黄：** 苦，寒；有毒。归心、肝、大肠经。清热解毒，凉血止血，通便杀虫。用于急慢性肝炎，肠炎，痢疾，慢性气管炎，吐血，衄血，便血，崩漏，热结便秘，痈疽肿毒，疥癣，秃疮。

牛耳大黄叶： 苦、涩。清热通便，止咳。用于热结便秘，咳嗽，痈肿疮毒。

| 用法用量 | **牛耳大黄：** 内服煎汤，10 ~ 15 g。外用适量，捣敷；或研末调搽。

牛耳大黄叶： 内服煎汤，或作菜食。外用适量，捣敷。

蓼科 Polygonaceae 酸模属 *Rumex* 凭证标本号 321084180605013LY

齿果酸模 *Rumex dentatus* L.

| 药 材 名 | 牛舌草（药用部位：叶）。

| 形态特征 | 多年生草本。茎直立，高 30 ~ 80 cm，自基部起多分枝。基生叶和下部叶的叶片宽披针形或长圆形，长 4 ~ 12 cm，宽 1.5 ~ 4 cm，先端钝或急尖，基部圆形或截形，全缘或浅波状；叶柄长 2 ~ 2.5 cm，疏生短毛；茎生叶向上渐小，具短柄；托叶鞘膜质，筒状。花序总状，顶生，再组成大型圆锥花序，花呈轮状排列，每轮基部常有叶；花柄中下部有关节；花被黄绿色，内轮花被结果时增大，长卵形，长 4 ~ 5 mm，有明显网纹，每侧边缘常有不整齐的针刺状齿 4 ~ 5，背部有瘤状突起。瘦果卵形，黄褐色，光亮。花期 5 ~ 6 月，果期 6 ~ 7 月。

| 生境分布 | 生于沟边路旁的潮湿地带。江苏各地均有分布。

| 资源情况 | 野生资源较丰富。

| 采收加工 | 4 ~ 5 月采收，鲜用或晒干。

| 药材性状 | 本品长 4 ~ 8 cm，宽 1.5 ~ 2.5 cm，全缘，先端钝圆，基部圆形；茎生叶较小。

| 功效物质 | 主要含有蒽醌类成分，具有抑菌作用。

| 功能主治 | 苦，寒。清热解毒，杀虫止痒。用于乳痈，疮疡肿毒，疥癣。

| 用法用量 | 内服煎汤，3 ~ 10 g。外用适量，捣敷。

蓼科 Polygonaceae 酸模属 *Rumex* 凭证标本号 320581180707250LY

羊蹄 *Rumex japonicus* Houtt.

| 药材名 | 羊蹄（药用部位：根）。

| 形态特征 | 多年生草本。主根粗大，长圆形，黄色。茎直立，粗壮，高 35 ~ 120 cm，上部不分枝。基生叶具长柄，叶片长椭圆形，长 10 ~ 30 cm，宽 3 ~ 10 cm，先端稍钝或短尖，基部圆形或心形，边缘微波状；茎生叶较小，狭长圆形，有短柄；托叶鞘膜质，筒状。花序为狭长的圆锥状，顶生，花簇轮生；花柄中下部具关节，略下垂；花被片淡绿色，内轮花被片宽心形，结果时增大，长 4 ~ 5 mm，表面有网纹，先端急尖，基部心形，边缘有不整齐的小齿，全部具长卵形的瘤状突起，长 2 ~ 3.5 mm。瘦果宽卵形，暗褐色，有光泽。花果期 4 ~ 6 月。

| 生境分布 | 生于田边路旁、沟溪湿地或沙丘。江苏各地均有分布。

| 资源情况 | 野生资源丰富。

| 采收加工 | 栽种 2 年后，于秋季地上叶变黄时采挖，洗净，鲜用，或切片，晒干。

| 药材性状 | 本品根类圆锥形，长 6 ~ 18 cm，直径 0.8 ~ 1.8 cm。根头部有残留茎基及支根痕。根表面棕灰色，具纵皱纹及横向凸起的皮孔样疤痕。质硬，易折断，断面灰黄色颗粒状。气特殊，味微苦、涩。

| 功效物质 | 根中富含蒽醌及其苷类成分，以大黄型蒽醌为主，具有良好的抗氧化作用。叶中含有大黄酚、大黄素甲醚、芦丁等化学成分。

| 功能主治 | 苦，寒。归心、肝、大肠经。清热通便，凉血止血，杀虫止痒。用于大便秘结，吐血，肠风便血，痔血，崩漏，疥癣，白秃，痈疮肿毒，跌打损伤。

| 用法用量 | 内服煎汤，9 ~ 15 g，鲜品 15.5 ~ 31 g。外用适量，煎汤洗；或捣敷。

蓼科 Polygonaceae 酸模属 *Rumex* 凭证标本号 320381180524035LY

刺酸模 *Rumex maritimus* L.

| 药 材 名 | 野菠菜（药用部位：全草或根）。

| 形态特征 | 一年生草本。茎直立，高达 60 cm，自中下部分枝，具深沟槽。茎下部叶披针形或披针状长圆形，长 5 ~ 15（~ 20）cm，宽 1 ~ 3（~ 4）cm，先端急尖，基部狭楔形，边缘微波状；叶柄长 1 ~ 2.5 cm；茎上部叶渐小，近无柄；托叶鞘膜质，早落。花序圆锥状，具叶；花两性，多花轮生；花梗基部具关节；外花被椭圆形，长约 2 mm，内花被片结果时增大，狭三角状卵形，长 2.5 ~ 3 mm，宽约 1.5 mm，先端急尖，基部截形，每侧边缘具 2 ~ 3（~ 4）针刺，针刺长 2 ~ 2.5 mm，全部具长圆形小瘤，小瘤长约 1.5 mm。瘦果椭圆形，两端尖，具 3 锐棱，黄褐色，有光泽，长 1.5 mm。花期 5 ~ 6 月，果期 6 ~ 7 月。

| 生境分布 | 生于地边、路旁或林下空地。分布于江苏徐州（丰县、沛县）、淮安（盱眙）等北部地区。

| 资源情况 | 野生资源较丰富。

| 采收加工 | 全年均可采收，鲜用或晒干。

| 药材性状 | 本品根粗大，单根或数根簇生，偶有分枝，表面棕褐色，断面黄色。茎粗壮。基生叶较大，叶具长柄，叶片披针形至长圆形，长可达 20 cm，宽 1.5 ~ 4 cm，基部多为楔形；茎生叶柄短，叶片较小，先端急尖，基部圆形、截形或楔形，边缘波状折皱，托叶鞘筒状，膜质。圆锥花序，小花黄色或淡绿色。气微，味苦、涩。

| 功效物质 | 主要含有蒽醌类成分，以大黄酚为主。含有的刺酸模已烷和丁醇溶解部分的抗菌作用更强。

| 功能主治 | 酸、苦，寒。凉血，解毒，杀虫。用于肺结核咯血，痔疮出血，痈疮肿毒，疥癣，皮肤瘙痒。

| 用法用量 | 内服煎汤，10 ~ 15 g，鲜品加倍。外用适量，捣敷；或煎汤洗。

蓼科 Polygonaceae 酸模属 *Rumex* 凭证标本号 321284190718019LY

钝叶酸模 *Rumex obtusifolius* L.

药材名

土大黄（药用部位：根）、土大黄叶（药用部位：叶）。

形态特征

多年生草本。主根粗大肥厚，黄色。茎直立，高 80 ~ 100 cm，有沟槽，沿槽有毛状突起。基生叶宽卵状椭圆形或长卵形，长 20 ~ 30 cm，宽 12 ~ 15 cm，先端通常钝圆，基部心形，背面有显著的小瘤状突起；茎生叶卵状披针形，向上逐渐变小；托叶鞘膜质，易破裂，早落。花簇轮生，花序圆锥状，下部花轮或分枝基部具叶；花柄细弱呈丝状，关节明显；花被片淡绿色，2 轮，结果时外轮狭长圆形，开展，内轮增大，长 4 ~ 6 mm，狭三角状卵形，有网纹，边缘具不齐刺齿，背面中脉有长卵形瘤状突起。瘦果卵形，暗褐色，有光泽。花果期 5 ~ 7 月。

生境分布

生于原野山坡边。江苏南京、扬州、常州（溧阳）、南通等有栽培，偶逸为野生。

| 资源情况 | 野生资源较少。

| 采收加工 | **土大黄：** 9 ~ 10 月采挖，除去泥土及杂质，洗净，切片，鲜用或晾干。

土大黄叶： 春、夏季采收，洗净，鲜用或晒干。

| 药材性状 | **土大黄：** 本品肥厚粗大，外表暗褐色，折皱而不平坦，残留多数细根。一般切块状，断面黄色，可见由表面凹入的深沟条纹。味苦。

| 功效物质 | 含有蒽醌类成分，以大黄酚及大黄素甲醚为主，具有良好的止血作用。酸模素具有较好的抗菌作用。

| 功能主治 | **土大黄：** 辛、苦，凉。清热解毒，凉血止血，祛瘀消肿，通便，杀虫。用于肺痨咯血，肺痈，吐血，瘀滞腹痛，跌打损伤，大便秘结，痄腮，痈疮肿毒，烫伤，疥癣，湿疹。

土大黄叶： 酸、苦，平。清热解毒，凉血止血，消肿散瘀。用于肺痈，肺结核咯血，痈疮肿毒，痄腮，咽喉肿痛，跌打损伤。

| 用法用量 | **土大黄：** 内服煎汤，10 ~ 15 g。外用适量，捣敷；或磨汁涂。

土大黄叶： 内服煎汤，9 ~ 15 g，鲜品 30 ~ 60 g；或捣汁。外用适量，捣敷。

蓼科 Polygonaceae 酸模属 *Rumex* 凭证标本号 320803180530012LY

巴天酸模 *Rumex patientia* L.

|药材名|

牛西西（药用部位：根）。

|形态特征|

多年生草本。根肥厚，直径可达 3 cm；茎直立，粗壮，高 90 ～ 150 cm，上部分枝，具深沟槽。基生叶长圆形或长圆状披针形，长 15 ～ 30 cm，宽 5 ～ 10 cm，先端急尖，基部圆形或近心形，边缘波状；叶柄粗壮，长 5 ～ 15 cm；茎上部叶披针形，较小，具短叶柄或近无柄；托叶鞘筒状，膜质，长 2 ～ 4 cm，易破裂。花序圆锥状，大型；花两性；花梗细弱，中下部具关节，结果时稍膨大，外花被片长圆形，长约 1.5 mm，内花被片结果时增大，宽心形，长 6 ～ 7 mm，先端圆钝，基部深心形，边缘近全缘，具网脉，全部或一部分具小瘤，小瘤长卵形，通常不能全部发育。瘦果卵形，具 3 锐棱，先端渐尖，褐色，有光泽，长 2.5 ～ 3 mm。花期 5 ～ 6 月，果期 6 ～ 7 月。

|生境分布|

生于湖边草丛。分布于江苏宿迁等。

| 资源情况 | 野生资源一般。

| 采收加工 | 全年均可采挖，洗净，切片，生用（鲜用或晒干）或酒制后用。

| 药材性状 | 本品呈条形或类圆锥形，有少数分枝，长达 20 cm。根头部膨大，先端有残存茎基，周围有棕黑色的鳞片状叶基纤维束与须根痕，其下有密集的横纹。表面棕灰色至棕褐色，具纵皱纹与点状突起的须根痕及横向延长的皮孔样疤痕。质坚韧，难折断，折断面黄灰色，纤维性甚强。气微，味苦。

| 功效物质 | 主要含有蒽醌类成分，以大黄酚及大黄素甲醚为主，具有良好的止血作用。

| 功能主治 | 苦、酸，寒。清热解毒，止血消肿，通便，杀虫。用于吐血，便血，崩漏，赤白带下，紫癜，痢疾，肝炎，大便秘结，小便不利，痈疮肿毒，疥癣，跌打损伤，烫火伤。

| 用法用量 | 内服煎汤，9 ~ 15 g。外用适量，捣敷；或醋磨涂；或研末调敷。

商陆科 Phytolaccaceae 商陆属 *Phytolacca* 凭证标本号 320282160605016LY

商陆 *Phytolacca acinosa* Roxb.

| 药 材 名 | 商陆（药用部位：根）。

| 形态特征 | 多年生草本。高 0.5 ~ 1.5 m，全株光滑。根肥厚，肉质，倒圆锥形。茎粗壮，圆柱形，有纵沟槽，肉质，直立，分枝，绿色或紫红色。叶片质地柔嫩，长椭圆形或卵状椭圆形，长 15 ~ 30 cm，宽 3 ~ 10 cm，先端急尖或渐尖，基部楔形，渐狭，两面散生细小白色斑点。总状花序直立，顶生或侧生，长约 15 cm，短于叶；花被片通常 5，白色或黄绿色；雄蕊 8 ~ 10，花药淡红色；心皮通常为 8，有时少至 5 或多至 10，分离。果实扁球形，多汁液，成熟时紫黑色。花期 5 ~ 8 月，果期 6 ~ 10 月。

| 生境分布 | 生于沟谷、山坡林下、林缘路旁或房前屋后及湿润肥沃地。江苏各

地均有分布。

| 资源情况 | 野生资源丰富。

| 采收加工 | 秋季至翌年春季采挖，除去须根及泥沙，切块或片，晒干或阴干。

| 药材性状 | 本品横切或纵切成不规则的块片，大小不等。横切片弯曲不平，边缘皱缩，直径 2.5 ~ 6 cm，厚 4 ~ 9 mm，外皮灰黄色或灰棕色；切面类白色或黄白色，粗糙，具多数同心环状突起。纵切片卷曲，长 4.5 ~ 10 cm，宽 1.5 ~ 3 cm，表面凹凸不平，木质部具多数凸起的纵条纹，质坚，不易折断。气微；味稍甜，后微苦，久嚼之麻舌。以片大白色、有粉性、两面环纹明显者为佳。

| 功效物质 | 主要含有三萜皂苷类、黄酮类、酚酸类、甾醇类、多糖类等成分，具有利尿、抗菌、抗病毒、抗炎、抗肿瘤等多种生物活性。

| 功能主治 | 苦，寒；有毒。逐水消肿，通利二便，解毒散结。用于水肿胀满，二便不通；外用于痈肿疮毒。

| 用法用量 | 内服煎汤，4.5 ~ 9 g；或入散剂。外用适量，捣敷。

商陆科 Phytolaccaceae 商陆属 *Phytolacca* 凭证标本号 320111151013002LY

垂序商陆 *Phytolacca americana* L.

| 药 材 名 | 商陆（药用部位：根）。

| 形态特征 | 多年生草本。高 1 ~ 2 m，全株光滑。块根肥大，肉质，倒圆锥形。茎直立，圆柱形，有时带紫红色。叶片椭圆状卵形或卵状披针形，长 9 ~ 18 cm，宽 5 ~ 10 cm，先端急尖，基部楔形。总状花序直立，微弯，顶生或侧生，长 5 ~ 20 cm；花被片通常 5，白色，微带红晕；雄蕊 10；心皮通常 10，合生。果序下垂；果实扁球形，多汁液，成熟时紫黑色。花期 6 ~ 8 月，果期 8 ~ 10 月。

| 生境分布 | 生于林下、路边及宅旁阴湿处。江苏有栽培，有逸生。

| 资源情况 | 野生及栽培资源丰富。

| 采收加工 | 秋季至翌年春季采挖，除去须根及泥沙，切块或片，晒干或阴干。

| 药材性状 | 本品外形与商陆类同。以块片大、白色者为佳。

| 功效物质 | 主要含有商陆皂苷类、多糖类成分。

| 功能主治 | 苦，寒；有毒。归肺、脾、肾、大肠经。逐水消肿，通利二便，解毒散结。用于水肿胀满，二便不通；外用于痈肿疮毒。

| 用法用量 | 内服煎汤，3 ~ 9 g。外用适量，鲜品捣敷；或干品研末涂敷。

紫茉莉科 Nyctaginaceae 叶子花属 *Bougainvillea* 凭证标本号 321284190702013LY

光叶子花 *Bougainvillea glabra* Choisy.

药材名 叶子花（药用部位：花）。

形态特征 藤状灌木。茎粗壮，枝下垂，无毛或疏生柔毛；刺腋生，长 5 ~ 15 mm。叶片纸质，卵形或卵状披针形，长 5 ~ 13 cm，宽 3 ~ 6 cm，先端急尖或渐尖，基部圆形或宽楔形，上面无毛，下面被微柔毛；叶柄长 1 cm。花顶生于枝端的 3 苞片内，花梗与苞片中脉贴生，每个苞片上生 1 花；苞片叶状，紫色或洋红色，长圆形或椭圆形，长 2.5 ~ 3.5 cm，宽约 2 cm，纸质；花被管长约 2 cm，淡绿色，疏生柔毛，有棱，先端 5 浅裂；雄蕊 6 ~ 8；花柱侧生，线形，边缘扩展成薄片状，柱头尖；花盘基部合生呈环状，上部撕裂状。花期冬、春季间，温室栽培 3 ~ 7 月开花。

| **生境分布** | 江苏各地多有栽培。

| **资源情况** | 野生资源丰富。

| **采收加工** | 冬、春季开花时采收，晒干。

| **药材性状** | 本品常 3 朵簇生于苞片内，花梗与苞片的中脉合生。苞片叶状，暗红色或紫色，椭圆形，长 3 ~ 3.5 cm，纸质。花被管长 1.5 ~ 2 cm，淡绿色，疏生柔毛，有棱；雄蕊 6 ~ 8，子房具 5 棱。

| **功效物质** | 主要含有黄酮类、萜类、甾体类等成分，具有降血糖作用。

| **功能主治** | 苦、涩，温。归肝经。活血调经，化湿止带。用于血瘀经闭，月经不调，赤白带下。

| **用法用量** | 内服煎汤，9 ~ 15 g。

| **附　　注** | 本种喜温暖、湿润和强光环境，宜富含腐殖质的肥沃土壤。

紫茉莉科 Nyctaginaceae 紫茉莉属 *Mirabilis* 凭证标本号 320581180715285LY

紫茉莉 *Mirabilis jalapa* L.

| 药 材 名 | 紫茉莉根（药用部位：根）。

| 形态特征 | 一年生草本。高达 1 m。根倒圆锥形，深褐色。茎直立，多分枝，节稍膨大。叶片纸质，卵形或卵状三角形，长 5 ~ 15 cm，先端渐尖，基部截形或心形，全缘；叶柄长超过叶片 1/2。总苞钟形，长约 1 cm，5 深裂，裂片三角状卵形，先端渐尖，宿存。花晨夕开放而午收，花被高脚碟状，筒部长 2 ~ 6 cm，紫红色、白色或黄色，也有的红黄色相杂。果实卵形，黑色，有棱，表面具皱纹状疣状突起。花期 7 ~ 9 月，果期 8 ~ 10 月。

| 生境分布 | 江苏各地均有栽培，偶逸为野生。

| 资源情况 | 野生资源较少，栽培资源丰富。

| 采收加工 | 播种当年 10 ~ 11 月采挖，洗净泥沙，鲜用，或去尽芦头及须根，刮去粗皮，去尽黑色斑点，切片，晒干或炕干。

| 药材性状 | 本品呈长圆锥形或圆柱形，有的压扁，有的可见支根，长 5 ~ 10 cm，直径 1.5 ~ 5 cm。表面灰黄色，有纵皱纹及须根痕。先端有茎基痕。质坚硬，不易折断，断面不整齐，可见环纹。经蒸煮者断面角质样。无臭，味淡，有刺喉感。

| 功效物质 | 含有葫芦巴碱、鱼藤酮类等杀虫活性成分。

| 功能主治 | 甘、淡，微寒。清热利湿，解毒活血。用于热淋，白浊，水肿，赤白带下，关节肿痛，痈疮肿毒，乳痈，跌打损伤。

| 用法用量 | 内服煎汤，15 ~ 30 g，鲜品 30 ~ 60 g。外用适量，鲜品捣敷。

| 附　　注 | 本种喜温暖湿润环境，在略有荫蔽处生长更好，不耐寒。不择土壤，以肥沃、深厚的夹砂土或油砂土为好。

番杏科 Aizoaceae 粟米草 *Mollugo* 凭证标本号 320830161011018LY

粟米草 *Mollugo stricta* L.

| 药 材 名 | 粟米草（药用部位：全草）。

| 形态特征 | 一年生草本。植株铺散，高 10 ~ 30 cm，全体光滑。茎上升，细长，分枝多，老时常呈红棕色。基生叶莲座状，叶片倒披针形；茎生叶常 3 ~ 5 假轮生或对生，叶片披针形或线状披针形，长 1.5 ~ 3 cm，宽 3 ~ 7 mm，先端锐尖或渐尖，中脉突出，基部狭；叶柄短或近于无柄。二歧聚伞花序顶生或腋生；花柄长 2 ~ 6 mm；花被片 5，绿色，椭圆形或近圆形，分离，边缘膜质，宿存；雄蕊 3；子房 3 心皮，3 室，花柱 3，线性，短。蒴果卵圆形或近球形，直径约 2 mm，3 瓣裂。种子多数，肾形，黄褐色，有多数瘤状突起。花果期 8 ~ 9 月。

| 生境分布 | 生于阴湿处、田边旷野或海岸沙地上。分布于江苏连云港、南京、镇江、扬州、常州（溧阳）、无锡（宜兴）、苏州（常熟）、南通等。

| 资源情况 | 野生资源丰富。

| 采收加工 | 秋季采收，鲜用或晒干。

| 功效物质 | 含有齐墩果酸等三萜皂苷类成分，具有抗实验性心律失常作用。

| 功能主治 | 淡、涩，凉。清热化湿，解毒消肿。用于腹痛泄泻，痢疾，感冒咳嗽，中暑，皮肤热疹，目赤肿痛，疮疖肿毒，毒蛇咬伤，烫火伤。

| 用法用量 | 内服煎汤，10 ~ 30 g。外用适量，鲜品捣敷或塞鼻。

| 附　　注 | 本种在民间用于结膜炎。

马齿苋科 Portulacaceae 马齿苋属 *Portulaca* 凭证标本号 320621181124085LY

大花马齿苋 *Portulaca grandiflora* Hook.

| 药 材 名 | 午时花（药用部位：全草）。

| 形态特征 | 一年生肉质草本。高 10 ~ 20 cm。茎细而圆，平卧或斜升，紫红色，多分枝，节上生有丛毛。叶不规则互生，散生或枝上部略集生；叶片细圆柱形，长 1 ~ 2.5 cm，直径 2 ~ 3 mm，先端圆钝，无毛；叶柄近无；叶腋有白色长柔毛（托叶状）。花大，顶生，直径 3 ~ 4 cm，单生或数朵簇生，基部有轮生的叶状苞片 8 ~ 9；萼片 2，宽卵形，长 5 ~ 7 mm，先端急尖，基部与子房合生；花瓣 5 或重瓣多数，倒卵形，先端微凹，颜色多而鲜艳，但易于凋谢；雄蕊多数，花丝紫红色，基部合生；雌蕊多数，柱头 5 ~ 7 裂，线性。蒴果近椭圆形，盖裂。种子细小，圆肾形，亮棕色或棕黑色，表面有小疣状突起。花期 6 ~ 7 月。

| 生境分布 | 江苏各地均有栽培。

| 资源情况 | 栽培资源丰富。

| 采收加工 | 夏、秋季采收，除去残根及杂质，洗净，鲜用或略蒸烫后晒干。

| 药材性状 | 本品茎圆柱形，长 10 ~ 15 cm，直径 0.1 ~ 0.3 cm，有分枝，表面淡棕绿色或浅棕红色，有细密微隆起的纵皱纹，叶腋处常有白色长柔毛。叶多皱缩，线状，暗绿色，长 1 ~ 2.5 cm，直径约 1 mm；鲜叶扁圆柱形，肉质。枝端常有花着生，萼片 2，宽卵形，长约 6 mm，浅红色，卷成帽状，花瓣多干瘪皱缩成帽尖状，深紫红色。蒴果帽状圆锥形，浅棕黄色，外被白色长柔毛，盖裂，内含多数深灰黑色细小种子。种子扁圆形或类三角形，直径不及 1 mm，具金属样光泽，先端有歪向一侧的小尖，于显微镜下可见表面密布细小疣状突起。气微香，味酸。

| 功效物质 | 含有马齿苋醛、马齿苋醇、马齿苋酸、马齿苋内酯、3- 羟基马齿苋醚、5- 羟基马齿苋醛、5- 羟基马齿苋酸、大花马齿苋酮、大花马齿苋醇、大花马齿苋烯等成分。

| 功能主治 | 淡、微苦，寒。清热解毒，散瘀止血。用于咽喉肿痛，疮疖，湿疹，跌打肿痛，烫火伤，外伤出血。

| 用法用量 | 内服煎汤，15.5 ~ 31 g。外用适量，鲜品捣敷。

| 附　　注 | 本种耐干旱土壤和强烈日光。

马齿苋科 Portulacaceae 马齿苋属 *Portulaca* 凭证标本号 320581180829173LY

马齿苋 *Portulaca oleracea* L.

| 药 材 名 | 马齿苋（药用部位：地上部分）。

| 形态特征 | 一年生草本。肉质，无毛。茎多分枝，平卧或斜伸，伏地铺散，淡绿色或带紫色。叶互生，有时对生；叶片肥厚，楔状长圆形或倒卵形，似马齿状，长 10 ~ 25 mm，宽 5 ~ 15 mm，先端圆钝或截形，基部楔形，全缘，叶面绿，叶背带紫红色；叶柄粗壮。花无花梗，3 ~ 5 簇生于枝顶，午时盛放；苞片膜质，叶状，2 ~ 6 近轮生；萼片 2，对生，基部合生，绿色，盔状，左右压扁，背部具龙骨状突起；花瓣 5，黄色，长 4 ~ 5 mm，5 深裂，裂片倒卵状长圆形，先端凹；雄蕊 8 ~ 12；花柱先端 4 ~ 5 裂，线形，长于雄蕊。蒴果卵球形，盖裂。种子多数细小，扁圆形，黑色，表面有小疣状突起。花期 5 ~ 8 月，果期 6 ~ 9 月。

| 生境分布 | 生于田野路边及庭园废墟等向阳处。江苏各地均有分布。

| 资源情况 | 野生资源丰富。

| 采收加工 | 8 ~ 9 月采收全草，除去泥土，去净杂质，水稍烫（煮）或蒸至上汽，取出，晒干或炕干；亦可鲜用。

| 药材性状 | 本品干燥全草皱缩卷曲，常缠结成团。茎细而扭曲，长约 15 cm。表面黄褐色至绿褐色，有明显的纵沟纹。质脆，易折断，折断面中心黄白色。叶多皱缩或破碎，暗绿色或深褐色。枝先端常有椭圆形蒴果或其裂爿残留，果实内有多数细小的种子。气微弱而特殊，味微酸而有黏性。以棵小、质嫩、叶多、青绿色者为佳。

| 功效物质 | 马齿苋多糖具有降血脂、降血糖、提高免疫力的作用，马齿苋生物碱能有效抑制乳腺癌细胞的生长，马齿苋黄酮可治疗肝纤维化，马齿苋类黄酮具有较好的抑菌活性。

| 功能主治 | 酸，寒。清热解毒，凉血止血，止痢。用于热毒血痢，痈肿疔疮，湿疹，丹毒，蛇虫咬伤，便血，痔血，崩漏下血。

| 用法用量 | 内服煎汤，15.5 ~ 31 g；外用适量，鲜品捣敷。

马齿苋科 Portulacaceae 土人参属 *Talinum* 凭证标本号 320684160730086LY

土人参 *Talinum paniculatum* (Jacq.) Gaertn.

药材名

土人参（药用部位：根）、土人参叶（药用部位：叶）。

形态特征

一年生或多年生直立肉质草本。高 60 cm，全体无毛。主根粗壮，圆锥形，分枝。叶片倒卵形或倒卵状长椭圆形，长 5 ~ 7 cm，宽 2.5 ~ 3.5 cm，先端急尖，有时略凹，有细凸头，全缘，肉质光滑；叶柄近无。圆锥花序顶生或侧生，多分枝，枝呈二叉状，小枝和花梗基部均有苞片；花小，花柄纤长，5 ~ 10 mm；苞片 2，膜质，长约 1 mm；萼片 2，紫红色，卵圆形，早落；花瓣 5，淡紫红色，倒卵形或椭圆形；雄蕊 10 ~ 20；子房球形，花柱线形，柱头 3 裂。蒴果近球形，直径约 3 mm，3 瓣裂，坚纸质。种子多数，黑色，光亮，有微细腺点。花期 5 ~ 7 月，果期 8 ~ 10 月。

生境分布

生于田野、路边、墙脚石旁、山坡沟边等阴湿处。分布于江苏南部地区。江苏南京、无锡（宜兴）、常州等南部地区均有零散栽培。

| 资源情况 | 野生资源较丰富。

| 采收加工 | **土人参：** 8 ～ 9 月采挖，洗净，除去细根，晒干，或刮去表皮，蒸熟，晒干。

土人参叶： 夏、秋季采收，洗净，鲜用或晒干。

| 药材性状 | **土人参：** 本品呈圆锥形，直径 1 ～ 3 cm，长短不等，有的微弯曲，下部旁生侧根，并有少数须根残留。肉质坚实。表面棕褐色，断面乳白色。

| 功效物质 | 主要含有多糖类和黄酮类成分，多糖类成分具有良好的抗氧化作用，还可促进细胞生长分化。

| 功能主治 | **土人参：** 甘、淡，平。补气润肺，止咳，调经。用于气虚劳倦，食少，泄泻，肺痨咯血，眩晕，潮热，盗汗，自汗，月经不调，带下，产后乳汁不足。

土人参叶： 甘，平。通乳汁，消肿毒。用于乳汁不足，痈肿疔毒。

| 用法用量 | **土人参：** 内服煎汤，30 ～ 60 g。外用适量，捣敷。

土人参叶： 内服煎汤，15 ～ 30 g。外用适量，捣敷。

落葵科 Basellaceae 落葵薯属 *Anredera* 凭证标本号 NAS00107871

落葵薯 *Anredera cordifolia* (Tenore) Steen.

| 药 材 名 |

藤三七（药用部位：珠芽）。

| 形态特征 |

多年生缠绕草本。无毛。根茎肉质；老茎灰褐色，幼茎带紫红色，叶腋常具珠芽。叶片卵形或宽卵形，长 2 ~ 5 cm，宽 1.5 ~ 5.5 cm，先端急尖或钝，基部心形或近圆形，全缘。花排成顶生或腋生的总状花序，下垂，长达 20 cm；苞片小，早落，小苞片 2，花被状；花两性；花被白色，5 深裂；雄蕊 5，与花被片对生，花丝在花蕾中反折；子房球形，柱头乳头状。花期 8 ~ 10 月，果期 9 ~ 11 月。

| 生境分布 |

江苏有少量栽培。

| 资源情况 |

栽培资源稀少。

| 采收加工 |

珠芽形成后采摘，去净杂质，鲜用或晒干。

| 药材性状 | 本品呈瘤状，少数圆柱形，直径 0.5 ~ 3 cm，表面灰棕色，具凸起。质坚实而脆，易碎裂。断面灰黄色或灰白色，略呈粉性。气微，味微苦。

| 功效物质 | 含有三萜类、甾醇类、黄酮类化合物，具有较好的抑菌、抗氧化活性。

| 功能主治 | 微苦，温。补肾强腰，散瘀消肿。用于腰膝痹痛，病后体弱，跌打损伤，骨折。

| 用法用量 | 内服煎汤，31 ~ 62 g。外用适量，鲜品捣敷。

| 附　　注 | 本种喜温暖、湿润，耐热，耐湿，不耐霜冻，对土壤要求不严。

落葵科 Basellaceae 落葵属 *Basella* 凭证标本号 320124151010018LY

落葵 *Basella alba* L.

| **药 材 名** | 落葵（药用部位：全草或叶）、落葵子（药用部位：果实）、落葵花（药用部位：花）。

| **形态特征** | 一年生缠绕草本。肉质，光滑无毛。茎绿色或紫红色。叶互生；叶片卵形或近圆形，长 2 ~ 19 cm，宽、长相等，先端急尖，基部近心形或圆形，中部下延，全缘。穗状花序腋生，长 5 ~ 20 cm；小苞片 2，长圆形，宿存；花被片 5，稍肉质，先端内弯，淡紫色或淡红色，下部白色，连合成管；雄蕊 5，花丝基部扩展；花柱 3。果实卵形或球形，长 5 ~ 6 mm，红紫色至深紫色，多汁液。花期 5 ~ 9 月，果期 7 ~ 10 月。

| **生境分布** | 生于海拔 2 000 m 以下地区。江苏各地多有栽培。

| **资源情况** | 栽培资源丰富。

| **采收加工** | **落葵：** 夏、秋季采收，洗净，除去杂质，鲜用或晒干。

落葵子： 7 ~ 10 月采收成熟果实，晒干。

落葵花： 春、夏季开花时采摘，鲜用。

| **药材性状** | **落葵：** 本品茎肉质，圆柱形，直径 3 ~ 8 mm，稍弯曲，有分枝，绿色或淡紫色；质脆，易断，折断面鲜绿色。叶微皱缩，展平后宽卵形、心形或长椭圆形，长 2 ~ 14 cm，宽 2 ~ 12 cm，全缘，先端急尖，基部近心形或圆形；叶柄长 1 ~ 3 cm。气微，味甜，有黏性。

| **功效物质** | 叶含有多糖、胡萝卜素、有机酸、维生素 C、氨基酸、蛋白质等成分。

| **功能主治** | **落葵：** 甘、酸，寒。滑肠通便，清热利湿，凉血解毒，活血。用于大便秘结，小便短涩，痢疾，热毒疮疡，跌打损伤。

落葵子： 辛、酸，平。润泽肌肤，美容。

落葵花： 辛、苦，寒。凉血解毒。用于痘疹，乳头破裂。

| **用法用量** | **落葵：** 内服煎汤，10 ~ 15 g，鲜品 30 ~ 60 g。外用适量，鲜品捣敷；或捣汁涂。脾冷者不可食。孕妇忌服。

落葵子： 外用适量，研末调敷，作面脂。

落葵花： 外用适量，鲜品捣汁敷。

| **附　　注** | 本种适应性强，喜温暖，耐高温高湿，对土壤要求不严，在中性或偏酸性疏松肥沃的砂壤土中生长良好。

石竹科 Caryophyllaceae 无心菜属 *Arenaria* 凭证标本号 320722180411028LY

无心菜 *Arenaria serpyllifolia* L.

| 药 材 名 | 小无心菜（药用部位：全草）。

| 形态特征 | 一年生或二年生小草本。全株有白色短柔毛。茎丛生，自基部分枝，下部平卧，上部直立，高 10 ~ 30 cm，密被倒生的白色短柔毛。叶小，卵形，长 4 ~ 12 mm，宽 2 ~ 3 mm，两面疏生柔毛，边缘有睫毛及细乳头状腺点，无柄。聚伞花序疏生于枝端；苞片和小苞片卵形，密生柔毛；花柄细，长 0.6 ~ 1 cm，密生柔毛及腺毛；萼片 5，披针形，有 3 脉，背面有毛，边缘膜质；花瓣 5，倒卵形，白色，全缘；雄蕊 10，短于萼片；子房卵形，花柱 3。蒴果卵形，6 瓣裂。种子肾形，淡褐色，密生小疣状突起。花期 4 ~ 5 月，果期 5 ~ 6 月。

| 生境分布 | 生于路旁、荒地或田野中。江苏各地均有分布。

| **资源情况** | 野生资源丰富。

| **采收加工** | 初夏采收，鲜用或晒干。

| **药材性状** | 本品长 10 ~ 30 cm。茎纤细，簇生，密被白色短柔毛。叶对生，完整叶卵形，无柄，长 4 ~ 12 mm，宽 2 ~ 3 mm，两面有稀疏茸毛。茎顶疏生白色小花，花瓣 5。气微，味淡。

| **功效物质** | 主要含有黄酮类成分，如牡荆素、异牡荆素、荭草素、木犀草素等。又含有菲醌类化合物如丹参酮ⅡA，丹参酚酮，卡巴林生物碱，三萜类及氧杂蒽酮类成分。

| **功能主治** | 苦、辛，凉。归肝、肺经。清热，明目，止咳。用于肝热目赤，翳膜遮睛，急性结膜炎，睑腺炎，咽喉炎，齿龈炎，肺痨，咳嗽，蛇咬伤。

| **用法用量** | 内服煎汤，15 ~ 30 g；或浸酒。外用适量，捣敷或塞鼻孔。

石竹科 Caryophyllaceae 卷耳属 *Cerastium* 凭证标本号 320721180413046LY

球序卷耳 *Cerastium glomeratum* Thuill.

| 药 材 名 | 婆婆指甲菜（药用部位：全草）。

| 形态特征 | 一年生草本。高 10 ~ 20 cm。茎单生或丛生，密被长柔毛，上部混生腺毛。基部叶片匙形，上部叶片倒卵状椭圆形，长 1 ~ 2 cm，宽 0.5 ~ 1.2 cm，两面均被长柔毛，边缘具缘毛。聚伞花序簇生或呈头状；花序轴密被腺柔毛；苞片卵状椭圆形，密被柔毛；花柄细，密被柔毛；萼片 5，披针形，长约 4 mm，先端尖，外面密被长腺毛，边缘狭膜质；花瓣 5，白色，线状长圆形，与萼片近等长或微长，先端 2 浅裂，基部被疏柔毛；雄蕊明显短于萼；花柱 5。蒴果长圆柱形，长于宿萼 0.5 ~ 1 倍，先端 10 齿裂。种子褐色，扁三角形，具疣状突起。花期 3 ~ 4 月，果期 5 ~ 6 月。

| 生境分布 | 生于山坡草地。分布于江苏南部地区。

| 资源情况 | 野生资源丰富。

| 采收加工 | 春、夏季采收，鲜用或晒干。

| 药材性状 | 本品长约 26 cm，密生茸毛。茎纤细，下部红褐色，上部绿色。叶对生，完整叶椭圆形或卵形，长 1 ~ 2 cm，宽 5 ~ 12 mm，主脉凸出。茎先端有二叉状聚伞花序；花小，白色。用手触摸有粗糙感。气微，味淡。

| 功效物质 | 含有糖类与脂质成分。

| 功能主治 | 甘、微苦，凉。归肺、胃、肝经。清热利湿，凉血解毒。用于感冒发热、湿热泄泻，肠风下血，乳痈，疔疮，高血压等。

| 用法用量 | 内服煎汤，15 ~ 30 g。外用适量，捣敷；或煎汤熏洗。

| 附　　注 | 本种具有富集镉元素的特性，可用于修复镉污染土壤，改善土壤微环境。

石竹科 Caryophyllaceae 狗筋蔓属 *Cucubalus* 凭证标本号 320703160908525LY

狗筋蔓 *Cucubalus baccifer* L.

| 药 材 名 |

狗筋蔓（药用部位：全草）。

| 形态特征 |

多年生草本。全株被逆向短绵毛。根长纺锤形。茎铺散，长 50 ~ 100 cm，多分枝，常攀附他物，疏生黄色细毛，节膨大。叶片卵形、卵状披针形或长椭圆形，长 1.5 ~ 5 cm，宽 0.8 ~ 2 cm，近基部的叶长 3 ~ 5 cm，宽 2 ~ 2.5 cm，叶基部渐狭，具短缘毛。圆锥花序疏松；花柄细，具 1 对叶状苞片；花萼圆筒形，长 9 ~ 11 mm，后期膨大成半圆球形，沿纵脉多少被短毛，萼齿卵状三角形，与萼筒近等长，边缘膜质，果期反折；花瓣白色，倒披针形，爪狭长，瓣片叉状浅 2 裂；雄蕊、花柱不外露。蒴果圆球形，呈浆果状，成熟时薄壳质，黑色，具光泽，不规则开裂。种子圆肾形，黑色，平滑，有光泽。花期 6 ~ 8 月，果期 7 ~ 10 月。

| 生境分布 |

生于森林灌丛间、湿地或河边。分布于江苏连云港、南京、镇江（句容）、无锡（宜兴）等。

| 资源情况 | 野生资源较丰富。

| 采收加工 | 秋末冬初采收，洗净泥沙，鲜用或晒干。

| 药材性状 | 本品根为细长圆柱形，稍扭曲，常数条着生于较短的根茎上，长 10 ~ 30 cm，直径 3 ~ 6 mm，表面黄白色，有纵皱纹，质硬而脆，易折断，断面黄白色。茎多分枝，表面黄绿色至黄棕色，节部膨大，有黄色毛，断面中央有白色的髓。叶对生，完整者卵状披针形或长圆形，长 2 ~ 4 cm，宽 7 ~ 15 mm，全缘，中脉有毛。茎枝先端有单生或 2 ~ 3 聚生的小花，花瓣 5，白色。气微，味甘、微苦。

| 功效物质 | 含有棉根皂苷元的葡萄糖酸苷如肥皂草素、异肥皂草苷等，黄酮类成分如牡荆素、荭草素、合模荭草素等，糖类成分如棉子糖、蔗糖半乳糖苷、剪秋罗糖、异剪秋罗糖等。

| 功能主治 | 甘、淡，温。活血定痛，接骨生肌。用于跌打损伤，骨折，风湿骨痛，月经不调，小儿疳积，肾炎水肿，泌尿系感染，肺结核，蛇咬伤；外用于疮疡疖肿，淋巴结结核。

| 用法用量 | 根，内服煎汤，15 ~ 25 g。外用适量，鲜品捣敷。

石竹科 Caryophyllaceae 石竹属 *Dianthus* 凭证标本号 321284190914094LY

须苞石竹 *Dianthus barbatus* L.

| 药 材 名 | 须苞石竹（药用部位：全草）。

| 形态特征 | 多年生草本。高 25 ~ 60 cm。茎近四棱形，光滑。叶片披针形至椭圆状披针形，长 4 ~ 8 cm，宽约 1 cm，先端渐尖，基部渐狭，合生成鞘，全缘，边缘有细锯齿，具平行脉，中脉明显。花数朵至多朵组成圆顶的密集聚伞花序；有数枚叶状总苞片；花柄极短；小苞片 4，卵形，先端有须状长尖，边缘膜质，具细齿，与花萼等长或稍长；花萼圆筒形，长约 1. 5 cm，先端 5 裂，裂齿锐尖；花瓣 5 或更多，瓣片卵形，具长爪，红色、紫色、白色或有斑纹，先端具细齿，喉部有髯毛；雄蕊稍露于外；子房长圆形，花柱线形。蒴果卵圆形，包于宿萼内，长约 1.8 cm，先端 4 裂至中部。种子褐色，扁卵形，平滑。花果期 5 ~ 10 月。

| **生境分布** | 江苏各地多有栽培。

| **资源情况** | 栽培资源丰富。

| **采收加工** | 夏、秋季采收，洗净，晒干。

| **功能主治** | 活血调经，通络，利尿通淋。

| **附　　注** | 本种耐寒耐旱，怕热忌涝，喜阳光充足、干燥、通风环境，夏季以半荫为宜，要求肥沃、疏松、排水良好的石灰质壤土，pH7 ~ 8.5，生长适温 15 ~ 20 ℃。

石竹科 Caryophyllaceae 石竹属 *Dianthus* 凭证标本号 320803180703163LY

香石竹 *Dianthus caryophyllus* L.

| 药 材 名 | 麝香石竹（药用部位：地上部分）。

| 形态特征 | 多年生草本。高 30 ～ 70 cm。茎丛生，直立，光滑，有白粉；基部木质化，上部稀疏分枝。叶片线状披针形，长 4 ～ 14 cm，宽 2 ～ 4 mm，具 5 主脉，中脉特别明显，两面常有白粉，先端长渐尖，基部成短鞘，围抱节上。花有浓香，常单生于枝端，或 2 ～ 5 成聚伞花序；花梗短于花萼；小苞片 4，稀 6，菱状卵形，先端具短突尖，长为花萼的 1/4；花萼圆筒形，先端 5 裂，萼齿三角形，边缘膜质；花瓣 5 或为重瓣，倒卵形，淡红色、白色、紫色或杂色，先端不整齐齿状浅裂，喉部有须毛；雄蕊长达喉部；花柱伸出花外。蒴果卵球形，稍短于宿萼。花期 4 ～ 8 月，果期 7 ～ 9 月。

| 生境分布 | 江苏各地均有栽培。

| 资源情况 | 栽培资源丰富。

| 采收加工 | 夏、秋季采挖全草，洗净，晒干。

| 功效物质 | 全草含皂苷与挥发油成分。

| 功能主治 | 清热利尿，破血，通便。

| 附　　注 | 本种喜冷凉气候，但不耐寒，喜空气流通、干燥及日光充足的环境。要求排水良好、腐殖质丰富、保肥性能良好而微呈碱性的黏壤土，忌连作及低洼地。喜肥。

石竹科 Caryophyllaceae 石竹属 *Dianthus* 凭证标本号 320621181110024LY

石竹 *Dianthus chinensis* L.

| 药 材 名 | 瞿麦（药用部位：地上部分）。

| 形态特征 | 多年生草本。高 30 ~ 50 cm，全株无毛。茎丛生，直立或基部稍呈匍匐状，光滑。叶片线状披针形，长 3 ~ 5 cm，宽 2 ~ 5 mm，先端渐尖，基部狭窄成短鞘，围抱节上，全缘或有细齿。花单生于枝端或数朵簇生成聚伞花序；花柄长 1 ~ 3 cm；小苞片 4 ~ 6，广卵形，先端长渐尖，长约为花萼的 1/2，边缘膜质，有缘毛；花萼圆筒形，先端 5 裂，萼齿披针形，长约 5 mm，直伸，先端尖，有缘毛；花瓣鲜红色、白色或粉红色，瓣片倒卵状三角形，顶缘不整齐齿裂，喉部有斑纹，疏生髯毛；雄蕊露出喉部外，花药蓝色；子房长圆形，花柱线形。蒴果圆筒形，包于宿萼内，先端 4 裂。种子扁卵形，灰黑色，边缘有狭翅。花期 5 ~ 9 月，果期 7 ~ 9 月。

| 生境分布 | 生于山坡或旷野。江苏各地均有分布和栽培。

| 资源情况 | 野生及栽培资源丰富。

| 采收加工 | 夏、秋季花果期割取全草，除去杂草和泥土，切段或不切段，晒干。

| 药材性状 | 本品长 30 cm，茎直立，淡绿色至黄绿色，光滑无毛，节部稍膨大。叶对生，多数完整，叶片线形或线状披针形。花全长 3 ~ 4 cm，有淡黄色膜质的宿萼，萼筒长约为全花的 3/4；萼下小苞片淡黄色，约为萼筒的 1/4。花冠先端深裂成细线条，淡红色或淡紫色。有时可见到蒴果，长圆形，外表皱缩，先端开裂，种子褐色，扁平。茎中空，质脆，易断。气微，味微甜。

| 功效物质 | 花含有挥发油类、三萜皂苷类、花色苷类、石竹酰胺等成分。其中，花色苷类成分具有抗肿瘤活性；菧立醇具有利尿作用。

| 功能主治 | 苦，寒。归心、小肠经。利尿通淋，活血通经。用于热淋，血淋，石淋，小便不通，淋沥涩痛，经闭瘀阻。

| 用法用量 | 内服煎汤，4.5 ~ 9 g；或入丸、散剂。外用适量，研末调敷。

| 附　　注 | 本种耐寒，喜潮湿，忌干旱。喜生于砂壤土与黏壤土。

石竹科 Caryophyllaceae 石竹属 *Dianthus* 凭证标本号 320482180711443LY

瞿麦 *Dianthus superbus* L.

| 药 材 名 | 瞿麦（药用部位：带花全草及根）。

| 形态特征 | 多年生草本。高 30 ~ 60 cm。茎丛生，直立，无毛，上部二歧状分枝。叶片线形至线状披针形，长 5 ~ 10 cm，宽 3 ~ 5 mm，先端渐尖，基部成短鞘，围抱节上，全缘。花单生或成疏聚伞花序；苞片 4 ~ 6，宽卵形，长约为花萼的 1/4，先端长尖；花萼圆筒状，细长，常染紫红色晕，先端 5 裂，萼齿披针形；花瓣粉紫色，具长爪，包于萼筒内，瓣片宽倒卵形，先端边缘细裂至中部或更多，喉部有须毛。蒴果圆筒形，与宿萼等长或微长，先端 4 裂。种子黑色，扁卵圆形，有光泽。花期 6 ~ 9 月，果期 8 ~ 10 月。

| 生境分布 | 生于山坡、林下、林缘、草甸或沟谷溪边。江苏各地均有分布。江

苏淮安（淮阴）、徐州（铜山）、连云港有栽培。

| 资源情况 | 野生及栽培资源丰富。

| 采收加工 | 夏、秋季花果期割取全草，除去杂质和泥土，切段或不切段，晒干。

| 药材性状 | 本品茎圆柱形，上部有分枝，长 30 ~ 60 cm；表面淡绿色或黄绿色，光滑无毛，节明显，略膨大，断面中空。叶对生，多皱缩，展平叶片呈条形至条状披针形。枝端具花及果实，花萼筒状，长 2.7 ~ 3.7 cm；苞片 4 ~ 6，宽卵形，长约为萼筒的 1/4；花瓣棕紫色或棕黄色，卷曲，先端深裂成丝状。蒴果长筒形，与宿萼等长。种子细小，多数。无臭，味淡。

| 功效物质 | 含有黄酮类化合物如花色苷，具有利尿及降血压作用；含有五环三萜类化合物积雪草酸等，为其抗肿瘤活性成分。另含有蒽醌类成分如大黄素、大黄素甲醚等少量生物碱。

| 功能主治 | 寒，苦。归心、小肠经。利小便，清湿热，活血通络。用于小便不通，热淋，血淋，石淋，闭经，目赤肿痛，痈肿疮毒，湿疮瘙痒，食管癌，直肠癌。

| 用法用量 | 内服煎汤，4.5 ~ 9 g；或入丸、散剂。外用适量，研末调敷。脾、肾气虚者及孕妇忌服。

| 附　　注 | 本种耐寒，喜潮湿，忌干旱。喜生于砂壤土或黏壤土。

石竹科 Caryophyllaceae 石头花属 *Gypsophila* 凭证标本号 320721180713400LY

长蕊石头花 *Gypsophila oldhamiana* Miq.

| 药材名 | 山银柴胡（药用部位：根）。

| 形态特征 | 多年生草本。高 60 ~ 100 cm，全株光滑，通常有白粉。主根粗壮，淡黄棕色。茎簇生，节明显，二歧或三歧分枝。茎生叶长圆状披针形，长 4 ~ 8 cm，宽 5 ~ 15 mm，先端尖，基部稍狭，叶基相连成短鞘状，略抱茎，叶脉 3 ~ 5；上部叶片渐细成线形。伞房状聚伞花序顶生或腋生，排列较密集；苞片卵形，膜质，先端长渐尖尾状，多具缘毛；花柄长 2 ~ 5 mm；花萼钟形，裂片 5，萼齿卵状三角形，边缘带膜质，具缘毛；花瓣粉红色或白色；倒卵形，比花萼长 1 倍；雄蕊长于花瓣；花柱 2，伸出花冠外。蒴果卵球形，比宿萼稍长，先端 4 裂。种子近肾形，具条状突起，脊部具短尖的小疣状突起。花期 7 ~ 9 月，果期 8 ~ 10 月。

| 生境分布 | 生于山坡草地、灌丛、沙滩乱石间或海滨沙地。分布于江苏连云港（灌云）等。

| 资源情况 | 野生资源一般。

| 采收加工 | 春、秋季采挖，除去泥土，切片，晒干。

| 药材性状 | 本品呈圆柱形或圆锥形，略扁，长 10 ~ 22 cm，直径 0.5 ~ 4.5 cm。根头部常分叉，有小型凸起的地上茎痕。表面棕黄色或灰棕黄色，有扭曲的纵沟纹，有的栓皮已除去，呈黄白色，形成棕黄色相间的花纹；近根头处有多数凸起的圆形支根痕及细环纹。质坚实，不易折断，断面不平坦，有 3 ~ 4 层黄白色相间排列所成的环状花纹（异型维管束）。气微，味苦、辛、辣，有刺激感。

| 功效物质 | 含有皂苷类成分，其苷元为丝石竹皂苷元，具有抗肿瘤活性。另含有黄酮类成分，具有抗氧化、保肝、软化血管与降血压作用。

| 功能主治 | 凉，甘、苦。活血散瘀，消肿止痛，化腐生肌，凉血，清虚热。用于跌打损伤，骨折，外伤，小儿疳积，骨蒸潮热，盗汗，久疟不止。

| 用法用量 | 内服煎汤，3 ~ 9 g。

| 附　　注 | 本种喜温暖湿润和阳光充足的环境，较耐阴，耐旱性较强，耐寒，忌高温多湿，喜石灰质、稍微干燥的土壤。在排水良好、肥沃和疏松的壤土中生长最好。

石竹科 Caryophyllaceae 剪秋罗属 *Lychnis* 凭证标本号 320481151024335LY

剪秋罗 *Lychnis fulgens* Fisch.

| 药材名 | 剪红纱花（药用部位：全草）。

| 形态特征 | 多年生草本。高 50 ~ 100 cm，全株密生细毛。根茎结节状；茎直立。叶对生；叶片卵状披针形或卵状椭圆形，长 4 ~ 10 cm，宽 1 ~ 3 cm；先端尖，基部狭窄，略抱茎，两面被柔毛，边缘具缘毛；基生叶有短柄。顶生疏聚伞花序，具花 1 ~ 3，直径 3 ~ 5 cm，苞片卵状披针形或披针形，被柔毛；花萼长棒状，有脉 10，散生长柔毛，先端 5 裂，萼齿三角形，急尖或渐尖，边缘具短缘毛；花瓣 5，深红色，狭楔形，爪不露或微露出花萼，先端不整齐深裂；雄蕊与花萼近等长。蒴果长棒形，5 齿裂，较宿萼长。种子细小，肾形，黑褐色，具小瘤。花期 7 ~ 8 月，果期 8 ~ 9 月。

| **生境分布** | 生于山坡疏林下、灌丛或草甸阴湿地。分布于江苏南部丘陵山地。

| **资源情况** | 野生资源一般。

| **采收加工** | 秋后采收，去净杂质，鲜用或晒干。

| **药材性状** | 本品长达 70 cm，密生柔毛。茎圆形，有纵沟纹。叶对生，完整叶片椭圆状披针形或卵状披针形，先端渐尖，基部楔形，两面被毛。花 1 ~ 3 成聚伞花序疏生于茎端；花萼长棒状，具脉 10，先端 5 裂，边缘膜质，暗紫色；花瓣 5，边线不整齐深裂，暗红色；雄蕊 10；子房圆柱形，花柱 5。蒴果长棒形，萼宿存。气微，味淡。

| **功效物质** | 含有黄酮类成分如荭草素、异荭草素等。

| **功能主治** | 甘、淡，寒。清热利尿，散瘀止痛。用于外感发热，热淋，泄泻，缠腰火丹，风湿痹痛，跌打损伤。

| **用法用量** | 内服煎汤，15 ~ 30 g；或浸酒。外用适量，研末调敷。

石竹科 Caryophyllaceae 鹅肠菜 *Myosoton* 凭证标本号 320111151013014LY

鹅肠菜 *Myosoton aquaticum* (L.) Moench

| 药 材 名 | 鹅肠草（药用部位：全草）。

| 形态特征 | 二年生或多年生草本。茎多分枝，柔弱，常伏生地面，上部被腺毛。叶片卵形或宽卵形，长 2 ~ 5.5 cm，宽 1 ~ 3 cm，先端渐尖，基部心形，全缘或波状；上部叶无柄，基部略抱茎，基部叶有柄；疏生柔毛。顶生二歧聚伞花序，花序梗上有白色短软毛；苞片叶状，边缘具腺毛；花柄长 1 ~ 2 cm，密被腺毛，开花后下垂；萼片 5，果期增大，长达 7 mm，宿存，外面有短柔毛；花瓣 5，白色，2 深裂几达基部，裂片线形或线状披针形。蒴果卵圆形，5 瓣裂，每瓣先端再 2 浅裂。花期 4 ~ 5 月，果期 5 ~ 6 月。

| 生境分布 | 生于荒地、路旁或较阴湿的草地。江苏各地均有分布。

| 资源情况 | 野生资源较丰富。

| 采收加工 | 春季生长旺盛时采收，鲜用或晒干。

| 药材性状 | 本品长 20 ~ 60 cm。茎光滑，多分枝；表面略带紫红色，节部和嫩枝梢处更明显。叶对生，膜质；完整叶片宽卵形或卵状椭圆形，长 1.5 ~ 5.5 cm，宽 1 ~ 3 cm，先端锐尖，基部心形或圆形，全缘或呈浅波状；上部叶无柄或具极短柄，下部叶叶柄长 5 ~ 18 mm，疏生柔毛。花白色，生于枝端或叶腋。蒴果卵圆形。种子近圆形，褐色，密布显著的刺状突起。气微，味淡。

| 功效物质 | 主要含有挥发油类、黄酮类成分，如牡荆苷、异牡荆苷、芹菜素等。

| 功能主治 | 甘、酸，平。归肝、胃经。清热解毒，散瘀消肿。用于肺热喘咳，痢疾，痈疽，痔疮，牙痛，月经不调，小儿疳积。

| 用法用量 | 内服煎汤，15.5 ~ 31 g；或鲜品 62 g，捣汁。外用适量，鲜品捣敷；或煎浓汁熏洗。

石竹科 Caryophyllaceae 孩儿参属 *Pseudostellaria* 凭证标本号 320481160425067LY

孩儿参 *Pseudostellaria heterophylla* (Miq.) Pax

| 药材名 | 太子参（药用部位：块根）。

| 形态特征 | 多年生草本。高 15 ~ 20 cm。地下有肉质直生纺锤形块根，四周疏生须根。茎单一，不分枝，下部带紫色，近方形，上部绿色，圆柱形，有明显膨大的节，光滑无毛。单叶对生；茎下部叶最小，倒披针形，先端尖，基部渐窄成柄，全缘，向上渐大，在茎顶的叶最大，通常 2 对密结成 4 叶轮生状，长卵形或卵状披针形，长 4 ~ 9 cm，宽 2 ~ 4.5 cm，先端渐尖，基部狭窄成柄，叶背脉上有疏毛，边缘略呈波状。花二型，近地面花小，为闭锁花，花梗紫色，有短柔毛，萼片 4，背面紫色，边缘白色而呈薄膜质，无花瓣；茎顶上的花较大而开放，花梗细，长 1 ~ 2（~ 4）cm，有短柔毛，开花时直立，开花后下垂，萼片 5，披针形，绿色，背面及边缘有长毛，花瓣 5，

白色，先端呈浅齿状 2 裂或钝；雄蕊 10；子房卵形，花柱 3，蒴果近球形。有少数种子，种子褐色，扁圆形或长圆状肾形，有疣状突起。花期 4 月，果期 5 ~ 6 月。

| 生境分布 | 生于山坡林下和岩石缝中。江苏南京、常州（溧阳）、镇江（句容）、无锡（宜兴）有栽培。

| 资源情况 | 栽培资源丰富。

| 采收加工 | 6 ~ 7 月茎叶大部分枯萎时采挖，宜选晴天，挖掘根部（以根呈黄色为宜，过早则未成熟，过晚则浆汁易渗出，遭暴雨容易造成腐烂），洗净，放入 100 ℃开水锅中焯 1 ~ 3 分钟，捞起，摊晒至足干；或不经开水焯，直接晒至七八成干，搓去须根，使参根光滑无毛，再晒至足干。

| 药材性状 | 本品呈细长纺锤形或细长条形，稍弯曲，长 3 ~ 10 cm，直径 0.2 ~ 0.6 cm。表面黄白色，较光滑，微有纵皱纹，凹陷处有须根痕。先端有茎痕。质硬而脆，断面平坦，淡黄白色，角质样；或类白色，有粉性。气微，味微甘。

| 功效物质 | 含有环肽类、多糖苷类、氨基酸类、脂肪酸及酯类、挥发性成分及微量元素等多类型化学成分，其中结构较为新颖的是一类环肽类物质。

| 功能主治 | 甘、微苦，平。归脾、肺经。益气健脾，生津润肺。用于脾虚体倦，食欲不振，病后虚弱，自汗，口渴，肺燥干咳。

| 用法用量 | 内服煎汤，10 ~ 15 g。表实邪盛者不宜用。

| 附　　注 | 本种喜温暖潮湿的气候，惧高温，抗寒能力强，喜阴湿，怕强光，怕水涝。在排水不良的低洼地、黏壤土和土质坚实的环境中生长不良。不耐贫瘠，喜疏松肥沃、富含腐殖质、排水良好的黏壤土。

石竹科 Caryophyllaceae 漆姑草属 *Sagina* 凭证标本号 320621180415015LY

漆姑草 *Sagina japonica* (Sw.) Ohwi

| 药 材 名 | 漆姑草（药用部位：全草）。

| 形态特征 | 一年生或二年生小草本。茎多数簇生，通常紧贴地面，高 5 ~ 20 cm，上部被稀疏腺柔毛。叶片线形，长 5 ~ 20 mm，宽 0.8 ~ 1.2 mm，基部合生成短鞘状。花小，单生于叶腋及枝端；花柄细，长 1 ~ 2 cm，疏生短柔毛；萼片 5，卵状椭圆形，长约 2 mm，疏生短腺柔毛；花瓣 5，白色，狭卵形，稍短于萼片，先端圆钝，全缘；雄蕊 5，短于花瓣；子房卵圆形，花柱 5，线形。蒴果卵圆形，略长于宿萼，5 瓣裂。种子多数，圆肾形，微扁，表面褐色，具尖瘤状突起。花期 3 ~ 5 月，果期 5 ~ 6 月。

| 生境分布 | 生于田间、路旁、水塘边或阴湿山地。江苏各地均有分布。

| 资源情况 | 野生资源较少。

| 采收加工 | 4 ~ 5 月采收，洗净，鲜用或晒干。

| 药材性状 | 本品长 10 ~ 15 cm。茎基部分枝，上部疏生短细毛。叶对生，完整叶片圆柱状线形，长 5 ~ 20 mm，宽约 1 mm，先端尖，基部为薄膜连成的短鞘。花小，白色，生于叶腋或茎顶。蒴果卵形，5 瓣裂，比萼片约长 1/3。种子多数，细小，褐色，圆肾形，密生瘤状突起。气微，味淡。

| 功效物质 | 含有黄酮苷与皂苷成分，具有抑制肿瘤细胞增殖、诱导其凋亡的作用，能够消除局部肿胀，具有抗炎作用。含有的挥发油具有镇咳作用。

| 功能主治 | 苦、辛，凉。归肝、胃经。凉血解毒，杀虫止痒。用于漆疮，秃疮，湿疹，丹毒，瘰疬，无名肿毒，毒蛇咬伤，鼻渊，龋齿痛，跌打内伤。

| 用法用量 | 内服煎汤，15.5 ~ 31 g。外用适量，捣敷；或取汁搽。

石竹科 Caryophyllaceae 蝇子草属 *Silene* 凭证标本号 320506150425207LY

女娄菜 *Silene aprica* Turcz. ex Fisch. et Mey.

| 药 材 名 | 女娄菜（药用部位：全草）、女娄菜根（药用部位：根或果实）。

| 形态特征 | 二年生草本。全株密生短柔毛。茎直立，高 20 ~ 70 cm，由基部分枝。叶片卵状披针形至线状披针形，长 3 ~ 7 cm，宽 4 ~ 10 mm，先端急尖；无柄或下部叶基部渐狭成叶柄状。聚伞花序伞房状，二至三回分枝，每枝上有花 2 ~ 3；花柄长 5 ~ 40 mm，直立；苞片披针形，草质，具缘毛；花萼椭圆形，结果后膨大呈卵形或杯形，密生短柔毛，有纵脉 10，先端 5 裂，萼齿三角状披针形，边缘膜质，具缘毛；花瓣 5，粉红色或白色，爪具缘毛，瓣片倒卵形，2 裂；副花冠片舌状；花柱 3，基部具短毛。蒴果椭圆形，与宿存萼近等长，6 齿裂。种子多数，肾形，细小，黑褐色，有小瘤状突起。花期 4 ~ 6 月，果期 6 ~ 8 月。

| 生境分布 | 生于山坡草地。分布于江苏丘陵、山地等。

| 资源情况 | 野生资源较少。

| 采收加工 | **女娄菜：**夏、秋季采收，除去泥沙，鲜用或晒干。

女娄菜根：夏、秋季采挖根，秋季采收果实，晒干。

| 药材性状 | **女娄菜：**全草密被短柔毛，长 20 ~ 70 cm。根细长纺锤形，木质化。茎基部多分枝。叶对生，完整叶片线状披针形至披针形，长 4 ~ 7 cm，宽 4 ~ 8 mm，先端尖锐，基部渐窄；上部叶无柄。花粉红色，常 2 ~ 3 生于分枝上。蒴果椭圆形。种子肾形，细小，黑褐色，边缘具瘤状小突起。气微，味淡。

| 功效物质 | 主要含有黄酮类成分如牡荆素、异牡荆素、荭草素、蒙花苷等。

| 功能主治 | **女娄菜：**辛、苦，平。活血调经，下乳，健脾行水，利湿，解毒。用于月经不调，乳少，小儿疳积，脾虚水肿，疔疮肿毒。

女娄菜根：苦、甘，平。利尿，催乳。用于小便短赤，乳少。

| 用法用量 | **女娄菜：**内服煎汤，9 ~ 15 g，大剂量可用至 30 g；或研末。外用适量，鲜品捣敷。

女娄菜根：内服煎汤，9 ~ 15 g。

石竹科 Caryophyllaceae 蝇子草属 *Silene* 凭证标本号 320321180520008LY

麦瓶草 *Silene conoidea* L.

| 药材名 | 麦瓶草（药用部位：全草）、麦瓶草种子（药用部位：种子）。

| 形态特征 | 一年生草本。全株有腺毛。茎直立，高 20 ~ 60 cm，单生或叉状分枝。基生叶匙形，茎生叶长卵形或披针形，长 5 ~ 8 cm，宽 5 ~ 10 mm，先端尖锐，基部稍抱茎，两面生腺毛。二歧聚伞花序具数花，花着生于叶腋和顶生的分枝上，组成圆锥花序；萼筒长 2 ~ 3 cm，结果时基部膨大，卵形，上部狭缩，先端 5 裂，长约为萼长 1/3，萼脉 20 以上，密生腺毛；花瓣 5，倒卵形，紫红色，爪不露出花萼；副花冠片狭披针形，白色，雄蕊 10。蒴果卵圆形或圆锥形，有光泽，有宿萼。种子多数，肾形，暗褐色，有成行的疣状突起。花期 4 ~ 5 月，果期 5 ~ 6 月。

| **生境分布** | 生于旷野、路旁、荒地或麦田中。江苏各地均有分布。

| **资源情况** | 野生资源丰富。

| **采收加工** | **麦瓶草**：春、夏季采收，洗净，晒干。

麦瓶草种子：5 ~ 6 月采收，晒干。

| **药材性状** | **麦瓶草**：本品全草密生腺毛，长 20 ~ 60 cm。主根细长，略木质。茎中部以上分枝较多。叶对生，基生叶略呈匙形，茎生叶披针形或矩圆形，基部阔，稍抱茎，具茸毛。聚伞花序顶生或腋生，花紫色或粉红色。蒴果卵形，具宿萼。种子多数，有疣状突起。气微，味淡。

| **功效物质** | 根含有三萜类与黄酮苷类成分。

| **功能主治** | **麦瓶草**：甘、微苦，凉。归肺、肝经。养阴，清热，止血，调经。用于吐血，衄血，虚劳咳嗽，咯血，尿血，月经不调。

麦瓶草种子：甘，平。止血，催乳。用于鼻衄，尿血，乳汁不下。

| **用法用量** | **麦瓶草**：内服煎汤，9 ~ 15 g；或炖肉鸡食。

麦瓶草种子：内服煎汤，10 ~ 20 g。

| **附　　注** | 本种在江苏民间有“灯笼草”之名。

石竹科 Caryophyllaceae 拟漆姑草属 *Spergularia* 凭证标本号 320681170514134LY

拟漆姑 *Spergularia salina* J. et C. Presl.

| 药 材 名 | 拟漆姑（药用部位：全草）。

| 形态特征 | 一年生草本。高 10 ~ 30 cm。茎丛生，铺散，多分枝，上部密被柔毛。叶片线形，长 5 ~ 30 mm，宽 1 ~ 1.5 mm，先端钝，具凸尖，近平滑或疏生柔毛；托叶宽三角形，长 1.5 ~ 2 mm，膜质。花集生于茎顶或叶腋，成总状聚伞花序，结果时下垂；花梗稍短于萼，结果时稍伸长，密被腺柔毛；萼片卵状长圆形，长 3.5 mm，宽 1.5 ~ 1.8 mm，外面被腺柔毛，具白色宽膜质边缘；花瓣淡粉紫色或白色，卵状长圆形或椭圆状卵形，长约 2 mm，先端钝；雄蕊 5；子房卵形。蒴果卵形，长 5 ~ 6 mm，3 瓣裂。种子近三角形，略扁，长 0.5 ~ 0.7 mm，表面有乳头状突起，多数种子无翅，部分种子具翅。花期 5 ~ 7 月，果期 6 ~ 9 月。

| 生境分布 | 生于砂质轻度盐地、盐化草甸、河边、湖畔、水边等湿润处。分布于江苏连云港、徐州、盐城（阜宁、射阳、滨海）、宿迁等。

| 资源情况 | 野生资源丰富。

| 功能主治 | 苦，凉。散结消肿，解毒止痒。用于白血病，漆疮，痈肿，瘰疬，龋齿。

| 附　　注 | 有报道称，本种曾误用为白花蛇舌草，但其化学成分与白花蛇舌草迥异。

石竹科 Caryophyllaceae 繁缕属 *Stellaria* 凭证标本号 320282161115309LY

中国繁缕 *Stellaria chinensis* Regel

| **药 材 名** | 中国繁缕（药用部位：全草）。

| **形态特征** | 多年生草本。茎纤细，多分枝，有时匍匐地上，有纵棱 4，光滑无毛，长 30 ~ 100 cm。叶片卵形至卵状披针形，长 2 ~ 4 cm，宽 0.8 ~ 1.5 cm，基部圆形，先端渐尖，全缘，常呈波状皱缩（干燥后更明显）；叶柄短，有长柔毛。聚伞花序常生于叶腋，花序梗细长，长达 2 cm，苞片膜质；花柄细，结果时长至 1 cm 以上；萼片 5，披针形；花瓣白色，与萼片近等长，先端 2 深裂；雄蕊 10；花柱 3。蒴果卵形，6 齿裂。种子卵形，稍扁，褐色，有乳头状突起。花果期 4 ~ 6 月。

| **生境分布** | 生于水边、潮湿的山坡或路旁石缝内。分布于江苏连云港、南京、

无锡（宜兴）、常州（溧阳）等。

| 资源情况 | 野生资源丰富。

| 采收加工 | 春、夏、秋季采收，除去泥土，鲜用或晒干。

| 药材性状 | 本品长 50 ～ 100 cm。根须状。茎细弱，有纵棱。叶对生，完整叶片卵形至卵状披针形，长 3 ～ 4 cm，宽 1 ～ 1.5 cm。聚伞花序生于叶腋，有细长花序梗；萼片 5，披针形；花瓣 5，白色；先端 2 裂；雄蕊 10；花柱 3，丝状；子房卵形。蒴果卵形。种子卵形，褐色，表面有乳头状突起。气微，味淡。

| 功效物质 | 主要含有以芹菜素为母核的黄酮类化合物。

| 功能主治 | 苦、辛，平。清热解毒，活血止痛。用于乳痈，肠痈，疖肿，跌打损伤，产后瘀痛，风湿骨痛，牙痛。

| 用法用量 | 内服煎汤，15 ～ 30 g。外用适量，捣敷。

石竹科 Caryophyllaceae 繁缕属 *Stellaria* 凭证标本号 320111150303007LY

繁缕 *Stellaria media* (L.) Cyr.

| 药 材 名 | 繁缕（药用部位：全草）。

| 形态特征 | 一年生草本。直立或平卧。茎纤细，蔓延地上，基部多分枝，常带淡紫红色，下部节上生根，上部叉状分枝，有 1 ~ 2 行短柔毛。下部叶片卵形或心形，有长柄；上部叶片卵形，长 0.5 ~ 2.5 cm，宽 0.5 ~ 1.8 cm，常有缘毛，先端尖，基部圆形，无柄。花单生于叶腋或组成顶生疏散的聚伞花序；花柄纤细，无毛或有 1 列纤毛；萼片 5，披针形，外面有柔毛，边缘膜质；花瓣 5，白色，长椭圆形，比萼片短，2 深裂达基部，裂片近线形；雄蕊 3 ~ 5，花丝纤细，花药先端紫色，后变蓝色；子房卵圆形，花柱 3。蒴果长圆形或卵圆形，6 瓣裂。种子圆形，黑褐色，密生疣状突起。花期 2 ~ 4 月，果期 5 ~ 6 月。

| 生境分布 | 生于田间路边或溪旁草地。江苏各地均有分布。

| 资源情况 | 野生资源较丰富。

| 采收加工 | 春、夏、秋季花开时采收，除去泥土，晒干。

| 药材性状 | 本品多扭缠成团。茎呈细圆柱形，直径约 2 mm，多分枝，有纵棱，表面黄绿色，一侧有 1 行灰白色短柔毛，节处有灰黄色细须根，质较韧。叶小对生，无柄，展平后完整叶片卵形或卵圆形，先端锐尖，灰绿色，质脆易碎。枝先端或叶腋有数朵或 1 朵小花，淡棕色，花梗纤细；萼片 5，花瓣 5。有时可见卵圆形小蒴果，内含数粒圆形小种子，黑褐色，表面有疣状小突点。气微，味淡。

| 功效物质 | 含有黄酮类成分，主要以黄酮碳苷为主。含有的多糖类、环肽类等化学成分具有抗病毒活性。

| 功能主治 | 微苦、甘、酸，凉。归肝、大肠经。清热解毒，凉血消痈，活血止痛，下乳。用于痢疾，肠痈，肺痈，乳痈，疔疮肿毒，痔疮肿痛，出血，跌打伤痛，产后瘀滞腹痛，乳汁不下。

| 用法用量 | 内服煎汤，15.5 ~ 31 g。外用适量，鲜品捣敷。

石竹科 Caryophyllaceae 繁缕属 *Stellaria* 凭证标本号 321183150331016LY

雀舌草 *Stellaria uliginosu* Murr.

| 药 材 名 | 天蓬草（药用部位：全草）。

| 形态特征 | 一年生草本。高 15 ~ 30 cm。茎纤细，丛生，下部平铺地面，上部有多数疏散的分枝，无毛。叶片长卵形至卵状披针形，长 5 ~ 20 mm，宽 2 ~ 5 mm，先端尖，基部渐狭，全缘或浅波状，无毛；近无叶柄。花序聚伞状，常有少数花（多为 3），顶生或单生于叶腋；花柄细，长 5 ~ 20 mm，基部有时具披针形苞片 2；萼片 5，披针形，边缘膜质，光滑；花瓣 5，白色，短于萼片或近等长，2 深裂几达基部；雄蕊 5 或有时更多，比花瓣稍短；子房卵形，花柱 2 ~ 3。蒴果 6 瓣裂，有宿存萼。种子多数，肾形，有皱纹状突起。花期 4 ~ 6 月，果期 6 ~ 7 月。

| 生境分布 | 生于田间、溪岸或潮湿地带。分布于江苏南部、中部地区等。

| 资源情况 | 野生资源丰富。

| 采收加工 | 春季至秋初采收，洗净，鲜用或晒干。

| 药材性状 | 本品长 15 ～ 30 cm，污绿色。叶对生，完整叶片长圆形或卵状披针形，长 5 ～ 20 mm，宽 2 ～ 3 mm，先端渐尖，全缘或浅波状。聚伞花序顶生或腋生；萼片 5，披针形，先端尖，光滑；花瓣 5，白色，2 深裂；雄蕊 5；花柱 2 ～ 3。蒴果，较宿萼长，成熟时 6 瓣裂。气微，味淡。

| 功效物质 | 含有丰富的黄酮类化合物，多具有清除自由基、抗氧化、延缓衰老、降血糖、增强免疫力的生物活性。

| 功能主治 | 辛，平。归肺、脾经。祛风除湿，活血消肿，解毒止血。用于伤风感冒，泄泻，痢疾，风湿骨痛，跌打损伤，骨折，痈疮肿毒，痔漏，毒蛇咬伤，吐血，衄血，外伤出血。

| 用法用量 | 内服煎汤，31 ～ 62 g。外用适量，捣敷；或研末调敷。

石竹科 Caryophyllaceae 麦蓝菜属 *Vaccawa* 凭证标本号 320482180720256LY

麦蓝菜 *Vaccawa segetalis* (Neck.) Garck

| 药 材 名 | 王不留行（药用部位：种子）。

| 形态特征 | 一年生草本。高 30 ～ 70 cm。全株无毛，微被白粉。茎直立，单生或分枝，光滑。基部叶长椭圆形，全缘，基部狭窄成短柄；上部叶长椭圆状披针形，先端尖锐，基部圆形或心形，微抱茎，无柄，先端急尖，具 3 基出脉。疏聚伞花序顶生，花柄长 1 ～ 4 cm，苞片披针形，着生于花柄中上部；花萼卵状圆锥形，长 1 ～ 1.5 cm，有棱角 5，先端 5 裂，裂片三角状，开花后基部膨大，先端明显狭窄；花瓣粉红色，长匙形，先端全缘或有不规则的小齿，基部有长爪；雄蕊内藏；花柱线形，微外露。蒴果宽卵形或近圆球形，包于宿萼内。种子多数，暗黑色，球形，有细密的疣状突起。花期 4 ～ 5 月，果期 6 ～ 8 月。

| 生境分布 | 生于田野、路旁、荒地或麦田。江苏各地均有分布。江苏南京等地有栽培。

| 资源情况 | 野生及栽培资源丰富。

| 采收加工 | 秋播者于翌年 4 ~ 5 月当种子大多数变为黄褐色、少数变黑时，收割地上部分，置于阴凉通风处，后熟 7 天左右，待种子变黑时，晒干，脱粒，去净杂质，再晒干。

| 药材性状 | 本品呈球形，直径约 2 mm。表面黑色，少数红棕色，略有光泽，有细密颗粒状突起，一侧有 1 凹陷的纵沟。质硬。胚乳白色，胚弯曲成环，子叶 2。无臭，味微涩、苦。

| 功效物质 | 王不留行黄酮苷具有促进血管生成和提高催乳素的作用，三萜皂苷类成分具有收缩子宫和抑制黄体细胞活性的作用，环肽类成分具有雌激素样作用和抗菌作用。

| 功能主治 | 苦，平。归肝、胃经。活血通经，下乳消肿，利尿通淋。用于经闭，痛经，乳汁不下，乳痈肿痛，淋证涩痛。

| 用法用量 | 内服煎汤，4.5 ~ 9 g；或入丸、散剂。外用适量，研末调敷。

藜科 Chenopodiaceae 甜菜属 *Beta* 凭证标本号 320682190701083LY

甜菜 *Beta vulgaris* L.

| 药 材 名 |

菾菜根（药用部位：根）、莙荙菜（药用部位：茎、叶）、莙荙子（药用部位：种子）。

| 形态特征 |

二年生草本。高 1 m 以上。根肥厚，倒圆锥状、长圆锥状、扁球状、球状或纺锤形，深红色或近白色，多汁。茎有沟纹，上部分枝。基生叶大，叶片长卵形，长 20 ~ 30 cm，宽 12 ~ 18 cm，先端钝，基部楔形或略呈心形，全缘或呈波状卷曲，叶面皱缩，叶柄粗壮，肥厚，上平下凸；茎生叶小，叶片卵圆形或菱状卵形。花通常 2 或数朵集成球形的腋生花簇，生于枝上部；花被片 5，基部与子房结合；雄蕊 5，生于肥厚的花盘上；花柱 3。胞果下陷于硬化的花被内，上部稍肉质。种子圆形，双凸镜状；种皮革质，红褐色，光亮。花期 5 ~ 6 月，果期 7 月。

| 生境分布 |

江苏淮安（淮阴）、盐城（东台、阜宁）、扬州（高邮）、南通、镇江、苏州（常熟）等有栽培。

| 资源情况 | 栽培资源丰富。

| 采收加工 | **莙菜根：**秋季采挖，洗净泥土，鲜用或晒干。

莙荙菜：夏、秋季采收，鲜用或晒干。

莙荙子：夏季果实成熟时采收，晒干。

| 功效物质 | 根的有效成分为甜菜素即甜菜碱，具有通经作用。

| 功能主治 | **莙菜根：**甘，平。宽胸下气。用于胸膈胀闷。

莙荙菜：甘、苦，寒。清热解毒，行瘀止血。用于时行热病，痔疮，麻疹透发不畅，吐血，热毒下痢，闭经，淋浊，痈肿，跌打损伤，蛇虫伤。

莙荙子：甘、苦，寒。清热解毒，凉血止血。用于小儿发热，痔瘘下血。

| 用法用量 | **莙菜根：**内服煎汤，15 ~ 30 g。

莙荙菜：内服煎汤，15 ~ 30 g，鲜品 60 ~ 120 g；或捣汁。外用适量，捣敷。

莙荙子：内服煎汤，6 ~ 9 g；或研末。外用适量，醋浸涂擦。

| 附　　注 | 本种发芽的最适温度为 20 ~ 25 ℃。生育期平均气温在 19 ℃以上，≥ 10 ℃的总积温达 3 100 ℃有利于叶丛生长和块根的膨大。适宜块根生长的土壤水分为田间最大持水量的 70% ~ 80 %，整个生长期需要 350 mm 的降水量。甜菜是长日照作物，通过春化阶段的植株，需要日照 12 小时和 30 天以上才能开花结果。

藜科 Chenopodiaceae 藜属 *Chenopodium* 凭证标本号 321084180606073LY

藜 *Chenopodium album* L.

| 药材名 | 藜（药用部位：全草）。

| 形态特征 | 一年生草本。茎直立，高 50 ~ 120 cm，粗壮，有沟纹和绿色条纹，多分枝，稀不分枝。叶片长 3 ~ 7 cm，宽 2 ~ 6 cm，有长柄；下部叶片菱状三角形，先端急尖或微钝，边缘有不规则牙齿或浅齿，基部楔形或宽楔形；上部叶片渐小渐狭，先端尖锐，全缘或稍有牙齿；叶片幼时两面都有粉粒，后上面无粉。花簇排成或密或疏的穗状圆锥花序，下部夹生序托叶，常披针形，小，全缘；花小，花被裂片 5，宽卵形或椭圆形，背部隆起，黄绿色；雄蕊 5；柱头 2。胞果光滑，完全包在花被内。果皮有禾泡状皱纹或近平滑。种子卵圆形，横生，双凸镜状，表面具浅沟纹，黑色。花期 6 ~ 9 月，果期 10 月。

| 生境分布 | 生于路旁、荒地、山坡或宅边。江苏各地均有分布。

| 资源情况 | 野生资源丰富。

| 采收加工 | 春、夏季采收，去净杂质，鲜用或晒干。

| 药材性状 | 本品黄绿色。茎具条棱。叶片皱缩破碎，完整者展平后呈菱状卵形至宽披针形，上表面黄绿色，下表面灰黄绿色，被粉粒，边缘具不整齐锯齿；叶柄长约 3 cm。圆锥花序腋生或顶生。

| 功效物质 | 全草富含挥发油类成分，还含有齐墩果酸等三萜酸类及氨基酸、甾体类成分。叶含有草酸盐、脂肪酸类和黄酮类等成分，具有较强的抗氧化活性，其中脂肪酸类成分主要为棕榈酸、木蜡酸、油酸、亚油酸等。根含有甜菜碱、氨基酸、甾醇类、油脂等。花序含有阿魏酸及香草酸。

| 功能主治 | 甘，平；有小毒。清热祛湿，解毒消肿，杀虫止痒。用于发热，咳嗽，痢疾，腹泻，腹痛，疝气，龋齿痛，湿疹，疥癣，白癜风，疮疡肿痛，毒虫咬伤。

| 用法用量 | 内服煎汤，15 ~ 30 g。外用适量，煎汤漱口或熏洗；或捣涂。

| 附　　注 | 江苏常熟称本种为“灰头条”，连云港、徐州（铜山）、盐城（射阳）称“灰条菜”，南京、扬州（宝应）称“灰条”。

藜科 Chenopodiaceae 藜属 *Chenopodium* 凭证标本号 320830150607002LY

小藜 *Chenopodium serotinum* L.

| 药 材 名 |

灰藋（药用部位：全草）、灰藋子（药用部位：种子）。

| 形态特征 |

一年生草本。茎直立，高 20 ~ 60 cm，分枝具条棱及绿色条纹。叶片长 2 ~ 5 cm，宽（0.3 ~ ）0.5 ~ 3 cm；下部叶片卵状长圆形，3 浅裂，中裂片较长，两边近平行，边缘有波状齿，近基部的 2 侧裂片通常再 2 浅裂，先端钝，有小尖头，基部楔形；上部叶片渐小，狭长，有浅齿或近全缘，两面无粉或疏生粉。花由团伞花簇聚生为腋生或顶生的穗状圆锥花序，有粉粒；花被近球形，5 深裂，裂片背部隆起。胞果全部包在花被内，果皮膜质，有明显的蜂窝状网纹，干后密生白色粉末状干涸小泡。种子扁圆形，双凸镜状，直径约 1 mm，表面散布细洼，黑色，有光泽，边缘有棱。花期 6 ~ 7 月，果期 7 ~ 9 月。

| 生境分布 |

生于荒地、田边、路旁、沟谷或湿地。江苏各地多有分布。

| 资源情况 | 野生资源较丰富。

| 采收加工 | **灰藋：**3 ~ 4 月采收，去净杂质，洗净，鲜用或晒干。

灰藋子：6 ~ 7 月间果实成熟时采收全草，打落果实和种子，去净杂质，晒干。

| 药材性状 | 本品呈灰黄色。叶片皱缩破碎，展开后完整叶通常具 3 浅裂，裂片具波状锯齿。花序穗状，腋生或顶生。胞果包在花被内，果皮膜质，有明显的蜂窝状网纹，果皮与种皮贴生。

| 功效物质 | 含有黄酮类和三萜类成分。

| 功能主治 | **灰藋：**苦、甘，平。疏风清热，解毒祛湿，杀虫。用于风热感冒，腹泻，痢疾，荨麻疹，疮疡肿毒，疥癣，湿疮，疳疮，白癜风，虫咬伤。

灰藋子：甘，平。杀虫。用于蛔虫病，绦虫病，蛲虫病。

| 用法用量 | **灰藋：**内服煎汤，9 ~ 15 g。外用适量，煎汤洗；或捣敷；或烧灰调敷。

灰藋子：内服煎汤，9 ~ 15 g。

藜科 Chenopodiaceae 腺毛藜属 *Dysphania* 凭证标本号 320115170815003LY

土荆芥 *Dysphania ambrosioides* (L.) Mosyakin & Clemants

| 药 材 名 |

土荆芥（药用部位：全草）。

| 形态特征 |

一年牛或多年生草本。有强烈的芳香气味。茎直立，高 50 ~ 80 cm，多分枝，有色条及条棱，分枝有短茸毛或具节长柔毛，少无毛。叶片长椭圆形至披针形，长至 15 cm，宽至 4 cm，先端急尖，基部渐狭成柄，边缘有不整齐的钝齿或波状疏齿，下面有黄褐色腺点，沿脉疏生柔毛。花序穗状，腋生，有时分枝；花两性或雌性，常 3 ~ 5 簇生于苞腋；苞片绿色，叶状，向上渐小；花被裂片 5，卵形，绿色，结果时闭合；雄蕊 5，伸出花被外。胞果扁球形，包在宿存花被内。种子横生，黑色或红褐色，光亮。花果期 8 ~ 11 月。

| 生境分布 |

生于村旁、旷野路旁、河岸或溪边。江苏南京、无锡（宜兴）、常州（溧阳）等有少量栽培。

| 资源情况 |

野生资源丰富。

| 采收加工 | 8 月下旬至 9 月下旬收割，摊放在通风处或捆束悬挂阴干。

| 药材性状 | 本品呈黄绿色，茎上有柔毛。叶折皱破碎，叶缘常具稀疏不整齐的钝锯齿；上表面光滑，下表面可见散生油点；叶脉有毛。花着生于叶腋。胞果扁球形，外被一薄层囊状面具腺毛的宿萼。种子红色或暗红色，平滑，直径约 0.7 mm；有强烈而特殊的香气。味辣而微苦。

| 功效物质 | 果实富含挥发油成分（土荆芥油），以驱蛔素为有效成分。此外，还含有黄酮类、甾醇类、三萜皂苷类成分，具有抗癌、防治心血管疾病等作用。有研究报道，土荆芥油的驱虫作用特点为先兴奋后麻痹，其对滴虫有抑制和杀灭作用，对钩虫病也有效果，但作用较弱，且此药有剧烈刺激性。

| 功能主治 | 辛、苦，微温；有大毒。祛风除湿，杀虫止痒，活血消肿。用于钩虫病，蛔虫病，蛲虫病，头虱，皮肤湿疹，疥癣，风湿痹痛，经闭，痛经，口舌生疮，咽喉肿痛，跌打损伤，蛇虫咬伤。

| 用法用量 | 内服煎汤，3 ~ 9 g，鲜品 15 ~ 24 g；或入丸、散剂；或提取土荆芥油。外用适量，煎汤洗；或捣敷。

| 附　　注 | 本种为外来入侵物种，常为杂草群落的优势种或建群种，危害物种多样性。

藜科 Chenopodiaceae 刺藜属 *Teloxys* 凭证标本号 320803180703153LY

刺藜 *Teloxys aristata* (L.) Moq.

| 药 材 名 | 刺藜（药用部位：全草）。

| 形态特征 | 一年生草本。全株无毛或稍被腺毛。茎直立，高 10 ~ 40 cm，圆柱形，多分枝，有色条，秋后带紫红色。叶片披针形或线形，长 2 ~ 6 cm，宽 5 ~ 10 mm，先端渐尖，基部狭窄，全缘，两面无毛；有短柄。复二歧聚伞花序，生于枝端和叶腋，排列紧密，最末端的分枝针刺状；花小，两性，单生，近无柄；花被裂片 5，绿色，长圆形，内曲，背部中央略肥厚，边缘膜质，后变为白色或粉红色。胞果圆形，扁平，顶面平，不全包于花被内。种子圆形，横生，顶基扁，边缘有棱，黑褐色，有光泽。花期 6 ~ 9 月，果期 8 ~ 10 月。

| 生境分布 | 生于河边、田边或沙荒地。分布于江苏徐州、淮安等。

| 资源情况 | 野生资源较少。

| 采收加工 | 夏、秋季采收，洗净，晒干。

| 药材性状 | 本品呈灰黄色至黄绿色。叶折皱破碎，全缘。花序生于枝端及叶腋，最末端的分枝针刺状。胞果圆形，果皮透明膜质，与种子贴生。种子圆形，黑褐色，长不及 1 mm，有光泽。气微，味微苦。

| 功能主治 | 淡，平。活血调经，祛风止痒。用于月经过多，痛经，闭经，过敏性皮炎，荨麻疹。

| 用法用量 | 内服煎汤，9 ~ 15 g。外用适量，煎汤洗。

藜科 Chenopodiaceae 红叶藜属 *Oxybasis* 凭证标本号 320321180615008LY

灰绿藜 *Oxybasis glauca* (L.) S. Fuentes, Uotila & Borsch

| 药 材 名 |

藜（药用部位：全草）。

| 形态特征 |

一年生草本。茎高 10 ~ 45 cm，通常由基部分枝，斜上或平卧，具沟槽，有绿色或紫红色条纹。叶片厚，带肉质，椭圆状卵形至卵状披针形，长 2 ~ 4 cm，宽 5 ~ 20 mm，先端急尖或钝，基部渐狭，边缘有缺刻状牙齿，表面绿色，背面灰白色，密被粉粒，中脉明显。花两性兼有雌性；数花成团伞状，花簇排列成短穗状，短于叶，腋生或顶生；花被裂片 3 ~ 4，浅绿色，肥厚，先端钝，无粉；雄蕊 1 ~ 2；柱头 2，极短。胞果伸出花被片，果皮膜质，黄白色。种子扁圆，暗褐色，有 1 凹凸处，边缘钝，中部有细网纹。花期 6 ~ 8 月，果期 8 ~ 10 月。

| 生境分布 |

生于路旁、荒地、山坡或宅边。江苏各地均有分布。

| 资源情况 |

野生资源丰富。

| 采收加工 | 春、夏季采收，去净杂质，鲜用或晒干。

| 药材性状 | 本品呈灰黄绿色，叶多皱缩或破碎，完整者展平后呈矩圆状卵形至披针形，边缘具波状牙齿。叶片上面平滑，下面呈灰绿白色。小花在枝上排列成断续的穗状或圆锥状。

| 功效物质 | 全草含有挥发油、甜菜碱，叶片中甜菜碱含量较高。种子含有脂肪油，以不饱和脂肪油为主，又含有亚油酸、棕榈酸及亚麻酸等。

| 功能主治 | 甘，平；有小毒。清热祛湿，解毒消肿，杀虫止痒。用于发热，咳嗽，痢疾，腹泻，腹痛，疝气，龋齿痛，湿疹，疥癣，白癜风，疮疡肿痛，毒虫咬伤。

| 用法用量 | 内服煎汤，15 ~ 30 g。外用适量，煎汤漱口或熏洗；或捣汁涂。

藜科 Chenopodiaceae 麻叶藜属 *Chenopodiastrum* 凭证标本号 320111140829004LY

细穗藜 *Chenopodiastrum gracilispicum* (H. W. Kung) Uotila

| 药 材 名 | 细穗藜（药用部位：全草）。

| 形态特征 | 一年生草本。高 40 ～ 70 cm，稍有粉。茎直立，圆柱形，具条棱及绿色条纹，上部有稀疏的细瘦分枝。叶片菱状卵形至卵形，长 3 ～ 5 cm，宽 2 ～ 4 cm，先端急尖或短渐尖，基部宽楔形，上面鲜绿色而近无粉，下面灰绿色，全缘或近基部的两侧各具 1 钝浅裂片，无半透明环边；叶柄细瘦，长 0.5 ～ 2 cm。花两性，通常 2 ～ 3 团集，间断排列于长 2 ～ 15 mm 的细枝上构成穗状花序，生于叶腋并在茎上部集成狭圆锥状花序；花被 5 深裂，裂片狭倒卵形或条形，仅基部合生，背面中心稍肉质并具纵龙骨状突起，先端钝，边缘膜质；雄蕊 5，着生于花被基部。胞果顶基扁，双凸镜状，果皮与种子贴生。种子横生，与胞果同形，直径 1.1 ～ 1.5 mm，黑色，有光泽，表面

具明显的洼点。花期 7 月，果期 8 月。

| 生境分布 | 生于山地、丘陵、杂木林下或林缘、河边。分布于江苏南京、无锡（宜兴）等南部地区及连云港等。

| 资源情况 | 野生资源丰富。

| 采收加工 | 春、夏季采收全草，去净杂质，鲜用或晒干。

| 功能主治 | 用于皮肤过敏。

藜科 Chenopodiaceae 虫实属 *Corispermum* 凭证标本号 320323161103909LY

软毛虫实 *Corispermum puberulum* Iljin

| 药 材 名 |

软毛虫实（药用部位：全草）。

| 形态特征 |

一年生草本。植株高 15 ~ 35 cm。茎直立，圆柱形，直径约 3 mm，分枝多集中于茎基部，最下部分枝较长，上升，上部分枝较短，斜展。叶条形，长 2.5 ~ 4 cm，宽 3 ~ 5 mm，先端渐尖具小尖头，基部渐狭，1 脉。穗状花序顶生和侧生，圆柱形或棍棒状，紧密，长 1 ~ 8 cm，通常长 3 ~ 5 cm，直径约 0.8 cm，直立或略弯曲；苞片披针形（少数近基部的）至卵圆形，长 0.5 ~ 1.5 cm，宽 3 ~ 4 mm，先端渐尖或骤尖，基部圆形，1 ~ 3 脉，具白膜质边缘，掩盖果实。花被片 1 ~ 3，近轴花被片 1，宽椭圆形或近圆形，先端弧形具不规则细齿；远轴 2，较小或不发育；雄蕊 1 ~ 5，较花被片长。果实宽椭圆形或倒卵状矩圆形，长 3.5 ~ 4 mm，宽 3 ~ 3.5 mm，先端具明显的宽的缺刻，基部截形或心形，背部凸起，中央扁平，腹面凹入，被毛；果核椭圆形，背部有时具少数瘤状突起或深色斑点；果喙明显，喙尖为喙长的 1/4 ~ 1/3，直立或叉状分裂，果翅宽，为核宽的 1/2 ~ 2/3，薄，不透明，边缘具不规则细齿。花果期 7 ~ 9 月。

| 生境分布 |

生于河滩砂土或海滨沙滩。分布于江苏连云港等北部沿海地区。

| 资源情况 |

野生资源一般。

| 采收加工 |

夏、秋季采收，晒干。

| 功能主治 |

淡、微苦，凉。降血压。用于高血压。

| 用法用量 |

内服煎汤，9 ~ 12 g。

藜科 Chenopodiaceae 地肤属 *Kochia* 凭证标本号 320703160906475LY

地肤 *Kochia scoparia* (L.) Schrad.

| 药 材 名 | 地肤子（药用部位：果实）。

| 形态特征 | 一年生草本。茎直立，高 0.5 ~ 1.5 m，基部半木质化，多分枝，分枝与小枝散射或斜升，淡绿色或浅红色，幼时有短柔毛，后变光滑。叶片线形或线状披针形，长 3 ~ 8 cm，宽 4 ~ 10 mm，两端均渐狭细，全缘，边缘无毛或有短柔毛；茎上叶渐小无柄。花 1 ~ 2 生于叶腋；无柄；花被近球形，淡绿色，5 裂，裂片近三角形，下部联合，结果后背部各生 1 横翅，翅三角形或倒卵形，有时近扇形，膜质，脉不明显，边缘微波状或具缺刻；花柱 2，常丝状。胞果扁球形，包在草质花被内。花期 7 ~ 9 月，果期 8 ~ 10 月。

| 生境分布 | 生于荒野或宅边路旁。分布于江苏徐州（沛县、邳州、睢宁）、

连云港、盐城（射阳）、扬州（宝应）、南通（如东、启东）、南京、无锡、苏州（常熟）等。

| 资源情况 | 野生资源丰富。

| 采收加工 | 秋季采收全草，晒干，打落果实，去净杂质。

| 药材性状 | 本品呈扁球状五角星形，直径 1 ~ 3 mm，外被宿存花被，表面灰绿色或淡棕色，周围具三角形膜质小翅 5，背面中心有凸起的点状果柄痕及放射状脉纹 5 ~ 10。剥离花被后可见膜质果皮，半透明。种子扁卵形，长约 1 mm，黑色。无臭，味微苦。

| 功效物质 | 主要含有齐墩果酸等三萜及其苷类化合物。

| 功能主治 | 苦，寒。归肾、膀胱经。清热利湿，祛风止痒。用于小便涩痛，阴痒带下，风疹，湿疹，皮肤瘙痒。

| 用法用量 | 内服煎汤，6 ~ 15 g；或入丸、散剂。外用适量，煎汤洗。

| 附　　注 | 本种的嫩茎叶亦可入药，为地肤苗，具有清热解毒、利尿通淋的功效。

藜科 Chenopodiaceae 盐角草属 *Salicornia* 凭证标本号 NAS00106982

盐角草 *Salicornia europaea* L.

| 药 材 名 | 海蓬子（药用部位：全草）。

| 形态特征 | 一年生草本。高 10 ～ 40 cm，晚秋全株为红色。茎直立，灰绿色或紫红色，多分枝，多对生，有明显的节。叶对生；叶片退化成鳞片状，长约 1.5 mm，先端尖锐，基部连合成鞘状。穗状花序顶生，圆柱形，长 1 ～ 5 cm，有短柄；花小，两性，3 成一簇，着生于节两侧的凹陷内，中间花大，位于上部，两侧花小，位于下部；花被肉质，合生成口袋形，开花后膨大，边缘扩大成翼状。苞果卵形，果皮膜质，包在蓬松的花被内。种子长圆形，种皮近革质，有钩状刺毛。花果期 6 ～ 8 月。

| 生境分布 | 生于盐化湖边、海边湿地或盐碱地上。分布于江苏连云港、盐城（射

阳、东台）、南通（如东）等北部沿海地区。

| 资源情况 | 野生资源一般。

| 采收加工 | 夏季采收，洗净，晒干。

| 功效物质 | 主要含有黄酮类、色原酮类、生物碱类、木脂素类、甾体类等成分。黄酮类化合物以槲皮素、异鼠李素为母核的黄酮醇及其苷类、淫羊藿苷为主；色原酮类化合物主要有 6- 甲氧基色原酮 -7-*O*-*β*-D- 葡萄糖苷；木脂素类化合物以丁香树脂酚葡萄糖苷为主。

| 功能主治 | 平肝，利尿，降血压。用于高血压，头痛。

| 用法用量 | 内服煎汤，9 ～ 15 g。

藜科 Chenopodiaceae 猪毛菜属 *Salsola* 凭证标本号 320381180816003LY

猪毛菜 *Salsola collina* Pall.

| 药材名 | 猪毛菜（药用部位：全草）。

| 形态特征 | 一年生草本。高 30 ~ 100 cm。茎基部分枝，开展，有白色或紫红色条纹，生短硬毛。叶片线状圆柱形，长 2 ~ 5 cm，宽 0.5 ~ 1 mm，肉质，绿色，有时带红色，有短糙硬毛，基部稍抱茎，先端有小锐尖刺。穗状花序顶生，细长，单生于叶腋；苞片贴向穗轴，宽卵形，边缘白色，膜质，先端有硬针刺；小苞片 2，狭披针形，先端有刺尖，比花被长；花被片卵状披针形，膜质，先端内曲，常有小齿，果期背部生短翅或革质鸡冠状突起；花柱丝状，柱头 2，长为花柱的 1.5 ~ 2 倍。胞果卵圆形，果皮干膜质。花果期 7 ~ 10 月。

| 生境分布 | 生于路边、海滩、沙荒地或含盐碱的砂壤土上。分布于江苏连云港、

徐州等北部地区。

| 资源情况 | 野生资源较丰富。

| 采收加工 | 夏、秋季开花时采收，除去泥沙，晒干，打成捆。

| 药材性状 | 本品呈黄白色。叶多破碎，完整叶片丝状圆柱形，长 2 ~ 5 cm，宽 0.5 ~ 1 mm，先端有硬针刺。花序穗状，着生于枝上部，苞片硬，卵形，顶部延伸成刺尖，边缘膜质，背部有白色隆脊；花被片先端向中央折曲，紧贴果实，在中央聚成小锥体。种子直径约 1.5 mm，先端平。

| 功效物质 | 主要含有黄酮类、甾醇类、生物碱类、糖类等成分，具有降血压、镇静作用。

| 功能主治 | 淡，凉。归肝经。平肝潜阳，润肠通便。用于高血压，头痛，眩晕，失眠，肠燥便秘。

| 用法用量 | 内服煎汤，15 ~ 30 g；或沸水浸泡后代茶饮。

| 附　　注 | 常作为野菜食用。

藜科 Chenopodiaceae 菠菜属 *Spinacia* 凭证标本号 320831180420060LY

菠菜 *Spinacia oleracea* L.

药材名

菠菜（药用部位：全草）、菠菜子（药用部位：种子）。

形态特征

一年生草本。高 60 ~ 80 cm，全株柔嫩，无毛。根圆锥形，白中带水红色。茎直立，中空，有棱，通常不分枝或少分枝。叶片柔嫩多汁，有光泽，卵形或戟形，先端钝，有少数牙齿状分裂，近花序的叶片披针形。雄花团伞状，再排列成顶生或腋生穗状花序；花被片 4，黄绿色；雄蕊 4，伸出花被外。雌花簇生于叶腋；苞片纵折，彼此合生成扁筒，包住子房或果实，先端有 2 齿，每个苞片背部各具 1 棘状附属物；无花被；花柱 4，细长。胞果扁平而硬，扁卵形或近圆形，有 2 角刺。花果期 4 ~ 6 月。

生境分布

分布于江苏各地。江苏各地均有栽培。

资源情况

野生及栽培资源丰富。

| 采收加工 | **菠菜：**冬、春季采收，除去泥土、杂质，洗净，鲜用。

菠菜子：6 ~ 7 月种子成熟时割取地上部分，打落果实，去净杂质，鲜用或晒干。

| 功效物质 | 全草主要含有黄酮类、酚类、甾体类成分及少量的生物碱类、皂苷类、糖类等成分，具有抗氧化、抗肿瘤、抗炎、抗高血脂、降血糖等多种生物活性。根含有菠菜皂苷 A、B，具有抗菌活性。种子含有小龙骨素 B、蜕皮甾酮和甾醇。

| 功能主治 | **菠菜：**甘，平。归肝、胃、大肠、小肠经。养血，止血，平肝，润燥。用于衄血，便血，头痛，目眩目赤，夜盲症，消渴引饮，便闭，痔疮。

菠菜子：清肝明目，止咳平喘。用于风火目赤肿痛，咳喘。

| 用法用量 | **菠菜：**内服适量，煮食；或捣汁。

菠菜子：内服适量，9 ~ 15 g；或研末。

| 附　　注 | 本种适宜于水分充足的肥沃土壤。原产于伊朗，种类繁多，按种子形态可分为有刺种与无刺种两个变种。菠菜属于常见的食用蔬菜，江苏有使用菠菜汁制作青团在清明食用的习俗。

藜科 Chenopodiaceae 碱蓬属 *Suaeda* 凭证标本号 320703160909590LY

碱蓬 *Suaeda glauca* (Bunge) Bunge

| 药 材 名 | 碱蓬（药用部位：全草）。

| 形态特征 | 一年生草本。全株灰绿色。茎直立，粗壮，高 30 ~ 100 cm，上部多细长分枝，斜伸。叶片细线形，长 1 ~ 5 cm，半圆柱状，肉质，光滑，稍向上弯曲，先端微尖，有或无粉粒。花两性兼有雌花，单生或 2 ~ 5 团集，簇生于叶腋，有花序梗，排列成聚伞状，通常与叶有共同的柄；小苞片 2，小，白色，卵形，尖锐；两性花花被杯状；雌花花被近球形，花被 5 深裂，卵状三角形，肥厚，绿色，光滑，内面凹，果期增厚，呈五角星状，干后变黑；柱头 2，伸出较长。胞果扁球形，先端露出花被。种子双凸镜状，直径约 2 mm，黑色，表面有颗粒状点纹。花果期 6 ~ 10 月。

| **生境分布** | 生于盐碱地区的渠岸、海堤、盐田或荒野。分布于江苏北部沿海地区。

| **资源情况** | 野生资源较丰富。

| **采收加工** | 夏、秋季采收，除去泥沙、杂质，鲜用或晒干。

| **药材性状** | 本品呈灰黄色。叶多破碎，完整者为丝状条形，无毛。花多着生于叶基部。果实包在宿存的花被内，果皮膜质。种子黑色，直径约 2 mm，表面具清晰的颗粒状点纹，稍有光泽。

| **功效物质** | 含有维生素、氨基酸、无机元素、膳食纤维、脂肪油类和黄酮类化合物，具有抗炎、增强免疫力、降血脂、抗氧化活性及抗花粉过敏原等作用。

| **功能主治** | 微咸，凉。清热，消积。用于食积停滞，发热。

| **用法用量** | 内服煎汤，6 ~ 9 g，鲜品 15 ~ 30 g。

| **附　　注** | 本种在江苏沿海滩涂分布广泛，具有较强的耐盐性。

苋科 Amaranthaceae 牛膝属 *Achyranthes* 凭证标本号 321281161017049LY

土牛膝 *Achyranthes aspera* L.

药材名

倒扣草（药用部位：全草）、土牛膝（药用部位：根及根茎）。

形态特征

多年生草本。高达 100 cm。茎四棱形，有分枝，被柔毛。叶片宽卵状倒卵形或椭圆状长圆形，长 4 ~ 8 cm，宽 2 ~ 7 cm，先端圆钝，具短尖，基部楔形，全缘或波状缘，两面被柔毛，叶柄长 0.5 ~ 2 cm。穗状花序顶生，直立，长 2 ~ 10 cm，花在后期反折，花序梗粗壮，密被柔毛，苞片披针形，长 3 ~ 4 mm，先端长渐尖，小苞片刺状，长 2.5 ~ 4.5 mm，基部两侧各具 1 膜质翅，花被片披针形，长 3.5 ~ 5 mm，坚硬，先端锐尖，雄蕊 5，花丝基部合生成杯状，退化雄蕊与花丝离生部分等长，顶部具流苏状缘毛。胞果卵形。种子褐色，长约 2 mm。花果期 6 ~ 10 月。

生境分布

生于山脚或路边草地。分布于江苏连云港、淮安、扬州、南京、常州、无锡和苏州等。

| 资源情况 | 野生资源较丰富。

| 采收加工 | **倒扣草**：夏、秋季采收全株，洗净，鲜用或晒干。

土牛膝：全年均可采收，除去茎叶，洗净，鲜用或晒干。

| 药材性状 | **土牛膝**：本品呈圆柱状，长 1 ~ 3 mm，直径 6 ~ 10 cm，灰棕色，上端有茎基残留，周围着生多数粗细不一的根。根长圆柱形，略弯曲，长 15 cm 以下，直径可达 4 mm；表面淡灰棕色，有细密的纵皱纹。质稍柔软，干透后易折断，断面黄棕色，可见呈圈状散列的维管束。气微，味微甜。

| 功效物质 | 全草含有蜕皮甾酮和牛膝甾酮等资源性成分。

| 功能主治 | **倒扣草**：苦、酸，微寒。归肝、肾经。活血化瘀，利尿通淋，清热解毒。用于经闭，痛经，月经不调，跌打损伤，风湿关节痛，淋病，水肿，湿热带下，外感发热，疟疾，痢疾，咽痛，疔疮痈肿。

土牛膝：甘、微苦、微酸，寒。归肝、肾经。活血祛瘀，泻火解毒，利尿通淋。用于闭经，跌打损伤，风湿关节痛，痢疾，白喉，咽喉肿痛，疮痈，淋证，水肿。

| 用法用量 | **倒扣草**：内服煎汤，10 ~ 15 g。外用适量，捣敷；或研末吹喉。

土牛膝：内服煎汤，9 ~ 15 g，鲜品 30 ~ 60 g。外用适量，捣敷；或捣汁滴耳；或研末吹喉。

| 附　　注 | 本种形态与牛膝相似，但主根较短而分枝较多，根干硬柴性。植株粗壮坚实，茎密被白色或黄色长柔毛。

苋科 Amaranthaceae 牛膝属 *Achyranthes* 凭证标本号 320722181016286LY

牛膝 *Achyranthes bidentata* Bl.

| 药材名 | 牛膝（药用部位：根）。

| 形态特征 | 多年生草本。高 70 ~ 110 cm。茎四棱形，被柔毛，节膨大。叶对生；叶片椭圆形或阔披针形，长 5 ~ 12 cm，宽 2 ~ 7 cm，先端渐尖或具芒尖，基部楔形或阔楔形，全缘，两面被柔毛；叶柄长 0.5 ~ 3 cm。穗状花序腋生或顶生，长 3 ~ 10 cm，花在后期反折，花序梗密被柔毛；苞片 1，宽卵形，膜质，长 2 ~ 3 mm，先端渐尖，小苞片 2，刺状，长 2.5 ~ 3 mm，基部两侧各具 1 膜质翅，翅上部具缺；花被片 5，披针形，长 3 ~ 6 mm，具中脉 1，雄蕊 5，花丝基部合生成杯状，退化雄蕊先端钝圆或具细齿，较花丝短。胞果长圆形，长 2 ~ 2.5 mm，黄褐色。种子长圆形，长约 1 mm，黄褐色。花果期 8 ~ 11 月。

| 生境分布 | 生于山坡、田野或路旁。江苏各地均有分布。

| 资源情况 | 野生资源较丰富。

| 采收加工 | 冬季茎叶枯萎时采挖，除去须根和泥沙，捆成小把，晒皱后将先端切齐，晒干。

| 药材性状 | 本品呈细长圆柱形，有的稍弯曲，上端稍粗，下端较细，长 15 ~ 50 cm，直径 0.4 ~ 1 cm。表面灰黄色或淡棕色，具细微纵皱纹，有细小横长皮孔及稀疏的细根痕。质硬而脆，易折断，断面平坦，黄棕色，微呈角质样，中心维管束木部较大，黄白色，其外围散有多数点状维管束，排列成 2 ~ 4 轮。气微，味微甜、涩。以条长、皮细肉肥、黄白色者为佳。

| 功效物质 | 主要含有三萜皂苷类成分，还含有 β- 蜕皮甾酮、牛膝甾酮，具有良好的抗炎镇痛作用。用于治疗骨质疏松的潜在有效成分主要包括槲皮素、山柰酚、汉黄芩素、黄芩苷。牛膝多糖对半月板组织损伤有治疗作用，并能够抑制其病理性过度肥大。牛膝多肽对大鼠短暂性脑缺血具有神经保护作用。

| 功能主治 | 苦、酸，平。归肝、肾经。逐瘀通经，补肝肾，强筋骨，利尿通淋，引血下行。用于经闭，痛经，腰膝酸痛，筋骨无力，淋证，水肿，头痛，眩晕，牙痛，口疮，吐血，衄血。

| 用法用量 | 内服煎汤，5 ~ 15 g；或浸酒；或入丸、散剂。外用适量，捣敷；或捣汁滴鼻；或研末撒入牙缝。凡中气下陷，脾虚泄泻，下元不固，梦遗失精，月经过多者，以及孕妇均忌服。

苋科 Amaranthaceae 莲子草属 *Alternanthera* 凭证标本号 NAS00573993

锦绣苋 *Alternanthera bettzickiana* (Regel) Nichols.

| 植物别名 |

五色草、红草、红节节草。

| 药 材 名 |

红莲子草（药用部位：全草）。

| 形态特征 |

多年生草本。高 20 ～ 50 cm。茎直立或基部匍匐，多分枝，上部四棱形，下部圆柱形，两侧各有 1 纵沟。叶片长圆形、长卵形或匙形，长 1 ～ 6 cm，宽 0.5 ～ 2 cm，先端急尖或圆钝，基部渐狭，边缘皱波状；叶柄长 1 ～ 4 cm。头状花序顶生或腋生，2 ～ 5 簇生，无花序梗；苞片和小苞片卵状披针形，长 1.5 ～ 3 mm，先端渐尖；花被片 5，不等长，外侧 3 被柔毛，内侧 2 较短，被毛或无毛；雄蕊 5，花丝基部合生成杯状，其中 1 ～ 2 花丝较短，退化雄蕊线形；子房无毛，花柱短。果实不发育。花期 8 ～ 9 月。

| 生境分布 |

江苏各地城镇有栽培。

| 资源情况 |

野生及栽培资源丰富。

| 采收加工 | 夏、秋季采收，洗净，鲜用或晒干。

| 功能主治 | 凉血止血，散瘀解毒。用于吐血，咯血，便血，跌打损伤，结膜炎，痢疾。

| 附　　注 | 本种喜光，略耐阴，不耐夏季酷热，不耐湿也不耐旱，对土壤要求不严。生长季节喜湿润，要求排水良好。高温或低温、高湿都易引起植株腐烂。

苋科 Amaranthaceae 莲子草属 *Alternanthera* 凭证标本号 320831180612150LY

喜旱莲子草 *Alternanthera philoxeroides* (Mart.) Griseb.

| 植物别名 |

莲子草、水牛膝、螃蜞菊。

| 药 材 名 |

空心苋（药用部位：全草）。

| 形态特征 |

多年生草本。茎基部匍匐，上部伸展，中空，有分枝。叶对生；叶片长圆状倒卵形或倒卵状披针形，长 2.5 ～ 7 cm，宽 0.7 ～ 2 cm，先端急尖或圆钝，基部渐狭，全缘，表面有贴生毛，边缘有睫毛；叶柄长 2 ～ 8 mm。头状花序腋生，花序梗长 1 ～ 6 cm；苞片卵形，长 2 ～ 2.5 mm，先端渐尖，小苞片披针形，长约 2 mm，宿存；花被片 5，长圆形，长 5 ～ 7 mm，几等长，白色，有光泽，无毛；雄蕊 5，花丝基部联合成杯状，退化雄蕊线形，先端分裂成 3 ～ 4 窄条；子房倒卵形，基部具短柄，柱头头状。花果期 6 ～ 9 月。

| 生境分布 |

生于田边、池塘、水沟边等潮湿地带。江苏各地均有分布。

| 资源情况 | 野生资源丰富。

| 采收加工 | 10 ~ 11 月采收，去净杂质，洗净，鲜用或晒干。

| 功效物质 | 主要含有皂苷类和黄酮类成分，具有抗病毒活性。此外，*N*- 反式阿魏酰基 - 酪胺、木蜡酸、齐墩果酸对乙肝病毒均有不同程度的抑制作用，其中以 *N*- 反式阿魏酰基 - 酪胺抗乙肝病毒作用较强。空心莲子草多糖是良好的天然抗氧化剂。

| 功能主治 | 苦、甘，寒。清热凉血，解毒，利尿。用于咳血，尿血，感冒发热，麻疹，流行性乙型脑炎，黄疸，淋浊，痄腮，湿疹，痈肿疖疮，毒蛇咬伤。

| 用法用量 | 内服煎汤，30 ~ 60 g，鲜品加倍；或捣汁。外用适量，捣敷；或捣汁涂。

| 附　　注 | 空心莲子草在新环境里繁殖蔓延，与当地物种竞争生长所需资源，使本地物种的生长受到胁迫，导致群落的生存空间降低，造成物种危害。

苋科 Amaranthaceae 莲子草属 *Alternanthera* 凭证标本号 320722181016333LY

莲子草 *Alternanthera sessilis* (L.) DC.

| 植物别名 | 满天星、虾钳菜、膨蜞菊。

| 药 材 名 | 节节花（药用部位：全草。别名：虾钳菜、节节花、水牛膝）。

| 形态特征 | 一年生草本。高 15 ～ 50 cm。茎上升或匍匐，多分枝，有条纹或纵沟，沟内被柔毛，节处被 1 行横生柔毛。叶对生；叶片长椭圆形或倒披针形，长 2 ～ 8 cm，宽 0.5 ～ 2 cm，先端急尖或圆钝，基部渐狭成短叶柄，全缘或具不明显锯齿，两面无毛或被疏柔毛；叶柄长 1 ～ 4 mm。头状花序 1 ～ 4，腋生，无花序梗；苞片及小苞片卵形，长约 1 mm；花被片 5，卵形，长 2 ～ 3 mm，具脉 1，先端渐尖或急尖；雄蕊 3，花丝基部联合成杯状，长不及 1 mm，退化雄蕊钻形，短于花丝；花柱短，柱头短裂。胞果倒心形，两侧具狭翅。种子扁

球形，褐色。花果期 6 ~ 10 月。

| 生境分布 | 生于沟边、田埂等潮湿地带。江苏各地均有分布。

| 资源情况 | 野生资源丰富。

| 采收加工 | 夏末秋初采收，洗净，晒干。

| 功效物质 | 主要含有黄酮苷类、三萜皂苷类、有机酸类及酚类成分。

| 功能主治 | 微甘、淡，凉。凉血散瘀，清热解毒，除湿通淋。用于咳血，吐血，便血，湿热黄疸，痢疾，泄泻，牙龈肿痛，咽喉肿痛，肠痈，乳痈，痄腮，痈疽肿毒，湿疹，淋证，跌打损伤，毒蛇咬伤。

| 用法用量 | 内服煎汤，15.5 ~ 31 g，或鲜品 62 ~ 124 g，绞汁炖。外用适量，鲜品捣敷，或煎浓汁洗。

| 附　　注 | 本种性状与空心莲子草相近似，唯茎有明显的条纹及纵沟，沟内有柔毛，在节处有 1 行横柔毛。叶缘有时具不明显锯齿。头状花序 1 ~ 4，腋生，无花序梗，花白色。雄蕊 3。

苋科 Amaranthaceae 苋属 *Amaranthus* 凭证标本号 320482181005517LY

绿穗苋 *Amaranthus hybridus* L.

| 植物别名 |

毛野苋、籽粒苋、繁穗苋。

| 药 材 名 |

绿穗苋（药用部位：全草）。

| 形态特征 |

一年生草本。高 30 ~ 50 cm。茎直立，分枝，上部近弯曲，有开展柔毛。叶片卵形或菱状卵形，长 3 ~ 4.5 cm，宽 1.5 ~ 2.5 cm，先端急尖或微凹，具凸尖，基部楔形，边缘波状或有不明显锯齿，微粗糙，上面近无毛，下面疏生柔毛；叶柄长 1 ~ 2.5 cm，有柔毛。圆锥花序顶生，细长，上升稍弯曲，有分枝，由穗状花序而成，中间花穗最长；苞片及小苞片钻状披针形，长 3.5 ~ 4 mm，中脉坚硬，绿色，向前伸出成尖芒；花被片矩圆状披针形，长约 2 mm，先端锐尖，具凸尖，中脉绿色；雄蕊略与花被片等长或稍长；柱头 3。胞果卵形，长 2 mm，环状横裂，超出宿存花被片。种子近球形，直径约 1 mm，黑色。花期 7 ~ 8 月，果期 9 ~ 10 月。

| 生境分布 |

生于田野、旷地或山坡。分布于江苏淮安、

扬州、南京、苏州、无锡等。

| 资源情况 |

野生资源较少。

| 采收加工 |

夏末秋初采收，去泥土，晒干。

| 功效物质 |

主要含有多糖类成分，具有抗氧化、降血糖、降血脂和胆固醇的作用。

| 功能主治 |

清热解毒，利湿止痒。

苋科 Amaranthaceae 苋属 *Amaranthus* 凭证标本号 320922180914010LY

凹头苋 *Amaranthus lividus* L.

| 植物别名 | 野苋、野苋菜。

| 药 材 名 | 野苋菜（药用部位：全草或根）、野苋子（药用部位：种子）。

| 形态特征 | 一年生草本。高达 30 cm。茎通常伏卧上升，自基部分枝。叶片卵形或菱形，长 2 ~ 5 cm，宽 1 ~ 4 cm，先端 2 裂或微缺，基部阔楔形，全缘或稍呈波状；叶柄长 1 ~ 4 cm。花单性或杂性，簇生于叶腋，或排列成顶生穗状花序或圆锥花序；苞片和小苞片长圆形，长不及 1 mm；花被片 3，长圆形或披针形，长 1.2 ~ 1.5 mm，先端急尖；雄蕊 3，较花被片短；柱头 2 ~ 3。胞果扁卵形，近平滑，长于宿存花被片，不裂，有 3 棱脊；种子近球形，黑色或黑褐色。花果期 6 ~ 10 月。

| 生境分布 | 生于田野、路旁或村宅附近。江苏各地均有分布。

| 资源情况 | 野生资源较丰富。

| 采收加工 | **野苋菜**：夏末秋初采收，除去泥土，晒干。

野苋子：10 月上旬采收，晒干。

| 药材性状 | **野苋菜**：本品主根较直。茎长 10 ~ 30 cm，基部分枝，淡绿色至暗紫色。叶片皱缩，展平后卵形或菱状卵形，长 1.5 ~ 4.5 cm，宽 1 ~ 3 cm，先端凹缺，有芒尖 1，或不显，基部阔楔形；叶柄与叶片近等长。穗状花序。胞果扁卵形，不裂，近平滑。气微，味淡。

| 功效物质 | 全草含有苋菜红苷，叶含有锦葵花素 -3- 葡萄糖苷和芍药花素 -3- 葡萄糖苷等资源性成分。

| 功能主治 | **野苋菜**：甘，微寒。归大肠、小肠经。清热解毒，利尿。用于痢疾，腹泻，疔疮肿毒，毒蛇咬伤，蜂蜇伤，小便不利，水肿。

野苋子：甘，凉。归大肠、小肠经。清肝明目，利尿。用于肝热目赤，翳障，小便不利。

| 用法用量 | **野苋菜**：内服煎汤，9 ~ 30 g；或捣汁。外用适量，捣敷。

野苋子：内服煎汤，6 ~ 12 g。

苋科 Amaranthaceae 苋属 *Amaranthus* 凭证标本号 321112180721012LY

反枝苋 *Amaranthus retroflexus* L.

| 植物别名 |

苋菜、野苋菜。

| 药 材 名 |

野苋菜（药用部位：全草或根）、野苋子（药用部位：种子）。

| 形态特征 |

一年生草本。高达 100 cm。茎直立，有分枝，具纵棱，被短柔毛。叶片菱状卵形或椭圆状卵形，长 4 ~ 12 cm，宽 2 ~ 6 cm，先端钝或微凹，具小凸尖，基部楔形，全缘或具波状齿，两面和边缘有柔毛，脉上毛较密；叶柄长 1 ~ 5 cm，被柔毛。花单性，由多数穗状花序组成顶生或腋生圆锥花序，顶生花序较侧生者长；苞片和小苞片钻形或披针形，长 4 ~ 6 mm，先端针刺状；花被片 5，长圆形或长圆状倒卵形，长约 2 mm，具凸尖；雄蕊 5，比花被片稍长；柱头 2 ~ 3。胞果扁圆形，盖裂，包于宿存花被片内。种子近球形，直径约 1 mm，黑色，有光泽。花果期 6 ~ 10 月。

| 生境分布 |

生于田野、路旁或村宅附近。江苏各地均有

分布。

| 资源情况 | 野生资源较丰富。

| 采收加工 | **野苋菜：**夏末秋初采收，除去泥土，晒干。

野苋子：10 月上旬采收，晒干。

| 药材性状 | 本品主根较直。茎长 20 ~ 80 cm，稍具钝棱，被短柔毛。叶片皱缩，展平后菱状卵形或椭圆形，长 5 ~ 12 cm，宽 2 ~ 5 cm，先端微凸，具小凸尖，两面和边缘有柔毛；叶柄长 1.5 ~ 5.5 cm。圆锥花序。胞果扁卵形，盖裂。气微，味淡。

| 功效物质 | 全草含有饱和及不饱和脂肪酸，主要有亚麻酸、棕榈酸、亚油酸、油酸等。

| 功能主治 | **野苋菜：**甘，微寒。归大肠、小肠经。清热解毒，利尿。用于痢疾，腹泻，疔疮肿毒，毒蛇咬伤，蜂蜇伤，小便不利，水肿。

野苋子：甘，凉。归大肠、小肠经。清肝明目，利尿。用于肝热目赤，翳障，小便不利。

| 用法用量 | **野苋菜：**内服煎汤，9 ~ 30 g；或捣汁。外用适量，捣敷。

野苋子：内服煎汤，6 ~ 12 g。

| 附　　注 | 本种叶含大量草酸，可能会引发肾结石。本种已被列为中国入侵植物。

苋科 Amaranthaceae 苋属 *Amaranthus* 凭证标本号 320830160711015LY

刺苋 *Amaranthus spinosus* L.

| 药 材 名 | 簕苋菜（药用部位：全草或根）。

| 形态特征 | 一年生草本。高 30 ~ 100 cm。茎直立，多分枝，有时带红色，下部光滑，上部近无毛。叶片菱状卵形或卵状披针形，长 3 ~ 12 cm，宽 1 ~ 5 cm，先端圆钝，有微凸尖，基部楔形；叶柄长 1 ~ 8 cm，基部两侧各具 1 刺。雌花簇生于叶腋，雄花排列成顶生的圆锥花序；苞片和小苞片狭披针形或尖刺状，长约 1.5 mm；花被片 5，先端急尖或渐尖，边缘透明，中脉绿色或紫色；雄蕊 5；花柱缺，柱头 2（或 3），长约 1 mm。胞果长圆形，盖裂。种子近球形，黑色或棕黑色，有光泽。花果期 5 ~ 10 月。

| 生境分布 | 生于田野或路边。江苏各地均有分布。

| 资源情况 | 野生资源较丰富。

| 采收加工 | 春、夏、秋季均可采收，洗净，鲜用或晒干。

| 药材性状 | 本品主根长圆锥形，有的具分枝，稍木质。茎圆柱形，多分枝，棕红色或棕绿色。叶互生，叶片皱缩，展平后呈卵形或菱状卵形，长 4 ~ 10 cm，宽 1 ~ 3 cm，先端有细刺，全缘或微波状；叶柄与叶片等长或稍短，叶腋有坚刺 1 对。雄花集成顶生圆锥花序，雌花簇生于叶腋。胞果近卵形，盖裂。气微，味淡。

| 功效物质 | 全草含有烷烃类、脂肪醇类、甾醇类等成分，根主要含有脂肪酸酯和皂苷类成分，具有解热、镇痛、消炎、抗氧化、保肝、降血糖、抗肿瘤及免疫调节等作用。

| 功能主治 | 甘，微寒。凉血止血，清利湿热，解毒消痈。用于胃出血，便血，痔血，胆囊炎，胆石症，痢疾，湿热泄泻，带下，小便涩痛，咽喉肿痛，湿疹，痈肿，牙龈糜烂，蛇咬伤。

| 用法用量 | 内服煎汤，9 ~ 15 g，鲜品 30 ~ 60 g。外用适量，捣敷；或煎汤熏洗。

| 附　　注 | 本种被列入 2010 年 1 月 7 日中华人民共和国环境保护部发布的《中国第二批外来入侵物种名单》。

苋科 Amaranthaceae 苋属 *Amaranthus* 凭证标本号 321322180721242LY

苋菜 *Amaranthus tricolor* L.

| 植物别名 | 香苋、红苋菜、红菜。

| 药 材 名 | 苋（药用部位：茎叶）、苋实（药用部位：种子）、苋根（药用部位：根）。

| 形态特征 | 一年生草本。高 60 ～ 150 cm。茎直立，粗壮，光滑或稍有细毛，通常分枝。叶片卵形至圆状披针形，长 4 ～ 12 cm，宽 2 ～ 7 cm，先端圆钝或微凹，具短尖，基部楔形，全缘或微波状；叶柄长 2 ～ 6 cm。花单性，雌、雄花混生，簇生于叶腋，或排列成顶生穗状花序；苞片和小苞片卵状披针形，长 2.5 ～ 3 mm，薄膜质，先端具长芒尖；花被片 3，披针形，长 3 ～ 5 mm，先端具芒尖；雄蕊 3；柱头 3，线形。胞果卵状长圆形，长约 2.5 mm，包于宿存花被片内，盖裂。

种子扁圆形，黑色或深褐色。花果期 6 ~ 9 月。

| 生境分布 | 江苏各地多有栽培，或逸为半野生状态。

| 资源情况 | 野生资源较少，栽培资源丰富。

| 采收加工 | **苋**：春、夏季采收，洗净，鲜用或晒干。

苋实：秋季采收地上部分，晒后搓揉，脱下种子，扬净，晒干。

苋根：春、夏、秋季均可采挖，去茎叶，洗净，鲜用或晒干。

| 功效物质 | 茎含有以亚油酸为主的不饱和脂肪酸及棕榈酸。叶含有苋菜红苷、棕榈酸、亚麻酸等。地上部分含有正烷烃、正烷醇和甾醇类等成分。

| 功能主治 | **苋**：清热解毒，通利二便。用于痢疾，二便不利，蛇虫蜇伤，疮毒。

苋实：清肝明目，通利二便。用于青盲翳障，视物昏暗，白浊，血尿，二便不利。

苋根：清解热毒，散瘀止痛。用于痢疾，泄泻，痔疮，牙痛，漆疮，阴囊肿痛，跌打损伤，崩漏，带下。

| 用法用量 | **苋**：内服煎汤，30 ~ 60 g；或煮粥。外用适量，捣敷；或煎汤熏洗。

苋实：内服煎汤，6 ~ 9 g；或研末。

苋根：内服煎汤，9 ~ 15 g，鲜品 15 ~ 30 g；或浸酒。外用适量，捣敷；或煅存性研末，干撒或调敷；或煎汤熏洗。

| 附　　注 | （1）本种喜高温、强光，要求短日照，对土壤要求不严，耐碱、耐旱，温暖湿润的气候条件对其生长发育最为有利。

（2）苋菜是一种营养价值极高的蔬菜，特别是含有较多的铁、钙等矿物质，同时含有较多的胡萝卜素和维生素 C。民间有“六月苋，当鸡蛋，七月苋，金不换”的说法。民间用本种捣汁或水煎浓缩，服后可治咽喉肿痛、扁桃体炎。苋 50 g 炒黄研粉，用水冲服，可治产后腹痛。

苋科 Amaranthaceae 苋属 *Amaranthus* 凭证标本号 320803180703102LY

皱果苋 *Amaranthus viridis* L.

| 植物别名 | 绿苋、野苋。

| 药 材 名 | 白苋（药用部位：全草或根）。

| 形态特征 | 一年生草本。高 40 ~ 80 cm。茎直立，稍分枝。叶片卵形或卵状长圆形，长 3 ~ 9 cm，宽 2 ~ 6 cm，先端微凹，稀圆钝，具短尖，基部阔楔形或近截平，全缘或微波状；叶柄长 2 ~ 6 cm。花小，排列成腋生穗状花序，或再组成大的顶生圆锥花序；苞片和小苞片倒卵状披针形，长不及 1 mm，干膜质；花被片 3，膜质，长圆形或倒披针形，长 1.2 ~ 1.5 mm；雄蕊 3，比花被片短；柱头 2 或 3。胞果扁圆形，长约 2 mm；果皮具皱纹，长于宿存花被片，不裂。种子扁圆形，直径约 1 mm，黑色或黑褐色，有光泽。花果期 6 ~ 11 月。

| **生境分布** | 生于山野或路旁。江苏各地均有分布。

| **资源情况** | 野生资源较少。

| **采收加工** | 春、夏、秋季均可采收，洗净，鲜用或晒干。

| **功效物质** | 主要含有甾醇类成分，尤以菠菜甾醇、苋菜甾醇的抗氧化、抗肿瘤活性佳，有助于提高人体免疫功能及人体抗肿瘤能力。

| **功能主治** | 清热，利湿，解毒。用于痢疾，泄泻，小便赤涩，疮肿，蛇虫咬伤，牙疳。

| **用法用量** | 内服煎汤，15 ~ 30 g；或鲜品加倍，捣烂绞汁。外用适量，捣敷或煅研外擦；或煎汤熏洗。

苋科 Amaranthaceae 青葙属 *Celosia* 凭证标本号 321084180821153LY

青葙 *Celosia argentea* L.

| 植物别名 | 草蒿、萋蒿、昆仑草。

| 药 材 名 | 青葙子（药用部位：种子。别名：草决明、野鸡冠花子、狗尾巴子）。

| 形态特征 | 一年生草本。高 60 ~ 100 cm，全株无毛。茎直立，有分枝，有明显条纹。叶互生；叶片披针形或椭圆状披针形，长 4 ~ 10 cm，宽 1 ~ 4 cm，先端急尖或渐尖，全缘，基部渐狭；叶柄长 0.2 ~ 1 cm，或无叶柄。花多数，排列成顶生的塔状或圆柱状穗状花序，长 2 ~ 11 cm，花初开时淡红色，后变白色；苞片及小苞片披针形，长 3 ~ 4 mm，先端渐尖，延长成细芒；花被片 5，披针形，长 6 ~ 10 mm，干膜质，透明，白色或粉红色；雄蕊 5，花丝基部合生成杯状；花柱 1，柱头 2 浅裂。胞果球形，长约 3 mm，包裹在宿存花被片内，

盖裂。种子扁圆形，黑色，有光泽。花果期 6 ~ 10 月。

| **生境分布** | 生于田间、山坡或荒地。江苏各地均有分布。

| **资源情况** | 野生资源较丰富。

| **采收加工** | 7 ~ 9 月割取地上部分或摘取果穗，晒干，搓出种子，去净杂质。

| **药材性状** | 本品呈扁圆形，中央微隆起，直径 1 ~ 1.8 mm。表面黑色或红黑色，光亮，放大观察可见网状纹理，侧边微凹处为种脐。易黏手，种皮薄而脆，胚乳类白色。气无，味淡。以粒饱满、黑色、光亮者为佳。

| **功效物质** | 主要含有脂肪油成分，称为青葙子油脂，还含有丰富的硝酸钾，有一定的抑菌和降眼压作用。

| **功能主治** | 苦，寒。归肝经。清虚热，除骨蒸，解暑热，截疟，退黄。用于温邪伤阴，夜热早凉，阴虚发热，骨蒸劳热，暑邪发热，疟疾寒热，湿热黄疸。

| **用法用量** | 内服煎汤，3 ~ 15 g。外用适量，研末调敷；或捣汁灌鼻。

| **附　　注** | 不少地区习惯将苋科植物鸡冠子作本种使用，并已有较长的历史。二者外形相似，区别点在于鸡冠果壳上残留的花柱长 0.2 ~ 0.3 cm，约比本种短 1/3，如放大观察，鸡冠子表面有细小的凹点，而青葙子则不甚显著。

苋科 Amaranthaceae 青葙属 *Celosia* 凭证标本号 320621181125002LY

鸡冠花 *Celosia cristata* L.

| 药材名 | 鸡冠花（药用部位：花序。别名：鸡髻花、鸡公花、鸡角枪）。

| 形态特征 | 一年生草本。高 60 ~ 90 cm，全株无毛。茎直立，粗壮，有纵棱。叶互生；叶片长椭圆形至卵状披针形，长 5 ~ 14 cm，宽 1 ~ 6 cm，先端急尖或渐尖，基部渐狭，全缘；叶柄长 1 ~ 3 cm。穗状花序顶生，呈鸡冠状、卷冠状或羽毛状，有时多分枝而呈圆锥状；苞片、小苞片及花被片干膜质，宿存；花被片 5，红色、紫色、黄色或杂色；雄蕊 5，花丝下部合生成杯状；花柱 1，细长，柱头 2 浅裂。胞果卵形，长约 3 mm，包裹于宿存花被片内，盖裂。种子扁圆形，黑色。花果期 7 ~ 11 月。

| 生境分布 | 生于温暖地区。江苏各地均有分布，庭院、公园普遍栽培。

| 资源情况 | 栽培资源丰富。

| 采收加工 | 8 ~ 10 月间花序充分长大并有部分果实成熟时采收，晒干。

| 药材性状 | 本品为带有短茎的花序，形似鸡冠，或为穗状、卷冠状，上缘呈鸡冠状的部分密生线状绒毛，即未开放的小花，一般颜色较深，有红色、浅红色或白色；中部以下密生许多小花，各小花有膜质灰白色的苞片及花被片。蒴果盖裂；种子黑色，有光泽。气无，味淡。以朵大而扁、色泽鲜艳的白鸡冠花较佳，红色者次之。

| 功效物质 | 富含苯乙酮类、黄酮类、酚苷类、苯丙素类、生物碱类等化学成分，具有止血、抗糖尿病、抗阴道毛滴虫病、抗骨质疏松、提高机体免疫力、抗肿瘤、抗衰老、抗氧化和抗动脉粥样硬化等药理活性。

| 功能主治 | 甘、凉。归肝、肾经。收敛止血，止带，止痛。用于吐血，崩漏，便血，痔血，赤白带下，久痛不止。

| 用法用量 | 内服煎汤，4.5 ~ 9 g；或入丸、散剂。外用适量，煎汤熏洗。

| 附　　注 | 本种喜温暖干燥气候，怕干旱，喜光，不耐涝，但对土壤要求不严，一般土壤均可栽培。

苋科 Amaranthaceae 千日红属 *Gomphrena* 凭证标本号 320621181110008LY

千日红 *Gomphrena globosa* L.

| 植物别名 | 圆仔花、百日红、火球花。

| 药 材 名 | 千日红（药用部位：全草或花序。别名：百日红、千金红、百日白）。

| 形态特征 | 一年生草本。高 30 ~ 80 cm。茎直立，叉状分枝，节部略膨大。叶片长圆形至椭圆状披针形，长 2 ~ 10 cm，宽 1 ~ 4 cm，先端急尖或钝，基部渐狭，全缘，两面有细长柔毛；叶柄长 1 ~ 1.5 cm，被长柔毛。头状花序顶生，球形或长椭圆形，常紫红色，少淡紫色或白色；基部有对生叶状苞片 2，苞片卵形，长 3 ~ 5 mm，小苞片三角状披针形，长约 1 mm；花被片 5，披针形，外面密生长柔毛；雄蕊 5，花丝基部合生成管状，与花萼几等长；花柱线形，柱头 2 裂。胞果卵圆形，不裂。种子肾形，棕色，有光泽。花果期 7 ~ 10 月。

| **生境分布** | 江苏各地均有栽培。

| **资源情况** | 栽培资源丰富。

| **采收加工** | 夏、秋季拔取全草或采摘花序，鲜用或晒干。

| **药材性状** | 本品头状花序单生或 2 ~ 3 并生，球形或近长圆形，直径 2 ~ 2.5 cm。鲜时紫红色、淡红色或白色，干后棕色或棕红色。总苞 2，叶状。每花基部有干膜质卵形苞片 1，三角状披针形；小苞片 2，紫红色，背棱有明显细锯齿；花被片 5，披针形，外面密被白色绵毛；干后花被片部分脱落。有时可见胞果，近圆形，含细小种子 1，种皮棕黑色，有光泽。气微，味淡。

| **功效物质** | 主要含有黄酮类和皂苷类成分，具有降低血中胆固醇和三酰甘油、调节心脏功能、降低血液黏稠度等作用。

| **功能主治** | 甘、微咸，平。归肺、肝经。止咳平喘，清肝明目，解毒。用于咳嗽，哮喘，百日咳，小儿夜啼，目赤肿痛，肝热头晕，头痛，痢疾，疮疖。

| **用法用量** | 内服煎汤，全草 15 ~ 30 g，花序 3 ~ 9 g。外用适量，捣敷；或煎汤洗。

| **附　　注** | 本种喜温暖湿润气候，耐阳光，性强健，对土壤要求不严，但以斜坡向阳和排水良好的地方栽培为好。

仙人掌科 Cactaceae 昙花属 *Epiphyllum* 凭证标本号 NAS00583621

昙花 *Epiphyllum oxypetalum* (DC.) Haw.

| 植物别名 | 琼花、风花。

| 药 材 名 | 昙花（药用部位：花）、昙花茎（药用部位：茎）。

| 形态特征 | 灌木状肉质植物，高 1 ~ 2 m。主枝直立，圆柱形，茎不规则分枝，茎节叶状扁平，长 15 ~ 60 cm，宽约 6 cm，绿色，边缘波状或缺凹，无刺，中肋粗厚，无叶片。花自茎片边缘的小窠发出，大形，两侧对称，长 25 ~ 30 cm，宽约 10 cm，白色，干时黄色，夜间开放，开放时间仅几小时；花被管比裂片长，花被片白色，干时黄色，雄蕊细长，多数；花柱白色，长于雄蕊，柱头线状，16 ~ 18 裂。浆果长圆形，红色，具纵棱，有汁。种子多数，黑色。花期 6 ~ 10 月。

| 生境分布 | 江苏各地多有栽培。

| 资源情况 | 野生及栽培资源丰富。

| 采收加工 | **凹朴皮：**夏、秋季采剥，切丝，晒干。

鹅掌楸根：秋季采挖，除去泥土，鲜用或晒干。

| 功效物质 | 主要含有生物碱类鹅掌楸碱、海罂粟碱等成分。

| 功能主治 | **凹朴皮：**辛，温。祛风除湿，散寒止咳。用于风湿痹痛，风寒咳嗽。

鹅掌楸根：祛风湿，强筋骨。用于风湿关节痛，肌肉痿软。

| 用法用量 | **凹朴皮：**内服煎汤，15.5 ～ 31 g。

鹅掌楸根：内服煎汤，15.5 ～ 31 g。

| 附　　注 | 本种喜光及温和湿润气候，有一定的耐寒性，喜深厚肥沃、适湿而排水良好的酸性或微酸性土壤（pH4.5 ～ 6.5），在干旱土地上生长不良，也忌低湿水涝。

| 生境分布 | 生于山地林中，或成小片纯林。江苏南京等有栽培。

| 资源情况 | 野生及栽培资源丰富。

| 采收加工 | 夏、秋季采剥，切丝，晒干。

| 药材性状 | 本品呈槽状或半卷筒状，厚 3 ~ 5 mm。老树皮外表黄棕色，极粗糙，呈鳞片状脱落；幼树皮外表灰褐色，具纵裂纹。内表面黄棕色或黄白色，具细纵纹。质脆，易折断，断面外层颗粒状，内层纤维性。气微，味微辛。

| 功效物质 | 主要含有生物碱类、倍半萜类、苯丙素类及甾体类等成分。

| 功能主治 | 辛，温。祛风除湿，散寒止咳。用于风湿痹痛，风寒咳嗽。

| 用法用量 | 内服煎汤，9 ~ 15 g。

| 附　　注 | 本种喜光，喜温暖湿润环境，在 pH4.5 ~ 6.5 的酸性砂壤土中生长良好，但不耐贫瘠，忌积水。

木兰科 Magnoliaceae 木兰属 *Magnolia* 凭证标本号 320111140731008LY

望春玉兰 *Magnolia biondii* Pamp.

| 植物别名 |

望春花、迎春树、辛兰。

| 药 材 名 |

辛夷（药用部位：花蕾。别名：迎春、木笔花、毛辛夷）。

| 形态特征 |

落叶乔木，高达 12 m。顶芽密被灰白色或淡黄色开展长柔毛。小枝无毛。叶片纸质或厚纸质，长椭圆形、倒卵形或卵形，长 10 ~ 18 cm，宽 4 ~ 8 cm，先端短渐尖或尾状渐尖，基部楔形、宽楔形或圆钝，幼时叶背疏被平伏毛，后脱落无毛；侧脉 10 ~ 15 对，叶背主、侧脉明显凸起，脉腋常有簇生柔毛；托叶痕为叶柄长的 1/5 ~ 1/3。花先于叶开放；花柄密被淡黄色柔毛；花被片通常 9，稀 11，外轮 3，萼片状，近条形，长约 1 cm，紫红色或淡紫色，中、内 2 轮花瓣状，近匙形，长 4 ~ 5 cm，白色，外面近基部常带淡紫色；花药内侧向开裂。聚合果圆柱形，长 8 ~ 14 cm，偏斜扭曲；蓇葖果浅褐色，近球形，侧扁，表面具瘤点。种子心形，外种皮鲜红色，内种皮深黑色，先端凹陷，中部凸起。花期 3 月，果期 9 ~ 10 月。

| 生境分布 | 生于海拔 400 ～ 2 400 m 的山坡林中。江苏南部地区有栽培。

| 资源情况 | 栽培资源一般。

| 采收加工 | 1 ～ 3 月，于齐花梗处剪下未开放的花蕾，白天置于阳光下暴晒，晚上堆成垛发汗，使里外干湿一致，晒至五成干时，堆放 1 ～ 2 天，再晒至全干；如遇雨天，可烘干。

| 药材性状 | 本品呈长卵形，似毛笔头，长 1.2 ～ 2.5 cm，直径 0.8 ～ 1.5 cm，基部常具木质短柄，长约 5 mm，柄上有类白色点状皮孔。苞片 2 ～ 3 层，每层 2，两层苞片间有小鳞芽，苞片外表面密被灰白色或灰绿色长茸毛，内表面棕褐色，无毛。花被片 9，3 轮，棕褐色，外轮花被片条形，约为内 2 轮长的 1/4，呈萼片状；雄蕊多数，螺旋状着生于花托下部，花丝扁平，花药线形；雌蕊多数，螺旋状着生于花托上部。体轻，质脆。气芳香，味辛、凉而稍苦。

| 功效物质 | 含有挥发油类成分 3.4%，其中主要成分为 β- 蒎烯、1,8- 桉叶素及樟脑等。

| 功能主治 | 辛，温。归肺、胃经。散风寒，通鼻窍。用于风寒头痛，鼻塞流涕，鼻鼽，鼻渊。

| 用法用量 | 内服煎汤，3 ～ 10 g，宜包煎；或入丸、散剂。外用适量，研末搐鼻；或以其蒸馏水滴鼻。

| 附　　注 | 本种喜阳，耐寒，耐旱，宜生于 pH 5.5 ～ 8.5 的砂壤土、壤土。

木兰科 Magnoliaceae 木兰属 *Magnolia* 凭证标本号 320111160306006LY

玉兰 *Magnolia denudata* Desr.

植物别名

白玉兰、望春、玉兰花。

药材名

辛夷（药用部位：花蕾。别名：木笔花、毛辛夷、姜朴花）。

形态特征

落叶乔木，高达 25 m。小枝较粗壮；冬芽密被淡灰黄色长绢毛。叶片纸质，倒卵形、宽倒卵形或倒卵状长圆形，长 10 ~ 18 cm，宽 6 ~ 10 cm，先端宽圆、平截或微凹，具短骤尖，基部楔形，幼时叶面疏被柔毛，后仅在中脉及侧脉留有短柔毛，叶背淡绿色，沿脉被柔毛；叶柄被柔毛；托叶痕为叶柄长的 1/4 ~ 1/3。花先于叶开放；花柄密被淡黄色长绢毛；花被片 9，长圆状倒卵形，白色，或近基部带淡紫色；花药侧向开裂，药隔伸出呈短尖头。聚合果长圆柱形，长 10 ~ 20 cm，偏斜扭曲，成熟时褐色或暗红色，具灰白色皮孔。种子心形，侧扁。花期 2 ~ 3 月，果期 8 ~ 9 月。

生境分布

生于海拔 1 200 m 以下的常绿阔叶树和落叶

阔叶树混交林中。江苏各地城镇、村落多有栽培。

| 资源情况 | 栽培资源丰富。

| 采收加工 | 1 ~ 3 月，于齐花梗处剪下未开放的花蕾，白天置于阳光下暴晒，晚上堆成垛发汗，使里外干湿一致，晒至五成干时，堆放 1 ~ 2 天，再晒至全干；如遇雨天，可烘干。

| 药材性状 | 本品长 1.5 ~ 3 cm，直径 1 ~ 1.5 cm，基部枝梗较粗壮，皮孔浅棕色。苞片外表面密被灰白色或灰绿色茸毛。花被片 9，内外轮无显著差异。

| 功效物质 | 花蕾和花分别含有挥发油类成分 0.29% ~ 0.67%、0.08% ~ 0.09%，其中主要成分是 1,8- 桉叶素，尚含有樟烯、香桧烯等。

| 功能主治 | 辛，温。归肺、胃经。散风寒，通鼻窍。用于风寒头痛，鼻塞流涕，鼻鼽，鼻渊。

| 用法用量 | 内服煎汤，3 ~ 10 g，宜包煎；或入丸、散剂。外用适量，研末搐鼻；或以其蒸馏水滴鼻。

| 附　　注 | 本种喜光，较耐寒，可露地越冬。喜高燥，忌低湿，栽植地渍水易烂根。喜肥沃、排水良好而带微酸性的砂壤土，在弱碱性土壤上亦可生长。

木兰科 Magnoliaceae 木兰属 *Magnolia* 凭证标本号 320111170513017LY

荷花木兰 *Magnolia grandiflora* L.

| 植物别名 |

广玉兰、洋玉兰、百花果。

| 药 材 名 |

广玉兰（药用部位：花、树皮）。

| 形态特征 |

常绿乔木，高达 25 m。树皮灰褐色，呈薄鳞片状开裂。小枝、芽、叶背及叶柄均密被锈褐色短绒毛。叶片厚革质，椭圆形、长圆状椭圆形或倒卵状椭圆形，长 10 ~ 20 cm，宽 4 ~ 7 cm，先端钝或短钝尖，基部楔形，叶面深绿色，有光泽；叶柄长约 2 cm；无托叶痕。花白色，芳香，荷花状，直径 15 ~ 20 cm；花被片 9 ~ 12，厚肉质，宽倒卵状匙形或宽倒卵形；雄蕊紫色，花药内向纵裂；雌蕊群椭圆形，密被绒毛。聚合果圆柱状长圆形或卵圆形，密被黄褐色或淡黄褐色绒毛；蓇葖果卵圆形，先端具外弯长喙，背裂。种子具红色假种皮。花期 5 ~ 6 月，果期 9 ~ 10 月。

| 生境分布 |

生于潮湿温暖地区。江苏徐州、连云港、南京、扬州、镇江、南通、常州、苏州和无锡等多有栽培。

资源情况 栽培资源丰富。

采收加工 春季采摘已开放的花蕾，白天暴晒，晚上发汗，待五成干时，堆放 1 ~ 2 天，再晒至全干。全年均可采收树皮。

药材性状 本品花蕾圆锥形，长 3.5 ~ 7 cm，基部直径 1.5 ~ 3 cm，淡紫色或紫褐色。花被片 9 ~ 12，宽倒卵形，质较厚，内层呈荷瓣状。雄蕊多数，花丝宽，较长，花药黄棕色条形。心皮多数，密生长绒毛。花梗长 0.5 ~ 2 cm，节明显。质硬，易折断。气香，味淡。

功效物质 主要含有挥发油类、木脂素类成分。

功能主治 辛，温。归肺、胃、肝经。祛风散寒，行气止痛。用于外感风寒，头痛鼻塞，脘腹胀痛，呕吐腹泻，高血压，偏头痛。

用法用量 内服煎汤，花 3 ~ 10 g，树皮 6 ~ 12 g。外用适量，捣敷。

附　　注 本种喜温暖、湿润气候，较耐寒，能经受短期的 −19 ℃低温，在肥沃、深厚、湿润而排水良好的酸性或中性土壤中生长良好。荷花玉兰还能耐烟抗风，对二氧化硫等有毒气体有较强的抗性，故又是净化空气、保护环境的好树种。

木兰科 Magnoliaceae 木兰属 *Magnolia* 凭证标本号 320111170415006LY

紫玉兰 *Magnolia liliiflora* Desr.

| 植物别名 | 木兰、辛夷、木笔。

| 药 材 名 | 辛夷（药用部位：花蕾）。

| 形态特征 | 落叶灌木，高达 3 m，常呈丛生状。冬芽及花蕾密被淡黄色绢毛。小枝绿紫色或淡褐紫色，无毛。叶片纸质，倒卵形或椭圆状倒卵形，长 8 ~ 18 cm，宽 3 ~ 10 cm，先端急尖或渐尖，基部渐狭下延至托叶痕先端。花与叶同时开放或稍后于叶开放，稀先于叶开放；花被片 9，外轮 3，萼片状，披针形，常早落，中、内 2 轮花瓣状或椭圆状倒卵形，外面紫色或紫红色，内面粉白色；雄蕊紫红色，花药侧向开裂；雌蕊群淡紫色。聚合果圆柱形，长 7 ~ 10 cm，成熟时深紫褐色。花期 3 ~ 4 月，果期 8 ~ 9 月。

| 生境分布 | 生于山坡林缘。江苏各地均有栽培。

| 资源情况 | 栽培资源丰富。

| 采收加工 | 1 ~ 3 月，于齐花梗处剪下未开放的花蕾，白天置于阳光下暴晒，晚上堆成垛发汗，使里外干湿一致，晒至五成干时，堆放 1 ~ 2 天，再晒至全干；如遇雨天，可烘干。

| 功效物质 | 富含挥发油类成分。

| 功能主治 | 辛，温；有小毒。归肺、胃经。散风寒，通鼻窍。用于鼻渊，风寒感冒之头痛、鼻塞流涕。

| 用法用量 | 内服煎汤，3 ~ 9 g。外用适量。

| 附　　注 | 本种喜温暖、湿润和阳光充足的环境，较耐寒，但不耐旱和盐碱，怕水淹，宜生于肥沃、排水好的砂壤土。

木兰科 Magnoliaceae 木兰属 *Magnolia* 凭证标本号 320113190907051LY

凹叶厚朴 *Magnolia officinalis* Rehd. et Wils. var. *biloba* Rehd. et Wils.

| 植物别名 |

庐山厚朴。

| 药 材 名 |

厚朴（药用部位：干皮、根皮、枝皮）、厚朴花（药用部位：花蕾）。

| 形态特征 |

本亚种与厚朴的主要区别在于叶片先端凹缺成 2 钝圆浅裂，唯幼苗期叶先端钝圆。聚合果先端较狭尖。

| 生境分布 |

生于山坡、山麓及路旁溪边的杂木林中。江苏南京、苏州（常熟）等有栽培。

| 资源情况 |

栽培资源一般。

| 采收加工 |

厚朴：定植 20 年以上即可砍树剥皮，宜在 4 ~ 8 月生长盛期进行。根皮和枝皮，直接阴干或卷筒后干燥，称根朴和枝朴；干皮，可于环剥或条剥后，将卷筒置沸水中烫软，后埋置阴湿处发汗，待皮内侧或横断面都变成紫褐色或棕褐色，并现油润或光泽时，将每段树皮卷成双筒，用竹篾扎紧，削齐两端，暴晒干燥。

厚朴花：春末夏初采收含苞待放的花蕾，置蒸笼中蒸至上汽后约 10 分钟取出，晒干或用文火烘干；亦可直接用文火烘干或晒干。

| 药材性状 | **厚朴：**本品干皮呈卷筒状或双卷筒状，长 30 ~ 35 cm，厚 0.2 ~ 0.7 cm，习称“筒朴”；近根部的干皮一端展开如喇叭口，长 13 ~ 25 cm，厚 0.3 ~ 0.8 cm，习称“靴筒朴”。外表面灰棕色或灰褐色，粗糙，有时呈鳞片状，较易剥落，有明显椭圆形皮孔和纵皱纹，刮去粗皮者显黄棕色；内表面紫棕色或深紫褐色，较平滑，具细密纵纹，划之显油痕。质坚硬，不易折断，断面颗粒性，外层灰棕色，内层紫褐色或棕色，有油性，有的可见多数小亮星。气香，味辛辣、微苦。根皮呈单筒状或不规则块片；有的弯曲似鸡肠，习称“鸡肠朴”。质硬，较易折断，断面纤维性。枝皮呈单筒状，长 10 ~ 20 cm，厚 0.1 ~ 0.2 cm。质脆，易折断，断面纤维性。

| 功效物质 | 树皮含有挥发油类成分约 1%，另含有 *β*- 桉叶醇、厚朴酚、四氢厚朴酚及异厚朴酚。此外，尚含有生物碱类成分约 0.07%、皂苷类成分约 0.45%。

| 功能主治 | **厚朴：**苦、辛，温。归脾、胃、肺、大肠经。燥湿消痰，下气除满。用于湿滞伤中，脘痞吐泻，食积气滞，腹胀便秘，痰饮喘咳。

厚朴花：微苦、辛，温。归脾、胃、肺经。芳香化湿，理气宽中。用于脾胃湿阴气滞，胸脘痞闷胀满，纳谷不香。

| 用法用量 | 内服煎汤，3 ~ 9 g。

| 附　　注 | 本种喜温暖湿润气候，阳性树种，耐寒。以疏松、富含腐殖质、呈中性或微酸性的砂壤土和壤土为好。山地黄壤、红黄壤也可种植，黏重、排水不良的土壤不宜种植。本种树皮、根皮、花、种子及芽皆可入药，以树皮为主，为著名中药，有化湿导滞、行气平喘、化食消痰、祛风镇痛之效，种子有明目益气功效，芽可作妇科药用。

木兰科 Magnoliaceae 含笑属 *Michelia* 凭证标本号 320282170426410LY

含笑 *Michelia figo* (Lour.) Spreng.

| 植物别名 | 含笑美、含笑梅、山节子。

| 药 材 名 | 含笑花（药用部位：花、叶）。

| 形态特征 | 灌木，高达 5 m。分枝繁密；芽、幼枝、叶柄、花柄均被黄褐色毛。叶片革质，倒卵形或倒卵状椭圆形，长 4 ~ 8 cm，宽 2 ~ 4 cm，先端钝短尖，基部楔形或宽楔形，叶面有光泽，无毛，叶背沿中脉被褐色毛或近无毛；叶柄长 2 ~ 4 mm；托叶痕长至叶柄先端。花淡黄色；花被片 6，肉质，内凹，边缘或基部常带红色或紫红色晕；药隔伸出呈急尖头；雌蕊群无毛，伸出雄蕊群之上，雌蕊群柄被淡黄色短柔毛。聚合果长 2 ~ 4 cm；蓇葖果卵圆形或球形，先端具短喙。花期 3 ~ 5 月，果期 7 ~ 8 月。

| 生境分布 | 生于阴坡杂木林中，溪谷沿岸尤为茂盛。江苏各地园林多有栽培。

| 资源情况 | 野生及栽培资源丰富。

| 采收加工 | 夏末秋初花开时采收，鲜用或晒干。

| 功效物质 | 主要成分为倍半萜类，其挥发油类成分具有抗肿瘤、抗炎活性。

| 功能主治 | 花，行气通窍，芳香化湿。用于气滞腹胀，带下，鼻塞，月经不调。叶，用于跌打损伤。

| 附　　注 | 本种喜肥，性喜半阴，在弱阴下最利生长，忌强烈阳光直射，夏季要注意遮阴。于秋末霜前移入温室，可在 10 ℃左右下越冬。为暖地木本花灌木，不甚耐寒，不耐干燥瘠薄，但也怕积水，宜生于排水良好、肥沃的微酸性壤土，中性土壤也能适应。

木兰科 Magnoliaceae 含笑属 *Michelia* 凭证标本号 NAS00582480

金叶含笑 *Michelia foveolata* Merr. ex Dandy

| 植物别名 |

火力楠、黄心子、黄心树。

| 药 材 名 |

金叶含笑（药用部位：树皮）。

| 形态特征 |

乔木，高 30 m，胸径达 80 cm。树皮淡灰色或深灰色；芽、幼枝、叶柄、叶背、花梗密被红褐色短绒毛。叶厚革质，叶片长圆状椭圆形、椭圆状卵形或阔披针形，长 17 ~ 23 cm，宽 6 ~ 11 cm，先端渐尖或短渐尖，基部阔楔形、圆钝或近心形，通常两侧不对称，上面深绿色，有光泽，下面被红铜色短绒毛，侧脉每边 16 ~ 26，末端纤细，直至近叶缘开叉网结，网脉致密；叶柄长 1.5 ~ 3 cm，无托叶痕。花梗直径约 5 mm，具 3 ~ 4 苞片脱落痕；花被片 9 ~ 12，淡黄绿色，基部带紫色，外轮 3，阔倒卵形，长 6 ~ 7 cm，中、内轮倒卵形，较狭小；雄蕊约 50，长 2.5 ~ 3 cm，花药长 1.5 ~ 2 cm，花丝深紫色，长 0.7 ~ 1 cm；雌蕊群长 2 ~ 3 cm，雌蕊群柄长 1.7 ~ 2 cm，被银灰色短绒毛；雌蕊长约 5 mm，心皮长约 3 mm，狭卵圆形，仅基部与花托合生；胚珠约 8。聚

合果长 7 ~ 20 cm；蓇葖果长圆状椭圆形，长 1 ~ 2.5 cm。花期 3 ~ 5 月，果期 9 ~ 10 月。

| 生境分布 | 生于山坡、山谷密林中。江苏南部地区偶有栽培。

| 资源情况 | 栽培资源较少。

| 采收加工 | 夏、秋季采剥，切丝，晒干。

| 功效物质 | 花主要含有倍半萜类成分及木脂类成分。

| 功能主治 | 解毒散热。

| 附　　注 | 本种稍耐阴，喜温暖湿润气候，适应性强，耐寒，耐干旱，耐瘠薄，对土壤选择不严，但喜生于湿润、深厚、肥沃的酸性土壤，在土质肥沃、疏松、富含有机质的壤土中生长迅速。本种可与其他适宜的阔叶树种或针叶树混交，营造混交林。

木兰科 Magnoliaceae 含笑属 *Michelia* 凭证标本号 320482180317288LY

深山含笑 *Michelia maudiae* Dunn

| 植物别名 | 光叶白兰、莫夫人玉兰。

| 药 材 名 | 深山含笑（药用部位：花、根）。

| 形态特征 | 乔木，高达 20 m，全株无毛。芽、幼枝、叶背面及苞片均被白粉。叶片革质，长圆状椭圆形或稀卵状椭圆形，长 7 ~ 18 cm，宽 4 ~ 8 cm，先端骤狭短渐尖或短渐尖，基部楔形、宽楔形或近圆钝，叶面深绿色，有光泽；叶柄长 1 ~ 3 cm；无托叶痕。花白色，芳香，直径 10 ~ 12 cm；花被片 9，基部常带淡红色，外轮 3，倒卵形，长 5 ~ 7 cm，中、内 2 轮稍窄小，近匙形；花药内向开裂，药隔伸出呈短尖头，花丝淡紫色；雌蕊群具柄。聚合果长 7 ~ 15 cm。种子具红色假种皮。花期 2 ~ 3 月，果期 9 ~ 10 月。

| 生境分布 | 生于密林中。江苏各地多有栽培。

| 资源情况 | 栽培资源丰富。

| 采收加工 | 夏末秋初花开时采收花，鲜用或晒干。采挖根，去净残茎、细根及泥土，晒干。

| 功效物质 | 含有倍半萜类、黄酮类等资源性成分。

| 功能主治 | 花，辛，温。散风寒，通鼻窍，行气止痛。根，清热解毒，行气化浊，止咳。

| 附　　注 | 本种喜温暖、湿润的环境，有一定的耐寒能力，喜光，幼时较耐阴，自然更新能力强，生长快，适应性广，抗干热，对二氧化硫的抗性较强。喜土层深厚、疏松、肥沃而湿润的酸性砂壤土。根系发达，萌芽力强。

木兰科 Magnoliaceae 五味子属 *Schisandra* 凭证标本号 320282151017311LY

华中五味子 *Schisandra sphenanthera* Rehd. et Wils.

| 药 材 名 |

南五味子（药用部位：果实）。

| 形态特征 |

落叶木质藤本。全株除芽鳞具睫毛外均无毛。嫩枝、叶柄及叶脉常紫红色，枝条具皮孔。叶片纸质，倒卵形、宽倒卵形、倒卵状长椭圆形或近圆形，稀椭圆形，长 5 ～ 15 cm，宽 3 ～ 8 cm，先端短骤尖或渐尖，基部楔形或宽楔形，边缘有疏小齿；叶柄长 1 ～ 3 cm。花常单生于短枝先端叶腋；雌雄异株；花柄长 2 ～ 4 cm，结果时延长，基部具小苞片；花被片 5 ～ 13，内凹，肉质，外轮 3，淡黄绿色，内轮黄色或橙黄色；雄蕊 11 ～ 23，花药内向或内侧向开裂；雌蕊群近圆形，心皮 30 ～ 50。结果时花托延长，6 ～ 16 cm，聚合果穗状；小浆果近球形，肉质，成熟时红色光亮，果序梗长 3 ～ 10 cm。种子近椭圆形。花期 5 月，果期 6 ～ 10 月。

| 生境分布 |

生于海拔 600 ～ 2 400 m 的密林中或溪沟边。江苏南京、镇江（句容）、无锡（宜兴）等有栽培。

| 资源情况 | 野生及栽培资源丰富。

| 采收加工 | 秋季采摘成熟果实，晒干，除去果柄和杂质。

| 药材性状 | 本品呈球形或扁球形，直径 4 ~ 6 mm。表面棕红色至暗棕色，干瘪，皱缩，果肉常紧贴种子。种子 1 ~ 2，肾形，表面棕黄色，有光泽，种皮薄而脆。果肉气微，味微酸。

| 功效物质 | 富含木脂素类、倍半萜类和黄酮类成分。

| 功能主治 | 酸、甘，温。归肺、心、肾经。收敛固涩，益气生津，补肾宁心。用于久嗽虚喘，梦遗滑精，遗尿，尿频，久泻不止，自汗盗汗，津伤口渴，内热消渴，心悸，失眠。

| 用法用量 | 内服煎汤，3 ~ 6 g；或研末，1 ~ 3 g；或熬膏；或入丸、散剂。外用适量，研末掺；或煎汤洗。

| 附　　注 | 本种喜阴凉湿润气候，耐寒，不耐水浸，需适度荫蔽，幼苗期尤忌烈日照射。宜生于疏松、肥沃、富含腐殖质的壤土。

蜡梅科 Calycanthaceae 蜡梅属 *Chimonanthus* 凭证标本号 321023170218093LY

蜡梅 *Chimonanthus praecox* (L.) Link.

| 植物别名 |

荷花蜡梅、瓦屋柴、岩马桑。

| 药 材 名 |

蜡梅花（药用部位：花）、铁筷子（药用部位：根）。

| 形态特征 |

落叶灌木。枝、茎方形，棕红色，老枝灰褐色，有椭圆形突出皮孔。叶片椭圆状卵形至卵状披针形，长 7 ~ 15 cm，先端渐尖，基部圆形或阔楔形，叶面深绿，有侧向的硅质微毛，叶背淡绿。花着生于上年生枝条的叶痕腋内，花先于叶开放；花蕾多数直立向上，花开后向下；花直径 2 ~ 3 cm，花被片 15 ~ 20，黄色，外部的为卵形或卵状椭圆形，螺旋状着生，从外向内渐大，内部的 1 ~ 2 层渐短，带紫色；雄蕊 5 ~ 7，花丝与花药等长或稍长。果托坛状，口部收缩，长 2 ~ 5 cm，近木质化，边缘有附属物。冬季开花，果期 5 ~ 6 月。

| 生境分布 |

生于山地林中。江苏各地均有分布。江苏各地均有栽培。

| 资源情况 | 野生及栽培资源丰富。

| 采收加工 | **蜡梅花：**花初放期采收花蕾。

铁筷子：全年均可采收，洗去泥土，鲜用或烘干。

| 药材性状 | **蜡梅花：**本品花蕾圆形、短圆形或倒卵形，长 1 ~ 1.5 cm，宽 4 ~ 8 mm。花被片叠合，棕黄色，下半部被多数膜质鳞片，鳞片黄褐色，三角形，有微毛。气香，味微甜后苦，稍有油腻感。以花心黄色、完整饱满而未开放者为佳。

| 功效物质 | 富含挥发油类及倍半萜类、生物碱类、香豆素类成分，具有抗菌、抗病毒、抗炎、镇静镇痛等作用。

| 功能主治 | **蜡梅花：**辛、甘、微苦，凉；有小毒。归肺、胃经。解暑清热，理气开郁。用于暑热烦渴，头晕，胸闷脘痞，梅核气，咽喉肿痛，百日咳，小儿麻疹，烫火伤。

铁筷子：辛、温；有小毒。归肺、胃经。祛风止痛，理气活血，止咳平喘。用于风湿痹痛，风寒感冒，跌打损伤，脘腹疼痛，哮喘，劳伤咳嗽，疔疮肿毒。

| 用法用量 | **蜡梅花：**内服煎汤，3 ~ 9 g。外用适量，浸油涂或滴耳。

铁筷子：内服煎汤，6 ~ 9 g；研末，0.5 g；或浸酒。外用适量，研末敷。

| 附　　注 | 民间常用蜡梅花煎汤给婴儿饮服，有清热解毒的功效。

樟科 Lauraceae 樟属 *Cinnamomum* 凭证标本号 320482180521206LY

樟树 *Cinnamomum camphora* (L.) Presl.

| 植物别名 | 香樟、樟树、豫章。

| 药 材 名 | 樟木（药用部位：木材）、香樟根（药用部位：根）、樟树皮（药用部位：树皮）、樟树叶（药用部位：枝叶或叶）、樟木子（药用部位：成熟果实）、樟梨子（药用部位：病态果实）、樟脑（药材来源：根、干、枝、叶经蒸馏精制而成的颗粒状物）。

| 形态特征 | 乔木，高达 30 m。树皮幼时绿色，平滑，老时渐变为黄褐色或灰褐色纵裂；冬芽卵圆形。叶片革质，卵形或椭圆状卵形，长 5 ~ 10 cm，宽 3.5 ~ 5.5 cm，先端短尖或近尾尖，基部宽截形或圆形，叶面深绿色，叶背微被白粉，离基三出脉，近叶基的第 1 对或第 2 对侧脉长而显著，侧脉腋处在叶面有明显泡状隆起，在叶背具腺窝；叶柄

长 2 ~ 3 cm。圆锥花序生于新枝的叶腋内，长约 7 cm，花序梗长 2.5 ~ 4.5 cm；花小，绿白色或带黄色。果实球形，成熟时紫黑色；果托杯状，长约 5 mm。花期 4 ~ 5 月，果期 10 ~ 11 月。

| 生境分布 | 生于山坡或沟谷。江苏苏州、无锡（宜兴）等有分布。江苏各地均有栽培。

| 资源情况 | 栽培资源丰富。

| 采收加工 | **樟木**：定植 5 ~ 6 年成材后，通常于冬季砍收，锯段，劈成小块，晒干。

香樟根：春、秋季采挖，洗净，切片，晒干。不宜火烘，以免香气挥发。

樟树皮：全年均可采剥，切段，鲜用或晒干。

樟树叶：3 月下旬以前及 5 月上旬以后含油多时采收叶，鲜用或晾干。

樟木子：11 ~ 12 月间采摘，晒干。

樟梨子：秋、冬季摘取或拾取自落果梨，除去果梗，晒干。

樟脑：一般在 9 ~ 12 月砍伐老树，取其树根、树干、树枝（树叶亦可用），锯劈成碎片，置蒸馏器中蒸馏，樟木中含有的樟脑及挥发油随水蒸气馏出，冷却后即得粗制樟脑。粗制樟脑再经升华精制，即得精制樟脑粉。将此樟脑粉入模型中压榨，则成透明的樟脑块。宜置于密闭瓷器中，放干燥处。

| 药材性状 | **樟木**：本品为形状不规则的段或小块。外表红棕色至暗棕色，纹理顺直。横断面可见年轮。质重而硬。有强烈的樟脑香气，味辛，有清凉感。以块大、香气浓郁者为佳。

香樟根：本品为形状不规则的块片，柱长 3 ~ 20 cm，横茎 0.5 ~ 5 cm；块片大小、形状不一。外表呈赤棕色至暗棕色，横断面可见年轮，质地重而硬，有强烈的樟脑香气，尝之有清凉感。

樟树皮：本品表面光滑，黄褐色、灰褐色或褐色，有纵裂沟缝。有樟脑气，味辛、苦。

樟梨子：本品呈不规则圆球形，直径 0.5 ~ 1.4 cm，表面土黄色，有黄色粉末，凹凸不平，基部具果柄痕或残存果柄。质坚硬，砸碎后断面红棕色，无种子及核。有特异芳香气，味辛、微涩。

| 功效物质 | 各部分均含有挥发油类成分，树干及根达 3% ~ 5%，枝、叶为 0.6% ~ 2%，树皮为 0.8% ~ 2%。含有的主要挥发油类成分为樟脑（30% ~ 50%）。含有的其他成分为桉叶素、黄樟醚、蒎烯、莰烯、二戊烯、α- 松油醇、香芹酚、丁香烯、甜没药烯、α- 樟脑烯、水芹烯、丁香酚、樟脑酮、樟脑醇、荜澄茄

烯、依兰烯、榄香烯、葎草烯、芹子烯、橙花叔醇、香附酮等。根尚含有两种具酚羟基的生物碱，即新木姜子碱和牛心果碱。木材尚含有 C10 ~ C26 正烷烃，C17 ~ C23 异烷烃，C16、C20、C22、C24、C26（C26 烷醇约占 50%）、C28 烷醇，*β*- 谷甾醇，多元醇，酮醇等成分。种子含有脂肪油，饱和脂肪酸占 93%。

| 功能主治 | **樟木：**祛风散寒，温中理气，活血通络。用于风寒感冒，胃寒胀痛，寒湿吐泻，风湿痹痛，脚气，跌打伤痛，疥癣风痒。

香樟根：祛风通络，理气活血，利湿消肿，化痰止咳。用于风湿痹痛，跌打损伤，胃脘疼痛，脱力劳伤，支气管炎，水肿。

樟树皮：辛、苦，温。归脾、胃、肺经。祛风除湿，暖胃和中，杀虫疗疮。用于风湿痹痛，胃脘疼痛，呕吐泄泻，脚气肿痛，跌打损伤，疥癣疮毒，毒虫蜇伤。

樟树叶：辛，温。归心、脾、肺经。解毒消疮，祛风止痛，止痒，止血。用于疮疡肿毒，风湿痹痛，跌打损伤，外伤出血，皮肤瘙痒，蛇虫咬伤。

樟木子：辛，温。归胃、肝经。温中散寒，行气止痛，平喘。用于脘腹冷痛，胸满痞闷，哮喘。

樟梨子：温中散寒，行气止痛，平喘。用于脘腹冷痛，胸满痞闷，哮喘。

樟脑：通关窍，利滞气，辟秽浊，杀虫止痒，消肿止痛。用于热病神昏，中恶猝倒，痧胀吐泻腹痛，寒湿脚气，疥疮顽癣，秃疮，冻疮，臁疮，烫火伤，跌打伤痛，牙痛，风火赤眼。

| 用法用量 |

樟木：内服煎汤，10 ~ 20 g；或研末，3 ~ 6 g；或浸酒。外用适量，煎汤洗。

香樟根：内服煎汤，3 ~ 10 g；或研末调服。外用适量，煎汤洗。

樟树皮：内服煎汤，10 ~ 15 g；或浸酒。外用适量，煎汤洗。

樟树叶：内服煎汤，3 ~ 10 g；或捣汁；或研末。外用适量，煎汤洗；或捣敷。

樟木子：内服煎汤，10 ~ 15 g。外用适量，煎汤洗；或研末，以水调敷。

樟梨子：内服煎汤，6 ~ 12 g。外用适量，磨汁涂。

樟脑：内服，入丸、散剂，0.06 ~ 0.15 g；不入煎剂。外用适量，研末，或溶于酒中，或入软膏敷搽。

| 附　　注 |

（1）本种栽植于马路两侧作行道树，或生于土壤肥沃的向阳山坡或河岸平地，宜植于湿润深厚的黏壤土及向阳山谷间。

（2）江苏苏州吴中区民间用香樟木、柏树上藤二味，量不拘，煎汤温洗，治筋骨酸痛。

樟科 Lauraceae 山胡椒属 *Lindera* 凭证标本号 320282161114298LY

狭叶山胡椒 *Lindera angustifolia* Cheng.

| 植物别名 | 狭叶钓樟、山胡椒、诈死枫。

| 药 材 名 | 见风消（药用部位：根、枝叶。别名：小鸡条、细叶见风消、正见风消）。

| 形态特征 | 落叶灌木或小乔木。高达 4 m。树皮灰黄色，平滑。小枝黄绿色。冬芽卵圆形，鳞片褐色，有明显的脊。叶片薄革质，长椭圆状披针形或长椭圆形，长 7 ~ 14 cm，宽 2 ~ 3.5 cm，先端渐尖，基部楔形，叶面绿色，叶背苍白色，有黄褐色柔毛，侧脉 8 ~ 10 对；叶柄长约 5 mm；老叶常留至第 2 年发新叶时脱落。伞形花序 2 ~ 3，腋生，花序梗长 3 ~ 5 mm，有花 2 ~ 5；花被片 6；能育雄蕊 9；雌花序有花 2 ~ 7；子房卵形，柱头头状。果实近球形，成熟时黑色，直径 4 ~ 7 mm。花期 3 ~ 4 月，果期 10 月。

| 生境分布 | 生于山坡杂木林中。分布于江苏连云港、淮安（盱眙）、南京、镇江（句容）、常州（溧阳）、无锡（宜兴）、苏州（常熟）等。

| 资源情况 | 野生资源较丰富。

| 采收加工 | 秋季采收，晒干。

| 功效物质 | 叶含有挥发油 0.5% ~ 0.9%，主要为香叶醇、香茅醇、桉叶素等资源性成分。

| 功能主治 | 辛、微涩，温。祛风除湿，行气散寒，解毒消肿。用于风寒感冒，头痛，风湿痹痛，四肢麻木，痢疾，肠炎，跌打损伤，疮疡肿毒，荨麻疹，淋巴结结核。

| 用法用量 | 内服煎汤，10 ~ 15 g。外用适量，根研末调敷，鲜叶捣敷。

樟科 Lauraceae 山胡椒属 *Lindera* 凭证标本号 320111170513006LY

山胡椒 *Lindera glauca* (Siebold et Zucc.) Blume.

| 植物别名 | 香叶子、油金条、牛筋树。

| 药 材 名 | 山胡椒（药用部位：果实、根、叶。别名：山花椒、山龙苍、雷公尖）。

| 形态特征 | 落叶灌木或小乔木。高达 6 m。树皮灰白色。小枝灰色或灰白色；幼枝黄褐色，有毛。冬芽长角状，芽鳞光滑，红褐色。叶片椭圆形至倒卵状椭圆形，长 3.5 ~ 10 cm，宽 2 ~ 4 cm，先端急尖，基部楔形，叶背苍白色，密生细柔毛，侧脉 5 ~ 6 对；叶柄长约 2 mm；老叶常留至第 2 年发新叶时脱落。伞形花序有短花序梗，腋生，有花 3 ~ 8 或单生；雄花花被片 6，黄色，能育雄蕊 9，第 3 轮的花丝基部有 1 对宽肾形腺体；雌蕊的子房椭圆形，柱头盘状。果实球形，直径约

8 mm，成熟时黑色或紫黑色；果柄有毛，长 0.8 ~ 1.8 cm。花期 4 月，果期 8 月。

| 生境分布 | 生于山坡灌丛或荒山坡。分布于江苏徐州、连云港、淮安（盱眙）、南京、镇江（句容、丹徒）、常州（溧阳）、无锡（宜兴）、苏州（常熟）等。

| 资源情况 | 野生资源较丰富。

| 采收加工 | 秋季采收成熟果实，晒干。根，秋季采收，晒干。叶，秋季采收，晒干或鲜用。

| 功效物质 | 果实含有挥发油类成分，主要成分为罗勒烯，约占 77.99%。此外，还含有 α- 及 β- 蒎烯，樟烯，壬醛，癸醛，1,8- 桉叶素，柠檬醛，对 - 聚伞花素，黄樟醚，龙脑，乙酸龙脑酯，γ- 广藿香烯等成分。种子含有脂肪酸类成分，其中癸酸 55.27%、月桂酸 32. 21%，还含有硬脂酸、棕榈酸、肉豆蔻酸、辛酸。

| 功能主治 | 辛、温。归肺、胃经。果实，温中散寒，行气止痛，平喘。用于脘腹冷痛，胸满痞闷，哮喘。根，祛风通络，理气活血，利湿消肿，化痰止咳。用于风湿痹痛，跌打损伤，胃脘疼痛，脱力劳伤，支气管炎，水肿。叶，解毒消疮，祛风止痛，止痒，止血。用于疮疡肿毒，风湿痹痛，跌打损伤，外伤出血，皮肤瘙痒，蛇虫咬伤。

| 用法用量 | 内服煎汤，3 ~ 15 g。

樟科 Lauraceae 山胡椒属 *Lindera* 凭证标本号 320703150425177LY

三桠乌药 *Lindera obtusiloba* Bl.

| 植物别名 | 三角枫、干姜木、甘姜木。

| 药 材 名 | 三钻风（药用部位：树皮。别名：山胡椒、三钻七）。

| 形态特征 | 落叶乔木或灌木，高 3 ~ 10 m。树皮黑棕色。小枝黄绿色，当年枝条较平滑，有纵纹，老枝渐多木栓质皮孔、褐斑及纵裂；芽卵形，先端渐尖；外鳞片 3，革质，黄褐色，无毛，椭圆形，先端尖，长 0.6 ~ 0.9 cm，宽 0.6 ~ 0.7 cm；内鳞片 3，有淡棕黄色厚绢毛；有时为混合芽，内有叶芽及花芽。叶互生，近圆形至扁圆形，长 5.5 ~ 10 cm，宽 4.8 ~ 10.8 cm，先端急尖，全缘或 3 裂，常明显 3 裂，基部近圆形或心形，有时宽楔形，上面深绿色，下面绿苍白色，有时带红色，被棕黄色柔毛或近无毛；三出脉，偶有五出脉，网脉明显；叶柄长 1.5 ~ 2.8 cm，被黄白色柔毛。花序于叶腋生混合芽，混合

芽椭圆形，先端亦急尖；外面的 2 芽鳞革质，棕黄色，有皱纹，无毛，内面鳞片近革质，被贴伏微柔毛；花芽内有无花序梗 5 ~ 6，混合芽内有花芽 1 ~ 2；总苞片 4，长椭圆形，膜质，外面被长柔毛，内面无毛，内有花 5。（未开放的）雄花花被片 6，长椭圆形，外被长柔毛，内面无毛；能育雄蕊 9，花丝无毛，第 3 轮基部着生 2 有长柄、宽肾形、具角突的腺体，第 2 轮基部有时也有 1 腺体；退化雌蕊长椭圆形，无毛，花柱、柱头不分，成一小凸尖。雌花花被片 6，长椭圆形，长 2.5 mm，宽 1 mm，内轮略短，外面背脊部被长柔毛，内面无毛，退化雄蕊条片形，第 1、2 轮长 1.7 mm，第 3 轮长 1.5 mm，基部有 2 具长柄腺体，其柄基部与退化雄蕊基部合生；子房椭圆形，长 2.2 mm，直径 1 mm，无毛，花柱短，长不及 1 mm，花未开放时沿子房向下弯曲。果实广椭圆形，长 0.8 cm，直径 0.5 ~ 0.6 cm，成熟时红色，后变紫黑色，干时黑褐色。花期 3 ~ 4 月，果期 8 ~ 9 月。

| 生境分布 | 生于山坡灌丛。分布于江苏连云港、常州（溧阳）等。

| 资源情况 | 野生资源一般。

| 采收加工 | 全年均可采剥，鲜用或晒干。

| 药材性状 | 本品呈细卷筒状，长 16 ~ 25 cm，宽 2 cm，厚 1.5 ~ 2 mm。外表面灰褐色，粗糙，具不规则细纵纹和斑块状纹理，有凸起的类圆形小皮孔，栓皮脱落或刮去后较平滑，棕黄色至红棕色；内表面红棕色，平坦，可见细纵纹，划之略显油痕。质硬脆，折断面较平坦，外层棕黄色，内层红棕色而略带油质。气微香，味淡，微辛。

| 功效物质 | 树干富含甾醇类成分，主要为谷甾醇、豆甾醇及菜油甾醇。枝叶富含挥发油类成分 0.4% ~ 0.6%，主要成分为乌药醇。种子油中含有癸酸、月桂酸、肉豆蔻酸、天台乌药酸、癸烯 -2- 酸、癸烯 -4- 酸、十四碳烯 -4- 酸、油酸、亚油酸等。

| 功能主治 | 辛，温。归胃、肝经。温中行气，活血散瘀。用于心腹疼痛，跌打损伤，瘀血肿痛，疮毒。

| 用法用量 | 内服煎汤，5 ~ 10 g。外用适量，捣敷。

| 附　　注 | 本种种子含脂肪油 60%，可作医药及轻工业原料。

樟科 Lauraceae 木姜子属 *Litsea* 凭证标本号 320115150723023LY

山鸡椒 *Litsea cubeba* (Lour.) Pers.

| 植物别名 | 野樟、串干树、臭樟子。

| 药 材 名 | 澄茄子（药用部位：果实）、山苍子叶（药用部位：叶）、豆豉姜（药用部位：根）。

| 形态特征 | 落叶灌木或小乔木，高达 6 m。树皮常绿色或黄绿色。小枝细长，黄绿色，无毛。小枝、叶揉搓后具浓郁芳香。叶片纸质，披针形或长椭圆状披针形，长 4.5 ~ 10 cm，宽 1.5 ~ 3 cm，干后呈黑色，叶背带粉白色；叶柄长 2 cm。花小，先于叶开放；伞形花序有花 4 ~ 6，有花序梗，单生或簇生；花蕾球形，有柄，下垂；花被片 6，宽卵形，有油点，黄色；能育雄蕊 9，花丝中下部有毛；雌花小，子房卵形。果实球形，成熟时黑色，芳香；果托不显著。花期 2 ~ 3 月，果期 8 ~ 9 月。

生境分布 生于山坡或荒山灌木林中。分布于江苏无锡（宜兴）、常州（溧阳）等南部地区。

资源情况 野生资源较丰富。

采收加工 **澄茄子：**7 月中下旬至 8 月中旬当果实青色布有白色斑点，用手捻碎有强烈生姜味时，连果枝摘取，除去枝叶，晒干。

山苍子叶：夏、秋季采收，去净杂质，鲜用或晒干。

豆豉姜：9 ~ 10 月采挖，除去泥土，晒干。

药材性状 **澄茄子：**本品呈圆球形，直径 4 ~ 6 mm。表面棕褐色至棕黑色，有网状皱纹，基部常有果柄痕。中果皮易剥去，内果皮暗棕红色，果皮坚脆，种子 1，内有肥厚子叶 2，富含油质。具特异强烈窜透性香气，味辛、凉。

山苍子叶：本品呈披针形或长椭圆形，易破碎。表面棕色或棕绿色，长 4 ~ 10 cm，宽 1 ~ 2.5 cm，先端渐尖，基部楔形，全缘，羽状网脉明显，于下表面稍凸起。质较脆。气芳香，味辛、凉。

豆豉姜：本品呈圆锥形，表面棕色，有纵皱及颗粒状突起，横切面导管明显，质轻泡，易折断，断面淡黑色。气香，味辛辣。

功效物质 果实含有挥发油 2% ~ 6%、脂肪油约 40%。挥发油中主要成分为柠檬醛（70% ~ 90%），另含有甲基庚烯酮、芳樟醇、柠檬烯等。脂肪油中的不皂化物有谷甾醇。叶含有的挥发油较少，仅 0.006%，主要为桉叶紫、丁香烯、乙酸龙脑酯、柠檬烯、γ- 榄香烯、乙酸香叶酯等。

功能主治 **澄茄子：**辛、微苦，温。归脾、胃、肾经。温中止痛，行气活血，平喘，利尿。用于脘腹冷痛，食积气胀，反胃呕吐，中暑吐泻，泄泻痢疾，寒疝腹痛，哮喘，寒湿水臌，小便不利，小便浑浊，疮疡肿毒，牙痛，寒湿痹痛，跌打损伤。

山苍子叶：辛、微苦，温。理气散结，解毒消肿，止血。用于痈疽肿痛，乳痈，蛇虫咬伤，外伤出血，脚肿，慢性气管炎。

豆豉姜：辛，温。祛风散寒除湿，温中理气止痛。用于感冒头痛，心胃冷痛，腹痛吐泻，脚气，孕妇水肿，风湿痹痛，跌打损伤，脑血栓形成。

用法用量 **澄茄子：**内服煎汤，3 ~ 10g；或研末，1 ~ 2 g。外用适量，研末撒；或调敷。

山苍子叶：外用适量，鲜品捣敷；或煎汤温洗。

豆豉姜：内服煎汤，6 ~ 15 g，鲜品 15.5 ~ 62 g；或研末。外用适量，煎汤洗。

附　　注 本种果实及叶可提取芳香油，主要含柠檬醛，是制造紫罗兰酮等香料的重要原料。种仁含脂肪油 64%，可制肥皂。叶磨粉，可调制驱蚊剂。

樟科 Lauraceae 润楠属 *Machilus* 凭证标本号 320703170420713LY

红楠 *Machilus thunbergii* Siebold et Zucc.

| 药 材 名 | 红楠皮（药用部位：根皮、树皮）。

| 形态特征 | 乔木，高达 20 m。树皮淡棕灰色，侧枝粗壮，基部具环形芽鳞痕，无毛；顶芽卵圆形或长圆状卵形，芽鳞褐色，具缘毛。叶片厚革质，倒卵形或椭圆形，长 6 ~ 10 cm，宽 2 ~ 5 cm，先端突尖，基部楔形，叶背粉绿色，侧脉 7 ~ 10 对。花序顶生或在新枝上腋生，长 5 ~ 12 cm，无毛；苞片卵形，有红褐色贴伏绒毛；花柄长 1 ~ 1.5 cm。果实球形，稍扁，成熟时蓝黑色，直径 1 cm；果柄粗壮，鲜红色；宿存花被片向外反卷。花期 5 月，果期 9 ~ 11 月。

| 生境分布 | 生于山地阔叶混交林中。江苏连云港、无锡（宜兴）等有栽培。

| 资源情况 | 栽培资源一般。

| 采收加工 | 全年均可采剥，刮去栓皮，洗净，切段，鲜用或晒干。

| 功效物质 | 根含有苄基异喹啉类生物碱类成分，主要为 *N*- 去甲亚美罂粟碱及牛心果碱等。

| 功能主治 | 辛、苦，温。归肝、脾、胃经。温中顺气，舒筋活血，消肿止痛。用于呕吐腹泻，小儿吐乳，胃呆食少，扭挫伤，转筋，足肿。

| 用法用量 | 内服煎汤，10 ~ 15 g。外用适量，煎汤熏洗；或捣敷。

樟科 Lauraceae 楠属 *Phoebe* 凭证标本号 320282170428456LY

紫楠 *Phoebe sheareri* (Hemsl.) Gamble.

| 植物别名 | 黄心楠。

| 药 材 名 | 紫楠叶（药用部位：叶）、紫楠根（药用部位：根）。

| 形态特征 | 乔木，高达 20 m。树皮灰色，纵裂。芽、幼枝、叶背及叶柄密生锈色绒毛。叶片倒卵形、椭圆状倒卵形至倒披针形，长 8 ~ 21 cm，宽 4 ~ 8 cm，先端突渐尖或突尾状渐尖，基部楔形，叶面叶脉凹下，叶背网状脉隆起，微被白粉；叶柄长 1 ~ 2.5 cm。圆锥花序生于新枝叶腋，长 7 ~ 15 cm，密生棕色或锈色绒毛；花长 4 ~ 5 mm；花被片两面被毛；能育雄蕊的花丝被毛；子房球形，无毛。果实卵圆形，长约 1 cm；果柄被柔毛，宿存花被片直立，松散，两面被毛。花期 5 ~ 6 月，果期 10 ~ 11 月。

生境分布 生于较阴湿、排水良好的山坡或谷地的杂木林中。分布于江苏南京、镇江（句容）、常州（溧阳）、无锡（宜兴）、苏州等。

资源情况 野生资源较少。

采收加工 **紫楠叶：**全年均可采收，晒干。

紫楠根：全年均可采收，晒干。

功效物质 枝、叶富含挥发油。种子含有月桂酸、肉豆蔻酸、棕榈酸、十六碳烯酸、硬脂酸、油酸、亚油酸、亚麻酸、癸酸等。

功能主治 **紫楠叶：**辛，微温。顺气，暖胃，祛湿，散瘀。用于气滞脘腹胀痛，脚气水肿，转筋。

紫楠根：辛，温。活血祛瘀，行气消肿，催产。用于跌打损伤，水肿腹胀，孕妇过月不产。

用法用量 **紫楠叶：**内服煎汤，15 ~ 30 g。外用适量，煎汤熏洗。

紫楠根：内服煎汤，10 ~ 15 g，鲜品 30 ~ 60 g。

樟科 Lauraceae 檫木属 *Sassafras* 凭证标本号 320282170826581LY

檫木 *Sassafras tzumu* (Hemsl.) Hemsl.

| 药 材 名 | 檫树（药用部位：根、茎叶）。

| 形态特征 | 乔木，树干耸直，高达 35 m。幼树皮绿色或灰绿色，平滑不裂，老时变灰色，不规则开裂。叶片卵形、宽卵形或菱状卵形，全缘或上部 2 ~ 3 裂，长 10 ~ 20 cm，宽 5 ~ 12 cm，叶背有白粉，无毛，离基三出脉，近基部第 2 或第 3 对侧脉长而显著；幼叶密被毛，带红色，老叶秋天红黄色。花序梗长 2 ~ 6 cm，有毛；花黄色，有香气。果实球形，蓝黑色，表面有白色蜡质粉。花期 3 ~ 4 月，果期 7 ~ 8 月。

| 生境分布 | 生于向阳的山坡或山谷杂木林中。分布于江苏南京（溧水）、常州（溧阳）、无锡（宜兴）等。

| 资源情况 | 野生资源较少。

| 采收加工 | 根，全年均可采挖，除去皮部，锯成小段，劈成小块，晒干。茎叶，秋季采集，切断，晒干。

| 功效物质 | 根含有挥发油 1% 以上，主要成分为黄樟醚。根皮含有鞣质 5% ~ 8%。树皮中的挥发油主要为黄樟醚和丁香油酚。树皮含有鞣质 3.54% ~ 11.0%。种子含有挥发油 2% ~ 3%。

| 功能主治 | 祛风除湿，活血散瘀，止血。用于风湿痹痛，跌打损伤，腰肌劳损，半身不遂，外伤出血。

| 用法用量 | 内服煎汤，15 ~ 30 g；或浸酒。外用适量，捣敷。

毛茛科 Ranunculaceae 乌头属 *Aconitum* 凭证标本号 320481151023070LY

乌头 *Aconitum carmichaelii* Debx.

植物别名

草乌、乌药、盐乌头。

药材名

川乌（药用部位：母根。别名：川乌、乌喙、奚毒）、附子（药材来源：子根的加工品）。

形态特征

多年生草本。块根倒圆锥形，长 2 ~ 4 cm。茎高 50 ~ 60（~ 200）cm，中上部有反曲柔毛。茎下部叶花期枯萎；中部叶具长柄，叶片五角形，长 6 ~ 11 cm，宽 8 ~ 15 cm，3 全裂或几近全裂，基部浅心形，中裂片宽菱形或菱形，急尖，近羽状分裂，小裂片近三角形，侧裂片扇形，不等 2 深裂。顶生总状花序，花序轴、花柄密生反曲细柔毛；小苞片线形；萼片蓝紫色，外有细柔毛，上萼片高盔状，高 2 ~ 2.5 cm，侧萼片倒卵圆形，内有长毛；花瓣无毛，有长爪，距长 1 ~ 2.5 mm，通常拳卷；子房疏或密被短柔毛，稀无毛。蓇葖果长 1.5 ~ 1.8 cm；种子三棱形，只在两面密被横膜翅。花期 9 ~ 10 月，果期 10 ~ 11 月。

| 生境分布 | 生于山地草丛中或林边。分布于江苏连云港、南京、镇江（句容）等。

| 资源情况 | 野生资源较少。

| 采收加工 | **川乌：**6 月下旬至 8 月上旬采挖，除去残茎、子根、须根、泥沙，晒干。

附子：6 月下旬至 8 月上旬采挖全株，除去泥沙，摘取子根，去掉须根，即是泥附子。

| 药材性状 | **川乌：**本品呈不规则圆锥形，稍弯曲，先端常有残茎，中部多向一侧膨大，长 2 ~ 7.5 cm，直径 1.2 ~ 2.5 cm。表面棕褐色或灰棕色，皱缩，有小瘤状侧根及子根痕。质坚实，断面类白色或浅灰黄色，形成层环多角形。气微，味辛辣、麻舌。以饱满、质坚实、断面白色者为佳。

附子：盐附子呈圆锥形，长 4 ~ 7 cm，直径 3 ~ 5 cm。表面灰黑色，被盐霜，先端有凹陷的芽痕，周围有瘤状突起的支根或支根痕。体重，横切面灰褐色，可见充满盐霜的小空隙及多角形形成层环纹，环纹内侧导管束排列不整齐。气微，味咸而麻。

| 功效物质 | 主要含有双酯型二萜生物碱成分，如乌头碱、中乌头碱等。经加工后，双酯类生物碱可水解为毒性小的单酯类以及毒性更小的胺醇类二萜生物碱。

| 功能主治 | **川乌：**辛、苦，热；有大毒。归心、肝、脾、肾经。祛风除湿，温经止痛。用于风寒湿痹，关节疼痛，心腹冷痛，寒疝作痛，麻醉止痛。

附子：辛、甘，大热；有毒。归心、肾、脾经。回阳救逆，补火助阳，散寒止痛。用于亡阳虚脱，肢冷脉微，胸痹心痛，虚寒吐泻，脘腹冷痛，肾阳虚衰之阳痿宫冷，阴寒水肿，阳虚外感，寒湿痹痛。

| 用法用量 | **川乌：**内服煎汤，3 ~ 9 g；或研末，1 ~ 2 g；或入丸、散剂。内服须炮制后用；入汤剂应先煎 1 ~ 2 小时，以减低其毒性。外用适量，研末撒或调敷。

附子：内服煎汤，3 ~ 15 g。

| 附　　注 | 乌头生用时二萜双酯类生物碱成分（乌头碱、中乌头碱及次乌头碱）等未被破坏，毒性很大，应慎用。

毛茛科 Ranunculaceae 乌头属 *Aconitum* 凭证标本号 320703151013304LY

展毛乌头 *Aconitum carmichaelii* Debx. var. *truppelianum* (Ulbr.) W. T. Wang et Hsiao

药材名

展毛乌头块根（药用部位：块根）、展毛乌头叶（药用部位：叶）。

形态特征

本种与乌头的区别在于花序轴和花梗有开展的柔毛。叶的中央裂片菱形，先端急尖。

生境分布

生于山地草坡、林边或灌丛中。分布于江苏连云港、无锡（宜兴）等。

资源情况

野生资源一般。

采收加工

展毛乌头块根：秋季茎叶枯萎时采挖，除去须根和泥沙，干燥。

展毛乌头叶：夏季叶茂盛花未开时采收，去净杂质，干燥。

功效物质

主要含有双酯型二萜生物碱成分，如乌头碱、中乌头碱、次乌头碱等，经水解可成为毒性较小的单酯类生物碱。

| 功能主治 |

展毛乌头块根： 祛风除湿，温经止痛。用于风寒湿痒，关节痛，心腹冷痛，寒疝作痛，麻醉止痛。

展毛乌头叶： 清热，止痛。用于热病发热，泄泻，腹痛，头痛，牙痛。

毛茛科 Ranunculaceae 侧金盏花属 *Adonis* 凭证标本号 320703170419664LY

辽吉侧金盏花 *Adonis pseudoamurensis* W. T. Wang

| 药 材 名 | 辽吉侧金盏花（药用部位：全草）。

| 形态特征 | 多年生草本。根茎长约 1.5 cm，直径约 5 mm。茎长 4 ~ 20 cm，直径 1.2 ~ 2 mm，无毛或顶部有稀疏短柔毛，下部或上部分枝。基部和下部叶鳞片状、卵形或披针形，长 0.7 ~ 1.8 cm。茎中部以上叶约 4，无毛，无柄或近无柄；叶片宽菱形，长、宽均为 4 ~ 8 cm，2 ~ 3 回羽状全裂，末回裂片披针形或线状披针形，宽 1 ~ 1.5 cm，先端锐尖。花单生于茎或枝的先端，直径 2.5 ~ 4 cm；萼片约 5，灰紫色，宽卵形、菱状宽卵形或宽菱形，长 7.5 ~ 10 mm，宽 6 ~ 9 mm，先端钝或圆形，有时急尖，全缘或上部边缘有 1 ~ 2 小齿，有短睫毛；花瓣约 13，黄色，长圆状倒披针形，长 1.2 ~ 2 cm，宽 3.5 ~ 7 mm；雄蕊长达 4.5 mm，花药长圆形，长约 1.2 mm；心皮

近无毛，花柱长约 0.8 mm。花期 3 ～ 4 月。

｜生境分布｜ 生于海拔 2 000 m 的山溪沟边密林下阴湿处、林缘或湿草地。分布于江苏连云港等。

｜资源情况｜ 野生资源一般。

｜采收加工｜ 挖取带根全草，切段，晒干。

｜功效物质｜ 主要含有强心苷。

｜功能主治｜ 强心，利尿。

｜附　　注｜ 与本种功效相同的有天山侧金盏花 *Adonis tianschanica* (Adolf) Lipsch.，分布于新疆南部。

毛茛科 Ranunculaceae 银莲花属 *Anemone* 凭证标本号 321183150402011LY

鹅掌草 *Anemone flaccida* Fr. Schmidt

| 药材名 | 地乌（药用部位：根茎。别名：蜈蚣三七、地雷、黑地雷）。

| 形态特征 | 多年生草本。根茎粗，近圆柱状。基生叶 1 ~ 2，有长柄；叶片草质，心状五角形，长 3 ~ 7.5 cm，宽 5 ~ 10 cm 或更宽，叶面疏生短伏毛，叶背几无毛，3 全裂，中裂片菱状倒卵形，3 浅裂，小裂片疏生牙齿，侧裂片常深 2 裂，小裂片不规则浅裂或牙齿状。花茎单一，高 15 ~ 40 cm，疏生短柔毛；总苞片 3，叶状，无柄，菱状三角形或菱形，基部合生，上部分裂；花 1 ~ 3，白色，微带粉红，直径 2 ~ 2.5 cm；萼片 5 ~ 6，长 0.7 ~ 1 cm，倒卵形或椭圆形，背面有短伏毛；心皮约 8，子房密生短柔毛，无花柱，柱头近球形。花期 4 月，果期 7 ~ 8 月。

| 生境分布 | 生于山坡草地或山谷林下。分布于江苏南京、镇江（句容）、常州（金坛）、无锡等。

| 资源情况 | 野生资源一般。

| 采收加工 | 春、夏季采收，洗净，切段，晒干。

| 药材性状 | 本品呈条状近圆柱形或长圆形块状，长 2 ~ 8 cm，直径 0.2 ~ 1.2 cm，节明显或不明显，节间较短。表面棕色至褐色，粗糙，可见根痕及少数细长的须状根；先端有干枯的茎基及叶基。质坚，断面黄棕色。气微，味辛、苦。

| 功效物质 | 主要含有三萜皂苷类成分，其苷元以齐墩果酸和常春藤皂苷为主。还含有黄酮类、香豆素类等成分。

| 功能主治 | 辛、微苦，温。归肝经。祛风湿，利筋骨。用于风湿疼痛，跌打损伤。

| 用法用量 | 内服煎汤，9 ~ 15 g；或浸酒。

毛茛科 Ranunculaceae 铁线莲属 *Clematis* 凭证标本号 320481151023380LY

女萎 *Clematis apiifolia* DC.

| 植物别名 | 蔓楚、牡丹蔓、山木通。

| 药 材 名 | 女萎（药用部位：藤茎、叶、根。别名：蔓楚、牡丹蔓、山木通）。

| 形态特征 | 攀缘木质藤本。小枝、花序、小苞片均被较密的短柔毛。三出复叶；小叶纸质，卵形至宽卵形，长 3 ~ 7 cm，宽 2.5 ~ 5 cm，通常有不明显的 3 浅裂，边缘有缺刻状粗锯齿或牙齿，两面有稀疏的贴生柔毛，顶生小叶片较两侧小叶片大。圆锥状聚伞花序，多花；苞片椭圆形或宽卵形，不裂或 3 浅裂；萼片 4，白色，开展，倒卵状长圆形、长椭圆形至倒披针形，长约 7 mm；雄蕊无毛。瘦果长卵形或纺锤形，长 3.5 ~ 4.5 mm，被柔毛；宿存花柱羽毛状，长 0.8 ~ 1.2（~ 1.5）cm。花期 6 ~ 9 月，果期 9 ~ 10 月。

| 生境分布 | 生于海拔 100 ~ 400 m 的山坡、路边或溪沟边灌丛中。分布于江苏南京、常州（溧阳）、无锡（宜兴）、苏州（吴中）等。

| 资源情况 | 野生资源一般。

| 采收加工 | 秋季开花时采收带叶茎蔓，扎成小把，鲜用或晒干。

| 药材性状 | 本品茎类方形，长可达数米，缠绕或切段，直径 1 ~ 5 mm。表面灰绿色或棕绿色，通常有较明显的纵棱 6，被白色柔毛，质脆，易断，断面不平坦，木部黄白色，可见多数细导管孔，髓部疏松。叶对生，三出复叶，叶片多皱缩破碎，完整的叶片卵形或宽卵形，顶生小叶片较两侧小叶片大，常呈不明显的 3 浅裂，边缘有缺刻状粗锯齿或牙齿，暗绿色，两面有短柔毛。总叶柄长 2 ~ 9 cm，常扭曲。有的带花果。气微，味微苦、涩。

| 功效物质 | 主要含有乙酰齐墩果酸、齐墩果酸、常春藤皂苷元、豆甾醇、β-豆甾醇。

| 功能主治 | 辛，温；有小毒。归肝、脾、大肠经。祛风除湿，温中理气，利尿，消食。用于风湿痹证，吐泻，痢疾，腹痛肠鸣，小便不利，水肿。

| 用法用量 | 内服煎汤，15 ~ 30 g。外用适量，鲜品捣敷；或煎汤熏洗。

毛茛科 Ranunculaceae 铁线莲属 *Clematis* 凭证标本号 320111170814003LY

威灵仙 *Clematis chinensis* Osbeck

| 药 材 名 | 威灵仙（药用部位：根及根茎。别名：老虎须、铁扫帚、铁脚威灵仙）。

| 形态特征 | 木质藤本。植株干后呈黑色。枝无毛或疏被柔毛。羽状复叶有 5 小叶；小叶片纸质，卵形至卵状披针形，长 1.5 ~ 9 cm，宽 5 cm，先端急尖至渐尖，有小尖头，基部宽楔形至圆形或浅心形，全缘，两面疏生短柔毛或近无毛。圆锥状聚伞花序顶生并腋生；苞片椭圆形或线形；萼片 4，白色，平展，倒卵状长圆形至狭倒卵形，长 6 ~ 13 mm，先端尖；雄蕊无毛。瘦果椭圆形，长 5 ~ 7 mm，被柔毛；宿存花柱长 1.8 ~ 4 cm，羽毛状。花期 6 ~ 9 月，果期 9 ~ 10 月。

| 生境分布 | 生于山坡、山谷林中或路旁。分布于江苏南京、无锡（宜兴）、苏州等。

| 资源情况 | 野生资源较丰富。

| 采收加工 | 秋季采挖，除去泥沙，晒干。

| 药材性状 | 本品根茎呈柱状，长 1.5 ~ 10 cm，直径 0.3 ~ 1.5 cm；表面淡棕黄色；先端残留茎基；质较坚韧，断面纤维性；下侧着生多数细根。根呈细长圆柱形，稍弯曲，长 7 ~ 15 cm，直径 0.1 ~ 0.3 cm；表面黑褐色，有细纵纹，有的皮部脱落，露出黄白色木部；质硬脆，易折断，断面皮部较广，木部淡黄色，略呈方形，皮部与木部间常有裂隙。气微，味淡。

| 功效物质 | 主要含有皂苷类、黄酮类、木脂素类成分。此外，还含有三萜类、生物碱类、挥发油类、葡萄糖基萘类、大环糖苷类、酚苷类、有机酸类和甾醇类成分。药理研究表明，威灵仙具有抗风湿、体外抑菌等作用。

| 功能主治 | 辛、咸，温。归膀胱经。祛风湿，通经络。用于风湿痹痛，肢体麻木，筋脉拘挛，屈伸不利。

| 用法用量 | 内服煎汤，6 ~ 9 g；或浸酒；或入丸、散剂。外用适量，捣敷；或煎汤熏洗；或作发泡剂。

毛茛科 Ranunculaceae 铁线莲属 *Clematis* 凭证标本号 320830160712016LY

毛叶威灵仙 *Clematis chinensis* Osbeck f. *vestita* Rehd.

| 药 材 名 | 毛叶威灵仙（药用部位：根及根茎）。

| 形态特征 | 本种与威灵仙的区别在于小叶片通常较厚而小，卵形至长圆形，长 1 ~ 3.5（~ 5）cm，宽 0.5 ~ 2（~ 2.5）cm，先端钝或锐尖，下面有较密的短柔毛，老时易脱落。花期 6 ~ 8 月。

| 生境分布 | 生于海拔 900 m 以下的山坡或路旁草丛中。分布于江苏徐州（睢宁）、南京、镇江（丹阳、句容）、无锡（宜兴）等。

| 资源情况 | 野生资源一般。

| 采收加工 | 秋季采挖，除去泥沙，晒干。

| 功效物质 | 主要含有皂苷类、黄酮类、木脂素类成分。

| 功能主治 | 祛风湿，通经络，消痰涎，散癖积。

毛茛科 Ranunculaceae 铁线莲属 *Clematis* 凭证标本号 320282170426421LY

山木通 *Clematis finetiana* Lévl. et Vant.

| 植物别名 | 搜山虎。

| 药 材 名 | 山木通（药用部位：茎、叶）、山木通根（药用部位：根）。

| 形态特征 | 半常绿木质藤本。枝节上被柔毛。三出复叶，茎下部有时为单叶；小叶片革质，窄卵形或披针形，长 4 ~ 10 cm，宽 1.5 ~ 3.5 cm，先端渐尖，基部圆形至浅心形，侧生小叶片基部偏斜，全缘，两面无毛。聚伞花序或假总状花序，腋生或顶生，有花 1 ~ 5（~ 7）；萼片 4（~ 6），平展，白色，外面带绿色，长圆形或披针形，长 1.5 ~ 2 cm，边缘被绒毛；雄蕊无毛。瘦果镰状纺锤形，被柔毛；宿存花柱有黄棕色羽状毛。花期 4 ~ 6 月，果期 9 ~ 10 月。

生境分布 生于海拔 100 ~ 500 m 的山坡或路边。分布于江苏南京、无锡（宜兴）等。

资源情况 野生资源一般。

采收加工 **山木通、山木通根：**全年均可采收，鲜用或晒干。

药材性状 **山木通：**本品茎呈圆柱形，红褐色，有纵条纹，稀生短毛或无毛。叶对生；三出复叶，基部有时为单叶；叶柄旋卷；小叶片卵状披针形、狭卵形或卵形，长 3 ~ 9 cm，宽 1.5 ~ 3.5 cm，先端锐尖至渐尖，基部圆形、浅心形或斜肾形，全缘，无毛。稍革质，易碎。气微，味苦。

山木通根：本品根茎呈不规则圆柱形，横长，直径约 2.5 cm，表面灰棕色至棕褐色，外皮常脱落成纤维状，先端可见木质的茎基，两侧及下方着生数条细长圆柱形根。根外表皮黑褐色，粗壮而弯曲，长 10 ~ 15 cm，直径 2 ~ 3 mm。质坚硬，断面不甚平坦，木部较大，纤维性，导管小孔明显。气微，味微苦。

功效物质 主要含有白头翁素，还含有皂苷元为齐墩果酸的三萜皂苷。

功能主治 **山木通：**辛、苦，温。归肝、膀胱经。祛风活血，利尿通淋。用于关节肿痛，跌打损伤，小便不利，乳汁不通。

山木通根：辛、苦，温。祛风除湿，活络止痛，解毒。用于风湿痹痛，跌打损伤，骨鲠咽喉，走马牙疳，目生星翳。

用法用量 **山木通：**内服煎汤，15 ~ 30 g，鲜品可用至 60 g。外用适量，鲜品捣敷。

山木通根：内服煎汤，3 ~ 15 g；或研末。外用适量，鲜品捣敷；或捣后布包塞鼻。

毛茛科 Ranunculaceae 铁线莲属 *Clematis* 凭证标本号 320703150820354LY

大叶铁线莲 *Clematis heracleifolia* DC.

| 药 材 名 | 草牡丹（药用部位：全株）。

| 形态特征 | 多年生草本或直立亚灌木。茎高 30 ~ 100 cm，纵向有沟槽，具贴伏的柔毛。三出复叶；叶片厚纸质，卵圆形，叶面毛较少，脉上稍多，叶背则较密；中部小叶仅上半部稍深裂，基部楔形，侧生小叶较小，不对称，边缘具浅裂或稍深裂；叶柄长 6 ~ 16 cm。花序顶生或腋生，圆锥状，2 ~ 5 轮生，每轮 7；花两性，直径 1.5 ~ 2 cm；花柄较细，长 1.2 ~ 4.5 cm，密被伏贴白色短柔毛；花萼下半部呈管状，萼裂 4，先端反卷，略增宽；雄蕊 16；柱头 5 ~ 8 mm。瘦果卵圆形，红棕色，长 4 mm，宿存花柱被长软毛。花期 6 ~ 9 月，果期 9 ~ 11 月。

| 生境分布 | 生于海拔 250 ～ 500 m 的向阳山坡灌丛或林缘。分布于江苏连云港等。

| 资源情况 | 野生资源较少。

| 采收加工 | 夏、秋季采收，切段，晒干。

| 功效物质 | 主要含有齐墩果酸型三萜皂苷类、甾醇类成分，具有抗炎、抗肿瘤作用。

| 功能主治 | 祛风除湿，止泻痢，消痈肿。用于风湿关节痛，腹泻，痢疾，结核性溃疡。

| 用法用量 | 内服煎汤，9 ～ 15 g；或浸酒。外用适量，煎汤熏洗。

毛茛科 Ranunculaceae 铁线莲属 *Clematis* 凭证标本号 320722180712219LY

长冬草 *Clematis hexapetala* Pall. var. *tchefouensis* (Debeaux) S. Y. Hu

| 药 材 名 | 长冬草（药用部位：根）。

| 形态特征 | 多年生直立草本。茎高 30 ~ 60 cm，疏被柔毛。叶片近革质，干后常变暗黑色，1 ~ 2 回羽状全裂，裂片线状披针形、条形或长椭圆形，长 1.5 ~ 10 cm，宽 0.5 ~ 2 cm，全缘，两面无毛或叶背被疏柔毛，网脉凸出。聚伞花序腋生或顶生，有时单生；萼片白色，常 6，长圆形或倒卵形，叶背除边缘密生绒毛外余无毛；雄蕊无毛。瘦果倒卵形，扁平，密生柔毛，具宿存花柱，羽毛状。花期 6 ~ 8 月，果期 8 ~ 9 月。

| 生境分布 | 生于海拔 100 ~ 500 m 的草坡或路旁。分布于江苏连云港（赣榆、东海）、徐州（新沂、邳州）等。

| 资源情况 | 野生资源一般。

| 采收加工 | 夏、秋季采挖，洗净，鲜用或晒干。

| 功效物质 | 含有甾体类、皂苷类等成分。

| 功能主治 | 除湿，通络止痛。用于关节不利，筋骨疼痛，鱼骨鲠喉。

毛茛科 Ranunculaceae 铁线莲属 *Clematis* 凭证标本号 320324190715090LY

太行铁线莲 *Clematis kirilowii* Maxim.

| 植物别名 | 黑狗筋、黑老婆秧、老牛杆。

| 药 材 名 | 太行铁线莲（药用部位：根、叶）。

| 形态特征 | 木质藤本。干后常变黑褐色。茎、小枝有短柔毛，老枝近无毛。一至二回羽状复叶，有 5 ~ 11 小叶或更多，基部 1 对或顶生小叶常 2 ~ 3 浅裂、全裂至 3 小叶，中间 1 对常 2 ~ 3 浅裂至深裂，茎基部 1 对为三出叶；小叶片或裂片革质，卵形至卵圆形或长圆形，长 1.5 ~ 7 cm，宽 0.5 ~ 4 cm，先端钝、锐尖、凸尖或微凹，基部圆形、截形或楔形，全缘，有时裂片或第 2 回小叶片再分裂，两面网脉突出，沿叶脉疏生短柔毛或近无毛。聚伞花序或为总状、圆锥状聚伞花序，有花 3 至多朵或花单生，腋生或顶生；花序梗、花梗有较

密短柔毛；花直径 1.5 ~ 2.5 cm；萼片 4 或 5 ~ 6，开展，白色，倒卵状长圆形，长 0.8 ~ 1.5 cm，宽 3 ~ 7 mm，先端常呈截形而微凹，外面有短柔毛，边缘密生绒毛，内面无毛；雄蕊无毛。瘦果卵形至椭圆形，扁，长约 5 mm，有柔毛，边缘凸出，宿存花柱长约 2.5 cm。花期 6 ~ 8 月，果期 8 ~ 9 月。

| 生境分布 | 生于山坡或路旁杂草丛中。分布于江苏连云港（灌云）、徐州（新沂、铜山、睢宁）等。

| 资源情况 | 野生资源一般。

| 采收加工 | 夏、秋季采挖根，洗净，鲜用或晒干。

| 功效物质 | 含有白头翁素及甾体类、皂苷类等成分，具有抗菌、消炎、镇痛等作用。

| 功能主治 | 祛风湿，利尿，消肿解毒。

毛茛科 Ranunculaceae 铁线莲属 *Clematis* 凭证标本号 320581180429075LY

圆锥铁线莲 *Clematis terniflora* DC.

| 植物别名 |

仙人草。

| 药 材 名 |

铜脚威灵仙（药用部位：根）。

| 形态特征 |

攀缘木质藤本。茎和小枝有柔毛，后近无毛。一回羽状复叶，通常有 5（～ 7）小叶；小叶片通常狭卵形至宽卵形，长 2 ～ 8 cm，宽 1 ～ 5 cm，先端钝或急尖，有时微凹，基部宽楔形至圆形，有时浅心形，常全缘，两面疏被柔毛，后脱净，近茎下部羽状复叶基部 1 对小叶片有时 3 裂。圆锥状聚伞花序，多花，有短柔毛，顶生或腋生；萼片 4，白色，平展，狭倒卵形或长椭圆形，边缘被绒毛，长 0.5 ～ 1.5 cm；雄蕊无毛。瘦果近扁平，橙黄色，被柔毛，具窄边；宿存花柱羽毛状，长 1.2 ～ 4 cm。花期 6 ～ 8 月，果期 9 ～ 11 月。

| 生境分布 |

生于山地或丘陵。分布于江苏南京、镇江、无锡（宜兴）、苏州（常熟、吴中）、南通等。

| **资源情况** | 栽培资源较丰富。

| **采收加工** | 全年均可采挖，洗净，鲜用或晒干。

| **功效物质** | 含有齐墩果酸、常春藤皂苷等三萜类成分及黄酮类成分。

| **功能主治** | 祛风除湿，解毒消肿，凉血止血。用于风湿痹痛，疔疮肿痛，恶肿疮瘘，喉痹，蛇犬咬伤，吐血，咯血，崩漏下血。

| **用法用量** | 内服煎汤，9 ～ 15 g。外用适量，捣敷。

| **附　　注** | 民间用本种治筋骨痛。

毛茛科 Ranunculaceae 铁线莲属 *Clematis* 凭证标本号 320282170702515LY

柱果铁线莲 *Clematis uncinata* Champ. ex Benth.

| 植物别名 | 老虎师藤。

| 药 材 名 | 威灵仙（药用部位：根及根茎）。

| 形态特征 | 木质藤本。植株干时常变黑，除花柱有羽状毛及萼片背面边缘有短绒毛外，其余均无毛。羽状复叶有 5 ~ 7 小叶或为二回羽状复叶；小叶片薄革质，卵形、卵状椭圆形至卵状披针形，长 4 ~ 12 cm，宽 1.5 ~ 6 cm，先端急尖或短渐尖，基部宽楔形至近圆形，全缘，叶背有白粉，网脉明显。圆锥状花序腋生并顶生，多花；苞片钻状或披针形；萼片 4，白色，平展，披针形，长 1 ~ 1.5 cm。瘦果近钻状圆柱形，光滑无毛，宿存花柱羽毛状，长 1.5 ~ 2（~ 3）cm。花期 6 ~ 7 月，果期 8 ~ 9 月。

| 生境分布 | 生于海拔 100 ~ 500 m 的山地疏林或林边。分布于江苏无锡（宜兴）等。

| 资源情况 | 野生资源一般。

| 采收加工 | 秋季采挖，去净茎叶，除去泥土，晒干，或切段后晒干。

| 功效物质 | 主要含有以原白头翁素、常春藤皂苷元、表常春藤皂苷元和齐墩果酸为苷元的三萜皂苷类成分，具有镇痛、利胆、抗微生物等作用。

| 功能主治 | 辛，温。祛风除湿，通络止痛。用于风湿痹痛，肢体麻木，筋脉拘挛，屈伸不利，脚气肿痛，疟疾，骨鲠咽喉，痰饮积聚。

| 用法用量 | 内服煎汤，9 ~ 15 g；或浸酒。

毛茛科 Ranunculaceae 翠雀属 *Delphinium* 凭证标本号 320111150409003LY

还亮草 *Delphinium anthriscifolium* Hance

| 药 材 名 | 还亮草（药用部位：全草。别名：飞燕草、鱼灯苏、蛇喞草）。

| 形态特征 | 一年生草本。高 20 ~ 78 cm。茎、花序轴及花柄有反曲细柔毛。叶片菱状卵形或三角状卵形，2 回羽状全裂，羽片 2 ~ 4 对，稀互生，基部裂片斜卵形，羽状分裂，上端裂片少裂或不裂而成狭卵形或披针形；叶柄长。总状花序着生于茎端或分枝先端，有花（1 ~ ）2 ~ 15；花淡蓝紫色至堇色，直径不超过 1.5 cm；萼片椭圆形或狭椭圆形，外面及边缘有毛，长约 8 mm，距长约 1 cm；花瓣 2，不等 3 裂；退化雄蕊 2，无毛，瓣片斧形，2 深裂近基部；心皮 3。蓇葖果长 1 ~ 1.5 cm。种子扁球形，有横膜翅。花期 3 ~ 5 月。

| 生境分布 | 生于海拔 40 ~ 500 m 的山坡、山沟杂木林或草丛中。分布于江苏南

部地区。

| 资源情况 | 野生资源较丰富。

| 采收加工 | 夏、秋季采收，洗净，切段，鲜用或晒干。

| 药材性状 | 本品根呈长圆锥形，长 2 ~ 9 cm，直径 1 ~ 7 mm；表面棕黄色至黑褐色，具细密纵纹，支根较多；根头密集叶柄残基；断面黄色。茎断面中空，纤维性。叶灰绿色，展平后为二至三回羽状复叶；叶片菱状卵形或三角状卵形，长 2.3 ~ 9 cm，宽 3.5 ~ 8 cm，两面疏被短柔毛；叶柄长 2.5 ~ 6 cm。总状花序；小苞片披针状线形，多碎落；萼片 5，紫色，被短柔毛；花瓣 2，不等 3 裂，紫色；退化雄蕊 2，花瓣状，斧形，2 深裂。蓇葖果长 1.1 ~ 1.5 cm。种子扁球形，有横膜翅。气微，味辛、苦。

| 功效物质 | 富含生物碱类、脂类、苷类等成分，其中硬飞燕草碱和巴比翠雀碱是还亮草中含量较高的生物碱类成分。

| 功能主治 | 辛、苦，温；有毒。归心、肝、肾经。祛风除湿，通络止痛，化食，解毒。用于风湿痹痛，半身不遂，食积腹胀，荨麻疹，痈疮癣癞。

| 用法用量 | 内服煎汤，3 ~ 6 g。外用适量，捣敷；或煎汤洗。

毛茛科 Ranunculaceae 翠雀属 *Delphinium* 凭证标本号 320115160417030LY

卵瓣还亮草 *Delphinium anthriscifolium* Hance var. *calleryi* (Franch.) Finet et Gagnep.

| 药 材 名 |

卵瓣还亮草（药用部位：全草）。

| 形态特征 |

本品与还亮草的区别在于退化雄蕊的瓣片卵形，先端微凹或 2 浅裂，偶尔不分裂或分裂达中部。

| 生境分布 |

生于海拔 40 ~ 500 m 的山坡、山沟杂木林或草丛中。分布于江苏南部地区。

| 资源情况 |

野生资源一般。

| 采收加工 |

夏、秋季采收，洗净，切段，鲜用或晒干。

| 功效物质 |

主要含有二萜类生物碱。

| 功能主治 |

用于便秘，痈疮肿毒，跌打损伤。

毛茛科 Ranunculaceae 獐耳细辛属 *Hepatica* 凭证标本号 321183150402016LY

獐耳细辛 *Hepatica nobilis* Schreb. var *asiatica* (Nakai) Hara

| 植物别名 | 幼肺三七。

| 药 材 名 | 獐耳细辛（药用部位：根茎）。

| 形态特征 | 多年生草本。高 8 ~ 18 cm。根茎短，密生须根。基生叶 3 ~ 6；叶柄长 6 ~ 9 cm，幼时被毛，后脱落变无毛；叶片正三角状宽卵形，长 2.5 ~ 6.5 cm，宽 4.5 ~ 7.5 cm，基部深心形，3 裂至中部，裂片宽卵形，全缘，先端微钝或钝，有时有短尖头，被疏柔毛。花葶 1 ~ 6，有长柔毛；苞片 3，卵形或椭圆状卵形，长 7 ~ 12 mm，宽 3 ~ 6 mm，先端急尖或微钝，全缘，下面稍密被长柔毛；花两性，单生于花葶先端；萼片 6 ~ 11，花瓣状，狭长圆形，长 8 ~ 14 mm，宽 3 ~ 6 mm，先端钝，粉红色或堇色；雄蕊多数，长 2 ~ 6 mm，

花丝狭线形，花药椭圆形，长约 0.7 mm；心皮多数，子房密被长柔毛，花柱短。瘦果卵球形，长约 4 mm，有长柔毛和短宿存花柱。花期 4 ~ 5 月，果期 5 ~ 7 月。

| 生境分布 | 生于海拔 200 ~ 250 m 的山坡路旁或杂木林下草丛中。分布于江苏镇江（句容）、无锡（宜兴）、常州（溧阳）等。

| 资源情况 | 野生资源较少。

| 采收加工 | 春、秋季采挖，洗净，切碎，晒干。

| 药材性状 | 本品呈圆柱形，长 1 ~ 2 cm，直径 2 ~ 8 mm。表面棕褐色，环节密集，状如僵蚕，节上有不定根；先端残留叶柄残基，纤维性。不定根长可达 10 cm，直径约 0.5 mm。质脆，易折断，断面棕黄色。气微，味苦、辛。

| 功能主治 | 苦，平。活血祛风，杀虫止痒。用于筋骨酸痛，癣疮。

| 用法用量 | 内服隔水蒸，3 ~ 4.5 g。外用适量，研末调敷；或捣碎绞汁涂。

| 附　　注 | 民间用本种治头疮、白秃。

毛茛科 Ranunculaceae 芍药属 *Paeonia* 凭证标本号 320922180716035LY

芍药 *Paeonia lactiflora* Pall.

药材名 白芍（药用部位：根）、赤芍（药用部位：根）。

形态特征 多年生草本。茎高 60 ~ 70 cm，无毛。根粗壮，分枝黑褐色。下部叶为二回三出复叶，向上渐变为单叶；小叶片狭卵形、披针形至椭圆形，长 5 ~ 13 cm，宽 2 ~ 5.5 cm，边缘常具白色骨质细齿，叶面有光泽。花数朵，顶生兼腋生，直径 8 ~ 11 cm；萼片通常 4；花色、花型和瓣型丰富，花盘不发达，浅杯状，仅包心皮基部；心皮 3 ~ 5，无毛，柱头紫红色。蓇葖果卵形或椭圆形，无毛。花期 4 ~ 5 月，果期 6 ~ 7 月。

生境分布 生于山坡草地和林下。江苏各地多有栽培。

| 资源情况 | 栽培资源丰富。

| 采收加工 | **白芍：**夏、秋季采挖，洗净，除去头尾和细根，置沸水中煮后除去外皮或去皮后再煮，晒干。

赤芍：春、秋季采挖，除去根茎、须根及泥沙，晒干。

| 药材性状 | **白芍：**本品呈圆柱形，平直或稍弯曲，两端平截，长 5 ~ 18 cm，直径 1 ~ 2.5 cm。表面类白色或淡红棕色，光洁或有纵皱纹及细根痕，偶有残存的棕褐色外皮。质坚实，不易折断，断面较平坦，类白色或微带棕红色，形成层环纹明显。气微，味微苦、酸。

赤芍：本品呈圆柱形，稍弯曲，长 5 ~ 40 cm，直径 0.5 ~ 3 cm。表面棕褐色，粗糙，有纵沟及皱纹，并有须根痕及横向凸起的皮孔，有的外皮易脱落。质硬而脆，易折断，断面粉白色或粉红色，皮部窄，木部放射状纹理明显，有的有裂隙。气微香，味微苦、酸、涩。

| 功效物质 | 主要含有单萜苷类成分，包括芍药苷、羟基芍药苷、芍药内酯苷、苯甲酰芍药苷等，具有抗炎、抗氧化、镇痛等作用。

| 功能主治 | **白芍：**苦、酸，微寒。归肝、脾经。养血调经，敛阴止汗，柔肝止痛，平抑肝阳。用于血虚萎黄，月经不调，自汗，盗汗，胁痛，腹痛，四肢挛痛，头痛，眩晕。

赤芍：苦，微寒。归肝经。清热凉血，散瘀止痛。用于热入营血，温毒发斑，吐血，衄血，目赤肿痛，肝郁胁痛，经闭，痛经，癥瘕腹痛，跌扑损伤，痈肿疮疡。

| 用法用量 | **白芍：**内服煎汤，6 ~ 15 g。

赤芍：内服煎汤，4 ~ 10 g；或入丸、散剂。

| 附　　注 | 本种性耐寒，在我国北方可以露地越冬，以深厚的壤土最适宜，在阳光充足处生长最好。

毛茛科 Ranunculaceae 芍药属 *Paeonia* 凭证标本号 320382180415002LY

牡丹 *Paeonia suffruticosa* Andrews

| 药 材 名 | 牡丹皮（药用部位：根皮。别名：牡丹根皮、丹皮、丹根）。

| 形态特征 | 落叶小灌木。高 1 ~ 2 m。分枝多，短粗。叶为二回三出复叶至二回羽状复叶；顶生小叶长 4 ~ 9 cm，宽 3 ~ 5 cm，3 裂或浅或深，先端裂片又作 3 ~ 5 浅裂或不裂；两侧小叶较小，近无柄，斜卵形，不裂或不等 2 ~ 4 浅裂，边缘光滑，表面无光泽，背面仅沿主脉疏生短柔毛。花单朵顶生，大，直径 10 ~ 20 cm；苞片 5，长椭圆形，大小不等；萼片 5，绿色；花瓣重瓣，花型和瓣型多变，花色丰富，白色、淡红色至深红色，倒卵形，先端常 2 浅裂或缺刻状；花盘革质，杯状，紫红色，全包心皮；心皮 5，稀更多，密生柔毛。蓇葖果卵形或卵圆形，密生黄褐色毛。花期 4 ~ 5 月，果期 5 ~ 6 月。

| 生境分布 | 江苏各地多有栽培。

| 资源情况 | 栽培资源丰富。

| 采收加工 | 秋季采挖根部，除去细根和泥沙，剥取根皮，晒干，或刮去粗皮、除去木心后晒干。前者习称“连丹皮”，后者习称“刮丹皮”。

| 药材性状 | **连丹皮：**本品呈筒状、半筒状或破碎成片状，有纵剖开的裂隙，两面多向内卷曲，长 5 ~ 20 cm，直径 0.1 ~ 1.5 cm，厚 0.1 ~ 0.4 cm。外表面灰褐色或紫褐色，粗皮脱落处显粉红色，有微凸起的长圆形横生皮孔及支根除去后的残迹；内表面棕色或淡灰黄色，有细纵纹，常见发亮的银星（牡丹酚结晶）。质硬而脆，易折断，断面较平坦，显粉性，外层灰褐色，内层粉白色或淡粉红色，略有圆形环纹。有特殊浓厚香气，味微苦、凉，嚼之发涩，稍有麻舌感。

刮丹皮：本品外表面有刀刮伤痕，表面红棕色或粉黄色，有多数色浅的横生疤痕及支根残迹，并有极少数灰褐色斑点，系未去净之粗皮。以条粗长、皮厚、无木心、断面粉白色、粉性足、亮银星多、香气浓者为佳。

| 功效物质 | 主要含有酚类及其苷类、单萜及单萜苷类成分，此外，还含有三萜类、甾醇类、黄酮类等成分。其中，酚类及其苷类成分有牡丹酚、牡丹酚苷、牡丹酚原苷、牡丹酚新苷等；单萜苷类成分主要有芍药苷、氧化芍药苷、苯甲酰芍药苷、苯甲酰氧化芍药苷等，以及没食子酸和鞣质类成分。药效评价表明，芍药具有消炎镇痛、镇静解痉、降血压和提高免疫力的作用。

| 功能主治 | 辛、苦，凉、微寒。归心、肝、肾、肺经。清热凉血，活血化瘀。用于热入营血，温毒发斑，吐血，衄血，夜热早凉，无汗骨蒸，经闭，痛经，跌扑伤痛，痈肿疮毒。

| 用法用量 | 内服煎汤，6 ~ 9 g；或入丸、散剂。

| 附　　注 | 本种喜温暖、凉爽、干燥、阳光充足的环境。喜光，也耐半阴，耐寒，耐干旱，耐弱碱，忌积水，怕热，怕烈日直射。适宜在疏松、深厚、肥沃、排水良好的中性砂壤土中生长，在酸性或黏重壤土中生长不良。

毛茛科 Ranunculaceae 白头翁属 *Pulsatilla* 凭证标本号 320116180401009LY

白头翁 *Pulsatilla chinensis* (Bunge) Regel

| 植物别名 |

毛姑朵花、老婆子花、老公花。

| 药 材 名 |

白头翁（药用部位：根。别名：野丈人、胡王使者、白头公）。

| 形态特征 |

多年生草本。高达 30 cm，全株密生白色长柔毛。基生叶数片，开花时生出，有长柄；叶片宽卵形，3 全裂，中间小叶有柄，常 3 深裂，再不等 2 ～ 3 裂，裂片倒卵形，又呈不规则浅裂或牙齿状。花茎 1 ～ 2；总苞片通常 3，基部合生成短管，长 3 ～ 10 mm，上部裂片又常作 2 ～ 3 裂；萼片 6，紫色，卵形或狭卵形，长 3 ～ 4.5 cm，背面有柔毛；雄蕊长约为萼片的 1/2。聚合果直径 9 ～ 12 cm；心皮密生白色绒毛；瘦果扁纺锤形，密集成头状，宿存花柱长 3.5 ～ 6.5 cm，有白色羽状毛。花期 3 ～ 5 月，果期 6 ～ 7 月。

| 生境分布 |

生于平原和低山山坡草丛中、林边或干旱多石的坡地。分布于江苏南京（江宁、栖霞）、镇江（丹徒、句容、润州）等。

| 资源情况 | 野生资源一般。

| 采收加工 | 春、秋季采挖，除去泥沙，干燥。

| 药材性状 | 本品呈长圆柱形或圆锥形，稍弯曲，有时扭曲而稍扁，长 5 ~ 20 cm，直径 0.5 ~ 2 cm。表面黄棕色或棕褐色，有不规则的纵皱纹或纵沟，中部有时分出 2 ~ 3 支根，皮部易脱落而露出黄色木部，且常朽蚀成凹洞，可见纵向凸起的网状花纹；根头部稍膨大，有时分叉，先端残留数层鞘状叶柄基及幼叶，密生白色长绒毛。质硬而脆，折断面稍平坦，黄白色，皮部与木部间有时出现空隙。气微，味微苦、涩。以条粗长、质坚实者为佳。

| 功效物质 | 主要含有羽扇豆烷型和齐墩果烷型三萜皂苷，代表性成分有白头翁皂苷、白桦脂酸、3- 氧代白桦脂酸、白头翁素、原白头翁素等。此外，还含有木脂素类和胡萝卜素类成分，具有抗肿瘤、抗菌、抗炎、增强免疫功能等作用。

| 功能主治 | 苦，寒。归胃、大肠经。清热解毒，凉血止痢。用于热毒血痢，阴痒带下。

| 用法用量 | 内服煎汤，15 ~ 30 g；或入丸、散剂。外用适量，煎汤洗；或捣敷。

毛茛科 Ranunculaceae 毛茛属 *Ranunculus* 凭证标本号 320681170514122LY

禺毛茛 *Ranunculus cantoniensis* DC.

| 植物别名 | 自扣草、水辣菜。

| 药 材 名 | 自扣草（药用部位：全草。别名：鹿蹄草、鹿啼草、自蔻草）。

| 形态特征 | 多年生草本。茎高 20 ~ 65 cm，密被伸展的白色或淡黄色糙毛。叶多为三出复叶；基生叶有长柄，茎生叶有短柄，顶生叶近无柄；叶片宽卵形，长约 4 cm，宽约 5 cm，顶生小叶椭圆形或菱形，3 裂，边缘有粗锯齿，小叶柄较长，侧生小叶不等 2 或 3 深裂，小叶柄短。花序顶生，花 4 ~ 10；花托被糙伏毛；花直径 10 ~ 15 mm；萼片 5，窄卵形，反折，长 3 ~ 4 mm；花瓣 5，黄色，窄椭圆形或倒卵形。聚合果球形，直径约 1 cm；瘦果扁，斜倒卵圆形，无毛，边缘有棱翼，果喙短直或向内微弯，长 4 mm。花期 3 ~ 9 月，果期 4 ~ 11 月。

| 生境分布 | 生于沟边或水田边。江苏各地均有分布。

| 资源情况 | 野生资源一般。

| 采收加工 | 春末夏初采收，洗净，鲜用或晒干。

| 药材性状 | 本品长 25 ~ 65 cm。须根簇生。茎和叶柄密被黄白色糙毛。叶为三出复叶，基生叶及下部叶叶柄长达 14 cm；叶片宽卵形，黄绿色，长、宽均 3 ~ 5 cm，中央小叶椭圆形或菱形，3 裂，边缘具密锯齿，侧生小叶不等的 2 或 3 深裂。花序具疏花；萼片 5，船形，长约 3 mm，有糙毛；花瓣 5，椭圆形，棕黄色。聚合果球形，直径约 1 cm；瘦果扁，狭倒卵形，长约 4 mm。气微，味微苦；有毒。

| 功效物质 | 含有原白头翁素及黄酮类、酚类、有机酸等成分，具有抑菌作用。

| 功能主治 | 微苦、辛，温；有毒。归肝经。清肝明目，除湿解毒，截疟。用于眼翳，目赤，黄疸，痈肿，风湿关节炎，疟疾。

| 用法用量 | 外用适量，捣敷发疱或塞鼻；或捣汁涂。本品有刺激性，一般不作内服。

| 附　　注 | 《南京民间草药》记载本品可治“黄病”。取本种打烂后敷手腕脉上，待起疱时刺破，除去黄水。

毛茛科 Ranunculaceae 毛茛属 *Ranunculus* 凭证标本号 320684170413126LY

茴茴蒜 *Ranunculus chinensis* Bunge

| 植物别名 | 水杨梅果。

| 药 材 名 | 回回蒜（药用部位：全草）。

| 形态特征 | 一年生或多年生草本。茎高 15 ~ 50 cm，密被伸展的白色或微带淡黄色的长硬毛。叶为三出复叶；基生叶和下部叶有长柄；叶片宽卵形，长 2.6 ~ 7.5 cm，小叶有柄，3 深裂，中间裂片再 3 深裂，裂片狭长，有少数不规则锯齿，侧生小叶不等 2 或 3 裂；茎上部叶渐变小。花序顶生，花 3 至多数，直径 6 ~ 7 mm；萼片 5，反曲，窄卵形，外面有疏毛；花瓣 5，黄色，倒卵形或宽椭圆形，基部蜜腺被有鳞片。聚合果长圆形或椭圆柱形，长 10 ~ 13 mm，宽 7 ~ 8 mm；瘦果扁卵状椭圆形，无毛，具窄边，果喙短，微弯。花期 4 ~ 9 月。

| 生境分布 | 生于溪边或湿草地。江苏各地均有分布。

| 资源情况 | 野生资源较少。

| 采收加工 | 夏、秋季采收，洗净，鲜用或晒干。

| 药材性状 | 本品长 15 ~ 50 cm。茎及叶柄均有伸展的淡黄色糙毛。三出复叶，黄绿色，基生叶及下部叶具长柄；叶片宽卵形，长 2 ~ 7.5 cm，小叶 2 ~ 3 深裂，上部具少数锯齿，两面被糙毛。花序花疏生，花柄贴生糙毛；萼片 5，狭卵形；花瓣 5，宽卵圆形。聚合果长圆形，直径 6 ~ 8 mm；瘦果扁平，长 3 ~ 3.5 mm，无毛。气微，味淡；有毒。

| 功效物质 | 含有原白头翁素，具有抗菌、解痉作用。

| 功能主治 | 辛、苦，温；有毒。归肝经。解毒退黄，截疟，定喘，镇痛。用于肝炎，黄疸，肝硬化腹水，疮疡，银屑病，疟疾，哮喘，牙痛，胃痛，风湿痛。

| 用法用量 | 内服煎汤，3 ~ 9 g。外用适量，外敷患处或穴位，皮肤发赤起疱时除去；或鲜品绞汁涂搽；或煎汤洗。本品有毒，一般供外用，内服宜慎，并需久煎。外用对皮肤刺激性大，用时局部要隔凡士林或纱布。

毛茛科 Ranunculaceae 毛茛属 *Ranunculus* 凭证标本号 320481150418052LY

毛茛 *Ranunculus japonicus* Thunb.

| 植物别名 | 水莨、毛建、毛建草。

| 药 材 名 | 毛茛（药用部位：全草或根）。

| 形态特征 | 多年生草本。根茎短；茎高 20 ~ 60 cm，中空，有伸展的白色柔毛。基生叶和茎下部叶有长柄，长可达 20 cm；叶片心状五角形，长 3 ~ 6.5（~ 10）cm，宽 5 ~ 10（~ 16）cm，3 深裂，中间裂片宽菱形或倒卵形，再 3 浅裂，具不等牙齿，侧裂片不等 2 裂；茎生叶渐小，中部叶有短柄，上部叶无柄，3 深裂，裂片线状披针形，上端有时浅裂成数齿。花直径约 2 cm；萼片 5，卵形，外有柔毛；花瓣 5，黄色，倒卵形。瘦果扁平，偏斜卵形，内缘近直，外缘弯曲，长 2 ~ 3 mm，两面凸起，边缘不显著，有短喙稍外曲。花期 4 ~ 8 月。

| **生境分布** | 生于田野、路边、沟边或山坡杂草丛中。江苏各地均有分布。

| **资源情况** | 野生资源较丰富。

| **采收加工** | 夏末秋初采收，洗净，鲜用或阴干。

| **药材性状** | 本品茎与叶柄均有伸展的柔毛。叶片五角形，长达 6 cm，宽达 7 cm，基部心形。萼片 5，船状椭圆形，长 4 ～ 6 mm，有白柔毛；花瓣 5，倒卵形，长 6 ～ 11 mm。聚合果近球形，直径 2 ～ 3 mm。

| **功效物质** | 全草含有内酯类、黄酮类、皂苷类及生物碱类等成分。毛茛总皂苷具有显著的抗心肌肥大作用。

| **功能主治** | 辛，温；有毒。归肝、胆、心、胃经。退黄，定喘，截疟，镇痛，消翳。用于黄疸，哮喘，疟疾，偏头痛，牙痛，鹤膝风，风湿关节痛，目生翳膜，瘰疬，疮痈肿毒。

| **用法用量** | 外用适量，捣敷患处或穴位，发赤起疱时去除；或煎汤洗。本品有毒，一般不作内服。皮肤有破损及过敏者禁用，孕妇慎用。

| **附　　注** | 用全草 8 g，加水 300 ml，煮 80 分钟，加 0.5% 肥皂，可防治大豆蚜虫，杀虫率达 90% 以上。用全草 10 倍重量的水浸液，对稻瘟病杀菌率达 100%。

毛茛科 Ranunculaceae 毛茛属 *Ranunculus* 凭证标本号 320282161113292LY

刺果毛茛 *Ranunculus muricatus* L.

| 药 材 名 | 刺果毛茛（药用部位：全草）。

| 形态特征 | 多年生草本。近无毛。茎自基部分枝，生于干燥地方的植物体呈莲座状，生于阴湿地的植株高达 40 cm。基生叶叶片近圆形，3 深裂至 3 浅裂，裂片又齿状浅裂，基部楔形、截形或近肾形，长 1.5 ~ 3.5 cm，宽 1.7 ~ 4 cm，有长 2 ~ 12 cm 的叶柄；茎上部叶狭窄，有短柄或无柄；叶柄基部向两侧延展，渐薄，边缘有睫毛状齿。花与茎生叶对生，直径 1.5 ~ 2 cm；萼片 5，窄卵形，稍反曲；花瓣 5，黄色，狭倒卵形至宽卵形，基部蜜腺有鳞片。聚合果球形，直径约 1 cm；瘦果扁平，倒卵圆形或椭圆形，有宽的边缘，两面中央部有刺，长 4 ~ 5 mm。花期 3 ~ 4 月。

| 生境分布 | 生于草地、田边或庭院杂草丛中。分布于江苏南京、无锡（宜兴）、苏州等南部地区。

| 资源情况 | 野生资源较丰富。

| 采收加工 | 夏末秋初采收，洗净，鲜用或阴干。

| 功效物质 | 主要含有黄酮苷及酚酸类、内脂类等资源性成分。

| 功能主治 | 用于疮疖，堕胎。

毛茛科 Ranunculaceae 毛茛属 *Ranunculus* 凭证标本号 320829150507009LY

石龙芮 *Ranunculus sceleratus* L.

| 药 材 名 | 石龙芮（药用部位：全草。别名：水堇、姜苔、水姜苔）。

| 形态特征 | 一年生草本。茎高达 50 cm，直立，无毛或疏被柔毛。基生叶和茎下部叶有长柄；叶片五角形、近肾形至宽卵形，长（1 ~ ）3 ~ 4 cm，宽（1 ~ ）4 ~ 5 cm，3 深裂，有时达基部，基部心形，中间裂片菱状倒卵形，3 浅裂，全缘或有疏钝齿，侧裂片不等 2 或 3 裂；茎生叶有柄；上部叶近无柄，通常 3 深裂至全裂，裂片狭长椭圆形，边缘波状。伞房状复单歧聚伞花序；苞片叶状；花直径约 8 mm；萼片椭圆形；花瓣黄色，与萼片几等长，狭倒卵形，蜜腺窝状。瘦果密集在细圆柱状花托上，花托有毛，长约 1 cm；瘦果倒卵球形，稍扁，两侧偶见短横皱 2 ~ 3 条，先端有短喙，长约 1 mm。花果期 5 ~ 8 月。

| 生境分布 | 生于溪沟边或湿地或水中。江苏各地均有分布。

| 资源情况 | 野生资源较丰富。

| 采收加工 | 开花末期 5 月左右采收，洗净，鲜用或阴干。

| 药材性状 | 本品长 10 ～ 45 cm，疏生短柔毛或无毛。基生叶及茎下部叶具长柄；叶片肾状圆形，棕绿色，长 0.7 ～ 3 cm，3 深裂，中央裂片 3 浅裂；茎上部叶变小。聚伞花序有多数小花，花托被毛；萼片 5，船形，外被短柔毛；花瓣 5，狭倒卵形。聚合果矩圆形；瘦果小而极多，倒卵形，稍扁，长约 1.2 mm。气微，味苦、辛。有毒。

| 功效物质 | 含有原白头翁素、毛茛苷、5- 羟色胺、白头翁素，还含有胆碱、不饱和甾醇类、没食子酸鞣质及黄酮类化合物。具有抗微生物作用，可收缩平滑肌，对眼、鼻和喉黏膜有强烈刺激作用。在高浓度下过久，可使皮肤发红、发疱。

| 功能主治 | 苦、辛，寒；有毒。归心、肺经。清热解毒，消肿散结，止痛，截疟。用于痈疖肿毒，毒蛇咬伤，痰核瘰疬，风湿关节肿痛，牙痛，疟疾。

| 用法用量 | 内服煎汤，3 ～ 9 g；炒后研末，1 ～ 1.5 g。外用适量，捣敷；或煎膏涂。本品有毒，内服宜慎。

毛茛科 Ranunculaceae 毛茛属 *Ranunculus* 凭证标本号 320125150505125LY

扬子毛茛 *Ranunculus sieboldii* Miq.

| 植物别名 | 辣子草、地胡椒、平足草。

| 药 材 名 | 鸭脚板草（药用部位：全草。别名：辣子草、野芹菜、水辣菜）。

| 形态特征 | 多年生草本。茎常偃卧、披散或匍匐，长达 50 cm，与叶柄密生白色开展糙毛，茎基部更密。叶为三出复叶；基生叶有长柄，长 6 ~ 14 cm；叶片宽卵形，长 1.5 ~ 5.4 cm，宽 2.6 ~ 7 cm，两面有贴伏糙毛，中间小叶有长或短的柄，3 浅裂至 3 深裂，裂片上部边缘疏生锯齿，侧生小叶有短柄，较小，不等 2 或 3 裂。花黄色，直径 8 ~ 12 mm；萼片 5，反曲，狭卵形，长 4 ~ 6 mm，外面疏生柔毛；花瓣 5，窄倒卵形或近椭圆形，基部蜜腺被有鳞片。聚合果球形，直径约 1 cm；瘦果无毛，扁平，边缘宽棱，中部凸起，果喙短钩状，长 3 ~ 4.5 mm。花期 3 ~ 10 月。

| 生境分布 | 生于路边、溪边或山地阴湿处。江苏各地均有分布。

| 资源情况 | 野生资源较丰富。

| 采收加工 | 春、夏季采收，洗净，鲜用或晒干。

| 药材性状 | 本品茎下部节常生根，表面密生伸展的白色或淡黄色柔毛。叶片圆肾形至宽卵形，长 2 ~ 5 cm，宽 3 ~ 6 cm，下面密生柔毛；叶柄长 2 ~ 5 cm。花对叶单生，具长柄；萼片 5，反曲；花瓣 5，近椭圆形，长达 7 mm。气微，味辛、微苦。

| 功效物质 | 主要含有尿囊素，是扬子毛茛解痉利胆作用的活性成分。还含有黄酮及其苷类成分。

| 功能主治 | 辛、苦，热；有毒。归心经。除痰截疟，解毒消肿。用于疟疾，瘿肿，毒疮，跌打损伤。

| 用法用量 | 内服煎汤，3 ~ 9 g。外用适量，捣敷。多作外用，内服宜慎。

| 附　　注 | 本种形态特征在同一居群内或不同居群之间都有一定程度的变异。

毛茛科 Ranunculaceae 毛茛属 *Ranunculus* 凭证标本号 321183150415679LY

猫爪草 *Ranunculus ternatus* Thunb.

| 植物别名 | 猫爪儿草、三散草。

| 药 材 名 | 猫爪草（药用部位：块根。别名：小毛茛）。

| 形态特征 | 多年生草本。肉质小块根数个，卵球形或近纺锤形，形似猫爪。茎细弱，铺散，多分枝，高 5 ~ 18 cm。基生叶为三出复叶，丛生，有长柄，或有少数单叶；叶片长 0.6 ~ 1.5 cm，宽 0.5 ~ 2.4 cm，小叶片无柄，菱形，2 或 3 裂，中间小叶片较大，先端齿状浅裂，基部楔形，有时基生小叶片边缘浅裂或细裂成线形裂片；单叶五角形或宽卵形，3 裂；茎生叶无柄，较小，常 3 全裂成线状裂片。单花顶生，直径 1 ~ 1.5 cm；萼片 5，卵形或宽卵形，长达 4 mm；花瓣 5，黄色，倒卵形或椭圆形，基部有袋状蜜腺。瘦果卵状球形，无毛，果喙短，直径约 1 mm。花期 3 ~ 5 月。

| 生境分布 | 生于田边、草地、林缘、草坡或路边潮湿地。分布于江苏南部地区。

| 资源情况 | 野生资源较丰富。

| 采收加工 | 栽种 2 ～ 3 年后，于秋末或早春采挖，除去茎叶及须根，洗净，晒干。

| 药材性状 | 本品呈纺锤形，多 5 ～ 6 簇生，形似猫爪，长 3 ～ 10 mm，直径 2 ～ 3 mm，先端有黄褐色残茎或茎痕。表面黄褐色或灰黄色，久存色泽变深，微有纵皱纹，并有点状须根痕和残留须根。质坚实，断面类白色或黄白色，空心或实心，粉性。气微，味微甘。以黄褐色、质坚实者为佳。

| 功效物质 | 主要含有内酯类、黄酮类、皂苷类以及氨基酸、微量元素等成分。其中，小毛茛内酯具有抗结核休眠菌、抗耐药菌、抗肿瘤、抗急性炎症的作用，毛茛苷对各种白血病细胞均有一定的杀伤作用。药理研究表明，猫爪草中的皂苷及多糖成分对肿瘤细胞株的生长和集落形成均有不同程度的影响，猫爪草的乙醇提取液对肿瘤坏死因子有较强的诱生作用。临床用药显示，在常规抗结核治疗的基础上加用猫爪草胶囊，可以很快减轻结核性胸膜炎病人的临床症状，减轻胸膜包裹、粘连、增厚，且病人并无明显不良反应。

| 功能主治 | 甘、辛，温、平。归肝、肺经。化痰散结，解毒消肿。用于瘰疬痰核，疔疮肿毒，蛇虫咬伤。

| 用法用量 | 内服煎汤，9 ～ 15 g。外用适量，研末敷。

毛茛科 Ranunculaceae 天葵属 *Semiaquilegia* 凭证标本号 320115160417026LY

天葵 *Semiaquilegia adoxoides* (DC.) Makino

| 植物别名 | 千年老鼠屎、老鼠屎、旱铜钱草。

| 药 材 名 | 天葵子（药用部位：块根。别名：紫背天葵、天葵、天葵草）。

| 形态特征 | 多年生小草本。块根外皮棕黑色。茎 1 ～ 5，高 10 ～ 30 cm，细弱，有分枝，疏生白色短柔毛。基生叶多数，掌状三出复叶，具长柄，叶柄基部扩大成鞘；小叶片扇状菱形或倒卵状菱形，长 0.5 ～ 3 cm，宽 1 ～ 3 cm，常深 3 裂或近全裂，裂片先端有缺刻状钝齿 2 或 3，两面无毛；茎生叶与基生叶相似，略小，具短柄。苞片小，倒披针形至倒卵形；花直径 4 ～ 6 mm；花柄纤细，长 1 ～ 2.5 cm，被伸展白色短柔毛；萼片白色，常带淡紫色，狭椭圆形，长 4 ～ 6 mm，先端急尖；花瓣淡黄色，匙形，比萼片短，先端近截形，下部管状，

基部有距。蓇葖果卵状长椭圆形，长 5 ~ 7 mm。花期 3 ~ 4 月，果期 4 ~ 5 月。

| 生境分布 | 生于海拔 50 ~ 600 m 的路边或山坡林下阴湿处。分布于江苏连云港及南部地区。

| 资源情况 | 野生资源较丰富。

| 采收加工 | 移栽后的第 3 年 5 月植株未完全枯萎前采挖，较小的块根留作种用，较大的去尽残叶，晒干，加以揉搓，去掉须根，除去泥土。

| 药材性状 | 本品呈不规则短柱状、纺锤状或块状，略弯曲，有的有 2 ~ 3 短分叉，长 1 ~ 3 cm，直径 0.5 ~ 1 cm。表面暗褐色至灰黑色，具不规则的皱纹及须根或须根痕；先端常有茎叶残基，外被数层黄褐色鞘状鳞片；中部通常较膨大。质较软，易折断，断面皮部类白色，木部黄白色或黄棕色，略显放射状纹理。气微，味甘、微苦、辛。以个大、断面皮部白色者为佳。

| 功效物质 | 主要含有生物碱类、内酯类、甾醇类、黄酮类、氰基类、硝基类、木脂素类等成分，具有抗肿瘤、抗炎、抗氧化等活性。

| 功能主治 | 苦、微辛，寒；有小毒。归肝、脾、膀胱经。清热解毒，消肿散结。用于痈肿疔疮，乳痈，瘰疬，蛇虫咬伤。

| 用法用量 | 内服煎汤，3 ~ 9 g；或研末，1.5 ~ 3 g；或浸酒。外用适量，捣敷；或捣汁点眼。

| 附　　注 | 本种单味药或配方应用，治疗乳腺炎皆能取得较好效果。

毛茛科 Ranunculaceae 唐松草属 *Thalictrum* 凭证标本号 320581180331044LY

华东唐松草 *Thalictrum fortunei* S. Moore

| 药 材 名 | 大叶马尾连（药用部位：根及根茎）。

| 形态特征 | 多年生草本。无毛。茎高达 70 cm，中下部即有分枝。二至三回三出复叶；顶生小叶片倒卵形至近圆形，叶背粉绿色，长 1 ~ 2.5 cm，宽 0.8 ~ 3 cm，不明显 3 浅裂，裂片先端有缺刻状钝齿，基部楔形、圆形至近心形，侧生小叶基部斜心形；叶柄细，长约 6 cm，基部有短鞘；托叶膜质，半圆形，全缘。单歧聚伞花序排成圆锥状，分枝少；萼片 4，绿白色或淡堇色，倒卵形；雄蕊花丝上端膨大成棒状，花药椭圆形，长 0.5 ~ 1.2 mm，先端钝；心皮 3 ~ 6，无柄，花柱短直或先端弯曲，宿存。瘦果无柄，圆柱状长圆形，长 4 ~ 5 mm，有纵肋 6 ~ 8。花期 3 ~ 5 月，果期 7 ~ 8 月。

| **生境分布** | 生于海拔 100 ~ 500 m 的山坡丘陵或山沟林下阴湿处。分布于江苏徐州、南京、镇江（句容）、常州（溧阳）、无锡（宜兴）、苏州等。

| **资源情况** | 野生资源较丰富。

| **采收加工** | 春、秋季采收，剪去地上茎叶，鲜用或晒干。

| **功效物质** | 富含黄酮类、生物碱类成分。

| **功能主治** | 苦，寒。归大肠、肝经。清热，泻火，解毒。用于痢疾，腹泻，目赤肿痛，湿热黄疸。

| **用法用量** | 内服煎汤，3 ~ 10 g。外用适量，研末调敷。

毛茛科 Ranunculaceae 唐松草属 *Thalictrum* 凭证标本号 320703150820428LY

东亚唐松草 *Thalictrum minus* L. var. *hypoleucum* (Sieb. et Zucc.) Miq.

| 药 材 名 | 烟窝草（药用部位：根及根茎。别名：马尾黄连、金鸡脚下黄、马尾连）。

| 形态特征 | 一年生草本。无毛。茎高 60 ~ 150 cm。叶片为三至四回三出复叶或羽状复叶；下部叶叶柄长达 8 cm，上部叶叶柄渐短或无；小叶片楔形、宽倒卵形至近圆形，长、宽均为 1 ~ 4（ ~ 5） cm，先端常 3 浅裂，裂片全缘或有缺刻状，叶背有白粉、粉绿色，叶脉隆起。圆锥花序顶生，塔形，长 10 ~ 35 cm，多花；花柄长 3 ~ 8 mm；花直径约 6 mm；萼片黄绿色；雄蕊多数，花丝丝状，药隔伸出成小尖头；心皮 2 ~ 7，无柄，柱头三角状箭头形，有宽翅。瘦果纺锤形至倒卵球形，稍扁，有纵肋多数。花期 6 ~ 8 月。

| 生境分布 | 生于丘陵山坡、林缘、路旁或沟谷边。分布于江苏连云港（赣榆）和徐州（新沂）等。

| 资源情况 | 野生资源较少。

| 采收加工 | 夏、秋季间采收，洗净，晒干。

| 药材性状 | 本品根茎由数个至十数个结节连生，常中空。细根数十至百余条密生于根茎下面，长 10 ~ 20（~ 30）cm，直径 1 ~ 1.5 mm，软而扭曲，常缠绕成团；表面浅棕色，疏松，皮层常脱落，脱落处现棕黄色木心；断面纤维性。气微，味微苦。

| 功效物质 | 富含苄基异喹啉类生物碱、双苄基异喹啉类生物碱及唐松草新碱等生物碱类成分，具有降血压、抗菌作用。

| 功能主治 | 苦，寒；有小毒。归肺、胃经。清热解毒，燥湿。用于百日咳，痈疮肿毒，牙痛，湿疹。

| 用法用量 | 内服煎汤，6 ~ 9 g。外用适量。

毛茛科 Ranunculaceae 唐松草属 *Thalictrum* 凭证标本号 320111170509011LY

瓣蕊唐松草 *Thalictrum petaloideum* L.

| 药 材 名 |

瓣蕊唐松草（药用部位：根茎及根。别名：花唐松草、马尾黄连、肾叶唐松草）。

| 形态特征 |

多年生草本。无毛。茎高 18 ~ 80 cm，上部分枝。叶三至四回三出或羽状复叶；叶柄粗短或长达 10 cm，基部有鞘；小叶较小，形态变异较大，顶生小叶倒卵形、菱形或近圆形，长 3 ~ 12 mm，宽 2 ~ 15 mm，3 裂或不裂，裂片全缘，基部楔形至心形，脉平且细，脉网不明显；小叶柄 5 ~ 7 mm。花序伞房状；萼片 4，白色，早落；雄蕊多数，花丝上部倒披针形，较花药宽或棒状，下部线状；心皮 4 ~ 13，无柄，花柱明显，腹面具柱头。瘦果卵形，无柄，长 4 ~ 6 mm，约具纵肋纹 8，稍扁；花柱宿存，约 1 mm。花期 6 ~ 7 月，果期 7 ~ 8 月。

| 生境分布 |

生于海拔 100 ~ 300 m 的山坡草坡。分布于江苏南京等。

| 资源情况 |

野生资源一般。

| 采收加工 | 夏、秋季采收，除去茎叶及泥土，切段，晒干。

| 药材性状 | 本品根茎极短，须根较稀疏，长 3 ～ 5 cm，直径 1 ～ 1.2 mm；表面褐色，具数条细纵棱；质脆，易折断。气微，味微甜，嚼之粘牙。

| 功效物质 | 主要含有小檗碱、隐品碱、药根碱、木兰花碱等生物碱类成分，但含量较低。

| 功能主治 | 苦，寒。归肝、胃、大肠经。清热，燥湿，解毒。用于湿热泻痢，黄疸，肺热咳嗽，目赤肿痛，痈肿疮疖，渗出性皮炎。

| 用法用量 | 内服煎汤，9 ～ 15 g。外用适量，研末撒；或鲜品捣敷。

小檗科 Berberidaceae 十大功劳属 *Mahonia* 凭证标本号 320831180422069LY

阔叶十大功劳 *Mahonia bealei* (Fort.) Carr.

| 药 材 名 | 功劳木（药用部位：茎）、十大功劳叶（药用部位：叶）。

| 形态特征 | 常绿灌木。高 1 ~ 2 m。树皮黄褐色。叶互生，一回羽状复叶，长 25 ~ 40 cm，小叶 7 ~ 17，厚革质，卵形，边缘略反卷，侧生小叶无柄，顶生小叶有柄，长 3 ~ 10 cm，宽 2 ~ 8 cm，每侧有 2 ~ 8 斜展的刺状锐锯齿，上面深绿色，下面浅黄绿色。总状花序直立，长 6 ~ 15 cm，6 ~ 9 簇生于茎顶，花黄色。浆果卵形或卵圆形，长约 10 mm，直径 6 ~ 9 mm，成熟时蓝黑色，表面被白粉。花期 12 月至翌年 3 月，果期 4 ~ 6 月。

| 生境分布 | 生于阔叶林、竹林、杉木林及混交林林下、林缘，草坡，溪边，路旁或灌丛中。江苏各地多有栽培，有时逸为野生。

| 资源情况 | 野生资源较少，栽培资源较丰富。

| 采收加工 | **功劳木：**全年均可采收，切块片，干燥。

十大功劳叶：全年均可采摘，晒干。

| 药材性状 | **功劳木：**本品呈不规则块片，大小不等。外表面灰黄色至棕褐色，有明显的纵沟纹及横向细裂纹，有的外皮较光滑，有光泽，或有叶柄残基。切面皮部薄，棕褐色，木部黄色，可见数个同心性环纹及排列紧密的放射状纹理，髓部色较深，质硬。无臭，味苦。

十大功劳叶：本品呈阔卵形，长 4 ～ 12 cm，宽 2.5 ～ 8 cm，基部宽楔形或近圆形，不对称，先端渐尖，边缘略反卷，两侧各有 2 ～ 8 刺状锯齿，上表面绿色，具光泽，下表面色浅，黄绿色；厚革质。叶柄短或无。气弱，味苦。

| 功效物质 | 富含非洲防已碱、药根碱、巴马汀、小檗碱等生物碱类成分，具有良好的抑菌活性。此外，还含有挥发油类和黄酮类成分。

| 功能主治 | **功劳木：**苦，寒。归肝、胃、大肠经。清热燥湿，泻火解毒。用于湿热泻痢，黄疸，尿赤，目赤肿痛，胃火牙痛，疮疖痈肿。

十大功劳叶：苦，寒。归肝、胃、肺、大肠经。清虚热，燥湿，解毒。用于肺痨咳血，骨蒸潮热，头晕耳鸣，腰膝酸软，湿热黄疸，带下，痢疾，风热感冒，目赤肿痛，痈肿疮疡。

| 用法用量 | **功劳木：**内服煎汤，9 ～ 15 g。外用适量。

十大功劳叶：内服煎汤，6 ～ 9 g。外用适量，研末调敷。

小檗科 Berberidaceae 十大功劳属 *Mahonia* 凭证标本号 320581180829299LY

十大功劳 *Mahonia fortunnei* (Lindl.) Fedde

| 药材名 | 功劳木（药用部位：茎）。

| 形态特征 | 常绿灌木。高 1 ~ 2 m。叶互生，一回羽状复叶，长 15 ~ 30 cm，小叶 5 ~ 9，稀 11，革质，披针形，长 5 ~ 12 cm，宽 1 ~ 2.5 cm，各侧生小叶近等长，顶生小叶最大，均无柄，先端尖或略渐尖，基部狭楔形，每侧边缘有 6 ~ 15 刺状锐齿。总状花序直立，4 ~ 8 簇生于茎顶，花黄色，花柄长 1 ~ 4 mm。浆果卵圆形或长圆形，长 4 ~ 5 mm，成熟时蓝黑色，外被白粉。花期 7 ~ 8 月，果期 9 ~ 11 月。

| 生境分布 | 生于山坡灌丛、路边。江苏各地多有栽培，有时逸为野生。

| 资源情况 | 野生资源较少，栽培资源较丰富。

| 采收加工 | 全年均可采收，切块片，干燥。

| 功效物质 | 富含小檗碱、掌叶防己碱及木兰花碱，具有良好的抑菌作用。此外，含有的酚酸类、苯丙素类及脑苷类成分，具有显著的逆转肿瘤多药耐药的活性，抗氧化及保肝活性。

| 功能主治 | 苦，寒。归肝、胃、大肠经。清热燥湿，泻火解毒。用于湿热泻痢，黄疸，尿赤，目赤肿痛，胃火牙痛，疮疖痈肿。

| 用法用量 | 内服煎汤，9 ~ 15 g。外用适量。

| 附　　注 | 本种属暖温带植物，具有较强的抗寒能力，不耐暑热，喜温暖湿润的气候，性强健，耐阴，忌烈日暴晒，有一定的耐寒性，也比较抗干旱。在原产地多生长在阴湿峡谷和森林下面，属阴性植物。喜排水良好的酸性腐殖土，极不耐碱，怕水涝。对土壤要求不严，在疏松肥沃、排水良好的砂壤土中生长最好。

小檗科 Berberidaceae 南天竹属 *Nandina* 凭证标本号 320482180720189LY

南天竹 *Nandina domestica* Thunb.

| 药 材 名 | 南天竹子（药用部位：果实。别名：红杷子、天烛子、天竺子）。

| 形态特征 | 常绿灌木。高 1 ~ 3 m。茎直立，常丛生而分枝，幼枝常红色。叶互生，集生于茎枝上部，三回奇数羽状复叶，各级羽片对生，末回羽片有小叶 3（~ 5），小叶革质，近无柄，椭圆状披针形，长 3 ~ 10 cm，宽 1 ~ 2 cm，先端渐尖，基部楔形，全缘，深绿色，冬季常变红色。圆锥花序顶生，长 20 ~ 35 cm；花白色；萼片和花瓣多轮，每轮 3，外轮较小，卵状三角形，内轮较大，卵圆形；花瓣长圆形；子房上位，1 室，胚珠 2。浆果球形，鲜红色，偶有黄色。种子半球形。花期 5 ~ 7 月，果期 8 ~ 11 月。

| 生境分布 | 生于疏林及灌丛中。江苏各地均有栽培，多栽培于庭院。

| 资源情况 | 栽培资源丰富。

| 采收加工 | 秋季或至翌年春季采收成熟果实，晒干。

| 药材性状 | 本品呈球形，直径 6 ~ 9 mm，表面黄红色、暗红色或红紫色，平滑，微具光泽，有的局部下陷，先端具凸起的宿存柱基，基部具果柄或其断痕。果皮质松脆，易破碎。种子 2 粒，略呈半球形，内面下凹，类白色至黄棕色。气无，味微涩。以粒圆、红色、光滑、种子白色者为佳。

| 功效物质 | 主要含有生物碱类、黄酮类、挥发油类等化学成分，具有抗菌、降血压、止咳、平喘等药理作用。其中，南天竹宁碱具有明显的抑制组胺收缩大动脉血管的作用，去甲乌头碱具有明显的抵制组胺诱导气管收缩的作用。

| 功能主治 | 酸、甘，平；有毒。归肺、肝经。敛肺止咳平喘。用于久咳，气喘，百日咳。

| 用法用量 | 内服煎汤，6 ~ 10 g；或研末。

| 附　　注 | 本种喜温暖多湿及通风良好的半阴环境，不耐严寒，较耐旱，耐弱碱。以土层深厚、疏松肥沃、排水良好的砂壤土栽种为宜。

大血藤科 Sargentodoxaceae 大血藤属 *Sargentodoxa* 凭证标本号 320481140818330LY

大血藤 *Sargentodoxa cuneata* (Oliv.) Rehd. et Wils.

| 药 材 名 |

大血藤（药用部位：茎藤。别名：血藤、红皮藤、活血藤）。

| 形态特征 |

落叶木质藤本。长达 10 余米，全株无毛。三出复叶或兼具单叶；小叶片薄革质，先端急尖，全缘，顶生小叶近菱状倒卵圆形，长 4 ~ 12.5 cm，宽 3 ~ 9 cm，基部渐狭，侧生小叶斜卵形，基部内面楔形，外面截形或圆形，比顶生小叶略大，几无柄；叶柄长 3 ~ 12 cm。总状花序长 6 ~ 12 cm，雄、雌花同序或异序，同序时雄花生于基部。雄花花柄细，长 2 ~ 5 cm；苞片 1，长卵形，膜质；萼片长圆形，先端钝；花瓣圆形，蜜腺性；雄蕊长 3 ~ 4 mm，花丝长不及花药一半，退化雄蕊长约 2 mm；雌蕊多数，排列于球形花托上，子房瓶形，长约 2 mm，花柱线形；退化雌蕊长 1 mm。聚合果球形；小浆果近球形，直径约 1 cm，成熟时黑色。种子长约 5 mm，种皮黑色。花期 5 ~ 7 月，果期 8 ~ 10 月。

| 生境分布 |

生于阳坡杂木林中。分布于江苏无锡（宜兴）

和镇江等。

| 资源情况 | 野生资源一般。

| 采收加工 | 8 ~ 9 月采收，除去叶片，切段或切片，晒干。

| 药材性状 | 本品呈圆柱形，略弯曲，长 30 ~ 60 cm，直径 1 ~ 3 cm。表面灰棕色，粗糙，外皮常呈鳞片状剥落，剥落处显暗红棕色，有的可见膨大的节及略凹陷的枝痕或叶痕。质硬，断面皮部红棕色，有数处向内嵌入木部，木部黄白色，有多数细孔状导管，射线呈放射状排列。气微，味微涩。

| 功效物质 | 主要含有酚酸类、蒽醌类、黄酮类、总皂苷、鞣质类等成分，具有抑菌、抗炎、抗病毒、抗过敏、抗氧化、抗肿瘤、耐缺氧、防辐射等作用，对心血管系统有较好的保护作用。

| 功能主治 | 苦，平。归大肠、肝经。清热解毒，活血，祛风止痛。用于肠痈腹痛，热毒疮疡，经闭，痛经，跌扑肿痛，风湿痹痛。

| 用法用量 | 内服煎汤，5 ~ 15 g；或研末；或浸酒。外用适量，捣敷。

| 附　　注 | 本种可用于治疗烧伤后瘢痕。

木通科 Lardizabalaceae 木通属 *Akebia* 凭证标本号 320282160605035LY

木通 *Akebia quinata* (Houtt.) Decne.

植物别名

通草、附支、丁翁。

药材名

木通（药用部位：茎藤）。

形态特征

落叶木质藤本。茎纤细，圆柱形，缠绕，老枝多皮孔。掌状复叶，有 5 小叶；小叶片倒卵形或椭圆形，全缘，先端圆或微凹，并具细尖，叶面深绿色，叶背绿白色；叶柄纤细。总状花序腋生，基部有雌花 1 ~ 2，以上 4 ~ 10 为雄花；花柄细长。雄花萼片 3，淡紫色；雄蕊 6，花药长圆形，钝头；退化心皮 3 ~ 6，小。雌花萼片 3，暗紫色，阔椭圆形至近圆形；心皮 3 ~ 6，稀 9，离生，圆柱形，柱头盾状；退化雄蕊 6 ~ 9。蓇葖果长圆形或椭圆形，成熟时暗红色，腹缝开裂。种子多数，不规则多行排列于白色瓤状果肉中；卵状长圆形，褐色或黑色，有光泽。花期 4 ~ 5 月，果期 6 ~ 8 月。

生境分布

生于灌丛、林缘或沟谷中。分布于江苏连云港（赣榆）及南部地区。

| 资源情况 | 野生资源较丰富。

| 采收加工 | 秋季采收，截取茎部，除去细枝，阴干。

| 药材性状 | 本品呈圆柱形，常稍扭曲，长 30 ~ 70 cm，直径 0.5 ~ 2 cm。表面灰棕色至灰褐色，外皮粗糙而有许多不规则的裂纹或纵沟纹，具凸起的皮孔。节部膨大或不明显，具侧枝断痕。体轻，质坚实，不易折断，断面不整齐，皮部较厚，黄棕色，可见淡黄色颗粒状小点，木部黄白色，射线呈放射状排列，髓小或有时中空，黄白色或黄棕色。气微，味微苦而涩。

| 功效物质 | 主要含有三萜和三萜皂苷类成分，具有利尿、抗菌等活性。

| 功能主治 | 苦，寒。归心、小肠、膀胱经。利尿通淋，清心除烦，通经下乳。用于淋证，水肿，心烦，尿赤，口舌生疮，经闭，乳少，湿热痹痛。

| 用法用量 | 内服煎汤，3 ~ 6 g；或入丸、散剂。

| 附　　注 | 本种为阴性植物，喜阴湿，较耐寒，常生长在低海拔山坡林下草丛中。在微酸、多腐殖质的黄壤土中生长良好，也能适应中性土壤。茎蔓常匐地生长。

防己科 Menispermaceae 木防己属 *Cocculus* 凭证标本号 320830150714002LY

木防己 *Cocculus trilobus* (Thunb.) DC.

| 植物别名 |

广防己、土防己、土木香。

| 药 材 名 |

木防己（药用部位：根。别名：土木香、牛木香、金锁匙）。

| 形态特征 |

草质或近木质缠绕藤本。全株有柔毛。叶片纸质至近革质，形状多变，卵形或卵状长圆形至倒心形，长 3 ~ 10 cm，全缘或微波状，有时 3 ~ 5 裂，基部圆形或近截形，先端短尖或钝而有小凸尖，有时微缺，叶柄长 1 ~ 3 cm。聚伞状圆锥花序顶生或腋生，长可达 10 cm；花被黄色。雄花具小苞片 1 ~ 2；萼片 6，外轮卵形或椭圆状卵形，内轮阔椭圆形至近圆形；花瓣 6，长 1 ~ 2 mm，下部边缘内折，抱着花丝，先端 2 裂。雌花萼片和花瓣与雄花相同；退化雄蕊 6；心皮 6。核果近球形，蓝黑色，有白粉；果核骨质，两侧扁，背部有小横肋状雕纹。

| 生境分布 |

生于山坡路旁、灌丛、疏林中。江苏各地均

有分布。

| **资源情况** | 野生资源较丰富。

| **采收加工** | 春、秋季采挖，除去茎、叶、芦头，洗净，晒干。以秋季采收者质量较好。

| **药材性状** | 本品呈圆柱形或扭曲，稍呈连珠状突起，长 10 ~ 20 cm，直径 1 ~ 2.5 cm。表面黑褐色，有弯曲的纵沟和少数支根痕。质硬，断面黄白色，有放射状纹理和小孔。气微，味微苦。以条匀、坚实者为佳。

| **功效物质** | 以生物碱类成分为主，主要有木防己碱、木兰碱等。

| **功能主治** | 苦、辛，寒。归膀胱、肾、脾、肺经。清热解毒，祛风止痛。用于咽喉肿痛，热毒泻痢，风湿痹痛。

| **用法用量** | 内服煎汤，5 ~ 10 g。外用适量，煎汤熏洗；或捣敷；或磨浓汁涂敷。

| **附　　注** | 民间用本种治疗毒蛇咬伤。

防己科 Menispermaceae 蝙蝠葛属 *Menispermum* 凭证标本号 320830170518007LY

蝙蝠葛 *Menispermum dauricum* DC.

| 植物别名 | 蝙蝠藤、金丝钓葫芦、黄条香。

| 药 材 名 | 北豆根（药用部位：根茎。别名：蝙蝠葛根、北山豆根、马串铃）。

| 形态特征 | 落叶草质藤本。根茎圆柱形，皮棕褐色，常呈层状脱落。茎自位于根茎近顶部的侧芽生出。叶片纸质或近膜质，圆肾形或卵圆形，边缘有 3 ~ 9 浅裂，稀近全缘；叶柄长 3 ~ 12 cm，盾状着生于叶片中部。圆锥花序腋生，花序梗长 2 ~ 3 cm，有花数朵至 20 余朵。雄花萼片 4 ~ 8，膜质，绿黄色，倒披针形至倒卵状椭圆形，自外至内渐大；花瓣 6 ~ 8 或更多，肉质，较萼片小；雄蕊 12 或更多，花药球形。雌花：退化雄蕊 6 ~ 12；雌蕊群具柄。核果紫黑色；果核肾形。花期 6 ~ 7 月，果期 8 ~ 9 月。

| 生境分布 | 生于山坡丛林中或攀缘于岩石上。江苏各地均有分布。

| 资源情况 | 野生资源较丰富。

| 采收加工 | 秋季采挖，除去茎、叶及须根，洗净，切片，晒干。

| 药材性状 | 本品呈细圆柱形，略弯曲，有分枝，长 30 ~ 50 cm，直径 3 ~ 8 mm。表面黄棕色至褐棕色，有纵皱纹、细长须根或凸起的须根痕，外皮极易脱落。质韧，不易折断，折断面不整齐，纤维性，木部淡黄色，中心有髓。气微，味苦。以条粗、外皮黄棕色、断面浅黄色者为佳。

| 功效物质 | 主要含有山豆根碱、汉防己碱等生物碱类成分和多糖类成分。

| 功能主治 | 苦，寒；有小毒。归肺、胃、大肠经。清热解毒，祛风止痛。用于咽喉肿痛，热毒泻痢，风湿痹痛。

| 用法用量 | 内服煎汤，3 ~ 9 g，治咽喉肿痛宜含于口中缓缓咽下。外用适量，研末调敷；或煎汤泡洗。

| 附　　注 | 民间用本种治疗炎症性疾病，特别是肠炎、痢疾、咽炎、扁桃体炎、风湿病和支气管炎。

防己科 Menispermaceae 千金藤属 *Stephania* 凭证标本号 320124170821036LY

金线吊乌龟 *Stephania cepharantha* Hayata.

| 植物别名 | 山乌龟。

| 药 材 名 | 白药子（药用部位：块根。别名：白药脂、盘花地不容、山乌龟）。

| 形态特征 | 草质藤本。长 1 ~ 2 m。块根团块状，有时不规则。茎上多皮孔。叶片纸质，三角状阔卵形至近圆形，先端具小凸尖，基部圆形或近截平，全缘或浅波状。雌雄花序均为头状花序，花具盘状花托。雄花花序梗丝状，常于腋生、具小型叶的小枝上作总状花序式排列；雄花萼片 6，稀 8 或 4，匙形或近楔形，花瓣 3 或 5，稀 6，近圆形或阔倒卵形，聚药雄蕊很短。雌花花序梗粗壮，单个腋生；雌花萼片 1，偶有 2 ~ 5，花瓣 2 ~ 4，肉质，比萼片小。核果阔倒卵圆形，成熟后紫红色；果核背部两侧各有 10 ~ 12 条小横肋状雕纹。花期 6 ~ 7 月，果期 8 ~ 9 月。

| 生境分布 | 生于村边、旷野、林缘等土层深厚处或石缝中。分布于江苏连云港以及南部丘陵山区。

| 资源情况 | 野生资源一般。

| 采收加工 | 全年或秋末冬初采挖，除去须根、泥土，洗净，切片，晒干。

| 药材性状 | 本品为不规则块状，直径 2 ~ 7 cm，厚 0.2 ~ 1.5 cm。外皮暗褐色，有皱纹及须根痕。切面类白色或灰白色，可见筋脉纹（维管束），有的略呈环状排列。质硬而脆，易折断，断面显粉性。气微，味苦。

| 功效物质 | 主要含有异汉防己碱、轮环藤宁碱、小檗胺等生物碱类成分。

| 功能主治 | 苦，寒。归脾、肺、肾经。清热解毒，祛风止痛，凉血止血。用于咽喉肿痛，热毒痈肿，风湿痹痛，腹痛，泻痢，吐血，衄血，外伤出血。

| 用法用量 | 内服煎汤，9 ~ 15 g。外用适量，研末涂敷；或浸酒泡洗。

| 附　　注 | 民间用本种治疗神经性皮炎和内出血。

防己科 Menispermaceae 千金藤属 *Stephania* 凭证标本号 320115150723005LY

千金藤 *Stephania japonica* (Thunb.) Miers.

| 药 材 名 | 千金藤（药用部位：根、茎叶。别名：金线钓乌龟、公老鼠藤、野桃草）。

| 形态特征 | 木质藤本。根圆柱形。茎皮暗褐色，内面黄白色，小枝有细槽，老茎木质化。叶片纸质，三角状近圆形或三角状阔卵形，长与宽近相等或略小，长 4 ~ 8 cm，宽 4 ~ 7 cm，先端钝，有小凸尖，叶背粉白色，掌状脉 7 ~ 9；叶柄长 5 ~ 10 cm。复伞形聚伞花序腋生，通常有伞柄 4 ~ 8，花序梗长 2 ~ 3 cm；小聚伞花序近无柄，密集呈头状；花黄绿色。雄花萼片 6 或 8，膜质；花瓣 3 或 5，稍肉质；雄蕊 6，花药合生。雌花萼片和花瓣 3 ~ 5；花柱 3 ~ 6 裂，外弯。核果近球形，直径约 6 mm；果核背部有 2 行小横肋状雕纹，每行 8 ~ 10，小横肋常断裂，成熟时红色。花期 6 ~ 7 月，果期 8 ~ 9 月。

| 生境分布 | 生于路旁、沟边或山坡林下。分布于江苏南京、镇江（句容）、无锡（宜兴）、苏州等。

| 资源情况 | 野生资源较丰富。

| 采收加工 | 9 ~ 10 月采挖根，洗净，晒干。7 ~ 8 月采收茎叶，晒干。

| 功效物质 | 以生物碱类成分为主，主要有千金藤碱、表千金藤碱。

| 功能主治 | 苦、辛，寒。归肺、脾、大肠经。清热解毒，祛风止痛，利水消肿。用于咽喉肿痛，痈肿疮疖，毒蛇咬伤，风湿痹痛，胃痛，脚气水肿。

| 用法用量 | 内服煎汤，9 ~ 15 g；研末，每次 1 ~ 1.5 g，每日 2 ~ 3 次。外用适量，研末撒；或鲜品捣敷。

| 附　　注 | 民间用本种治疗腹痛和痢疾。

睡莲科 Nymphaeaceae 莼属 *Brasenia* 凭证标本号 320803180703171LY

莼菜 *Brasenia schreberi* J. F. Gmel.

| 植物别名 | 茆、屏风、水葵。

| 药 材 名 | 莼（药用部位：茎叶。别名：茆、屏风、凫葵）。

| 形态特征 | 多年生水生草本。根茎具匍匐枝，其节部生根、叶和次级匍匐枝。叶片漂浮水面，椭圆状近圆形，全缘，长 5 ~ 11 cm，宽 5 ~ 6 cm，叶面绿色，光滑发亮，叶背蓝绿色，有胶质物，叶柄盾状着生于叶背中央，长 30 ~ 40 cm，表面包裹有胶质物。花梗长达 10 cm；花直径约 2.5 cm；萼片 3 ~ 4，花瓣状、条状矩圆形或条状倒卵形，长约 1 cm，宿存；花瓣 3 ~ 4，深紫红色，较萼片略长，宿存；雄蕊 12 ~ 18，花药条形，侧向，心皮分离，每心皮指条形，基部略膨大，具胚珠 2 ~ 3。坚果聚生为头状，长约 1 cm，顶部有宿存花柱，弯刺状。花果期 7 ~ 8 月。

| 生境分布 | 生于池塘湖沼。分布于江苏南部地区。

| 资源情况 | 现在野生资源渐少。

| 采收加工 | 5 ~ 7 月采收，洗净。

| 药材性状 | 本品茎细，长 1 m 以上。叶互生，叶柄细长；叶片卵形至椭圆形，下面暗紫色，叶脉放射状。花梗由叶腋抽出，梗长约 10 cm，有柔毛。

| 功效物质 | 主要含有酸性多糖、蛋白质、氨基酸、维生素、组胺及微量元素等成分，具有抗肿瘤、抗溃疡、抗菌消炎和提高免疫力等生物活性，具营养、医疗、保健作用。

| 功能主治 | 甘，寒。归肝、脾经。利水消肿，清热解毒。用于湿热痢疾，黄疸，水肿，小便不利，热毒痈肿。

| 用法用量 | 内服煎汤，15 ~ 30 g；或作羹。外用适量，捣敷。

睡莲科 Nymphaeaceae 芡属 *Euryale* 凭证标本号 320506141010210LY

芡实 *Euryale ferox* Salisb. ex König & Sims

| 药 材 名 | 芡实（药用部位：成熟种仁。别名：卵菱、鸡瘫、鸡头实）。

| 形态特征 | 一年生大型水生草本。沉水叶箭形或椭圆状肾形，长 4 ~ 10 cm，两面无刺；叶柄无刺；浮水叶革质，椭圆状肾形至圆形，直径 10 ~ 130 cm，盾状，有或无弯缺，全缘，下面带紫色，有短柔毛，两面均在叶脉分枝处有锐刺；叶柄及花梗粗壮，长可达 25 cm，皆有硬刺。花长约 5 cm；萼片披针形，长 1 ~ 1.5 cm，内面紫色，外面密生稍弯硬刺；花瓣矩圆状披针形或披针形，长 1.5 ~ 2 cm，紫红色，呈数轮排列，向内渐变成雄蕊；无花柱，柱头红色，凹入成柱头盘。浆果球形，直径 3 ~ 5 cm，污紫红色，外面密生硬刺。种子球形，直径 10 mm，黑色。花期 7 ~ 8 月，果期 8 ~ 9 月。

| 生境分布 | 生于池塘、湖沼及水田中。江苏各地多有栽培。

| 资源情况 | 栽培资源较丰富。

| 采收加工 | 8 ~ 9 月采收成熟果实，除去果皮，取出种子，洗净，再除去硬壳，晒干。

| 药材性状 | 本品呈类圆球形，直径 5 ~ 8 mm，有的破碎成块。完整者表面有红棕色或暗紫色的内种皮，可见不规则的脉状网纹，一端约 1/3 为黄白色。胚小，位于淡黄色一端的圆形凹窝内。质地较硬，断面白色，粉性。气无，味淡。以饱满、断面白色、粉性足、无碎末者为佳。

| 功效物质 | 化学成分以淀粉为主。氨基酸含量达 100 mg/g 以上，其中天冬氨酸、谷氨酸、甘氨酸等药效氨基酸含量都很高，占总氨基酸含量的 68.14%。还含有二氢黄酮类、葡糖基甾醇类成分，及多种生育酚、多糖、多酚等化合物。

| 功能主治 | 甘、涩，平。归脾、肾经。益肾固精，补脾止泻，除湿止带。用于遗精，滑精，遗尿，尿频，脾虚久泻，白浊，带下。

| 用法用量 | 内服煎汤，15 ~ 30 g；或入丸、散剂；或煮粥。

| 附　　注 | （1）江苏芡实分为北芡（刺芡）和南芡（苏芡）两个变种。北芡植株个体和器官均较小，地上部器官均密生刚刺，采收比较困难，有紫花和红花 2 种；种子和种仁近圆形，较小，欠整齐，粳性，品质中等，但外种皮较薄；适应性较强。南芡植株个体较大，采收比较方便，有紫花、白花和红花 3 种类型；种子较大，外种皮厚，表面光滑，棕黄色或棕褐色，种仁圆整，糯性，煮食不易碎裂；产量高，但适应性和抗逆性相对较差。

（2）本种适宜生长温度为 20 ~ 30 ℃，正常萌发温度在 15 ℃以上。

睡莲科 Nymphaeaceae 莲属 *Nelumbo* 凭证标本号 321281170809106LY

莲 *Nelumbo nucifera* Gaertn.

| 药 材 名 | 莲子（药用部位：成熟种子。别名：菂、藕实）、莲子心（药用部位：成熟种子中的幼叶及胚根。别名：薏、苦薏、莲薏）、莲房（药用部位：花托。别名：莲蓬、莲蓬壳、莲壳）、莲须（药用部位：雄蕊。别名：金樱草、莲花须、莲花蕊）、荷叶（药用部位：叶。别名：蕸）、藕节（药用部位：根茎节部。别名：光藕节、藕节巴）。

| 形态特征 | 多年生水生草本植物。根茎横生，肥厚，节间膨大，内有多数纵行通气孔道，节部缢缩，上生黑色鳞叶，下生须状不定根。叶片盾状圆形，直径 25 ~ 90 cm，全缘，稍呈波状，叶面光滑，具白粉，叶背叶脉从中央射出，有一至二叉状分枝；叶柄粗壮，圆柱形，长 1 ~ 2 m，中空，外面散生小刺。花梗和叶柄等长或稍长，也散生

小刺；花直径 10 ~ 20 cm；花瓣红色、粉红色或白色，矩圆状椭圆形至倒卵形，长 5 ~ 10 cm，宽 3 ~ 5 cm，由外向内渐小，有时变成雄蕊，先端圆钝或微尖；花药条形，花丝细长，着生于花托之下；花柱极短，柱头顶生；花托直径 5 ~ 10 cm。坚果椭圆形或卵形，长 1.8 ~ 2.5 cm，果皮革质，坚硬，成熟时黑褐色；种子卵形或椭圆形，长 1.2 ~ 1.7 cm，种皮红色或白色。花期 6 ~ 8 月，果期 8 ~ 10 月。

| 生境分布 | 生于特有的静水池沼。江苏各地均有栽培。

| 资源情况 | 栽培资源丰富。

| 采收加工 | **莲子**：9 ~ 10 月间果实成熟时，剪下莲蓬，剥出果实，趁鲜用快刀划开，剥去壳皮，晒干。

莲子心：将莲子剥开，取出绿色的胚（莲心），晒干。

莲房：秋季果实成熟时，割下莲蓬，除去果实及梗，晒干。

莲须：夏季花盛开时，采取雄蕊，阴干。

荷叶：7 月中旬至 9 月下旬采收。

藕节：秋、冬季或春季初挖取根茎，洗净泥土，切下节部，除去须根，晒干。

| 药材性状 | **莲子**：本品略呈椭圆形或类球形，长 1.2 ~ 1.7 cm，直径 0.8 ~ 1.5 cm。表面浅黄棕色至红棕色，有细纵纹和较宽的脉纹，先端中央呈乳头状突起，深棕色，常有裂口，其周围及下方略下陷。种皮菲薄，紧贴子叶，不易剥离。质硬，破开后可见黄白色肥厚子叶 2，中心凹入成槽形，具绿色莲子心。味甘、涩，莲子心极苦。以个大饱满者为佳。

莲子心：本品略呈细棒状，绿色，长 1 ～ 1.5 cm，直径约 2 mm。幼叶 2，一长一短，卷成箭形，向下反折；胚芽极小，位于两幼叶之间；胚根圆柱形，长约 3 mm，黄白色。质脆，易折断，断面有多数小孔。味极苦。

莲房：本品呈倒圆锥状或漏斗状，多撕裂，直径 5 ～ 8 cm，高 4.5 ～ 6 cm。表面灰棕色至紫棕色，具细纵纹及皱纹，顶面有多数圆形孔穴，基部有花梗残基。质疏松，破碎面海绵样，棕色。气微，味微涩。

莲须：本品线状，常呈螺旋状扭曲，花药长 1.2 ～ 1.5 cm，淡黄色或棕色，2 室，纵裂，内有多数黄色花粉；花丝丝状略扁，稍弯曲，长 1 ～ 1.5 cm，棕黄色或棕褐色，质轻。气微，味微涩。

荷叶：本品多折成半圆形或扇形，展开后类圆盾形，直径 20 ～ 50 cm，全缘或稍呈波状。上表面深绿色或黄绿色，较粗糙；下表面淡灰棕色，较光滑，有粗脉 21 ～ 22，自中心向四周射出，中心有凸起的叶柄残基。质脆，易破碎。微有清香气，味微苦。

藕节：本品呈圆柱形，长 2 ～ 4 cm，直径约 2 cm。表面灰黄色或灰棕色，节膨大，有多数残留须根或圆形须根痕，节两端残留部分的表面有纵纹。体轻而质硬，不易折断，横断面中央有较大的圆孔 7 ～ 9，大小不等。味甘、涩。

| 功效物质 |

莲子：鲜品含有多种人体必需氨基酸，并以赖氨酸为主，约占总氨基酸含量的 6.3%；此外，还含有类黄酮、淀粉类、低聚糖、多糖等成分，具有抗病毒、保肝、抗氧化、增强记忆力等生物活性。

莲子心：含有生物碱类、黄酮类、脂肪酸类、蛋白质等资源性成分。生物碱类成分中以脂溶性的双苄基异喹啉类莲心碱、异莲心碱及甲基莲心碱为主，具有降血压、抗心律失常、抑制血小板聚集、抗氧化等作用。

莲房：富含多酚类成分，主要为莲房原花青素及胡萝卜素、硫胺素等。莲房原花青素具有抑菌、抗氧化活性。

莲须：主要含有异槲皮苷、槲皮素、木犀草素、山柰酚等黄酮类成分。

荷叶：含有多种生物碱类（如荷叶碱、莲碱、原荷叶碱、番荔枝碱、前荷叶碱、*N*- 去甲荷叶碱等），黄酮类（如槲皮素、异槲皮苷、荷叶苷、无色矢车菊素、无色飞燕草素），有机酸等成分。其中生物碱类成分具有抗炎、抑菌作用。荷叶降血脂的主要活性成分为黄酮类和生物碱类。

藕节：主要含有鞣质如儿茶素，其止血功效与其所含鞣质和钙的含量有关。

| 功能主治 |

莲子：甘、涩，平。归心、脾、肾、胃、肝、膀胱经。补脾止泻，止带，益肾涩精，养心安神。用于脾虚泄泻，带下，遗精，心悸，失眠。

莲子心：苦，寒。归心、肺、肾经。清心安神，交通心肾，涩精止血。用于热入心包之神昏谵语，心肾不交之失眠、遗精，血热吐血。

莲房：苦、涩，平。归肝、脾经。化瘀止血。用于崩漏，尿血，痔疮出血，产后瘀阻恶露不尽。

莲须：甘、涩，平。归心、肾经。固肾涩精。用于遗精，滑精，带下，尿频。

荷叶：苦、涩，平。归心、肝、脾、胆、肺经。清暑化湿，升发清阳，凉血止血。用于暑热烦渴，暑湿泄泻，脾虚泄泻，血热吐衄，便血，崩漏。

藕节：甘、涩，平。归肾、胃、肝经。收敛止血，化瘀。用于吐血，咯血，衄血，尿血，崩漏。

| 用法用量 |

莲子：内服煎汤，6 ~ 15 g；或入丸、散剂。

莲子心：内服煎汤，1.5 ~ 3 g；或入散剂。

莲房：内服煎汤，5 ~ 10 g；或研末。外用适量，研末掺；或煎汤熏洗。

莲须：内服煎汤，3 ~ 9 g；或入丸、散剂。

荷叶：内服煎汤，3 ~ 10 g，鲜品 15 ~ 30 g，荷叶炭 3 ~ 6 g；或入丸、散剂。外用适量，捣敷；或煎汤洗。

藕节：内服煎汤，10 ~ 30 g；或鲜品捣汁冲服，可用 60 g；或入散剂。

睡莲科 Nymphaeaceae 睡莲属 *Nymphaea* 凭证标本号 320982140808308LY

睡莲 *Nymphaea tetragona* Georgi

| 植物别名 | 睡莲菜、瑞莲、子午莲。

| 药 材 名 | 睡莲（药用部位：花）。

| 形态特征 | 多年生水生草本。根茎粗短，直立。叶丛生；叶片漂浮水面，心状卵形，直径 5 ~ 12 cm，基部具深弯缺，全缘，叶面绿色、光亮，叶背带紫色或红色，两面无毛，有小点；叶柄细长。花单生；花柄细长；花直径 3 ~ 5 cm；花萼基部四棱形，萼片 4，绿色，宽披针形或狭卵形，长 2 ~ 3 cm，中下部向外微弧弯外凸，先端圆钝；花瓣白色，宽披针形或倒卵形，比花萼稍短，内轮不变成雄蕊；雄蕊比花瓣短；花丝扁平，花药内向，条形；子房球形，柱头广卵形，有辐射状裂片 5 ~ 8。浆果球形，直径 2 ~ 2.5 cm，为宿存的花萼

所包围。花果期 7 ~ 9 月。

| 生境分布 | 生于湖塘池沼中。分布于江苏扬州（宝应）、泰州（兴化）、南京、无锡（宜兴）、苏州（昆山、常熟）等南部和中部地区。江苏南京、南通、苏州等地有栽培。

| 资源情况 | 野生资源较丰富。

| 采收加工 | 夏季采收，去净杂质，洗净，晒干。

| 药材性状 | 本品较大，直径 4 ~ 5 cm，白色。萼片 4，基部呈四方形；花瓣 8 ~ 15；雄蕊多数，花药黄色；花柱 4 ~ 8 裂，柱头广卵形，呈茶匙状，作放射状排列。

| 功效物质 | 主要含有氨基酸及生物碱类成分，具有降血压作用。

| 功能主治 | 甘、苦，平。归肝、脾经。消暑，解酒，定惊。用于中暑，醉酒烦渴，小儿惊风。

| 用法用量 | 内服煎汤，6 ~ 9 g。

金鱼藻科 Ceratophyllaceae 金鱼藻属 *Ceratophyllum* 凭证标本号 320323170512886LY

金鱼藻 *Ceratophyllum demersum* L.

| 药 材 名 | 金鱼藻（药用部位：全草。别名：藻、细草、软草）。

| 形态特征 | 多年生沉水草本。茎分枝，长 20 ~ 60（~ 150）cm。叶（4 ~）6 ~ 10（~ 12）为一轮；叶片 1 ~ 2 回二歧分裂，末回裂片线状，长 5 ~ 25 mm，边缘有刺状齿，齿较多偏于一侧。花直径约 2 mm；雄花有 12 片先端具 3 齿且带紫色毛的苞片，雄蕊 10 ~ 16；雌花有 9 ~ 10 苞片，子房卵形，1 室，花柱钻形。小坚果卵圆形，长 4 ~ 6 mm，宽约 2 mm，光滑，边缘无翅，有长刺 3，顶生刺长 8 ~ 10 mm，侧生刺 2，生于果实基部，向下斜伸，长 4 ~ 7 mm。花期秋季。

| 生境分布 | 生于池塘、湖泊中。江苏各地均有分布。

| 资源情况 | 野生资源较丰富。

| 采收加工 | 全年均可采收，洗净，晒干。

| 药材性状 | 本品呈不规则丝团状，全体绿褐色，茎细柔，长短不一，长达 60 cm，具分枝。叶轮生，每轮 6 ~ 8 叶，叶片常破碎，1 ~ 2 回二歧分叉，裂片线条形，边缘仅一侧具刺状小齿。有时可见暗红色小花，腋生，总苞片钻状。小坚果宽椭圆形，平滑，边缘无翅，有长刺 3。

| 功效物质 | 主要含有苜蓿素 -7-*O*-*β*-D- 葡萄糖苷、柚皮素 -7-*O*-*β*-D- 葡萄糖苷、七叶内酯、*β*-谷甾醇、*α*- 羟基 -*β*- 谷甾醇、 7*α*- 甲氧基 -*β*- 谷甾醇、十六碳脂肪酸。

| 功能主治 | 甘、淡，凉。凉血止血，清热利水。用于血热之吐血、咯血，热淋涩痛。

| 用法用量 | 内服煎汤，3 ~ 6 g；或入散剂。

三白草科 Saururaceae 蕺菜属 *Houttuynia* 凭证标本号 320829170514103LY

蕺菜 *Houttuynia cordata* Thunb.

| 药 材 名 | 鱼腥草（药用部位：全草或地上部分。别名：岑草、蕺、菹菜）。

| 形态特征 | 有腥臭的多年生草本。高 20 ~ 80 cm。根茎白色。茎下部伏地，生根，上部直立。叶片心形，长 3 ~ 8 cm，宽 4 ~ 6 cm，全缘，叶背淡绿色或带紫红色，基出脉 5 ~ 7，脉上有毛；叶柄长 2 ~ 5 cm；托叶膜质，线形，长 1 ~ 2 cm，下部与叶柄合生成鞘状。穗状花序在枝先端与叶对生，长 1 ~ 2 cm，基部有白色花瓣状苞片 4；花小，雄蕊 3，花丝下部与子房合生；心皮 3，下部合生，花柱分离。蒴果近球形，先端开裂。花期 5 ~ 7 月，果期 7 ~ 10 月。

| 生境分布 | 生于阴湿处或近水边。分布于江苏南部地区及扬州等。

| 资源情况 | 野生资源丰富。

| 采收加工 | 夏季茎叶茂盛、花穗多时采收，去净杂质，鲜用或晒干。

| 药材性状 | 本品茎呈扁圆形，皱缩而弯曲，长 20 ~ 30 cm；表面黄棕色，具纵棱，节明显，下部节处有残存须根；质脆，易折断。叶互生，多皱缩，展平后呈心形，长 3 ~ 5 cm，宽 3 ~ 4.5 cm；上面暗绿色或黄绿色，下面绿褐色或灰棕色；叶柄细长，基部与托叶合成鞘状。穗状花序顶生。搓碎有鱼腥气，味微涩。以叶多、绿色、有花穗、鱼腥气浓者为佳。

| 功效物质 | 富含挥发油类、黄酮类、有机酸类、甾醇类、生物碱类等多种成分，具有抗菌、抗病毒、抗炎、增强机体免疫力的作用。其中，挥发油类成分主要为鱼腥草素、甲基正壬基酮、月桂烯、月桂醛、癸醛、癸酸等。

| 功能主治 | 辛，寒。归肝、肺经。清热解毒，消痈排脓，利尿通淋。用于肺痈吐脓，痰热喘咳，热痢，热淋，痈肿疮毒。

| 用法用量 | 内服煎汤，15 ~ 25 g，不宜久煎；或鲜品捣汁，用量加倍。外用适量，捣敷；或煎汤熏洗。

| 附　　注 | 江苏南京从日本引种了花叶蕺菜 *Houttuynia cordata* ‘Variegata’，叶面具有彩色斑纹，为优良的湿地地被植物。

三白草科 Saururaceae 三白草属 *Saururus* 凭证标本号 32132318052212 2LY

三白草 *Saururus chinensis* (Lour.) Baill.

药材名

三白草（药用部位：地上部分）、三白草根（药用部位：根茎）。

形态特征

多年生草本。高 30 ~ 80 cm。根茎粗壮，白色。茎直立或下部伏地。叶片卵形或卵状披针形，长 6 ~ 12 cm，宽 2 ~ 6 cm，先端渐尖，全缘，基部心状耳形，有基出脉 5；花序下部的 2 ~ 3 叶常为乳白色，呈花瓣状；叶柄长 1 ~ 3 cm；托叶鞘长 0.2 ~ 1 cm，与叶柄近等长，稍抱茎。总状花序生于茎顶部，与叶对生；花序轴和花柄有短柔毛；苞片卵圆形，长约 1 mm；雄蕊 6；雌蕊有心皮 4，柱头 4。果实阔卵形，成熟时分裂为分果爿 4。种子圆形。花期 6 ~ 7 月，果期 8 ~ 9 月。

生境分布

生于低湿地带。分布于江苏南京、镇江（句容）、无锡（宜兴）、常州（溧阳）等地，江苏南部地区多见。

资源情况

野生资源较丰富。

| 采收加工 | **三白草：**全年均可采收，以夏、秋季为宜，洗净，晒干。

三白草根：秋季采挖，除去残茎及须根，洗净，鲜用或晒干。

| 药材性状 | **三白草：**本品茎呈圆柱形，有纵沟 4，1 条较宽广；断面黄色，纤维性，中空。单叶互生，叶片卵形或卵状披针形，长 4 ~ 12 cm，宽 2 ~ 6 cm；先端渐尖，基部心形，全缘，基出脉 5；叶柄较长，有纵皱纹。总状花序于枝顶与叶对生，花小，棕褐色。蒴果近球形。气微，味淡。

三白草根：本品呈圆柱形，稍弯曲，有分枝，长短不等；表面灰褐色，粗糙，有节及纵皱纹，节上有须根，呈环节状，节间长约 2 cm；质硬而脆，易折断，断面类白色，粉性。

| 功效物质 | 主要含有挥发油、黄酮类、木脂素类、生物碱类、鞣质类等成分，具有抗炎、祛毒、降血糖、保肝、利尿等活性。挥发油中主要成分为甲基正壬酮。

| 功能主治 | **三白草：**甘、辛，寒。归肺、膀胱经。利尿消肿，清热解毒。用于水肿，小便不利，淋沥涩痛，带下。外用于疮疡肿毒，湿疹。

三白草根：甘、辛，寒。归脾、大肠、膀胱经。利水除湿，清热解毒。用于脚气，水肿，淋浊，带下，痈肿，流火，疔疮疥癣，风湿热痹。

| 用法用量 | 内服煎汤，15 ~ 30 g。外用适量，鲜品捣敷。

| 附　　注 | 民间用本种花枝煎汤服，有治火淋、利小便的功效。

金粟兰科 Chloranthaceae 金粟兰属 *Chloranthus* 凭证标本号 320124150322001LY

丝穗金粟兰 *Chloranthus fortunei* (A. Gray) Solms-Laub

| 植物别名 | 四块瓦、水晶花、四叶对。

| 药 材 名 | 剪草（药用部位：全草或根）。

| 形态特征 | 多年生草本。高 10 ~ 40 cm。茎圆柱形，单生或丛生，下部节上有 1 对鳞叶，无毛。叶对生，常 4，稀 6，常密集于茎上部；叶片卵状椭圆形或倒卵状椭圆形，长 5 ~ 12 cm，宽 3 ~ 7 cm，先端急尖，基部楔形，边缘有细圆锯齿，齿尖有腺体 1。穗状花序单生于茎先端，长 3 ~ 8 cm；苞片 2 或 3 裂；花白色，芳香；雄蕊 3，基部合生，药隔先端延伸成丝状，白色，长 1 ~ 2 cm，中间的雄蕊花药 2 室，侧生的雄蕊花药 1 室；子房卵形。核果幼时淡绿色，倒卵形。花期 4 ~ 5 月，果期 5 ~ 6 月。

| 生境分布 | 生于阴湿草丛中或林下。分布于江苏连云港、淮安（盱眙）、南京（江宁）、镇江（句容）、无锡（宜兴）、苏州（常熟）等。

| 资源情况 | 野生资源较丰富。

| 采收加工 | 夏季采收，除去杂质，洗净，晒干。

| 功效物质 | 主要含有挥发油类、二聚倍半萜类、二萜类、香豆素类、木脂素类等成分，具有抗肿瘤、抗炎、抗真菌等活性。

| 功能主治 | 辛、苦，平；有小毒。归肺、肝经。祛风活血，解毒消肿。用于风湿痹痛，跌打损伤，疮疖癣疥，毒蛇咬伤。

| 用法用量 | 根，内服煎汤，3 ~ 6 g。全草，外用鲜品适量，捣敷。

金粟兰科 Chloranthaceae 金粟兰属 *Chloranthus* 凭证标本号 320703170418618LY

及己 *Chloranthus serratus* (Thunb.) Roem. et Schult.

| 植物别名 | 四块瓦、四叶细辛、四叶对。

| 药 材 名 | 及己（药用部位：根）。

| 形态特征 | 多年生草本。高约 30 cm。根茎横走，粗短，须根黄色。茎圆形，单生或数个丛生，具明显的节，下部节上对生 2 鳞叶，无毛。叶对生于茎上部，4 ～ 6；叶片卵形或卵状披针形，长 4 ～ 8 cm，宽 2.5 ～ 6 cm，先端渐尖，基部楔形或阔楔形，边缘有圆锯齿，齿尖有 1 腺体。穗状花序单生或 2 ～ 3 分枝，长 4 ～ 5 cm；苞片近半圆形，先端有波状小齿；雄蕊 3，下部合生，白色，中间 1 雄蕊较长，花药 2 室，侧生的 2 雄蕊较短，花药 1 室，药隔长圆形；子房卵形。核果梨形，长约 2 mm。花果期 4 ～ 6 月。

| **生境分布** | 生于林边阴湿处。分布于江苏南部地区。

| **资源情况** | 野生资源较少。

| **采收加工** | 春季开花前采挖，除去茎苗、泥沙，阴干。

| **药材性状** | 本品根茎较短，直径约 3 mm；上端有残留茎基，下侧着生多数须根。根呈细长圆柱形，长约 10 cm，直径 0.5 ~ 2 mm；表面土灰色，有支根痕。质脆，断面较平整，皮部灰黄色，木部淡黄色。气微，味淡。

| **功效物质** | 富含二聚倍半萜类、二萜类 、倍半萜二聚体类、香豆素类 、酰胺类等成分。

| **功能主治** | 苦，平；有毒。归肝经。活血散瘀，祛风止痛，解毒杀虫。用于跌打损伤，骨折，经闭，风湿痹痛，疔疮疖肿，疥癣，皮肤瘙痒，毒蛇咬伤。

| **用法用量** | 内服煎汤，1.5 ~ 3 g；或浸酒；或入丸、散剂。外用适量，捣敷；或煎汤熏洗。

马兜铃科 Aristolochiaceae 马兜铃属 *Aristolochia* 凭证标本号 320506150821037LY

马兜铃 *Aristolochia debilis* Sieb. et Zucc.

| 植物别名 |

水马香果、蛇参果、三角草。

| 药 材 名 |

马兜铃（药用部位：果实）、天仙藤（药用部位：地上部分）。

| 形态特征 |

草质藤本。全株无毛。根圆柱形，黄褐色，具浓郁香气。茎基部木质化。叶片卵状三角形至卵状披针形或卵形，长 3 ~ 7 cm，宽 2 ~ 6 cm，先端短尖或钝，基部两侧有圆形的耳片。花单生或 2 聚生于叶腋；花柄长约 1 cm，基部具小苞片；花被筒状或喇叭状，略弯斜，长 3 ~ 4 cm，基部膨大成球形，直径 3 ~ 6 mm，中部收缩成管状，檐部一侧扩展成卵状披针形，全缘，长约 2 cm，上部暗紫色，下部绿色，口部光滑；雄蕊 6，贴生于粗短的合蕊柱周围，花药外向纵裂；合蕊柱先端 6 裂。蒴果近球形，直径约 4 cm，6 瓣裂。种子扁平，三角形，边缘有灰白色宽翅。花期 7 ~ 9 月，果期 9 ~ 10 月。

| 生境分布 |

生于路旁或山坡。江苏各地均有分布。

| 资源情况 | 野生资源较丰富。

| 采收加工 | **马兜铃：**秋季采摘成熟果实，晒干，搓碎过筛，去净杂质。

天仙藤：秋季采收，去净杂质，晒干。

| 药材性状 | **马兜铃：**本品呈卵圆形，长 3 ~ 7 cm，直径 2 ~ 4 cm。表面黄绿色、灰绿色或棕褐色，有纵棱线 12 条，由棱线分出多数横向平行的细脉纹。先端平钝，基部有细长果柄。果皮轻而脆，易裂为 6 瓣，果柄也分裂为 6 条。果皮内表面平滑而带光泽，有较密的横向脉纹。果实分 6 室，每室种子多数，平叠整齐排列。种子扁平而薄，钝三角形或扇形，长 6 ~ 10 mm，宽 8 ~ 12 mm，边缘有翅，淡棕色。气特异，味微苦。

天仙藤：本品茎呈细长圆柱形，略扭曲，直径 1 ~ 3 mm；表面黄绿色或淡黄褐色，有纵棱及节，节间不等长；质脆，易折断，断面有数个大小不等的维管束。叶互生，多皱缩、破碎，完整叶片展平后呈三角状狭卵形或三角状宽卵形，基部心形，暗绿色或淡黄褐色，基生叶脉明显，叶柄细长。气清香，味淡。

| 功效物质 | 主要含有挥发油类、生物碱类等成分，其中马兜铃酸具有抗肿瘤、抗菌、抗炎、镇痛、抗生育等作用。现代研究表明，马兜铃具有温和而持久的降血压作用，适用于较早期的高血压。

| 功能主治 | **马兜铃：**苦，微寒。归肺、大肠经。清肺降气，止咳平喘，清肠消痔。用于肺热咳喘，痰中带血，肠热痔血，痔疮肿痛。

天仙藤：苦，温。归肝、脾、肾经。行气活血，通络止痛。用于脘腹刺痛，风湿痹痛。

| 用法用量 | **马兜铃：**内服煎汤，3 ~ 9 g。

天仙藤：内服煎汤，4.5 ~ 9 g。

马兜铃科 Aristolochiaceae 马兜铃属 *Aristolochia* 凭证标本号 320481160424364LY

寻骨风 *Aristolochia mollissima* Hance

| 药 材 名 | 寻骨风（药用部位：全草。别名：清骨风、猫耳朵、穿地节）。

| 形态特征 | 木质藤本。全株密被灰白色长绵毛。根茎横走，分枝多，棕黄色。茎基部木质。叶片卵形或卵状心形，长 3.5 ~ 10 cm，宽 5 ~ 8 cm，先端圆钝至短尖，基部心形，叶面被糙伏毛，叶背密被灰白色长绵毛；叶柄长 2 ~ 3 cm。花单生于叶腋，花柄中部或中部以下有小苞片；花被筒黄色，长 5 cm，中部呈膝状弯曲，下部 2/3 较粗，直径约 6 mm，上部 1/3 较细，内面具紫褐色斑块，无毛，花被筒上部扩大成漏斗状，檐部圆盘状，边缘 3 浅裂，1 较长，2 较短，上面有紫色网纹，喉部有鳞状突起；雄蕊 6，花药长圆形；合蕊柱先端 3 裂。蒴果长圆状倒卵形或倒卵圆形，长 2 ~ 3 cm，具波状棱或翅，成熟后由先端向下沿室间开裂成 6 瓣。种子卵状三角形。花期 4 ~ 6 月，

果期 6 ~ 8 月。

| 生境分布 | 生于山坡草丛或林缘灌丛中。分布于江苏连云港、徐州（新沂、邳州）、南京（江宁、栖霞）、镇江（句容、丹徒）、苏州（常熟）等。

| 资源情况 | 野生资源较少。

| 采收加工 | 夏、秋季采收，除去泥沙，干燥。

| 药材性状 | 本品根茎呈细长圆柱形，多分枝，直径约 2 mm，少数达 5 mm。表面棕黄色，有纵向纹理、节间纹理，节间长 1 ~ 3 cm。质韧而硬，断面黄白色。茎淡绿色，直径 1 ~ 2 mm，密被白色绵毛。叶皱缩卷曲，灰绿色或黄绿色，展平后呈卵状心形，先端钝圆或短尖，两面密被白绵毛，全缘。质脆，易碎。气微香，味苦、辛。全草以叶绿色、根茎多、香气浓者为佳。

| 功效物质 | 主要含有马兜铃酸、挥发油、生物碱等成分，其中生物碱具有镇痛消炎的作用。

| 功能主治 | 辛、苦，平。归肝、胃经。祛风除湿，活血通络，止痛。用于风湿痹痛，肢体麻木，筋骨拘挛，脘腹疼痛，跌打伤痛，外伤出血，乳痈，化脓性感染。

| 用法用量 | 内服煎汤，10 ~ 20 g；或浸酒。

| 附　　注 | 江苏民间用本种根茎治疗胃痛。

马兜铃科 Aristolochiaceae 细辛属 *Asarum* 凭证标本号 320282150409152LY

杜衡 *Asarum forbesii* Maxim.

| 植物别名 | 马蹄香、南细辛、马辛。

| 药 材 名 | 杜衡（药用部位：全草或根及根茎。别名：怀、蘅、薇香）。

| 形态特征 | 多年生草本。根茎的节间长 0.5 ~ 1 cm，直立或斜升，下端有多数须根。1 ~ 2 叶生于茎端；叶片宽心形至肾状心形，长、宽均 3 ~ 8 cm，先端钝或圆，基部心形，叶面深绿色，中脉两侧具白色斑纹，两面疏生短柔毛，边缘与脉上密生细柔毛；叶柄长 3 ~ 15 cm；芽苞叶肾状心形或倒卵形，边缘具睫毛。花暗紫色，顶生，直径约 1 cm；花被筒钟状，长 1 ~ 1.5 cm，先端 3 裂，裂片基部平滑，内面暗紫色，具格状网眼，喉部不缢缩；花梗长约 4 cm；雄蕊 12；花柱 6，离生，先端 2 裂。蒴果肉质，有黑褐色种子多数。花期 4 ~ 5 月。

| 生境分布 | 生于阴湿、腐殖质层丰厚的林下或草丛中。分布于江苏南京（溧水）、镇江（句容、丹徒）、苏州（常熟、吴中）、常州（溧阳）、无锡（宜兴）等。

| 资源情况 | 野生资源较丰富。

| 采收加工 | 4 ~ 6 月间采收，洗净，晒干。

| 药材性状 | 本品全草常卷曲成团。根茎圆柱形，长约 1 cm，直径 2 ~ 3 mm，表面浅棕色或灰黄色，粗糙节间长 1 ~ 9 mm。根细圆柱形，长 7 cm，直径 1 ~ 2 mm，表面灰白色或浅棕色，断面黄白色或类白色。叶片展平后呈宽心形或肾状心形，长、宽均为 3 ~ 8 cm，先端钝或圆，上面主脉两侧可见云斑，脉上及近叶缘有短毛。偶见花，1 ~ 2 腋生，钟状，紫褐色。气芳香，有浓烈辛辣味，有麻舌感。

| 功效物质 | 主要含有甲基丁香酚、榄香脂素等挥发油成分，其中 *α*- 细辛脑具有明显的镇静和降血脂活性。

| 功能主治 | 辛，温；有小毒。归肺、肝、肾、膀胱经。祛风散寒，消痰行水，活血止痛，解毒。用于风寒感冒，痰饮喘咳，水肿，风寒湿痹，跌打损伤，头痛，齿痛，胃痛，痧气腹痛，瘰疬，肿毒，蛇咬伤。

| 用法用量 | 内服煎汤，1.5 ~ 6 g；或研末，0.6 ~ 3 g；或浸酒。外用适量，研末吹鼻；或鲜品捣敷。

猕猴桃科 Actinidiaceae 猕猴桃属 *Actinidia* 凭证标本号 320703150520204LY

软枣猕猴桃 *Actinidia arguta* (Sieb. et Zucc.) Planch. ex Miq.

| 药 材 名 | 软枣子（药用部位：果实）、猕猴梨根（药用部位：根）、猕猴梨叶（药用部位：叶）。

| 形态特征 | 落叶大藤本。长达 30 m 以上。老枝浅褐色，无毛；髓白色至淡褐色，呈片层状。叶片宽卵形至长圆状卵形，长 6 ~ 12 cm，宽 4 ~ 7 cm，先端突尖或短尾尖，基部圆形或心形，稍偏斜，边缘有锐尖的锯齿，无毛或叶背脉腋间有簇毛；侧脉 6 ~ 7 对；叶柄长 2 ~ 8 cm。聚伞花序腋生，有花 3 ~ 6，或单生；花绿白色，芳香；萼片 4 ~ 6，卵圆形或长圆形，边缘及内面密生黄褐色毛，开花后脱落；花瓣 4 ~ 6，倒卵圆形或匙状倒卵形，无毛，花药暗紫色；雄花的子房发育不全；雌花常有雄蕊，但花粉枯萎；子房球形，无毛。果实球形或长圆形，长 2 ~ 3 cm，成熟时暗绿色，具喙及宿存花柱，无毛

及斑点，无宿萼。花期 5 ~ 6 月，果期 8 ~ 9 月。

| 生境分布 | 生于山谷林中或林缘灌丛中。分布于江苏连云港等。

| 资源情况 | 野生资源较丰富。

| 采收加工 | **软枣子：**秋季采摘成熟果实，鲜用或晒干。

猕猴梨根：秋、冬季采挖，洗净，切片，晒干。

猕猴梨叶：夏、秋季采收，晒干。

| 药材性状 | **软枣子：**本品呈圆球形、椭圆形或柱状长圆形，长 2 ~ 3 cm，直径 1.5 ~ 2.5 cm，表面皱缩，暗褐色或红色，光滑或有浅棱，先端有喙，基部果柄长 1 ~ 1.5 cm；果肉淡黄色。种子细小，椭圆形，长 2.5 mm。气微，味酸、甘、微涩。

| 功效物质 | 主要含有多糖类、多酚类、蒽醌类、三萜类及生物碱类等成分，具有镇痛、抗菌、抗氧化、抗肿瘤、降血糖及抑制肥胖等药理作用。

| 功能主治 | **软枣子：**甘、微酸，微寒。归胃经。滋阴清热，除烦止渴，通淋。用于热病津伤或阴血不足，烦渴引饮，砂淋，石淋，维生素 C 缺乏症，牙龈出血，肝炎。

猕猴梨根：淡、微涩，平。清热利湿，祛风除痹，解毒消肿，止血。用于黄疸，消化不良，呕吐，风湿痹痛，消化道肿瘤，痈疡疮疖，跌打损伤，外伤出血，乳汁不下。

猕猴梨叶：甘，平。止血。用于外伤出血。

| 用法用量 | **软枣子：**内服煎汤，3 ~ 15 g。

猕猴梨根：内服煎汤，15 ~ 60 g；或捣汁饮。

猕猴梨叶：外用适量，焙干撒敷。

猕猴桃科 Actinidiaceae 猕猴桃属 *Actinidia* 凭证标本号 321284190913118LY

中华猕猴桃 *Actinidia chinensis* Planch.

药材名 猕猴桃（药用部位：果实。别名：藤梨、木子、猕猴梨）、猕猴桃根（药用部位：根。别名：洋桃根）、猕猴桃藤（药用部位：藤及藤中的汁液）、猕猴桃枝叶（药用部位：枝叶）。

形态特征 落叶藤本。嫩枝密被灰白色绒毛或黄褐色硬毛或锈色硬刺毛，后脱落无毛；髓白色，呈片层状。芽鳞密被褐色绒毛。叶片近圆形或宽倒卵形，长 6 ～ 17 cm，宽 7 ～ 15 cm，先端钝圆或微凹，稀有小凸尖，基部圆形至心形，边缘有芒状小齿，叶面有疏毛，叶背密生灰白色或浅褐色星状绒毛，侧脉 5 ～ 8 对；叶柄长 3 ～ 6（～ 12）cm，被黄褐色毛或杂以锈色刺毛。花 1 ～ 3 生于叶腋，呈聚伞花序；萼片常为 5，稀 3 或 7，有淡棕色柔毛；花瓣 5 ～ 6，初时乳白色，后

变橙黄色，宽倒卵形，有短爪；雄蕊多数，花药黄色；花柱丝状，多数；子房卵圆形，密被黄棕色绒毛。浆果近球形、卵形或长圆形，长 4 ～ 6 cm，横径约 3 cm，密被黄棕色有分枝的长柔毛，成熟时渐脱落，有褐色斑点；宿存萼反折。花期 5 ～ 6 月，果期 8 ～ 10 月。

| 生境分布 | 生于山地林间或灌丛中。分布于江苏无锡（宜兴）等。江苏多地有栽培。

| 资源情况 | 野生及栽培资源较丰富。

| 采收加工 | **猕猴桃：** 9 月中下旬至 10 月上旬采摘成熟果实，鲜用或晒干。

猕猴桃根： 全年均可采挖，洗净，切段，鲜用或晒干。宜在栽种 10 年后轮流适当采挖。

猕猴桃藤： 全年均可采收，洗净，鲜用或晒干，或鲜品捣汁。

猕猴桃枝叶： 夏季采收，鲜用或晒干。

| 药材性状 | **猕猴桃：** 本品近球形、圆柱形、倒卵形或椭圆形，长 4 ～ 6 cm。表面黄褐色或绿色，被茸毛、长硬毛或刺毛状长硬毛，有的秃净，具小而多的淡褐色斑点，先端喙不明显，微尖，基部果柄长 1.2 ～ 4 cm，宿存萼反折；果肉外部绿色，内部黄色。种子细小，长 2.5 mm。气微，味酸、甘、微涩。

猕猴桃根： 本品粗长，有少数分枝。商品已切段，长 1 ～ 3 cm，直径 3 ～ 5 cm。外皮厚 2 ～ 5 mm，棕褐色或灰棕色，粗糙，具不规则纵沟纹。切面皮部暗红色，略呈颗粒性，易折碎成小块状，布有白色胶丝样物（黏液质），尤以皮部内侧为甚；木部淡棕色，质坚硬，强木化，密布小孔（导管）；髓较大，直径约 4 mm，髓心呈膜质片层状，淡棕白色。气微，味淡、微涩。

猕猴桃枝叶： 本品幼枝直径 4 ～ 8 mm，密被灰白色茸毛、褐色长硬毛或铁锈色刺毛，老枝秃净或有残留，皮孔长圆形，明显或不明显；质脆，易折断，髓部白色或淡褐色，呈片层状。完整叶片阔卵形、近圆形或倒卵形，长 6 ～ 16 cm，宽 7 ～ 15 cm；先端平截、微凹或有凸尖，基部钝圆形或浅心形，边缘具直伸睫状小齿；上面仅中脉及侧脉有少数软毛或散被短糙毛，下面密被灰白色或淡褐色星状绒毛，两面均枯绿色；侧脉 5 ～ 8 对，横脉较发达，易见；叶柄长 3 ～ 6（～ 10）cm，被灰白色茸毛或黄褐色长硬毛或铁锈色硬毛状刺毛。气微，味微苦、涩。

| 功效物质 | 根主要含有甾体类、黄酮类、三萜类、多糖类等成分，具有抗病毒、抗炎、抗肿瘤作用。

| 功能主治 |

猕猴桃：甘、酸，寒。归肾、胃、胆、脾经。解热，止渴，健胃，通淋。用于烦热，消渴，肺热干咳，消化不良，湿热黄疸，石淋，痔疮。

猕猴桃根：甘、涩，凉；有小毒。归心、肾、肝、脾经。清热解毒，祛风利湿，活血消肿。用于肝炎，痢疾，消化不良，淋浊，带下，风湿关节痛，水肿，跌打损伤，疮疖，瘰疬结核，胃肠道肿瘤及乳腺癌。

猕猴桃藤：甘，寒。和中开胃，清热利湿。用于消化不良，反胃呕吐，黄疸，石淋。

猕猴桃枝叶：微苦、涩，凉。归肺、肝经。清热解毒，散瘀，止血。用于痈肿疮疡，烫伤，风湿关节痛，外伤出血。

| 用法用量 |

猕猴桃：内服煎汤，30 ~ 60 g；或生食；或榨汁饮。

猕猴桃根：内服煎汤，30 ~ 60 g。外用适量，捣敷。

猕猴桃藤：内服煎汤，15 ~ 30 g；或捣汁饮。

猕猴桃枝叶：外用适量，捣敷；或研末敷。

山茶科 Solanaceae 山茶属 *Camellia* 凭证标本号 321322180427080LY

山茶 *Camellia japonica* L.

| 植物别名 | 曼阳罗树、宝珠山茶、红茶花。

| 药 材 名 | 山茶花（药用部位：花）、山茶根（药用部位：根）、山茶叶（药用部位：叶）、山茶子（药用部位：种子）。

| 形态特征 | 灌木或小乔木。高 1 ~ 6 m。嫩枝和嫩叶有细柔毛。叶片薄革质，椭圆状披针形至椭圆形，长 4 ~ 10 cm，宽 2 ~ 3.5 cm，先端急尖或钝而微凹，基部楔形，边缘有锯齿，叶背有柔毛，侧脉 5 ~ 7 对；叶柄长 3 ~ 8 mm，无毛。花白色，直径 2.5 ~ 3.5 cm，常单生或 2 腋生，稀 3 ~ 4 腋生；花梗长 6 ~ 10 mm，稍下垂；萼片 5 ~ 6，宽卵形至圆形，长 3 ~ 5 mm，无毛，结果时宿存；花瓣 5 ~ 8，宽卵圆形，长 1 ~ 1.6 cm，基部稍联合；子房 3 室，密生白色柔毛；花柱无毛，合生，柱头 3 裂。蒴果圆形或呈 3 瓣状，每室有种子 1。

花期 9 ~ 10 月，果期翌年 11 月。

| 生境分布 | 江苏各地均有栽培。

| 资源情况 | 栽培资源较丰富。

| 采收加工 | **山茶花：** 4 ~ 5 月花朵盛开期分批采摘，晒干或炕干。在干燥过程中，要少翻动，避免破碎或散瓣。

山茶根： 全年均可采挖，洗净，晒干。

山茶叶： 全年均可采收，鲜用或洗净后晒干。

山茶子： 10 月采摘成熟果实，取种子，晒干。

| 药材性状 | **山茶花：** 本品花蕾卵圆形，开放的花呈不规则扁盘状，盘径 5 ~ 8 cm，表面红色、黄棕色或棕褐色。萼片 5，棕红色，革质，背面密布灰白色绢丝样细绒毛；花瓣 5 ~ 7 或更多，上部卵圆形，先端微凹，下部色较深，基部连合成一体，纸质；雄蕊多数，2 轮，外轮花丝连合成一体。气微，味甘。以红色、未开放者为佳。

山茶叶： 本品呈倒卵形或椭圆形，长 5 ~ 10 cm，宽 2.5 ~ 6 cm；先端渐尖而钝，基部楔形，边缘有细锯齿，黄绿色；表面略有光泽，无毛或背面及边缘略有毛；革质。叶柄圆柱形，长 8 ~ 15 mm。气微，味微苦、涩。

| 功效物质 | 主要含有黄酮类、皂苷类、鞣质类等成分。其中，山茶皂苷具有抗肿瘤活性。

| 功能主治 | **山茶花：** 甘、苦、辛、涩，凉。归肝、肺经。凉血止血，散瘀消肿。用于吐血，衄血，咯血，便血，痔血，赤白痢，血淋，血崩，带下，烫伤，跌打损伤。

山茶根： 苦、辛，平。归胃、肝经。散瘀消肿，消食。用于跌打损伤，食积腹胀。

山茶叶： 苦、涩，寒。归心经。清热解毒，止血。用于痈疽肿毒，烫火伤，出血。

山茶子： 甘，平。去油垢。用于发多油腻。

| 用法用量 | **山茶花：** 内服煎汤，5 ~ 10 g；或研末。外用适量，研末，麻油调涂。

山茶根： 内服煎汤，15 ~ 30 g。

山茶叶： 内服煎汤，6 ~ 15 g。外用适量，鲜品捣敷；或研末调涂。

山茶子： 外用适量，研末掺。

| 附　　注 | 本种喜温暖湿润气候，生长最适温度为 15 ~ 25 ℃，忌烈日直晒和干旱，不宜栽培于寒冷山地。以上层深厚、疏松、肥沃的腐殖土或夹砂土的酸性土壤栽培较好，不宜黏土栽培。

山茶科 Solanaceae 山茶属 *Camellia* 凭证标本号 320124151031048LY

油茶 *Camellia oleifera* Abel.

| **植物别名** | 楂木。

| **药 材 名** | 油茶子（药用部位：种子）、油茶根（药用部位：根及根皮）、油茶叶（药用部位：叶）、油茶花（药用部位：花），茶油（药材来源：种子榨取的脂肪油）、茶油粑（药材来源：种子榨取脂肪油后的渣滓）。

| **形态特征** | 灌木或小乔木。嫩枝有毛。冬芽鳞片有金黄色毛。叶片革质，椭圆形或卵状椭圆形，长 3 ~ 7.5 cm，宽 2 ~ 4 cm，先端渐尖，基部楔形，边缘有浅锯齿，叶面深绿色，有光泽，中脉被毛，叶背无毛或中脉有毛；叶梗长 4 ~ 8 mm，有粗毛。花白色，直径 4 ~ 8 cm，1 ~ 3 腋生或顶生，无柄；苞片和萼片无明显区别，约 10，宽卵形，背面有贴伏柔毛或绢毛；花瓣 5 ~ 7，倒卵形，长 2.5 ~ 4 cm，

全缘或先端 2 裂；子房有毛，花柱先端 3 浅裂，基部有毛。蒴果球形，直径约 3 cm，幼时有毛，后变无毛，2 ~ 3 爿裂，果爿厚 3 ~ 5 mm，木质，种子 1 ~ 3。花期 10 ~ 12 月，果期翌年 10 ~ 11 月。

| **生境分布** | 江苏连云港、南京、无锡（宜兴）、常州（溧阳）等有栽培。

| **资源情况** | 栽培资源较丰富。

| 采收加工 |

油茶子：秋季果实成熟时采收。

油茶根：全年均可采挖，鲜用或晒干。

油茶叶：全年均可采收，鲜用或晒干。

油茶花：冬季采收。

茶油：成熟种子用压榨法得到的脂肪油。

茶油粑：成熟种子榨去脂肪油后的渣滓。

| 药材性状 |

油茶子：本品呈扁圆形，背面圆形隆起，腹面扁平，长 1 ～ 2.5 cm，一端钝圆，另一端凹陷，表面淡棕色，富含油质。气香，味苦、涩。

油茶叶：本品革质，稍厚，椭圆形或卵状椭圆形，长 3 ～ 7.5 cm，宽 1.5 ～ 4 cm；先端渐尖或短尖，基部楔形，边缘有细锯齿；表面绿色，主脉明显，侧脉不明显。气清香，味微苦、涩。

油茶花：本品花蕾倒卵形，花朵不规则形，萼片 5，类圆形，稍厚，外被灰白色绢毛；花瓣 5 ～ 7，时有散落，淡黄色或黄棕色，倒卵形，先端凹入，外表面被疏毛；雄蕊多数，排成 2 轮，花丝基部成束；雌蕊花柱分离。气微香，味微苦。

| 功效物质 | 根、叶和花主要含有黄酮类、三萜及三萜皂苷类、脂肪酸类、甾体类、木脂素类等成分，其中，油茶皂苷类成分具有抗肿瘤活性。种子主要含有脂肪油，包

括油酸、硬脂酸等甘油酯。茶油粑（茶油饼）主要含有以山柰酚为苷元的黄酮苷类成分，具有抑制真菌的活性。

| 功能主治 |

油茶子：苦、甘，平；有毒。归脾、胃、大肠经。行气，润肠，杀虫。用于气滞腹痛，肠道便秘，蛔虫，钩虫，疥癣瘙痒。

油茶根：清热解毒，理气止痛，活血消肿。用于咽喉肿痛，胃痛，牙痛，跌打伤痛，烫火伤。

油茶叶：微苦，平。收敛止血，解毒。用于鼻衄，皮肤溃烂瘙痒，疮疽。

油茶花：苦，微寒。凉血止血。用于吐血，咯血，衄血，便血，子宫出血，烫伤。

茶油：清热解毒，润肠，杀虫。用于痧气腹痛，便秘，蛔虫腹痛，蛔虫性肠梗阻，疥癣，烫火伤。

茶油粑：燥湿解毒，杀虫祛积，消肿止痛。用于湿疹痛痒，虫积腹痛，跌打伤肿。

| 用法用量 |

油茶子：内服煎汤，6 ~ 10 g；或入丸、散剂。外用适量，煎汤洗；或研末调涂。

油茶根：内服煎汤，15 ~ 30 g。外用适量，研末或烧灰研末，调敷。

油茶叶：内服煎汤，15 ~ 30 g。外用适量，煎汤洗；或鲜品捣敷。

油茶花：内服煎汤，3 ~ 10 g。外用适量，研末，麻油调敷。

茶油：内服，冷开水送服，30 ~ 60 g。外用适量，涂敷。

茶油粑：内服，煅存性，研末，3 ~ 6 g。外用适量，煎汤洗；或研末调涂。

| 附　　注 |

（1）本种喜生于肥沃、带酸性的土壤。

（2）本种在我国长江流域及以南各地广泛栽培，为重要的木本油料植物。茶油可用作注射用茶油的原料及软膏基质。

山茶科 Solanaceae 山茶属 *Camellia* 凭证标本号 321112180523008LY

茶树 *Camellia sinensis* (L.) O. Kuntze

| 药 材 名 |

茶叶（药用部位：嫩叶或嫩芽）、茶树根（药用部位：根）、茶膏（药材来源：干燥嫩叶制膏）、茶花（药用部位：花）、茶子（药用部位：果实）。

| 形态特征 |

灌木或小乔木。高 1 ~ 6 m。嫩枝和嫩叶有细柔毛。叶片薄革质，椭圆状披针形至椭圆形，长 4 ~ 10 cm，宽 2 ~ 3.5 cm，先端急尖或钝而微凹，基部楔形，边缘有锯齿，叶背有柔毛，侧脉 5 ~ 7 对；叶柄长 3 ~ 8 mm，无毛。花白色，直径 2.5 ~ 3.5 cm，常单生或 2 腋生，稀 3 ~ 4 腋生；花梗长 6 ~ 10 mm，稍下垂；萼片 5 ~ 6，宽卵形至圆形，长 3 ~ 5 mm，无毛，结果时宿存；花瓣 5 ~ 8，宽卵圆形，长 1 ~ 1.6 cm，基部稍联合；子房 3 室，密生白色柔毛；花柱无毛，合生，柱头 3 裂。蒴果圆形或呈 3 瓣状，每室有种子 1。花期 9 ~ 10 月，果期翌年 11 月。

| 生境分布 |

江苏南部地区普遍栽培，有时逸为野生。江苏北部地区也有栽培。

| 资源情况 | 栽培资源丰富。

| 采收加工 | **茶叶：**种植 3 年以上即可采收，以清明前后枝端初发嫩芽者最佳（清明前采摘者称“明前”，谷雨前采摘者称“雨前”）。此后约 1 个月，第二次采收其成长的嫩叶，再过 1 个月进行第三次采收，也有在立秋后第四次采收的，唯采摘时间愈迟，品质愈次。本品宜密藏于干燥处，以防发霉变质。

茶树根：全年均可采挖，鲜用或晒干。

茶膏：将茶的干燥嫩叶浸泡后，加甘草、贝母、橘皮、丁香、桂子等煎制成膏。

茶花：夏、秋季开花时采摘，鲜用或晒干。

茶子：秋季采收成熟果实。

| 药材性状 | **茶花：**本品花蕾类球形。萼片 5，黄绿色或深绿色，花瓣 5，类白色或淡黄白色，近圆形。气微香。

茶子：本品呈扁球形，具 3 钝棱，先端凹陷，直径 2 ~ 5 mm，黑褐色，表面被灰棕色茸毛，果皮坚硬，不易压碎。萼片宿存，5 片，广卵形，长 2 ~ 5 mm，上表面灰棕色，具茸毛，下表面棕褐色，质厚，木质化。果柄圆柱形，上端稍粗，微弯曲，下方有一凸起的环节，棕褐色。气微，味淡。

| 功效物质 | 嫩叶与嫩芽含有嘌呤类生物碱，以咖啡碱为主，含量为 1% ~ 5%，并含有微量

可可豆碱、茶碱和黄嘌呤。绿茶中含缩合鞣质 10% ~ 24%；红茶因经过发酵，其含鞣质量减少，一般仅 6% 左右，茶叶中鞣质以没食子酸 -l- 表没食子儿茶素为主，并有少量 l- 表没食子儿茶素、没食子表儿茶素、1- 表儿茶素等。茶叶中咖啡碱大多与鞣质结合而存在，以春季的嫩叶中咖啡碱含量较高。茶叶发酵后可使游离的咖啡碱含量比例增加。

茶叶含挥发油约 0.6%，绿茶含挥发油约 0.006%，其是茶叶的香气成分，主要为 β,γ- 庚烯醇（占 50% ~ 90%），以及 α,β- 庚烯醛等。红茶的香气成分为 α- 及 β- 紫罗兰酮和它的衍生物、α- 松油醇等。此外，尚含三萜皂苷及苷元成分，如茶皂醇 E、茶叶皂苷等，并含有少量维生素 C、胡萝卜素、二氢麦角甾醇、槲皮素及山柰酚等黄酮类和黄酮醇与没食子酸所形成的酯。

新鲜根含有水苏糖、棉子糖、蔗糖、葡萄糖、果糖等糖类成分，并含有少量多酚化合物如黄烷醇等。

花主要含有黄酮类、糖类成分，黄酮类主要为 3,5,8,4′- 四羟基 -7- 甲氧基黄酮、茶花粉黄酮苷 A 和茶花粉黄酮苷 B。

果实主要含有皂苷类、有机酸、脂肪油及酯类成分。

| 功能主治 |

茶叶：清头目，除烦渴，消食，化痰，利尿，解毒。用于头痛，目昏，目赤，多睡善寐，感冒，心烦口渴，食积，口臭，痰喘，癫痫，小便不利，泻痢，喉肿，疮疡疖肿，烫火伤。

茶树根：苦，凉。归心、肾经。强心利尿，活血调经，清热解毒。用于心脏疾病，水肿，肝炎，痛经，疮疡肿毒，口疮，烫火伤，带状疱疹，银屑病。

茶膏：苦、甘，凉。归心、胃、肺经。清热生津，宽胸开胃，醒酒怡神。用于烦热口渴，舌糜，口臭，喉痹。

茶花：微苦，凉。归肺、肝经。清肺平肝。用于鼻疳，高血压。

茶子：苦，寒；有毒。归肺经。降火消痰平喘。用于痰热喘嗽，头脑鸣响。

| 用法用量 |

茶叶：内服煎汤，3 ~ 10 g；或入丸、散剂，沸水泡。外用适量，研末调敷；或鲜品捣敷。

茶树根：内服煎汤，15 ~ 30 g，大剂量可用至 60 g。外用适量，煎汤熏洗；或磨醋涂。

茶膏：内服煎汤，3 ~ 10 g；或沸水浸服。

茶子：内服煎汤，0.5 ~ 1.5 g；或入丸、散剂。外用适量，研末吹鼻。

| 附　　注 | 本种喜温暖湿润气候，耐阴，怕旱，怕寒，怕涝，怕盐碱，适宜栽培地区的年平均气温为 15 ~ 25 ℃，年平均降雨量 1 000 ~ 2 000 ml。本种能耐 −6 ~ 8 ℃，短时间气温达 −30 ℃尚能过冬，在 35 ℃左右生长受到抑制，绝对最高温度为 45 ℃。本种虽能耐阴，但其优质产品须在全光照下培育。以高山、丘陵、平地 pH 4.5 ~ 5 的黄壤土、红黄壤土、红壤土适宜栽培，不宜在近中性或碱性土壤中栽培。

山茶科 Solanaceae 木荷属 *Schima* 凭证标本号 320116180401011LY

木荷 *Schima superba* Gard. et Champ.

| 植物别名 | 木艾树、何树、柯树。

| 药 材 名 | 木荷（药用部位：根皮）、木荷叶（药用部位：叶）。

| 形态特征 | 乔木，高达 40 m。树干挺直，分枝很高，树冠圆形；树皮深灰色，纵裂成不规则的长块；枝暗褐色。冬芽卵状圆锥形，先端长尖，有白色长毛。叶片厚革质，卵状椭圆形至长椭圆形，长 5 ~ 12 cm，宽 2.5 ~ 5 cm，先端短尖至长尖，基部楔形或稍圆，侧脉 7 ~ 9 对，在两面均明显，边缘具钝齿或波状钝齿；叶柄长 1 ~ 2 cm。花白色；花柄粗壮，长 1 ~ 2 cm；苞片 2，贴近萼片，早落；萼片近圆形，内面边缘密生白毛；花瓣倒卵状圆形，基部外面有毛；子房密生丝状绒毛。蒴果褐色，扁圆球形，直径约 1.5 cm，5 裂。种子淡褐色，

长约 7 mm，宽约 5 mm，翅有皱纹。花期 4 ～ 7 月，果期 9 ～ 10 月。

| 生境分布 | 生于海拔 150 ～ 1 500 m 的向阳山地杂木林中。分布于江苏苏州（吴中）等。

| 资源情况 | 野生资源较丰富。

| 采收加工 | **木荷：**全年均可采剥，晒干。

木荷叶：春、夏季采收，鲜用或晒干。

| 功效物质 | 茎含有木脂素类、黄酮类、有机酸类成分。

| 功能主治 | **木荷：**辛，温；有毒。归脾经。攻毒，消肿。用于疔疮，无名肿毒。

木荷叶：辛，温；有毒。解毒疗疮。用于臁疮，疮毒。

| 用法用量 | **木荷：**外用适量，捣敷。

木荷叶：外用适量，鲜品捣敷；或研末调敷。本品有毒，不宜内服。

| 附　　注 | 本种喜生于湿润、排水良好的肥沃土壤中。

藤黄科 Guttiferae 金丝桃属 *Hypericum* 凭证标本号 320111150614006LY

黄海棠 *Hypericum ascyron* L.

植物别名

牛心菜、山辣椒、大叶金丝桃。

药 材 名

红旱莲（药用部位：全草。别名：湖南连翘、黄花刘寄奴、金丝蝴蝶）。

形态特征

多年生草本。高 80 ~ 100 cm。茎直立，有棱 4。叶片披针形、长圆状披针形或卵状披针形，长 5 ~ 9 cm，宽约 2 cm，先端渐尖，基部楔形或心形且抱茎，两面均可见黑色小斑点，全缘，无柄。聚伞花序顶生，花多达 35；花大，金黄色，直径 2.5 cm；萼片 5，卵圆形；花瓣 5，倒卵形或倒披针形，宿存；雄蕊基部联合成 5 束，每束约有雄蕊 30，子房 5 室，花柱 5，中部以上 5 裂。蒴果大，圆锥形，长约 2 cm，5 室，内有多数细小种子。种子棕色或黄褐色，圆柱形，微弯，长 1 ~ 1.5 mm，具明显的龙骨状突起或狭翅。花果期 8 ~ 9 月。

生境分布

生于山坡林下或草丛中。江苏连云港、南京（江宁）、无锡（江阴）、苏州等有栽培。

| 资源情况 | 栽培资源较丰富。

| 采收加工 | 7 ～ 8 月果实成熟时割取地上部分，用热水浸泡，晒干。

| 药材性状 | 本品为干燥全草，叶通常脱落。茎圆柱形，具 4 棱，表面红棕色，节处有叶痕，节间长约 3.5 cm；质硬，断面中空。蒴果圆锥形，3 ～ 5 生于茎顶，长约 1.5 cm，直径约 8 mm，表面红棕色，先端 5 瓣裂，裂片先端细尖，内面灰白色；质坚硬，中轴处着生多数种子。种子细小，圆柱形，表面红棕色，有细密小点。气微香，味苦。以茎红棕色、果实内种子饱满者为佳。

| 功效物质 | 主要含有黄酮类成分，具有抗氧化和预防及治疗 2 型糖尿病的作用。

| 功能主治 | 苦，寒。归肝经。凉血止血，活血调经，清热解毒。用于血热所致吐血、咯血、尿血、便血、崩漏，跌打损伤，外伤出血，月经不调，痛经，乳汁不下，风热感冒，疟疾，肝炎，痢疾，腹泻，毒蛇咬伤，烫伤，湿疹，黄水疮。

| 用法用量 | 内服煎汤，5 ～ 10 g。外用适量，捣敷；或研末调涂。

藤黄科 Guttiferae 金丝桃属 *Hypericum* 凭证标本号 320830150714027LY

赶山鞭 *Hypericum attenuatum* Choisy

| 植物别名 | 鸡心茶、胭脂草、旱莲草。

| 药 材 名 | 赶山鞭（药用部位：全草。别名：小金丝桃、小茶叶、小金雀）。

| 形态特征 | 多年生草本。高达 70 cm。茎圆柱形，上部多分枝，常有凸起的纵棱 2，散生黑色腺点或斑点。单叶对生，叶片卵状长圆形、卵状披针形或长圆状倒卵形，长 1 ~ 2.5 cm，宽 3 ~ 10 mm，先端钝，基部渐狭或微心形稍抱茎。聚伞花序顶生，花萼、花瓣及花药均可见黑色腺点；花萼 5，卵状披针形；花瓣 5，淡黄色，长圆状倒卵形，宿存；雄蕊 3 束，每束约有雄蕊 30；子房 3 室，花柱 3，分离。蒴果卵圆形或卵状长椭圆形，长 0.6 ~ 10 mm，具长短不等的条状腺体。种子黄绿色至浅棕色，圆柱形，微弯，两端钝形，具小突尖，两侧有龙骨状突起。花期 7 ~ 8 月，果期 9 ~ 10 月。

| 生境分布 | 生于路旁、阴湿处或山坡杂草中。江苏各地均有分布。

| 资源情况 | 野生资源较少。

| 采收加工 | 秋季采收，晒干。

| 功效物质 | 富含黄酮类成分，具有抗 PC12 细胞 DNA 氧化应激损伤、抗炎、降低血清中细胞因子 IL-1β 与 TNF-α 水平等活性。此外，还含有挥发油类成分。现代研究发现，赶山鞭具有抗心律失常和心力衰竭、抗抑郁及抗炎作用。

| 功能主治 | 苦，平。归心经。凉血止血，活血止痛，消肿解毒。用于吐血，咯血，崩漏，外伤出血，风湿痹痛，跌打损伤，痈肿疔疮，乳痈肿痛，乳汁不下，烫伤，蛇虫咬伤。

| 用法用量 | 内服煎汤，9 ~ 15 g。外用适量，鲜品捣敷；或干品研粉撒敷。

藤黄科 Guttiferae 金丝桃属 *Hypericum* 凭证标本号 HZ034976

小连翘 *Hypericum erectum* Thunb. ex Murray

| 药 材 名 | 直立金丝桃（药用部位：全草）。

| 形态特征 | 多年生草本。高 30 ~ 60 cm。茎圆柱形，有隆起线 2。单叶对生；叶片长椭圆形或倒卵状长椭圆形，长 1.5 ~ 4.5 cm，宽 0.5 ~ 2.2 cm，先端钝圆，基部心形，半抱茎，全缘，羽状脉，侧脉 4 ~ 6 对，叶背被黑色腺点，近边缘较密。伞房状聚伞花序，顶生或腋生；萼片 5，卵状披针形，有黑色腺点，边缘具腺齿；花瓣黄色，长矩圆形，长约 7 mm，上部具黑色腺点，宿存；雄蕊多数，合生成 3 束，每束有雄蕊 8 ~ 10，宿存；花柱 3，基部分离，长约为子房的 3 倍。蒴果卵圆形，长 0.7 ~ 1 cm，表面具纵纹。种子绿褐色，圆柱形，长约 0.7 mm，两侧具龙骨状突起。花期 6 ~ 8 月，果期 9 ~ 10 月。

| 生境分布 | 生于山坡草丛或林下。分布于江苏无锡（宜兴）、常州（溧阳）等。

| 资源情况 | 野生资源一般。

| 采收加工 | 夏、秋季采收，鲜用或晒干。

| 功效物质 | 主要含有小连翘碱和小连翘次碱，以及间苯三酚、黄酮类成分。

| 功能主治 | 苦，平。归肝、胃经。解毒调经，散瘀止痛，解毒消肿。用于吐血，咯血，便血，衄血，崩漏，创伤出血，月经不调，产妇乳汁不下，跌打损伤，风湿关节痛，疮疖肿毒，毒蛇咬伤。

| 用法用量 | 内服煎汤，10 ~ 30 g。外用适量，鲜品捣敷；或研末敷。

藤黄科 Guttiferae 金丝桃属 *Hypericum* 凭证标本号 320124140819047LY

地耳草 *Hypericum japonicum* Thunb. ex Murray

| 药材名 | 田基黄（药用部位：全草）。

| 形态特征 | 一年生或多年生草本。高 15 ~ 40 cm。根多呈须根状。茎直立或披散，纤细，有棱 4，基部近节处生细根。叶片卵形，长 4 ~ 15 mm，宽 2 ~ 8 mm，先端尖或钝，基部心形，多少抱茎，下部 1 对侧脉基出，上部侧脉 1 ~ 2 对，全缘，无柄。聚伞花序顶生；花小，黄色；萼片 5，窄长圆形，长 2 ~ 5 mm，花瓣白色、淡黄色至橙色，椭圆形或长圆形，长 2 ~ 5 mm，宿存，与萼片几等长；雄蕊 5 ~ 30，不成束，基部联合；子房 1 室，宿存花柱 3，分离。蒴果长圆形，长约 4 mm，与宿存萼片等长。种子淡黄色，圆柱形，长约 0.5 mm，两端锐尖。花期 5 ~ 6 月，果期 6 ~ 10 月。

| 生境分布 | 生于田间或山坡潮湿处。分布于江苏连云港、常州（溧阳）、无锡（宜兴）、苏州（常熟）。江苏连云港、常州（溧阳）、无锡（宜兴）、苏州（常熟）等有栽培。

| 资源情况 | 野生及栽培资源较丰富。

| 采收加工 | 春、夏季开花时采收，鲜用或晒干。

| 功效物质 | 主要含有黄酮类、间苯三酚衍生物和吡喃酮类等成分，具有保肝、抗菌、抑制血小板活化因子诱导的低血压等活性。

| 功能主治 | 苦、辛，平。归肝、肺经。清热利湿，解毒，散瘀消肿，止痛。用于湿热黄疸，泄泻，痢疾，肠痈，肺痈，痈疖肿毒，乳蛾，口疮，目赤肿痛，毒蛇咬伤，跌打损伤。

| 用法用量 | 内服煎汤，9 ~ 15 g。

藤黄科 Guttiferae 金丝桃属 *Hypericum* 凭证标本号 320621180724004LY

金丝桃 *Hypericum monogynum* L.

| 药 材 名 | 金丝桃（药用部位：全株。别名：土连翘、五心花、金丝海棠）。

| 形态特征 | 半常绿小灌木。高达 1 m。全株光滑无毛，多分枝，小枝对生，圆柱形，红褐色。叶片倒披针形或椭圆形，有透明腺点，长 4 ~ 9 cm，宽约 1 cm，先端钝尖，全缘，基部楔形至圆形，稍抱茎，上部叶有时平截至心形，侧脉 4 ~ 6 对，网脉密而明显，近无柄。花单生或成聚伞花序，顶生，小苞片披针形；花直径 3 ~ 5 cm；萼片 5，卵状椭圆形，先端微钝；花瓣 5，金黄色或橙黄色，宽倒卵形；雄蕊花丝基部合生成 5 束，长约 2 cm；花柱细长，先端 5 裂。蒴果卵圆形，花柱和萼片宿存。种子红褐色，圆柱形，长约 2 mm，有狭龙骨状突起。花期 5 ~ 8 月，果期 6 ~ 9 月。

生境分布 生于山麓、路边及沟旁。江苏各地庭园有栽培。

资源情况 栽培资源丰富。

采收加工 全年均可采收，洗净，晒干。

药材性状 本品长约 80 cm，光滑无毛。根呈圆柱形，表面棕褐色，栓皮易呈片状剥落，断面不整齐，中心可见极小的空洞。老茎较粗，圆柱形，直径 4 ～ 6 mm，表面浅棕褐色，可见对生叶痕，栓皮易呈片状脱落。质脆，易折断，断面不整齐，中空明显。幼茎较细，直径 1.5 ～ 3 mm，表面较光滑，节间呈浅棕绿色，节部呈深棕绿色，断面中空。叶对生，略皱缩，易破碎；完整叶片展开呈长椭圆形，全缘，上面绿色，下面灰绿色，中脉明显凸起，叶片可见透明腺点。气微香，味微苦。

功效物质 主要含有黄酮类、三萜类成分，其中，金丝桃苷具有抗早期心肌损伤、抑制宫颈癌等活性。

功能主治 苦，凉。归心、肝经。清热解毒，散瘀止痛，祛风湿。用于肝炎，肝脾大，急性咽喉炎，结膜炎，疮疖肿毒，蛇咬伤，蜂蜇伤，跌打损伤，风湿腰痛。

用法用量 内服煎汤，15 ～ 30 g。外用适量，鲜品捣敷。

附　　注 本种喜光，稍耐阴，于北方夏季烈日暴晒下生长不良，不耐严寒，耐干旱，不耐积水，不耐盐碱，耐瘠薄，萌芽力强，耐修剪。喜肥沃的中性砂壤土。

藤黄科 Guttiferae 金丝桃属 *Hypericum* 凭证标本号 320282161113349LY

金丝梅 *Hypericum patulum* Thunb. ex Murray

| 药 材 名 |

金丝梅（药用部位：全株。别名：金丝桃、猪拇柳、土连翘）。

| 形态特征 |

半常绿灌木。高达 1 m。小枝具 2 纵浅棱，红色或暗褐色。叶对生；叶片卵形、卵状披针形或长卵形，长 3 ~ 5 cm，宽 1.3 ~ 3 cm，先端尖或钝，全缘，基部渐尖或圆形，叶面绿色，叶背淡粉绿色，散布很少的腺点；叶柄长 0.5 ~ 2 mm。花单生或成聚伞花序，生于枝端；花直径 4 ~ 5 cm；萼片 5，卵形；花瓣 5，金黄色，长圆状倒卵形或近圆形；雄蕊联合成 5 束，每束有雄蕊 50 ~ 70；花柱 5，与雄蕊等长或稍短，分离。蒴果卵形，萼片宿存。种子深褐色，略呈圆柱形，长约 1 mm。花期 6 ~ 7 月，果期 8 ~ 10 月。

| 生境分布 |

生于山谷、山坡或疏林下。江苏部分庭院有栽培。

| 资源情况 |

栽培资源丰富。

| 采收加工 | 夏季采收，洗净，切碎，晒干。

| 功效物质 | 全株石油醚提取物的主要结构类型有烷烃类、萜类、芳烃类，其中，3- 甲基庚烷的含量最高，具有一定的抗氧化活性。

| 功能主治 | 苦，寒。归肝、肾、膀胱经。清热利湿解毒，疏肝通络，祛瘀止痛。用于湿热淋病，肝炎，感冒，扁桃体炎，疝气偏坠，筋骨疼痛，跌打损伤。

| 用法用量 | 内服煎汤，6 ~ 15 g。外用适量，捣敷；或炒后研末撒。

藤黄科 Guttiferae 金丝桃属 *Hypericum* 凭证标本号 321183150703777LY

贯叶连翘 *Hypericum perfoliatnm* L.

| 药 材 名 | 贯叶金丝桃（药用部位：地上部分。别名：小汗淋草、小过路黄、小种黄）。

| 形态特征 | 多年生草本。高约 60 cm。茎直立，多分枝，茎或枝两侧各有 1 凸起纵线棱。叶密生；叶片椭圆形至线形，长 1 ~ 2 cm，宽 3 ~ 7 mm，先端钝，基部近心形而稍抱茎，全缘，反卷，叶面密布透明腺点；无叶柄。5 ~ 7 花组成二歧状聚伞花序，生于枝顶；花大，黄色；花萼、花瓣边缘及花药有黑色腺点，花瓣宿存；雄蕊多数，成 3 束，每束有雄蕊约 15，花丝长短不一；子房 1 室，花柱 3 裂。蒴果短圆柱形，有黄褐色泡状腺体。种子黑褐色，圆柱形，长约 1 mm，具纵向条棱。花期 7 ~ 8 月，果期 9 ~ 10 月。

| 生境分布 | 生于山坡路旁或杂草丛中。江苏南京等有栽培。

| 资源情况 | 栽培资源一般。

| 采收加工 | 7 ~ 10 月采收，洗净，晒干。

| 功效物质 | 主要含有挥发油类、黄酮类、苯并二蒽酮类、间苯三酚类成分。其中，金丝桃素具有抗抑郁活性，贯叶金丝桃黄酮具有镇静作用。

| 功能主治 | 苦、涩，平。归肝经。疏肝解郁，清热祛湿，消肿通乳。用于肝气郁结之情志不畅、心胸郁闷，关节肿痛，乳痈，乳少。

| 用法用量 | 内服煎汤，9 ~ 15 g。外用适量，鲜品捣敷；或揉绒塞鼻；或干品研末敷。

| 附　　注 | 《南京民间药草》记载本种“根苗：煎水服，可治吐血”。

藤黄科 Guttiferae 金丝桃属 *Hypericum* 凭证标本号 321183150612720LY

元宝草 *Hypericum sampsoni* Hance

| 药 材 名 | 元宝草（药用部位：全草。别名：相思、灯台、双合合）。

| 形态特征 | 多年生草本。高达 1 m。茎直立，光滑无毛，上部具分枝，圆柱形，有纵肋 2。叶对生，基部完全合生为一体，茎贯穿其中心；叶片长椭圆状披针形，长 3.5 ～ 7 cm，宽 2 ～ 3 cm，两叶稍向上展开成元宝状，两面均散布黑色腺体及透明腺点。聚伞花序伞房状，顶生；花小，黄色，萼片、花瓣各 5；雄蕊多数，3 束，每束具雄蕊 10 ～ 14；子房 3 室，花柱 3，分离。蒴果卵圆形，长约 8 mm，有黄褐色泡状腺体。种子黄褐色，长卵柱形，长约 1 mm。花果期 6 ～ 7 月。

| 生境分布 | 生于山坡草丛或路旁阴湿处。分布于江苏南京、镇江（句容）、无

锡（宜兴）等。江苏各地均有栽培。

| 资源情况 | 栽培资源较丰富。

| 采收加工 | 夏、秋季采收，洗净，鲜用或晒干。

| 药材性状 | 本品根呈细圆柱形，稍弯曲，长 3 ~ 7 cm，支根细小；表面淡棕色。茎圆柱形，直径 2 ~ 5 mm，长 30 ~ 80 cm；表面光滑，棕红色或黄棕色；质坚硬，断面中空。叶对生，两叶基部合生为一体，茎贯穿于中间；叶多皱缩，展平后叶片呈长椭圆形，上表面灰绿色或灰棕色，下表面灰白色，有众多黑色腺点。聚伞花序顶生，花小，黄色。蒴果卵圆形，红棕色。种子细小，多数。气微，味淡。以叶多，带花、果者为佳。

| 功效物质 | 主要含有聚（异）戊二烯二苯甲酮类衍生物、萘并二蒽酮、黄酮类、二苯甲酮类等成分，具有抗肿瘤、抗抑郁、抗病毒等作用。

| 功能主治 | 苦、辛，寒。归肝、脾经。凉血止血，清热解毒，活血调经，祛风通络。用于吐血，咯血，衄血，血淋，创伤出血，肠炎，痢疾，乳痈，痈肿疔毒，烫伤，蛇咬伤，月经不调，痛经，带下，跌打损伤，风湿痹痛，腰腿痛。外用于头癣，口疮，目翳。

| 用法用量 | 内服煎汤，9 ~ 15 g，鲜品 30 ~ 60 g。外用适量，鲜品捣敷；或干品研末敷。

罂粟科 Papaveraceae 紫堇属 *Corydalis* 凭证标本号 320111150310014LY

夏天无 *Corydalis decumbens* (Thunb.) Pers.

| 药 材 名 | 夏天无（药用部位：块茎。别名：一粒金丹、洞里神仙、野延胡）。

| 形态特征 | 多年生草本。块茎小，球形或椭圆状球形，表面黑色，有须根，新块茎形成于老块茎上。茎细弱，单生或从块茎上抽出数枝，不分枝。叶 2 ～ 3，无鳞片；叶面深绿色，叶背绿白色；基生叶有长柄，2 回三出分裂，裂片有柄，2 ～ 3 裂，成深浅不同的小裂片，小裂片狭长倒卵形；茎上叶无柄。总状花序有花 3 ～ 10；苞片卵形或倒卵形，长 5 ～ 7 mm，先端尖，基部楔形，全缘；下部花柄长达 1.2 cm；萼片早落；花瓣近白色或淡紫色至浅蓝色，上花瓣长 1.4 ～ 1.7 cm，瓣片近圆形，顶部微凹，边缘波状，距长 6 ～ 7 mm，直或稍向上弯曲；下花瓣宽匙形，先端凹，基部常无小囊，蜜腺为距长的 1/3 ～ 1/2。花果期 2 ～ 5 月。

| 生境分布 | 生于丘陵或低山山坡草地。分布于江苏无锡（宜兴）、常州（溧阳、金坛）、镇江（句容、丹徒）、苏州（常熟、吴中）、南京（溧水、浦口）等。

| 资源情况 | 野生资源较少。

| 采收加工 | 4 月上旬至 5 月初待茎叶变黄时，于晴天采挖，除去须根、泥土，鲜用或晒干。

| 药材性状 | 本品呈类球形、长圆形或不规则块状，长 0.5 ~ 3 cm，直径 0.5 ~ 2.5 cm。表面灰黄色、暗绿色或黑褐色，有瘤状突起和不明显的细皱纹，先端钝圆，可见茎痕，四周有淡黄色点状叶痕及须根痕。质硬，断面黄白色或黄色，颗粒状或角质样，有的略带粉性。无臭，味苦。

| 功效物质 | 主要含有延胡索乙素、原阿片碱、空褐鳞碱、藤荷包牡丹定碱等生物碱类成分，用于治疗心脑血管疾病。

| 功能主治 | 苦、微辛，温。归肝经。活血止痛，舒筋活络，祛风除湿。用于中风偏瘫，头痛，跌扑损伤，风湿痹痛，腰腿疼痛。

| 用法用量 | 内服，研末服，6 ~ 12 g。

| 附　　注 | “一粒金丹”见于《本草纲目拾遗》，该书记载：“一名洞里神仙，又名野延胡。江南人呼飞来牡丹……叶似牡丹而小，根长二三寸，春开小紫花成穗，似柳穿鱼，结子在枝节间，生青老黄，落地复生小枝，子如豆大，其根下有结粒，年深者大如指，小者如豆。”以上所载，应是本种。

罂粟科 Papaveraceae 紫堇属 *Corydalis* 凭证标本号 320505200405223LY

地丁草 *Corydalis bungeana* Turcz.

| 药 材 名 |

苦地丁（药用部位：全草。别名：地丁草、苦丁、小鸡菜）。

| 形态特征 |

一年至二年生草本。灰绿色，无毛。具主根。茎高 10 ~ 20（~ 50）cm，自基部铺散分枝，有棱。基生叶多数，长 4 ~ 8 cm，叶柄与叶片近等长，基部多少具鞘，边缘膜质，2 ~ 3 回羽状全裂，二回羽片 2 ~ 3 对，先端分裂成短小的裂片，裂片先端圆钝；茎生叶与基生叶同形。总状花序长 1 ~ 6 cm，多花，先密集，后疏离，果期伸长；苞片叶状，明显长于花柄；花柄短，长 2 ~ 5 mm；花瓣粉红色至淡紫色，外花瓣先端下凹，具浅鸡冠状突起，边缘具浅圆齿，距长 4 ~ 5 mm，末端囊状膨大，蜜腺体约占距长的 2/3；柱头小，圆肾形，无乳突，具膜质边缘。蒴果椭圆形，下垂，长 1.5 ~ 2 cm，宽 4 ~ 5 mm，具 2 列种子。种子边缘具小凹点。花果期 4 ~ 6 月。

| 生境分布 |

生于多石坡地或沙地。分布于江苏徐州（邳州）、南京（栖霞）、镇江（丹阳）等。

| 资源情况 | 野生资源一般。

| 采收加工 | 夏季花果期采收，去净杂质，晒干。

| 药材性状 | 本品皱缩成团，伸展后长 5 ~ 30 cm。主根扁圆柱形，长 3 ~ 5 cm，直径 1 ~ 1.5（~ 3）mm；表面棕黄色或黄白色，较粗糙，有纵沟及皱纹，常呈二股扭曲状，有支根和须根；质较硬，易折断，断面平坦，黄白色，中心棕色。根茎较短，长 2 ~ 5 mm，有节，可见叶痕；质硬，断面黄白色，中心有白色髓或中空。茎丛生，纤细，有 5 棱脊及纵纹，灰绿色或黄绿色，长 5 ~ 20 cm，直径 1 ~ 2.5 mm，节间较长；质柔软，易压扁，断面中空，略呈纤维性。叶多皱缩破碎，暗绿色或灰绿色，有长柄；叶片 2 ~ 3 回羽状全裂，裂片纤细；柔软。花淡紫色，少见或已皱缩破碎。蒴果灰绿色或黄绿色，扁长椭圆形；果皮质脆，常破碎或裂成 2 瓣，留有 2 条棕黄色种框。种子扁心形，黑色，有光泽。气青草样，味苦而持久。

| 功效物质 | 主要含有生物碱类成分。

| 功能主治 | 苦，寒。归心、脾经。清热毒，消痈肿。用于流行性感冒，上呼吸道感染，扁桃体炎，传染性肝炎，肠炎，痢疾，肾炎，腮腺炎，结膜炎，急性阑尾炎，疔疮痈肿，瘰疬。

| 用法用量 | 内服煎汤，9 ~ 15 g，鲜品 30 ~ 60 g；或捣汁。外用适量，捣敷。

| 附　　注 | 苦地丁注射液在体外对甲型链球菌、肺炎球菌、卡他球菌均有抑制作用。

罂粟科 Papaveraceae 紫堇属 *Corydalis* 凭证标本号 320681160423070LY

紫堇 *Corydalis edulis* Maxim.

| 药 材 名 |

紫堇（药用部位：全草或根。别名：野花生、断肠草、蝎子花）。

| 形态特征 |

一年生灰绿色草本。无毛。根细长，绳索状。茎高 10 ~ 30 cm，单生或基部分枝。叶片近三角形，2 回羽状全裂，二回羽片，近无柄，3 深裂，裂片不等羽状分裂，最后裂片先端有 2 ~ 3 齿裂。总状花序长 3 ~ 10 cm；苞片卵形或狭卵形，渐尖，全缘或疏生小齿；萼片小；花瓣粉红色，上下花瓣前端红紫色，渐变为紫色，宽展，外反，先端 2 裂，上花瓣距圆筒形，长达 5 mm，末端向下弯曲，里面 2 花瓣先端联合，每瓣外侧各有 1 翼状突起，每片内面先端各有 1 圆形紫斑；蜜腺体长，伸达距末端；柱头横向纺锤形，两端各具 1 乳突。蒴果线形，下垂，长约 3 cm，先端渐细成长吻状，具 1 列种子。种子黑色，扁球形，有光泽，表面密布小凹点。花果期 4 ~ 7 月。

| 生境分布 |

生于池塘边、路边、墙缝、林下、多石处等潮湿地带。分布于江苏南京（栖霞）、无锡

（宜兴）、镇江（句容、丹徒）等南部地区。

| 资源情况 | 野生资源较丰富。

| 采收加工 | 夏季采收全草，鲜用或晒干。秋季采挖根，洗净，晒干。

| 功效物质 | 主要含有生物碱类成分，25% 煎液在试管内对金黄色葡萄球菌有显著的抑制作用，对大肠埃希菌、铜绿假单胞菌的抑制作用次之。

| 功能主治 | 苦、涩，凉；有毒。归肺、肾、脾经。清热解毒，杀虫止痒。用于疮疡肿毒，聤耳流脓，咽喉疼痛，顽癣，秃疮，毒蛇咬伤。

| 用法用量 | 内服煎汤，4 ~ 10 g。外用适量，捣敷；或研末调敷；或煎汤洗。

罂粟科 Papaveraceae 紫堇属 *Corydalis* 凭证标本号 320506150426198LY

刻叶紫堇 *Corydalis incisa* (Thunb.) Pers.

|药材名|

紫花鱼灯草（药用部位：全草或根。别名：天奎草、千年老鼠矢、爆竹花）。

|形态特征|

一年生或二年生草本。灰绿色，高达 60 cm。根茎狭椭圆形，密生须根。茎直立，分枝，柔软多汁，有纵棱。叶互生，2 ~ 3 回羽状分裂，裂片菱状长圆形，又作羽状深裂，小裂片先端有缺刻状齿。总状花序长 3 ~ 10 cm；苞片菱形或楔形，1 ~ 2 回羽状深裂，小裂片狭披针形或钻形，锐尖；萼片小，丝状深裂；花瓣紫红色或紫蓝色，前端紫色，上花瓣长 1.6 ~ 2 cm，距圆筒形，长 0.7 ~ 1.1 cm，末端钝，向下弯曲，下花瓣基部稍呈囊状；蜜腺体短，占距长 1/4 ~ 1/3；柱头近扁四方形，先端具短柱状乳突 4。蒴果椭圆状线形，长约 1.5 cm，宽约 2 mm，具 1 列种子。种子近圆形，成熟后黑色，有光泽。花果期 4 ~ 9 月。

|生境分布|

生于较阴湿的沟旁、林下或山坡路边。分布于江苏南京（栖霞、溧水）、无锡（宜兴）、常州（溧阳）、镇江（句容、丹徒、润州）、苏州（常熟、吴中）等南部地区。

| 资源情况 | 野生资源一般。

| 采收加工 | 夏季花果期采收，去净杂质，晒干。

| 功效物质 | 含有刻叶紫堇胺等多种生物碱类成分。

| 功能主治 | 苦、辛，寒；有毒。归肺、胃经。解毒，杀虫。用于疮疡肿毒，疥癞顽癣，湿疹，毒蛇咬伤。

| 用法用量 | 外用适量，捣敷；或煎汤洗；或用酒（或醋）磨汁搽。

| 附　　注 | 本品以“天奎草”之名载于《植物名实图考》，该书记载：“天奎草，生九江饶州园圃阴湿地……春时发细茎，一茎三叶，一叶三叉，色如石绿。梢头横开小紫花，两瓣双合，一瓣上揭，长柄飞翘，茎当花中。赭根颇硬，上缀短须。入夏即枯。俚医以治积年劳伤，酒煎服。”以上所述，即本种。

罂粟科 Papaveraceae 紫堇属 *Corydalis* 凭证标本号 320481170401313LY

黄堇 *Corydalis pallida* (Thunb.) Pers.

| 药 材 名 |

深山黄堇（药用部位：全草。别名：石莲、断肠草、田饭酸）。

| 形态特征 |

丛生草本。灰绿色，无毛。有直根。茎高 18 ~ 60 cm，具棱，上部分枝。基生叶莲座状，花期枯萎；茎生叶 2 ~ 3 回羽状全裂，末回羽片卵形或菱形，3 深裂，裂片为卵形或狭卵形，小裂片先端圆钝，具小尖。总状花序长 5 ~ 12 cm；苞片狭卵形至线形，与花梗近等长；萼片小，边缘具齿；花瓣淡黄色，距圆筒形，长 6 ~ 8 mm，占花瓣全长的 1/3，背部平直，腹部下垂，微下弯，内花瓣具鸡冠状突起；柱头横向 2 裂平伸，顶部各具乳突 3。蒴果念珠状，长达 3 cm。种子黑色，扁球形，密生显著的圆锥状小突起。花果期 4 ~ 5 月。

| 生境分布 |

生于丘陵或沟边潮湿处。分布于江苏南京、无锡（宜兴）、常州（溧阳）等南部地区。

| 资源情况 |

野生资源较丰富。

| 采收加工 | 春、夏季采收，鲜用或晒干。

| 药材性状 | 本品茎无毛。叶 2 ~ 3 回羽状全裂。总状花序较长，花大，距圆筒形，长 5 ~ 6 mm。蒴果串珠状。种子黑色，密生圆锥形小突起。

| 功效物质 | 主要含有深山黄堇碱、原阿片碱、咖坡任碱、延胡索乙素等生物碱类成分。其中，延胡索乙素具有显著的镇痛、镇静、催眠及降血压作用。

| 功能主治 | 微苦，凉；有毒。归肝、肺、大肠经。清热利湿，解毒。用于湿热泄泻，赤白痢疾，带下，痈疮热疖，丹毒，风火赤眼。

| 用法用量 | 内服煎汤，3 ~ 9 g，鲜品 30 g；或捣烂绞汁。外用适量，捣敷。

| 附　　注 | 本种全草含有原阿片碱，服后能使人畜中毒，但亦有清热解毒和杀虫的功能。

罂粟科 Papaveraceae 紫堇属 *Corydalis* 凭证标本号 320482180326367LY

全叶延胡索 *Corydalis repens* Mandl. et Mühld.

| 药 材 名 |

东北延胡索（药用部位：块茎。别名：延胡索、蓝花菜、蓝花豆）。

| 形态特征 |

多年生草本。全株无毛。块茎圆球形，肉质，鲜时白色。茎细弱，高 8 ~ 14（~ 20）cm，节部屈膝状，基部以上具鳞片，枝发自鳞片腋内。叶常 2，互生，具长柄，2 ~ 3 回三出分裂，末端裂片椭圆形或长圆形，长约 1.5 cm，全缘，少数有圆齿。总状花序，花少而稀疏；苞片披针形或卵圆形，全缘或仅下部具浅裂；花柄毛发状，明显长于苞片；花白色、淡蓝色或浅紫色，上花瓣长 1.4 ~ 1.6 cm，瓣片先端内凹，无小尖头，距圆筒状，下弯，6 ~ 9 mm，距长占上花瓣全长的 2/3；柱头压扁四方形，前端 4 裂，基部下延成马鞍形。蒴果椭圆形，下垂，长 8 ~ 10 mm。种子光滑，2 列。花果期 4 ~ 5 月。

| 生境分布 |

生于山坡林缘。分布于江苏常州（金坛）、镇江（句容）、连云港（赣榆）、徐州（铜山）等。

| 资源情况 | 野生资源一般。

| 采收加工 | 5 ~ 6 月采挖，去外皮，用沸水煮至内部变黄，晒干。

| 药材性状 | 本品呈球形、扁球形或长球形，直径 5 ~ 10 mm。表面黄色或黄棕色，无明显皱纹；上端微凹处有茎痕，底部可见不定根痕。质较硬，断面白色或黄白色。气微，味较苦。

| 功效物质 | 含有多种生物碱成分，如延胡索甲素、延胡索乙素、延胡索丙素、去氢延胡索甲素、延胡索胺碱、小檗碱、防己碱等。

| 功能主治 | 辛、苦，温。归肝、胃经。活血散瘀，理气止痛。用于心腹腰膝诸痛，痛经，月经不调，产后瘀滞腹痛，崩漏，癥瘕，跌打损伤。

| 用法用量 | 内服煎汤，3 ~ 9 g；或研末，1.5 ~ 3 g；或入丸、散剂。

罂粟科 Papaveraceae 紫堇属 *Corydalis* 凭证标本号 320124150327003LY

延胡索 *Corydalis yanhusuo* W. T. Wang ex Z. Y. Su et C. Y. Wu

| 药 材 名 | 延胡索（药用部位：块茎）。

| 形态特征 | 多年生草本。高 10 ~ 30 cm。块茎圆球形，直径 0.5 ~ 2.5 cm，质黄。茎直立，常分枝，基部以上具 1 鳞片，有时具 2 鳞片，通常具 3 ~ 4 茎生叶，鳞片和下部茎生叶常具腋生块茎。叶二回三出或近三回三出，小叶 3 裂或 3 深裂，具全缘的披针形裂片，裂片长 2 ~ 2.5 cm，宽 5 ~ 8 mm；下部茎生叶常具长柄；叶柄基部具鞘。总状花序疏生花 5 ~ 15。苞片披针形或狭卵圆形，全缘，有时下部的稍分裂，长约 8 mm。花梗花期长约 1 cm，果期长约 2 cm。花紫红色。萼片小，早落。外花瓣宽展，具齿，先端微凹，具短尖；内花瓣长 8 ~ 9 mm，爪长于瓣片。上花瓣长 1.5 ~ 2.2 cm，瓣片与距常上弯；距圆筒形，长 1.1 ~ 1.3 cm；蜜腺体约贯穿距长的 1/2，末端钝。下

花瓣具短爪，向前渐增大成宽展的瓣片。柱头近圆形，具较长的乳突 8。蒴果线形，长 2 ~ 2.8 cm，具 1 列种子。花期 4 月，果期 5 ~ 6 月。

| 生境分布 | 生于海拔 200 ~ 800 m 丘陵山区的半阴坡、落叶乔木林下的石丛中或落叶小乔木林中。分布于江苏南京（江宁、溧水）、镇江（句容）、无锡（宜兴）等南部地区。江苏各地均有栽培。

| 资源情况 | 野生及栽培资源一般。

| 采收加工 | 5 月上中旬地上茎叶枯萎时采挖。

| 药材性状 | 本品呈不规则扁球形，直径 1 ~ 2 cm，表面黄色或褐黄色，先端中间有略凹陷的茎痕，底部或有疙瘩状突起。质坚硬而脆，断面黄色，角质，有蜡样光泽。无臭，味苦。以个大、饱满、质坚、黄色、内色黄亮者为佳。以个小、灰黄色、中心有白色者质次。

| 功效物质 | 主要含有生物碱类、甾体类、有机酸类、多糖类等成分。作为资源性成分研究及应用较多的为异喹啉型生物碱类，多具有镇静、镇痛、抗心律失常和降血压作用，是延胡索活血化瘀、行气止痛的主要药效物质。

| 功能主治 | 辛、苦，温。归肝、胃、心、肺、脾经。活血，行气，止痛。用于胸胁、脘腹疼痛，胸痹心痛，经闭，痛经，产后瘀阻，跌扑肿痛。

| 用法用量 | 内服煎汤，4.5 ~ 9 g；或入丸、散剂。

| 附　　注 | 本种喜温暖湿润气候，耐寒，怕干旱和强光。

罂粟科 Papaveraceae 花菱草属 *Eschscholzia* 凭证标本号 320724190714164LY

花菱草 *Eschscholzia californica* Cham.

| **植物别名** | 金英花、人参花、洋丽春。

| **药 材 名** | 花菱草（药用部位：花、果实）。

| **形态特征** | 多年生草本。栽培品多为一年生。茎高 30 ~ 60 cm，有白粉，无毛。基生叶长 10 ~ 30 cm，有柄，多回三出羽状细裂，小裂片线形；茎生叶较小，柄较短。花梗长 5 ~ 15 cm；花托凹陷，外部开展的边缘呈颈圈状；花瓣扇形，橘黄色或黄色。蒴果狭长圆柱形，长达 8 cm。种子球形，具明显网纹。花期 4 ~ 8 月，果期 6 ~ 9 月。

| **生境分布** | 江苏各地均有栽培。

| **资源情况** | 栽培资源丰富。

| 采收加工 | 夏、秋季采收，晒干。

| 功效物质 | 主要含有生物碱类成分。

| 功能主治 | 镇痛，清热，安眠。用于头痛，失眠。

| 附　　注 | 本种较耐寒，喜冷凉干燥气候，不耐湿热，宜疏松肥沃、排水良好、上层深厚的砂壤土，也耐瘠土。

罂粟科 Papaveraceae 博落回属 *Macleaya* 凭证标本号 320506150705282LY

博落回 *Macleaya cordata* (Willd.) R. Br.

| 药材名 | 博落回（药用部位：全草或根。别名：落回、号筒草、勃勒回）。

| 形态特征 | 多年生高大草本。高达 1 m 以上。全株被白粉，折断后有黄色浆汁流出。根茎粗大、肥厚，黄色。茎直立，圆柱形，下部木质化，中空。单叶互生；叶片宽卵形或近圆形，长 5 ~ 20 cm，宽 5 ~ 24 cm，通常掌状 5 ~ 7 裂，也有少数深裂或全裂，边缘波状或有波状牙齿，叶背有白粉。圆锥花序长 15 ~ 40 cm；萼片 2，黄白色，舟状，长 9 ~ 11 mm；无花瓣，雄蕊 20 ~ 36；子房狭长椭圆形，先端圆形，基部狭。蒴果扁平，下垂，倒披针形或狭倒卵形，长 1.7 ~ 2.2 cm，成熟后红色，表面带白粉。种子 4 ~ 6，长圆形，坚硬，表面褐黑色而有光泽。花果期 6 ~ 11 月。

| 生境分布 | 生于山野丘陵、低山草地或林边。分布于江苏南京、常州（溧阳）、无锡（宜兴）、镇江（句容、丹徒）等南部地区。

| 资源情况 | 野生资源较丰富。

| 采收加工 | 秋、冬季采收，根茎与茎叶分开，晒干。

| 药材性状 | 本品根及根茎肥壮。茎圆柱形，中空，表面有白粉，易折断，鲜时断面有黄色浆汁流出。单叶互生，有柄，基部略抱茎；叶片广卵形或近圆形，长 4 ~ 20 cm，宽 4 ~ 24 cm，掌状浅裂 5 ~ 7，裂片边缘波状或具波状牙齿。花序圆锥状。蒴果狭倒卵形或倒披针形，扁平，下垂。种子 4 ~ 6。

| 功效物质 | 含有多种生物碱类成分，其中，白屈菜红碱、血根碱和博落回碱具有杀菌作用。

| 功能主治 | 辛、苦，寒；有大毒。归心、肝、胃经。散瘀，祛风，解毒，止痛，杀虫。用于痈疮疔肿，臁疮，痔疮，湿疹，蛇虫咬伤，跌打肿痛，风湿关节痛，龋齿痛，顽癣，滴虫性阴道炎，酒渣鼻。

| 用法用量 | 外用适量，捣敷；或煎汤熏洗；或研末调敷。

瞿粟科 Papaveraceae 罂粟属 *Papaver* 凭证标本号 320481170528343LY

虞美人 *Papaver rhoeas* L.

| 植物别名 | 丽春花、赛牡丹。

| 药 材 名 | 丽春花（药用部位：全草或花、果实）。

| 形态特征 | 一年生草本。全株有刚毛。茎直立，高 25 ~ 90 cm，分枝。单叶互生，叶片羽状分裂，裂片披针形或线状披针形，先端尖，基部狭，边缘有粗锯齿，两面有糙毛。花蕾卵球形，有长柄，下垂；萼片 2，宽椭圆形，外面有刚毛，花开后即脱落；花瓣 4，花蕾期折皱，开展后近圆形或宽倒卵形，紫红色，边缘带白色，或基部有深紫色斑块；雄蕊多数；子房圆球形，柱头通常 10 裂，多至 16 裂，呈辐射状，覆盖子房先端。种子多数，细小，灰褐色。花期 3 ~ 8 月，果期 6 ~ 8 月。

| 生境分布 | 江苏各地多有栽培。

| 资源情况 | 栽培资源较丰富。

| 采收加工 | 全草，夏、秋季采收，晒干。待蒴果干枯、种子为褐色时采摘果实，撕开果皮，将种子轻轻抖入容器内，阴干。

| 功效物质 | 全草含有黄连碱、四氢黄连碱、丽春花定碱、丽春花宁碱、原阿片碱等生物碱类成分。种子约含有 40% 脂肪油，主要有亚麻酸、油酸、亚油酸。

| 功能主治 | 镇咳，镇痛，止泻。用于咳嗽，偏头痛，腹痛，痢疾。

| 用法用量 | 内服煎汤，花，1.5 ~ 3 g；全草，3 ~ 6 g。

| 附　　注 | 本种生长发育适温 5 ~ 25 ℃，春、夏季高海拔地区夜间低温有利于其生长开花，花期缩短。在高海拔山区生长良好，花色更为艳丽。寿命 3 ~ 5 年。耐寒，怕暑热，喜阳光充足的环境，喜排水良好、肥沃的砂壤土。

罂粟科 Papaveraceae 罂粟属 *Papaver* 凭证标本号 320681160423033LY

罂粟 *Papaver somniferum* L.

| 药 材 名 | 罂粟壳（药用部位：果壳。别名：罂子粟、罂粟米、象谷囊）。

| 形态特征 | 一年生草本。全株无毛或散生小刚毛。茎直立，高 30 ~ 60（~ 100）cm，不分枝，有白粉。基生叶有柄，长圆形或长卵形，先端渐尖，基部心形，边缘有不整齐的缺刻或稍呈羽状浅裂；茎生叶无柄，基部抱茎，边缘为不规则的波状齿。花单生于茎顶，红色、粉红色、紫色或白色，直径 7 ~ 10 cm；萼片卵状长圆形，无毛；雄蕊多数，花丝线形，白色；子房球形，柱头有辐射状分枝 8 ~ 12。蒴果球形或长圆状椭圆形，直径 3 ~ 6 cm；宿存花柱呈扁平的盘状体，盘边缘深裂，孔裂。种子黑色或深灰色，表面呈蜂窝状。花期 3 ~ 8 月，果期 8 ~ 10 月。

| 生境分布 | 江苏有控制性地或违禁性地极少量栽培。

| 资源情况 | 栽培资源稀少。

| 采收加工 | 秋季采摘成熟果实或已割取浆汁后的果实，破开，除去种子和枝梗，干燥。

| 功效物质 | 种子含有少量罂粟碱、吗啡及痕迹那可汀，发芽种子含有大量的那可汀。据报道，还含有吗啡、可待因及蒂巴因。

| 功能主治 | 甘，平。归大肠经。敛肺，涩肠，止痛。用于久咳，久泻，脱肛，脘腹疼痛。

| 用法用量 | 内服煎汤，3 ~ 6 g；或入丸、散剂。

| 附　　注 | 本种喜阳光充足、土质湿润透气的酸性土壤，不喜多雨水，但喜欢湿润的地方。

十字花科 Cruciferae 南芥属 *Arabis* 凭证标本号 320111160306002LY

匍匐南芥 *Arabis flagellosa* Miq.

| 药 材 名 | 匍匐南芥（药用部位：全草）。

| 形态特征 | 多年生草本。茎自基部丛出，有横走的鞭状匍匐茎；花茎直立，高 10 ~ 15 cm；茎与叶有紧贴的分枝毛。基生叶簇生，叶片倒长卵形至匙形，长 3 ~ 7 cm，宽 1.5 ~ 2 cm，先端圆钝，边缘有疏浅齿，基部下延成具翅状的狭叶柄；茎生叶疏生，向上渐小，匍匐茎顶部有时呈轮生状，倒卵形，基部略抱茎，边缘有疏齿或近全缘。总状花序顶生；萼片斜展，卵形至长圆形，长约 7 mm，宽约 3 mm，边缘白色，外面有分枝毛；花瓣白色，长椭圆形，长 7 ~ 10 mm，宽约 5 mm，先端截形或微凹，基部渐狭成短爪。长角果线形，长约 4 cm，扁平或缢缩；果瓣光滑，无中脉。种子每室 1 行，卵圆形，褐色。花果期 3 ~ 5 月。

| 生境分布 | 生于林下阴湿处。分布于江苏无锡（宜兴）、常州（溧阳）、南京等。

| 资源情况 | 野生资源一般。

| 功能主治 | 清热解毒。用于热病发热，咽喉肿痛，痈肿疮毒等。

| 用法用量 | 内服煎汤，6 ~ 8 g。外用适量。

| 附　　注 | 本种始载于《中国十字花科植物志》，模式标本采自日本。

十字花科 Cruciferae 芸薹属 *Brassica* 凭证标本号 320321180401005LY

芸薹 *Brassica campestris* L.

| **药 材 名** | 芸薹（药用部位：根、茎、叶）、芸薹子（药用部位：种子）。

| **形态特征** | 一年生或二年生草本。高 30 ~ 100 cm，有时达 1.5 ~ 2 m，无毛或稍有毛，有白粉。根不膨大，圆柱形。茎直立，粗壮，分枝或不分枝。基生叶有柄，大头羽状分裂；下部茎生叶羽状半裂；上部茎生叶长圆形或披针形，无柄，先端钝，基部心形，抱茎，有垂耳，全缘或有波状细齿。花瓣鲜黄色，倒卵形至长圆形，长 7 ~ 10 mm。长角果线形，长 3 ~ 8 cm，先端有直立的喙，果瓣凸起，有 1 中脉；果柄细，长 5 ~ 15 mm。种子圆形，直径约 1.5 mm，红褐色或棕黄色。花期 3 ~ 5 月，果期 5 ~ 6 月。

| **生境分布** | 江苏各地广泛栽培，主要分布于江苏盐城、扬州、泰州、南通、南

京等。

| 资源情况 | 栽培资源丰富。

| 采收加工 | **芸薹：** 2 ~ 3 月采收，多鲜用。

芸薹子： 4 ~ 6 月采收地上部分，打落成熟种子，去净杂质，晒干。

| 药材性状 | **芸薹子：** 本品近球形。表面红褐色或棕黑色，放大观察具有网状纹理，一端具黑色圆点状种脐。破开种皮内有子叶 2，肥厚，乳黄色，富油质，沿中脉相对折，胚根位于 2 纵折的子叶之间。气微，味淡。以子粒饱满、色泽光亮者为佳。

| 功效物质 | 全草、根和种子主要含有葡萄糖异硫氰酸酯类成分，具有良好的降眼压作用。全草还含有少量槲皮苷和维生素 K，种子还含有脂肪油、蛋白质、植物甾醇、氨基酸等成分。种子榨取的油为中药芸薹子油，含有棕榈油酸、硬脂酸、油酸、亚油酸、亚麻酸、花生酸、芥酸、菜籽甾醇、22- 去氢菜油甾醇等。

| 功能主治 | **芸薹：** 辛、甘，平。归肺、肝、脾经。凉血散血，解毒消肿。用于血痢，丹毒，热毒疮肿，乳痈，风疹，吐血。

芸薹子： 辛、甘，平。归肝、肾经。活血化瘀，消肿散结，润肠通便。用于产后恶露不尽，瘀血腹痛，痛经，肠风下血，血痢，风湿关节肿痛，痈肿丹毒，乳痈，便秘，粘连性肠梗阻。

| 用法用量 | **芸薹：** 内服，煮食，30 ~ 300 g；或捣汁，20 ~ 100 ml。外用适量，煎汤洗；或捣敷。

芸薹子： 内服煎汤，5 ~ 10 g；或入丸、散剂。外用适量，研末调敷。

| 附　　注 | 本种喜肥沃、湿润的土地。

十字花科 Cruciferae 芸薹属 *Brassica* 凭证标本号 320581180707288LY

青菜 *Brassica chinensis* L.

| 药 材 名 | 菘菜（药用部位：叶）、菘菜子（药用部位：种子）。

| 形态特征 | 一年生或二年生草本。无毛。根粗，坚硬。茎直立，高 25 ~ 70 cm。基生叶与茎下部叶坚实，开展或近直立，叶片深绿色或绿色，倒卵形或宽倒卵形，长 20 ~ 30 cm，全缘或有不明显的锯齿或波状齿，基部渐狭，宽柄，中部肥厚，边缘渐薄，淡绿色或白色；茎生叶基部耳形抱茎，稍有白粉。总状花序顶生，呈圆锥状；花淡黄色。长角果圆柱形，长 2 ~ 6 cm，果喙细，长约 1 cm。种子球形，直径 1 ~ 1.5 mm，紫褐色，有蜂窝纹。花期 4 ~ 5 月，果期 5 ~ 6 月。

| 生境分布 | 江苏各地均有栽培。

| 资源情况 | 栽培资源丰富。

| 采收加工 | **菘菜：**3 月生长茂盛时采收。

菘菜子：6 月角果成熟时采摘，打下种子。

| 功效物质 | 嫩茎、叶含有蛋白质、脂肪、糖类、粗纤维、钙、磷、铁、胡萝卜素、维生素 B_2、烟酸、维生素 C 等。

| 功能主治 | **菘菜：**甘，平。入肠、胃经。解热除烦，生津止渴，清肺消痰，通利肠胃。用于肺热咳嗽，消渴，便秘，食积，丹毒，漆疮。

菘菜子：甘，平。归肺、胃经。清肺化痰，消食醒酒。用于痰热咳嗽，食积，醉酒。

| 用法用量 | **菘菜：**内服，煮食；或捣汁。外用适量，捣敷。

菘菜子：内服煎汤，5 ~ 10 g；或入丸、散剂。

| 附　　注 | 本种喜生长在土壤肥沃疏松、排水良好的向阳地。

十字花科 Cruciferae 芸薹属 *Brassica* 凭证标本号 320481170417293LY

芥菜 *Brassica juncea* (L.) Czern. et Coss

| 药 材 名 | 芥子（药用部位：种子）。

| 形态特征 | 一年生或二年生草本。高达 1.5 m。无毛或有时有刺毛，稍有白粉，有辣味。茎粗壮，多分枝。基生叶有长柄，叶片长圆形或倒卵形，长 20 ~ 40 cm，不分裂或大头状羽裂，先端钝，下部有 2 ~ 3 对裂片，边缘有不规则的重锯齿或缺刻；茎生叶有短柄，向上渐小，上部叶宽或狭披针形，有不明显疏齿或全缘。总状花序果期延长；萼片淡黄色，直立；花瓣深黄色，倒卵形，长 1 ~ 1.5 cm。长角果线形，长 3 ~ 6 cm；果瓣中脉凸起，先端有稍扁的喙，长 1 cm 左右。种子球形，直径约 1 mm，紫褐色或黄色，表面有细网纹。花期 4 ~ 6 月，果期 5 ~ 7 月。

| 生境分布 | 生于平原或低矮丘陵地带。江苏各地多有栽培。

| 资源情况 | 栽培资源丰富。

| 采收加工 | 6 ~ 7 月果实成熟变黄色时采收全株，晒干，打落种子，去净杂质。

| 药材性状 | 本品近球形，直径约 1 mm。表面黄色至黄棕色，少数暗红棕色，具细网纹，种脐点状。种皮薄而脆，子叶折叠，有油性。气微，研碎后加水湿润，则产生辛烈的特异臭气，味极辛辣。以子粒饱满、均匀、鲜黄色、无杂质者为佳。

| 功效物质 | 主要含有芥子油苷类成分，其中，黑芥子苷含量占 90%。黑芥子苷遇水在芥子酶作用下生成异硫氰酸烯丙酯，具有皮肤刺激性。另含有脂肪油 30% ~ 37%，主要为芥酸及花生酸、甘油酯，并有少量亚麻酸甘油酯。

| 功能主治 | 辛，热；有小毒。归肺、胃经。温肺豁痰利气，散结通络止痛。用于寒痰咳嗽，胸胁胀痛，痰滞经络，关节麻木、疼痛，痰湿流注，阴疽肿毒。

| 用法用量 | 内服煎汤，3 ~ 9 g；或入丸、散剂。外用适量，研末调敷。

十字花科 Cruciferae 芸薹属 *Brassica* 凭证标本号 320621180415037LY

白菜 *Brassica pekinensis* (Lour.) Rupr.

| 药材名 | 黄芽白菜（药用部位：鲜叶、根。别名：黄芽菜、黄矮菜、花交菜）。

| 形态特征 | 一年生或二年生草本。第 1 年，叶片着生在短缩茎上；外叶宽倒卵形至长圆状倒卵形，长 30 ~ 60 cm，叶面皱缩，先端圆钝，边缘波状，皱缩，有时具不明显牙齿，两侧下延成宽薄翅，中脉下部宽，与叶柄近等宽，侧脉粗，叶柄短，极宽阔，扁平，白色；心叶至冬初逐渐紧卷成圆筒状或头状，白色或淡黄色。第 2 年，抽花茎，茎生叶小，长圆形至长披针形，先端圆钝至急尖，全缘或具不等牙齿，有短柄或抱茎。花瓣淡黄色，倒卵形，基部渐狭成爪，长约 1 cm。长角果长 3 ~ 6 cm，直径约 3 mm，两侧扁压，喙顶圆。种子球形，直径约 1.5 mm，棕色。花期 4 ~ 5 月，果期 6 月。

| 生境分布 | 江苏各地均有栽培。

| 资源情况 | 栽培资源丰富。

| 采收加工 | 秋、冬季采收，鲜用。

| 药材性状 | 本品叶呈圆球形、椭圆形或长圆锥形。茎缩短，肉质，类白色，被层层包叠的基生叶包裹。基生叶倒宽卵形或长圆形，长 30 ~ 60 cm，宽约为长的 1/2。外层叶片绿色，内层叶片淡黄白色至白色，先端钝圆，具波状线或细齿，中脉宽，细脉明显，呈凹凸不平的网状，叶片上端较薄，下部较厚，肉质，折断有筋脉。干燥叶黄棕色。气微，味淡。

| 功效物质 | 嫩茎、叶含有蛋白质、脂肪、糖类、粗纤维、钙、磷、铁、胡萝卜素、维生素 B_2、烟酸、维生素 C、异硫氰酸 - 丁 -3- 烯酯等。种子油中含有大量的芥酸、亚油酸和亚麻酸。

| 功能主治 | 甘，平。归胃、膀胱经。通利肠胃，养胃和中，利小便。用于胃热阴伤之口干食少、小便不利、大便干结，肺热丹毒，咳嗽，头痛，痔疮出血等。

| 用法用量 | 内服，煮食；或捣汁饮。

| 附　　注 | 本种耐寒，喜好冷凉气候，适合在冷凉季节生长。

十字花科 Cruciferae 芸薹属 *Brassica* 凭证标本号 NAS00113215

芜菁 *Brassica rapa* L.

| 药 材 名 | 芜菁（药用部位：根、叶）、芜菁花（药用部位：花）、芜菁子（药用部位：种子）。

| 形态特征 | 二年生草本。高达 1 m。块根球形、扁圆形或长圆形，肉质，无辣味。茎直立，分枝，下部稍被毛。基生叶长 20 ~ 40 cm，大头羽裂或羽状深裂，边缘波状或具浅齿，侧裂片约 5 对，从上向下裂片渐小，两面有少数散生刺毛，叶柄长 10 ~ 16 cm，散生有小裂片；中部和上部叶长圆状披针形，先端钝尖，基部圆耳形，半抱茎，边缘有大小不等的疏齿，无毛，带粉霜。总状花序顶生；花萼长圆形，长 4 ~ 6 mm；花瓣鲜黄色，倒披针形，长 4 ~ 8 mm，有短爪。长角果线形，长 4 ~ 8 cm，果瓣具 1 明显中脉，喙长 1 ~ 2 cm；果柄长 3 cm。种子球形，浅棕黄色，表面有细网纹。花期 3 ~ 4 月，果

期 5 ～ 6 月。

| 生境分布 | 江苏各地有栽培。

| 资源情况 | 栽培资源丰富。

| 采收加工 | **芜菁：**冬季至翌年 3 月间采收，鲜用或晒干。

芜菁花：3 ～ 4 月采摘，鲜用或晒干。

芜菁子：6 ～ 7 月果实成熟时采收全株，晒干，打落种子。

| 药材性状 | **芜菁：**本品块根肉质，膨大成球形、扁圆形或长椭圆形，直径 5 ～ 15 cm。上部淡黄棕色，较光滑，下部类白色或淡黄色，两侧各有 1 纵沟，沟中着生多数须状侧根，根头部有环状排列的叶痕。横切面类白色，木质部占大部分，主要为薄壁组织。气微，味淡。叶多皱缩成条状，基生叶展平后呈阔披针形，长 20 ～ 40 cm，羽状深裂，裂片边缘波状或浅齿裂，表面蓝绿色，疏生白色糙毛；叶柄长 10 ～ 15 cm，两侧有叶状小裂片。质厚。气微，味淡。

| 功效物质 | 芜菁中多糖的含量在 9.8% ～ 10.5%，由半乳糖、D- 甘露糖、鼠李糖、阿拉伯糖、D- 无水葡萄糖、D- 葡萄糖醛酸、D- 半乳糖醛酸组成，具有调节免疫功能的作用。黄酮类化合物以槲皮素、山柰酚和异鼠李素为主。硫代葡萄糖苷类化合物总含量在 36 ～ 187 mmol/kg，具有抗肿瘤活性，可抑制肿瘤细胞的生长。

| 功能主治 | **芜菁：**苦、辛、甘，温。归心、肺、脾、胃经。消食下气，解毒消肿。用于宿食不化，心腹冷痛，咳嗽，疔毒痈肿。

芜菁花：辛、苦，寒。归肝、脾、肺、大肠经。补肝明目，敛疮。用于虚劳目暗，久疮不愈。

芜菁子：辛，平。归肝经。养肝明目，行气利水，清热解毒。用于青盲目暗，黄疸便结，小便不利，癥积，疮疽。

| 用法用量 | **芜菁：**内服，煮食；或捣汁饮。外用适量，捣敷。

芜菁花：内服煎汤，3 ～ 6 g。外用适量，研末调敷。

芜菁子：内服煎汤，3 ～ 9 g；或研末。外用适量，研末调敷。

| 附　　注 | 本种性喜冷凉，不耐暑热，生育适温 15 ～ 22 ℃。

十字花科 Cruciferae 荠属 *Capsella* 凭证标本号 320321180401002LY

荠 *Capsella bursa - pastoris* (L.) Medik.

| 药 材 名 | 荠菜（药用部位：全草）、荠菜花（药用部位：花）、荠菜子（药用部位：种子）。

| 形态特征 | 一年生或二年生草本。株高 15 ~ 40 cm。有单毛、二至三叉状毛或星状毛。茎直立，单一或分枝。基生叶莲座状，平铺地面，叶片大头状羽裂、深裂或不整齐羽裂；茎生叶互生，叶片披针形，基部箭形，抱茎。总状花序开花后延伸，长达 20 cm；花小，白色；萼片长卵形；花瓣卵形，较萼片稍长，有短爪。短角果倒三角状心形，成熟时开裂。种子细小，长椭圆形，淡褐色。花期多在 3 ~ 4 月，但开花后果实渐次成熟，秋季也可开花结果。

| 生境分布 | 生于田野、路边及庭园。江苏各地均有分布和栽培。

| 资源情况 | 野生资源丰富。

| 采收加工 | **荠菜：** 3 ~ 5 月采收，除去枯叶及杂质，洗净，晒干。

荠菜花： 4 ~ 5 月采摘，晒干。

荠菜子： 6 月果实成熟时采摘，晒干，揉出种子。

| 药材性状 | **荠菜：** 本品主根圆柱形或圆锥形，有的有分枝，长 4 ~ 10 cm；表面类白色或淡褐色，有许多须状侧根。茎纤细，黄绿色，易折断。根出叶羽状分裂，多卷缩，展平后呈披针形，先端裂片较大，边缘有粗齿；表面灰绿色或枯黄色，有的棕褐色，纸质，易碎；茎生叶长圆形或线状披针形，基部耳状抱茎。果实倒三角形，扁平，先端微凹，具残存短花柱。种子细小，倒卵圆形，着生在假隔膜上，呈 2 行排列。搓之有清香气，味淡。

荠菜花： 本品总状花序轴较细，鲜品绿色，干品黄绿色；小花梗纤细，易断；花小，直径约 2.5 mm，花瓣 4，白色或淡黄棕色；花序轴下部常有小倒三角形的角果，绿色或黄绿色，长 5 ~ 8 mm，宽 4 ~ 6 mm。气微清香，味淡。

荠菜子： 本品呈小圆球形或卵圆形，直径约 2 mm。表面黄棕色或棕褐色，一端可见类白色小脐点。种皮薄，易压碎。气微香，味淡。

| 功效物质 | 全草含有草酸、酒石酸、苹果酸、丙酮酸、对氨基苯磺酸及延胡索酸等有机酸，精氨酸、天冬氨酸、脯氨酸、蛋氨酸、亮氨酸、谷氨酸、甘氨酸、丙氨酸、胱氨酸、半胱氨酸等氨基酸，蔗糖、山梨糖、乳糖、氨基葡萄糖、山梨糖醇、甘露糖醇、侧金盏花醇等糖类成分。又含有胆碱、乙酰胆碱、酪胺、马钱子碱等含氮化合物，芸香苷、橙皮苷、木犀草素 7- 芸香糖苷、二氢非瑟素、槲皮素 -3- 甲醚、棉花皮素六甲醚、香叶木苷、刺槐乙素等黄酮类成分，还含有黑芥子苷、*n*- 廿九烷和谷甾醇。荠菜提取物对子宫有类似麦角的作用，具有降血压、收缩血管和小肠平滑肌等活性。荠菜酸有止血作用。尚有研究报道，果实的绿色果皮中含有香叶木苷，有维生素 P 样作用，其降低兔毛细血管渗透性的作用比芦丁强，治疗毛细血管脆性增加的效果比芦丁好，且毒性较低。

| 功能主治 | **荠菜：** 甘、淡，凉。归肝、心、肺经。凉肝止血，平肝明目，清热利湿。用于吐血，衄血，咯血，尿血，崩漏，目赤疼痛，眼底出血，高血压，赤白痢疾，肾炎水肿，乳糜尿。

荠菜花： 甘，凉。归大肠经。凉血止血，清热利湿。用于崩漏，尿血，吐血，咯血，便血，衄血，小儿乳积，痢疾，赤白带下。

荠菜子： 甘，平。归肝经。祛风明目。用于目痛，青盲障翳。

| 用法用量 | **荠菜**：内服煎汤，15 ~ 30 g；鲜品 60 ~ 120 g；或入丸、散剂。外用适量，捣汁点眼。

荠菜花：内服煎汤，10 ~ 15 g；或研末。

荠菜子：内服煎汤，10 ~ 30 g。

十字花科 Cruciferae 碎米荠属 *Cardamine* 凭证标本号 320481170331347LY

弯曲碎米荠 *Cardamine flexuosa* With.

| 药 材 名 | 白带草（药用部位：全草）。

| 形态特征 | 一年生或二年生草本。高 10 ~ 30 cm，近无毛。茎自基部多分枝，斜上呈铺散状，疏生柔毛。羽状复叶；基生叶有柄，顶生小叶有柄，卵形、倒卵形或长圆形，顶部 3 浅裂，基部宽楔形，侧生小叶有柄，3 ~ 7 对，较顶生小叶小，1 ~ 3 浅裂；茎生叶有柄或无柄，侧生小叶 3 ~ 5 对，多呈长卵形或线形，1 ~ 3 浅裂或全缘，基部下延，小叶柄有或无。花小，白色。果序柄或多或少呈左右弯曲。长角果线形，扁平，长 1 ~ 2 cm，宽不及 1 mm，斜展；果瓣无脉；果柄短。种子长圆形而扁，长近 1 mm，黄褐色。花期 3 ~ 5 月，果期 4 ~ 6 月。

| 生境分布 | 生于田边、路旁或湿润草地。分布于江苏徐州、盐城（射阳）、扬州（宝应）、南京、苏州等。

| 资源情况 | 野生资源较丰富。

| 采收加工 | 2 ~ 5 月采收，鲜用或晒干。

| 功效物质 | 含有可溶性多糖、可溶性蛋白质、游离氨基酸等。

| 功能主治 | 清利湿热，安神，止血。用于湿热泻痢，热淋，带下，心悸，失眠，虚火牙痛，小儿疳积，吐血，便血，疔疮。

| 用法用量 | 内服煎汤，15 ~ 30 g。外用适量，捣敷。

十字花科 Cruciferae 碎米荠属 *Cardamine* 凭证标本号 320282161114258LY

碎米荠 *Cardamine hirsuta* L.

| 药材名 | 白带草（药用部位：全草）。

| 形态特征 | 一年生或二年生草本。高 15 ~ 35 cm，无毛或疏生柔毛。茎直立或斜升，分枝或不分枝，下部有时呈淡紫色，被较密的柔毛。叶为羽状复叶，均被疏柔毛；基生叶有柄，顶生小叶卵圆形、肾形或肾圆形，长 4 ~ 14 mm，宽 5 ~ 15 mm，边缘有 3 ~ 5 圆齿，侧生小叶有柄，2 ~ 5 对，形状与顶生小叶相似，较小，歪斜；茎生叶有短柄，侧生小叶 3 ~ 6 对，叶轴有时有小鳞叶，茎上部的顶生小叶片菱状长卵形，先端 3 齿裂，侧生小叶狭倒卵形至线形。花萼长椭圆形，边缘膜质，外被疏毛；花瓣白色，倒卵形，长约 3 mm，先端圆，下部具爪；雄蕊 4（~ 6）。长角果线形，稍扁，长达 3 cm，宽约 1 mm；果瓣无脉；果柄纤细，长约 1 mm。种子长方形，褐色。

花期 2 ～ 4 月，果期 3 ～ 5 月。

｜生境分布｜ 生于山坡、路旁、荒地或耕地的阴湿处。江苏各地均有分布。

｜资源情况｜ 野生资源丰富。

｜采收加工｜ 2 ～ 5 月采收，鲜用或晒干。

｜功效物质｜ 含有蛋白质、脂肪、碳水化合物、多种维生素、矿物质等。

｜功能主治｜ 甘，平。清利湿热，安神，止血。用于湿热泻痢，热淋，带下，心悸，失眠，虚火牙痛，小儿疳积，吐血，便血，疔疮。

｜用法用量｜ 内服煎汤，15.5 ～ 31 g。外用适量，鲜品捣敷。

｜附　　注｜ 本种喜疏松肥沃的土壤，在整地时应多施优质腐熟粪肥或腐熟厩肥和一定量的化肥，深翻后，整细耙平，使土壤颗粒细而均匀。

十字花科 Cruciferae 碎米荠属 *Cardamine* 凭证标本号 320111150409004LY

弹裂碎米荠 *Cardamine impatiens* L.

| 药 材 名 | 弹裂碎米荠（药用部位：全草）。

| 形态特征 | 二年生草本。高 20 ~ 60 cm。茎直立，不分枝或上部分枝，斜伸或有时弯曲，无毛或疏生毛。奇数羽状复叶；基生叶与茎下部叶，开花前莲座状，有长柄，基部扩大，有 1 对托叶耳状；茎上部叶叶柄短或几无柄，叶柄基部有具缘毛的托叶状线形裂片，半抱茎，侧生小叶 4 ~ 9 对，卵形、长圆形或披针形，边缘有 3 ~ 5 钝圆齿或浅裂片，最上部茎生叶较狭；全部小叶散生短柔毛，边缘均有缘毛，叶柄有睫毛。萼片长圆形，长约 2 mm；花瓣白色，宽倒披针形，长近萼片的 1 倍。长角果狭线形而扁，长 2 ~ 3 cm，宽约 1 mm；果瓣无毛，成熟后自下而上弹卷开裂。种子椭圆形，长约 1 mm，棕黄色，边缘有极狭的翅。花期 4 ~ 5 月，果期 6 月。

| 生境分布 | 生于山坡、路旁、沟谷、水边或阴湿地。江苏各地均有分布。

| 资源情况 | 野生资源较丰富。

| 采收加工 | 春季采收，鲜用或晒干。

| 药材性状 | 本品根细长。茎单一或上部分枝，长 20 ~ 50 cm；表面黄绿色，具细沟棱；质脆，易断。奇数羽状复叶，多皱缩，展平后基生叶叶柄基部稍扩大，两侧呈狭披针形耳状抱茎，小叶 2 ~ 8 对，椭圆形，边缘有不整齐的钝齿裂，先端锐尖，基部楔形；茎生叶叶柄基部两侧有具缘毛的线形裂片，抱茎，先端渐尖，小叶 5 ~ 8 对，卵状披针形，具钝齿裂。总状花序，有淡黄白色的小花或长角果。长角果线形而稍扁，长 2 ~ 2.8 cm，宽约 1 mm，果实成熟时，果爿自下而上弹性旋裂，每室种子 1 行。种子椭圆形，长约 1 mm，棕黄色，边缘有极狭的翅。气微清香，味淡。

| 功效物质 | 种子油中含有甘油酯类成分。

| 功能主治 | 淡，平。活血调经，清热解毒，利尿通淋。用于月经不调，痈肿，淋证。

| 用法用量 | 内服煎汤，15 ~ 30 g。外用适量，捣敷。

十字花科 Cruciferae 碎米荠属 *Cardamine* 凭证标本号 320703150424161LY

白花碎米荠 *Cardamine leucantha* (Tausch) O. E. Schulz

| 药 材 名 | 菜子七（药用部位：全草或根及根茎）。

| 形态特征 | 多年生草本。有疏柔毛。根茎短而匍匐，着生多数长短不一的匍匐根。茎高 30 ~ 90 cm，直立，单一，有时上部有少数分枝。奇数羽状复叶；基生叶有长柄，侧生小叶 2 ~ 3 对；茎中部叶有柄，小叶通常 2 对，顶生小叶长卵形，长 4 ~ 11 cm，宽 1 ~ 4 cm，先端渐尖，边缘有不整齐的钝齿，基部楔形，有小叶柄，侧生小叶与顶生小叶相似，但无柄；茎上部叶有侧生小叶 1 ~ 2 对，披针形，较小。萼片长圆形，长约 3 mm，边缘膜质，外面有毛；花瓣白色，长圆状楔形，长 5 ~ 8 mm。长角果扁线形，长 1 ~ 2 cm，果喙长约 5 mm。种子长圆形，长约 2 mm，红褐色，边缘有狭翅或无。花期 4 ~ 5 月，果期 6 ~ 7 月。

| 生境分布 | 生于路边、山坡湿草地、杂木林下及山谷沟边阴湿处。分布于江苏无锡（宜兴）等。

| 资源情况 | 野生资源较丰富。

| 采收加工 | 全草，秋季采挖，去净杂质及须根，晒干。

| 功效物质 | 全草含有蛋白质、脂肪、碳水化合物、粗纤维、钙、磷、镁、胡萝卜素及维生素 B、维生素 B_2 等营养成分。从其乙醇提取物中还获得了吲哚 -3- 甲酸、6- 羟基吲哚 -3- 甲酸、吲哚 -3- 甲酸 -6-*O*-*β*-D- 葡萄糖苷、七叶内酯、七叶苷、3-*O*-（*p*- 香豆酰基）-*β*- 谷甾醇、*β*- 谷甾醇、5*α*,8*α*- 过氧麦角甾 -6,22- 二烯 -3*β*- 醇、5*α*,8*α*- 过氧麦角甾 -6,9（11）,22- 三烯 -3*β*- 醇、7*α*- 羟基 -*β*- 谷甾醇、6′-*O*- 棕榈酰 -*β*- 胡萝卜苷、胡萝卜苷、对羟基苯甲酸、香草酸等化合物。

| 功能主治 | 辛、甘，平。化痰止咳，活血止痛。用于百日咳，慢性支气管炎，月经不调，跌打损伤。

| 用法用量 | 内服煎汤，6 ~ 15 g。

十字花科 Cruciferae 播娘蒿属 *Descurainia* 凭证标本号 320982170331246LY

播娘蒿 *Descurainia sophia* (L.) Webb ex Prantl

| 药 材 名 | 葶苈子（药用部位：种子）。

| 形态特征 | 一年生草本。高 30 ~ 70 cm，有叉状分枝毛，有时无毛。茎直立，上部多分枝，下部常带淡紫色。叶 2 ~ 3 回羽状全裂，长 5 ~ 12 cm，末回裂片纤细，狭线形或线状长圆形，长 3 ~ 5 mm，两面密生灰白色卷曲柔毛或几无毛，叶轴生有不整齐的栉齿状小裂片；茎下部叶有柄，上部叶无柄。伞房状总状花序顶生，果期极伸长；花小，多数；萼片倒卵状条形，长约 2 mm，上部有稀疏长柔毛，先端有鳞片状附属物，开展，早落；花瓣黄色，匙形或狭倒披针形，长爪，短于或等长于萼片。长角果狭线形，长 2 ~ 3 cm，黄绿色，无毛；果柄细，长 1 ~ 2 cm。种子多数，长圆形，长约 1 mm，淡红褐色，有细网纹。花果期 4 ~ 6 月。

| **生境分布** | 生于田野、山坡、路旁或麦田中。江苏各地均有分布。

| **资源情况** | 野生资源丰富。

| **采收加工** | 春、夏季采收，鲜用或晒干。

| **药材性状** | 本品呈长圆形略扁，长约 1 mm，宽约 0.5 mm，一端钝圆，另一端微凹或较平截。味微辛、苦，略带黏性。

| **功效物质** | 含有强心苷类、异硫氰酸和硫苷类、脂肪油类、生物碱类、黄酮类、酚酸类、香豆素类等成分。其中，槲皮素 -3-*O*-*β*-D- 葡萄糖 -7-*O*-*β*-D- 龙胆双糖苷是《中国药典》规定的指标性成分。毒毛旋花子苷元、伊夫单苷、葶苈苷、伊夫双苷、糖芥苷等强心苷类成分有改善心血管功能的作用。

| **功能主治** | 辛、苦，大寒。归肺、膀胱经。泻肺平喘，行水消肿。用于痰涎壅肺，喘咳痰多，胸胁胀满，不得平卧，胸腹水肿，小便不利。

| **用法用量** | 内服煎汤，3 ~ 9 g，包煎。

| **附　　注** | 本种的种子习称“南葶苈子”，含油 40%。

十字花科 Cruciferae 花旗杆属 *Dontostemon* 凭证标本号 321323180405024LY

花旗杆 *Dontostemon dentatus* (Bunge) Ledeb.

| 药 材 名 | 花旗杆（药用部位：全草或种子）。

| 形态特征 | 二年生草本。高 15 ~ 50 cm，植株散生白色弯曲柔毛。茎单一或分枝，基部常带紫色。叶片椭圆状披针形，长 3 ~ 6 cm，宽 3 ~ 12 mm，两面稍具毛。总状花序生于枝顶，结果时长 10 ~ 20 cm；萼片椭圆形，长 3 ~ 4.5 mm，宽 1 ~ 1.5 mm，具白色膜质边缘，背面稍被毛；花瓣淡紫色，倒卵形，长 6 ~ 10 mm，宽约 3 mm，先端钝，基部具爪。长角果长圆柱形，光滑无毛，长 2.5 ~ 6 cm，宿存花柱短，先端微凹。种子棕色，长椭圆形，长 1 ~ 1.3 mm，宽 0.5 ~ 0.8 mm，具膜质边缘；子叶斜缘倚胚根。花期 5 ~ 7 月，果期 7 ~ 8 月。

| 生境分布 | 生于山坡、路边或草丛中。分布于江苏连云港（赣榆）、宿迁、南京等。

| 资源情况 | 野生资源丰富。

| 采收加工 | 夏季采收全草，除去杂质，晒干。秋季采收成熟果实，打下种子，除去杂质，晒干。

| 功能主治 | 利尿。用于小便不利，水肿胀满。

| 用法用量 | 内服煎汤，3 ~ 9 g；或入丸、散剂。外用适量，煎汤洗；或研末调敷。

十字花科 Cruciferae 葶苈属 *Draba* 凭证标本号 320722180411014LY

葶苈 *Draba nemorosa* L.

| 药 材 名 | 葶苈（药用部位：种子）。

| 形态特征 | 一年生小草本。高 5 ~ 30 cm。茎直立，分枝或不分枝，下部有单毛、二至三叉状毛和星状毛，上部无毛。基生叶莲座状，几片丛生，早枯；茎生叶互生，无柄，叶片卵状披针形或长圆形，先端稍尖，每边有 3 ~ 6 细牙齿或近全缘，两面密生灰白色叉状毛和星状毛。花小；萼片卵形，背面上部有长柔毛；花瓣黄色，倒卵形，先端微凹，基部狭长呈爪状。短角果椭圆形或狭长圆形而扁，密被短柔毛，成熟时开裂。种子细小，卵形，淡褐色。花期 3 ~ 4 月，果期 5 ~ 6 月。

| 生境分布 | 生于路旁、田野或山坡。分布于江苏连云港、南京、镇江、无锡（宜

兴）、苏州等。

| 资源情况 | 野生资源较丰富。

| 采收加工 | 4 月底或 5 月上旬采收，当果序有 2/3 的果实变成黄绿色时，即为采收时期，应立即收割。过迟，果实过熟，变成黄白色，会自行开裂，种子掉落于地，使产量降低；过早，果实尚为绿色，种子幼嫩，产量亦不高，亦不能留作种子。采收宜选晴天露水干后进行，用镰刀齐地将全株割下，就地放成小堆，或扎小把，运回晒场上暴晒，待果实干后，揉搓脱粒，除去茎、叶、果壳等杂质。

| 功效物质 | 种子含有强心苷类、异硫氰酸类、脂肪油类等成分。

| 功能主治 | 辛、苦，寒。清热利尿。用于痰涎壅肺之喘咳痰多，肺痈，水肿，胸腹积水，小便不利，慢性肺源性心脏病，心力衰竭之喘肿。

| 用法用量 | 内服煎汤，3 ~ 9 g；或入丸、散剂。外用适量，煎汤洗；或研末调敷。利水消肿宜生用；治痰饮喘咳宜炒用；治肺虚痰阻喘咳宜蜜炙用。

| 附　　注 | 本种为种子入药，但在商品上作药用的并非该种种子。光果葶苈的种子与本品同效。

十字花科 Cruciferae 糖芥属 *Erysimum* 凭证标本号 320703170418602LY

糖芥 *Erysimum bungei* (Kitag.) Kitag.

| 药材名 | 糖芥（药用部位：全草或种子）。

| 形态特征 | 一年生或二年生草本。高 30 ~ 60 cm。茎和叶密被伏生灰白色二叉状毛。茎直立，有时上部分枝，有棱角。基生叶和茎下部叶有叶柄，叶片披针形或长圆状线形，长 5 ~ 15 cm，宽 5 ~ 20 mm，先端尖，基部渐狭，边缘有疏齿或近全缘；茎上部叶无柄，先端渐尖，边缘有疏生浅波状齿或近全缘，基部近抱茎。花直径约 1 cm；萼片长圆形，密生二叉状毛，边缘白色膜质；花瓣橘黄色或黄色，长 1 ~ 1.5 cm，宽倒卵形或匙形，可见明显网状脉纹，先端圆，下部具长爪。长角果线形，长 4 ~ 8 cm，稍呈四棱形，无花柱，先端有 2 裂头状短喙；果瓣有凸起的中脉。种子每室 1 行，长圆形，长约 2.5 mm，深红褐色。花期 4 ~ 6 月，果期 6 ~ 8 月。

| 生境分布 | 生于田边或荒地。江苏南京曾有栽培。

| 资源情况 | 栽培资源一般。

| 采收加工 | 春、夏季采收全草。7 ~ 9 月果实成熟时采收全草，晒干，打落种子，去净杂质。

| 药材性状 | 本品茎长达 60 cm，不分枝或上部分枝，具棱角，密生伏贴二叉毛。叶多皱缩，展平后叶片呈披针形或长圆状线形，基生叶长 5 ~ 15 cm，宽 0.5 ~ 2 cm，全缘，两面有伏贴二叉毛。花直径约 1 cm；花瓣橘黄色，类圆形。气微，味微苦。

| 功效物质 | 种子含有葡萄糖糖芥苷。全草中曾分离出糖芥苷。

| 功能主治 | 苦、辛，寒。归肺、胃经。健脾和胃，利尿强心。用于脾胃不和，食积不化，心力衰竭之水肿。

| 用法用量 | 内服煎汤，6 ~ 9 g；或研末，0.3 ~ 1 g。

十字花科 Cruciferae 糖芥属 *Erysimum* 凭证标本号 320721180413044LY

小花糖芥 *Erysimum cheiranthoides* L.

| 药 材 名 | 桂竹糖芥（药用部位：全草或种子）。

| 形态特征 | 本种与糖芥的区别在于叶片线状披针形或长圆形，两面伏生三至四叉状毛，下部叶边缘具波状齿，上部叶近全缘。花直径约 0.5 cm；花瓣浅黄色，线形或线状倒披针形，长约 5 mm。角果较短，长 2 ~ 4 cm，圆柱形，侧扁，稍有棱，散生三或四叉状毛；果柄长 3 ~ 7 mm；果瓣中脉不明显。种子淡褐色，直径约 1 mm。花期 5 ~ 6 月，果期 6 ~ 7 月。

| 生境分布 | 生于山坡或野地。分布于江苏北部、中部地区。

| 资源情况 | 野生资源一般。

| 采收加工 | 4 ~ 5 月盛花期采收全草，晒干。果实近成熟时采收全草，晒干，打落种子，去净杂质。

| 功效物质 | 全草含有葡萄糖糖芥苷、黄麻苷 A、木糖糖芥苷、木糖糖芥醇苷、糖芥卡诺醇苷等强心苷类成分。种子含有 K- 毒毛旋花子次苷 -*β*、糖芥苷、黄麻属苷 A、糖芥醇苷、木糖糖芥苷、葡萄糖糖芥苷、毒毛旋花子醇、洋地黄二糖苷等强心苷及毒毛旋花子苷元，还含有挥发性硫氰酸烯丙酯，具有强心、抗心律失常作用。

| 功能主治 | 强心利尿，和胃消食。用于心力衰竭，心悸，水肿，脾胃衰竭，食积不化。

| 用法用量 | 内服煎汤，6 ~ 9 g；研末，0.3 ~ 1 g。

| 附　　注 | 本种的种子在山东、河北等部分地区作葶苈子使用，亦称苦葶苈子。

十字花科 Cruciferae 菘蓝属 *Isatis* 凭证标本号 320481170418361LY

菘蓝 *Isatis indigotica* Fort.

| **药材名** | 大青叶（药用部位：叶）、板蓝根（药用部位：根）。

| **形态特征** | 二年生草本。高达 1 m 左右，基部木质化。主根长圆柱形，肉质肥厚，灰黄色。茎直立，略有 4 棱，上部分枝，稍有白粉。基生叶莲座状丛生，有柄，叶片倒卵形至倒披针形，长 5 ~ 12 cm，蓝绿色，肥厚，先端钝圆，基部渐狭，全缘或略有波状牙齿；茎生叶无柄，叶片长圆形或披针形，长 3 ~ 6 cm，宽 1 ~ 2 cm，有白粉，先端钝，基部箭形或耳形，半抱茎，近全缘。萼片长圆形，无毛；花瓣黄色，长 2.5 ~ 4 cm，先端圆钝，基部渐狭；花梗细弱，开花后下弯成弧形。短角果下垂，长圆形、长圆状倒披针形或椭圆状倒卵形，先端近急尖或圆钝，少微凹，扁平，不开裂，紫色，成熟时黑色或暗棕色，边缘有翅，顶翅宽 3.5 ~ 5 mm；果瓣中脉明显。种子 1，位于果实中部，长圆形，褐色。花期 4 ~ 6 月，果期 5 ~ 7 月。

| 生境分布 | 分布于江苏连云港（赣榆）、南通（如皋）、泰州（兴化）、南京等。江苏多地有栽培。

| 资源情况 | 栽培资源丰富。

| 采收加工 | **大青叶：**8 ~ 10 月采收，晒干。

板蓝根：收割茎叶 2 ~ 3 次后，秋季采挖根，去掉茎叶，洗净，晒干。

| 药材性状 | **大青叶：**本品多皱缩，破碎。完整的叶片呈长椭圆形至长圆状倒披针形，长 2 ~ 6 cm，宽 1 ~ 2 cm，先端钝尖或钝圆，基部渐狭下延成翼状叶柄；全缘或微波状，上、下表面均灰绿色或棕绿色，无毛，羽状网脉，主脉在下表面突出。质脆。气微，味稍苦。以叶大、绿色者为佳。

板蓝根：本品呈圆柱形，稍扭曲，长 10 ~ 20 cm，直径 0.5 ~ 1 cm。表面淡灰黄色或淡棕黄色，有纵皱及横生皮孔，并有支根或支根痕；根头略膨大，可见轮状排列的暗绿色或暗棕色叶柄残基、叶柄痕及密集的疣状突起。体实，质略软，折断面略平坦，皮部黄白色，占半径的 1/2 ~ 3/4，木部黄色。气微，味微甜后苦涩。以条长、粗大、体实者为佳。

| 功效物质 | 叶含有靛蓝、靛玉红等吲哚类生物碱及喹唑酮类生物碱，还含有有机酸类以及无机元素铁、钛、锰、锌、铜、钴、镊、硒、铅、砷等。菘蓝苷水解后可变为靛蓝和呋喃木糖酮酸。根富含靛蓝、靛玉红等吲哚类生物碱。具有显著的抗菌、抗病毒、解毒、提高免疫力、抗肿瘤活性。

| 功能主治 | **大青叶：**苦，寒。归肝、心、胃、脾经。清热解毒，凉血消斑。用于温病高热，神昏，发斑发疹，痄腮，喉痹，丹毒，痈肿。

板蓝根：苦，寒。归肝、胃经。清热解毒，凉血利咽。用于温疫时毒，发热咽痛，温毒发斑，痄腮，烂喉丹痧，大头瘟疫，丹毒，痈肿。

| 用法用量 | **大青叶：**内服煎汤，10 ~ 15 g，鲜品 30 ~ 60 g；或捣汁。外用适量，捣敷；或煎汤洗。

板蓝根：内服煎汤，15 ~ 30 g，大剂量可用 60 ~ 120 g；或入丸、散剂。外用适量，煎汤熏洗。

| 附　　注 | 本种喜温暖气候，耐寒，怕涝。

十字花科 Cruciferae 独行菜属 *Lepidium* 凭证标本号 320282160605099LY

独行菜 *Lepidium apetalum* Willd.

| 药 材 名 | 葶苈子（药用部位：种子）。

| 形态特征 | 一年生或二年生草本。株高 5 ～ 30 cm。茎直立，多分枝，无毛或具微小头状毛。基生叶有柄，长 1 ～ 2 cm，叶片窄匙形，1 回羽状浅裂或深裂，长 3 ～ 5 cm；茎上部叶线形，有疏齿或全缘。萼片卵形，外面有毛，早落；花瓣不存在或退化成丝状；雄蕊 2 或 4；无花柱。短角果圆形或宽椭圆形，长 2 ～ 3 mm，先端微凹，上部有短翅。种子椭圆形，长约 1 mm，红褐色。花果期 5 ～ 7 月。

| 生境分布 | 生于山坡、路旁或村庄附近。分布于江苏徐州（丰县）、盐城（射阳、阜宁）、淮安（淮阴）、扬州（宝应）、镇江、无锡（宜兴）、南通等。

| 资源情况 | 野生资源丰富。

| 采收加工 | 夏季果实成熟时采收全株，晒干，打落种子，去净杂质，晒干。

| 药材性状 | 本品呈扁卵形，长 1 ~ 1.5 mm，宽 0.5 ~ 1 mm。表面棕色或红棕色，微有光泽，具纵沟 2 条，其中 1 条较明显。一端钝圆，另一端尖而微凹，类白色，种脐位于凹入端。无臭，味微辛、辣，黏性较强。

| 功效物质 | 含有脂肪油、芥子苷、蛋白质、糖类等成分。还含有白芥子苷、异硫氰酸苄酯。又含有两种强心苷，其一名为七里香苷甲，具有强心作用。

| 功能主治 | 辛、苦，大寒。归肺、膀胱经。泻肺平喘，行水消肿。用于痰涎壅肺，喘咳痰多，胸胁胀满，不得平卧，胸腹水肿，小便不利。

| 用法用量 | 内服煎汤，3 ~ 9 g，包煎。

| 附　　注 | 本种种子习称“北葶苈子”，亦称“事苗子”。

十字花科 Cruciferae 独行菜属 *Lepidium*

抱茎独行菜 *Lepidium perfoliatum* L.

| 药 材 名 | 抱茎独行菜（药用部位：全草）。

| 形态特征 | 一年生或二年生草本。高 10 ~ 35 cm。茎单一，近直立，分枝，无毛。基生叶 2 ~ 3 回羽状半裂，长 4 ~ 10 cm，裂片线形，有柔毛；叶柄长 1 ~ 2 cm；茎中部和上部叶卵形或近圆形，长 1.5 ~ 3 cm，急尖，基部深心形，抱茎，全缘，无毛。萼片宽椭圆形，长约 1 mm；花瓣浅黄色，窄匙形，比萼片稍长；雄蕊 6。短角果近圆形或宽卵形，长、宽均为 3 ~ 4.5 mm，先端稍凹入，无翅，花柱极短；果柄长 4 ~ 6 mm。种子卵形，长 1.5 ~ 2 mm，深棕色，先端有窄翅，湿后成黏膜。花果期 5 ~ 6 月。

| 生境分布 | 生于水旱田或干燥沙滩上。分布于江苏苏州（太仓）等。

| 资源情况 | 野生资源较少。

| 采收加工 | 秋季采收，洗净，鲜用或晒干。

| 功效物质 | 含有芥子油苷、黄酮、三萜类、甾醇、香豆素、生物碱类等成分。

| 功能主治 | 利尿，化痰，抗维生素 C 缺乏。用于小便不利，痰多，坏血病。

十字花科 Cruciferae 独行菜属 *Lepidium* 凭证标本号 NAS00113919

家独行菜 *Lepidium sativum* L.

| 药 材 名 | 家独行菜（药用部位：全草或种子）。

| 形态特征 | 一年生草本。高 20 ~ 40 cm。茎单一，直立，上部有分枝，无毛，常具蓝灰色粉霜。基生叶倒卵状椭圆形，1 ~ 2 回羽状全裂或浅裂；茎生叶卵形至倒卵形，向上渐小，1 回羽状全裂，裂片线形，先端急尖，基部稍下延，叶柄羽轴状，长为叶片 1 倍以上。花序顶生或腋生，序轴粗壮，结果时伸长；萼片长圆形，长 1 ~ 1.5 mm，背部有短柔毛，中脉明显；花瓣白色或粉红色，长圆状匙形；雄蕊 6。短角果卵圆形或椭圆状卵形，长 4 ~ 6 mm，先端微缺，缺口中央有宿存花柱，先端具小尖头，基部圆形，中下部向上的边缘有渐宽的翅；果瓣两侧中央部位稍呈肾形膨胀；果柄粗壮。种子卵形，长约 2.5 mm，红棕色。花期 6 ~ 7 月，果期 8 ~ 9 月。

| 生境分布 | 生于山坡、路旁或村庄附近。江苏南京曾有栽培。

| 资源情况 | 栽培资源一般。

| 采收加工 | 春、夏季采收全草。8 ~ 9 月果实成熟时采收全草，晒干，打落种子，去净杂质。

| 功效物质 | 全草及种子含有挥发油 0.115%，主要成分为苯乙腈、硫氰酸苄酯、异硫氰酸苄酯等。全草还含有独行菜碱，种子还含有芥子碱。

| 功能主治 | 辛，温。祛痰止咳，温中，利尿。用于咳嗽，喘息，痰多而稠，呃逆，腹泻，痢疾，腹胀，水肿，小便不利，疥癣。

| 用法用量 | 内服煎汤，6 ~ 15 g。外用适量，捣敷；或研末调敷。

十字花科 Cruciferae 独行菜属 *Lepidium* 凭证标本号 320111140731004LY

北美独行菜 *Lepidium virginicum* L.

| 药 材 名 | 葶苈子（药用部位：种子）。

| 形态特征 | 一年生或二年生草本。株高 30 ~ 50 cm。茎直立，中部以上分枝，无毛或有柱状腺毛或细柔毛。基生叶倒披针形，长 1 ~ 5 cm，羽状分裂或大头羽裂，裂片大小不一，卵形或长圆形，边缘有锯齿，两面有毛；茎生叶有短柄，倒卵状披针形至线状披针形，长 1.5 ~ 5 cm，宽 2 ~ 10 mm，先端急尖，边缘有锯齿，基部渐狭，两面无毛。萼片椭圆形，长约 1 mm；花瓣白色，倒卵形；雄蕊 2 或 4。短角果扁圆形，长 2 ~ 3 mm，无毛，先端微凹，近先端两侧有狭翅，宿存柱头短于果翅先端。种子扁卵形，光滑，红褐色，边缘有半透明狭翅。花期 4 ~ 5 月，果期 5 ~ 6 月。

| **生境分布** | 生于路旁、荒地或农田中。江苏各地均有分布。

| **资源情况** | 野生资源较丰富。

| **采收加工** | 春、夏季采收，鲜用或晒干。

| **功效物质** | 含有叶绿素蛋白。

| **功能主治** | 泻肺平喘，行水消肿。用于痰涎壅肺，喘咳痰多，胸胁胀满，不得平卧，胸腹水肿，小便不利。

| **用法用量** | 内服煎汤，3 ~ 9 g；或入丸、散剂。外用适量，煎汤洗；或研末调敷。利水消肿宜生用；治痰饮喘咳宜炒用；治肺虚痰阻喘咳宜蜜炙用。

十字花科 Cruciferae 涩荠属 *Malcolmia* 凭证标本号 320804190410024LY

涩荠 *Malcolmia africana* (L.) R. Br.

药材名

紫花芥子（药用部位：种子）。

形态特征

二年生草本。高 10 ~ 45 cm，有单毛或二至三叉状硬毛。茎自基部分枝，直立或铺散状。叶片卵状长圆形、狭长圆形或披针形，长 2.5 ~ 10 cm，宽 1 ~ 1.5 cm，先端钝圆或急尖，基部楔形，全缘或有 2 ~ 4 对稀疏的波状牙齿；有短柄。总状花序顶生，花排列稀疏；萼片狭长圆形，有柔毛；花瓣淡紫色或淡红色，倒卵状长圆形，长 8 ~ 10 mm。长角果圆柱形，长 4 ~ 7 cm，略有 4 棱，质坚硬，密生长毛和分枝状短毛，先端有钻状短喙；果柄与长角果近等粗，长约 3 mm，与果序轴几成直角开展。种子圆形，长约 1 mm，稍压扁，黄褐色。花期 4 ~ 8 月，果期 5 ~ 10 月。

生境分布

生于荒地或田野。分布于江苏徐州（丰县）、盐城（滨海、射阳、东台）等北部地区。

资源情况

野生资源较少。

| 采收加工 | 7 ~ 9 月果实成熟时采收全草，晒干，打落种子，去净杂质。

| 功效物质 | 含有脂肪酸和芥子碱。

| 功能主治 | 祛痰定喘，泻肺行水。用于咳逆痰多，胸腹积水，胸胁胀满，肺痈。

| 用法用量 | 内服煎汤，3 ~ 9 g。

十字花科 Cruciferae 豆瓣菜属 *Nasturtium* 凭证标本号 321324170416089LY

豆瓣菜 *Nasturtium officinale* R. Br.

| 药 材 名 | 西洋菜干（药用部位：全草）。

| 形态特征 | 多年生水生草本。高 20 ~ 50 cm，无毛。茎匍匐或上部斜升，多分枝，节上生不定根。奇数大头羽状复叶，先端 1 片较大，长 2 ~ 3 cm，卵形至近圆形，先端钝或微凹，全缘或疏生波状浅齿，基部宽楔形或稍心形，侧生小叶 1 ~ 4 对，与顶生小叶相似，但基部不对称。萼片长圆形，长约 3 mm，边缘膜质，基部呈囊状；花白色，花瓣倒卵形，长约 4 mm，有细长爪。长角果圆柱形，长 1 ~ 2 cm，直径约 2 mm，有短喙；果柄长 5 ~ 10 mm，有微毛。种子多而小，卵圆形，红褐色，有网纹。花期 4 ~ 5 月，果期 5 ~ 7 月。

| 生境分布 | 生于水塘、湖泊、沟渠边和流动浅水中。江苏南京、无锡（宜兴）

等有栽培。

| 资源情况 | 栽培资源较少。

| 采收加工 | 插栽 1 个月左右、匍匐茎高度 25 cm 左右时采收。采收时应避开光照强烈期，最好在傍晚或阴天进行。

| 药材性状 | 本品匍匐茎细长缠绕成团，节上有多数纤细的不定根，易断。叶多皱缩，奇数羽状复叶，小叶 1 ~ 4 对，小叶片宽卵形或长椭圆形，先端 1 片较大，长 2 ~ 3 cm，全缘或波状，基部宽楔形；侧生小叶基部不对称；叶柄基部下延成耳状，略抱茎。长角果圆柱形而扁，长 0.8 ~ 2 cm，宽 1.5 ~ 2 mm，先端有宿存的短花柱。种子扁圆形或近椭圆形，红褐色，有网状纹理。气微，味苦、辛。

| 功效物质 | 含有黄酮类、酚类成分，还含有较多的蛋白质、维生素 A、维生素 C 及少量的维生素 D 和大量的铁、钙等元素。

| 功能主治 | 甘、淡，凉。归肺经。清肺，凉血，利尿，解毒。用于肺热燥咳，维生素 C 缺乏症，泌尿系统炎症，疔毒痈肿，皮肤瘙痒。

| 用法用量 | 内服煎汤，10 ~ 15 g；或煮食。外用适量，捣敷。

十字花科 Cruciferae 萝卜属 *Raphanus* 凭证标本号 321023170423169LY

萝卜 *Raphanus sativus* L.

| 药 材 名 | 莱菔（药用部位：根）、莱菔子（药用部位：种子）。

| 形态特征 | 一年生或二年生草本。株高达 1 m。根肉质，形状、大小和颜色多变化，圆锥形、长圆形或球形，外皮青绿色、白色或红色。茎多分枝，稍有白粉。基生叶长 8 ~ 30 cm，大头羽状分裂，先端裂片卵形，侧生裂片 4 ~ 6 对，长圆形，向基部渐缩小，有钝齿，生粗糙毛；茎生叶长圆形至披针形，边缘有锯齿或缺刻，稀全缘。总状花序顶生或腋生；花淡紫红色或白色，有紫色脉纹，直径 15 ~ 20 mm。长角果肉质，圆柱形，长 15 ~ 30 mm，在种子间收缩，成熟时变成海绵状横隔，先端渐尖成喙。种子圆形，稍扁，红褐色。花期 4 ~ 5 月，果期 5 ~ 6 月。

| 生境分布 | 江苏各地均有栽培。

| 资源情况 | 栽培资源丰富。

| 采收加工 | **莱菔：**秋、冬季采挖，除去茎叶，洗净。

莱菔子：翌年 5 ~ 8 月，角果充分成熟时采收，晒干，打下种子，除去杂质。

| 药材性状 | **莱菔：**本品肉质，圆柱形、圆锥形或圆球形，有的具分叉，大小差异较大。表面红色、紫红色、绿色、白色或粉红色与白色间有，先端有残留叶柄基。质脆，富含水分，断面类白色、浅绿色或紫红色，形成层环明显，皮部色深，木质部占大部分，可见点状放射状纹理。气微，味甘、淡或辣。

莱菔子：本品呈椭圆形或近卵圆形而稍扁，长约 3 mm，宽 2.5 mm。表面红棕色，一侧有数条纵沟，一端有种脐，呈褐色圆点状突起。放大观察可见全体均有致密的网纹。质硬，破开后可见黄白色或黄色的种仁，有油性。无臭，味甘、微辛。以粗大、饱满、油性大者为佳。

| 功效物质 | 种子含有芥子碱和脂肪油 30%，脂肪油中含大量的芥酸、亚油酸、亚麻酸；还含有菜籽甾醇、22- 去氢菜油甾醇和莱菔素。

| 功能主治 | **莱菔：**辛、甘，凉。归脾、胃、肺、大肠经。消食，下气，化痰，止血，解渴，利尿。用于消化不良，食积胀满，吞酸，吐食，腹泻，痢疾，便秘，痰热咳嗽，咽喉不利，咳血，吐血，衄血，便血，消渴，淋浊。外用于疮疡，损伤瘀肿，烫伤及冻疮。

莱菔子：辛、甘，平。归肺、脾、胃经。消食除胀，降气化痰。用于饮食停滞，脘腹胀痛，大便秘结，积滞泻痢，痰壅喘咳。

| 用法用量 | **莱菔：**内服煎汤，30 ~ 100 g；或生食；或煮食。外用适量，捣敷；或捣汁涂；或滴鼻；或煎汤洗。

莱菔子：内服煎汤，5 ~ 10 g；或入丸、散剂，宜炒用。外用适量，研末调敷。

| 附　　注 | 萝卜根作蔬菜食用；种子消食化痰；鲜根止渴、助消化；枯根利二便；叶治初痢，并预防痢疾。

十字花科 Cruciferae 蔊菜属 *Rorippa* 凭证标本号 320125150505181LY

广州蔊菜 *Rorippa cantoniensis* (Lour.) Ohwi.

药材名

广东蔊菜（药用部位：全草）。

形态特征

一年生或二年生草本。高 15 ~ 30 cm，无毛。茎多分枝，或披散状，少单一，有时带紫红色。基生叶有柄，叶片羽状深裂或浅裂，长 3 ~ 6 cm，宽 1 ~ 2 cm，羽片边缘具不规则浅裂或深波状；茎生叶向上渐小，无柄，羽状不规则浅裂，基部抱茎，两侧耳形。总状花序有叶状苞片，苞片披针形或倒披针形，边缘不规则羽裂；花几无柄，单生苞腋；萼片开展，条状长圆形，长 2 ~ 2.5 mm；花瓣黄色，宽倒披针形，长约 3 mm，基部有爪；雄蕊 6，近等长。短角果圆柱形，长 6 ~ 8 mm，宽 1 ~ 2 mm，先端有短花柱，柱头头状。种子多数，红褐色，细小，卵圆形，一端微凹，表面具网纹。花期 3 ~ 4 月，果期 4 ~ 6 月。

生境分布

生于潮湿地、路旁或田边。分布于江苏连云港、扬州（宝应）、淮安（盱眙）、泰州（靖江）、无锡（江阴、宜兴）、南京、镇江、常州等。

| 资源情况 | 野生资源丰富。

| 功能主治 | 清热解毒，镇咳，利尿。用于感冒发热，咽喉肿痛，肺热咳嗽，慢性支气管炎，急性风湿性关节炎，肝炎，小便不利。外用于漆疮，蛇咬伤，疔疮痈肿。

十字花科 Cruciferae 蔊菜属 *Rorippa* 凭证标本号 320506150425251LY

无瓣蔊菜 *Rorippa dubia* (Pers.) Hara

| 药 材 名 |

蔊菜（药用部位：全草）。

| 形态特征 |

一年生草本。高 10 ~ 30 cm，无毛。茎直立或呈铺散状，较细柔，分枝。基生叶和茎下部叶卵形或倒卵状披针形，长 3 ~ 8 cm，叶片薄，多为大头羽状分裂，先端裂片大，宽卵形或长椭圆形，边缘具不规则锯齿，下部侧裂片 1 ~ 3 对，向下渐小，叶柄两侧具狭翅；茎上部叶卵状披针形或长圆形，边缘具波状齿，基部具短柄或无柄。萼片淡黄绿色，长圆状、长圆状披针形或线形，边缘膜质；花瓣无或有退化花瓣。角果线形，长 2 ~ 4 cm，宽约 1 mm，扁平。种子每室 1 行，褐色，近卵形，表面具细网纹。花果期 4 ~ 10 月。

| 生境分布 |

生于山坡路旁、河边湿地或园圃。江苏各地均有分布。

| 资源情况 |

野生资源较丰富。

| **采收加工** | 5 ~ 7 月采收，鲜用或晒干。

| **功效物质** | 含有蔊菜素、蔊菜酰胺。

| **功能主治** | 辛、苦，微温。归肺、肝经。祛痰止咳，解表散寒，活血解毒，利湿退黄。用于咳嗽痰喘，感冒发热，麻疹透发不畅，风湿痹痛，咽喉肿痛，疔疮痈肿，漆疮，经闭，跌打损伤，黄疸，水肿。

| **用法用量** | 内服煎汤，10 ~ 30 g，鲜品加倍；或捣绞汁。外用适量，捣敷。

十字花科 Cruciferae 蔊菜属 *Rorippa* 凭证标本号 320282161113352LY

风花菜 *Rorippa globosa* (Turcz.) Hayek

| 药 材 名 | 风花菜（药用部位：全草）。

| 形态特征 | 一年生或二年生粗壮草本。高达 1 m。茎直立，分枝，基部木质化，下部有柔毛。叶长圆形至倒卵状披针形，长 3 ~ 10 cm，宽 1 ~ 2 cm，先端渐尖或尖，基部渐狭，下延成短耳状，抱茎，边缘具不整齐齿裂，两面无毛或被疏毛。总状花序多数，排列成圆锥状，果期伸长；花小，黄色，直径 1 ~ 2 mm。角果球形，直径约 2 mm；果瓣 2，隆起，平滑无毛，有不明显网状脉纹，先端具宿存短花柱；果柄丝状，呈水平开展或微下弯，长约 5 mm。种子多数，细小，卵圆形，黄褐色，表面有纵沟。花期 5 ~ 6 月，果期 7 ~ 8 月。

| 生境分布 | 生于路旁、沟边、湿地、河岸或草丛。分布于江苏徐州（沛县）、

连云港、淮安、扬州（宝应）、南京、苏州、无锡（宜兴）、南通（如东）等。

| 资源情况 | 野生资源丰富。

| 采收加工 | 夏季采收，去净杂质，晒干，切段。

| 功效物质 | 根含有还原性的单糖和双糖。

| 功能主治 | 清热利尿，解毒消肿。用于水肿，黄疸，淋病，腹水，咽痛，痈肿，烫火伤。

| 用法用量 | 内服煎汤，6 ~ 15 g。外用适量，捣敷。

十字花科 Cruciferae 蔊菜属 *Rorippa* 凭证标本号 320829170422078LY

蔊菜 *Rorippa indica* (L.) Hiern

| 药 材 名 | 蔊菜（药用部位：全草）。

| 形态特征 | 一年生草本。高达 50 cm，基部有毛或无毛。茎直立或斜升，粗壮，单一或分枝，具纵条纹，有时带紫色。叶形变化大；基生叶和茎下部叶叶片长 5 ~ 10 cm，倒卵状披针形，常大头状羽裂，先端裂片大，卵形或长圆状披针形，边缘有浅齿裂或不整齐牙齿，侧裂片很小，2 ~ 5 对，近全缘，有长柄；茎上部叶向上渐小，多不分裂，宽披针形，具短柄或基部抱茎，边缘有不整齐疏牙齿。萼片倒卵状长圆形，长 2 ~ 3 mm；花瓣黄色，匙形，基部渐狭成爪，与萼片等长。角果细圆柱形，长 1 ~ 2 cm，宽 1 ~ 1.5 mm，斜上开展，稍上弯；果瓣隆起。种子每室 2 行，多数，细小，卵圆形，褐色，有细网纹。花果期 4 ~ 9 月。

| **生境分布** | 生于路旁、田地、庭园或河畔。江苏各地均有分布。

| **资源情况** | 野生资源丰富。

| **采收加工** | 5 ~ 7 月采收，鲜用或晒干。

| **功效物质** | 含有蔊菜素及有机酸类、黄酮类、微量生物碱等成分。

| **功能主治** | 辛、苦，微温。归肺、肝经。祛痰止咳，解表散寒，活血解毒，利湿退黄。用于咳嗽痰喘，感冒发热，麻疹透发不畅，风湿痹痛，咽喉肿痛，疔疮痈肿，漆疮，经闭，跌打损伤，黄疸，水肿。

| **用法用量** | 内服煎汤，10 ~ 30 g，鲜品加倍；或捣绞汁。外用适量，捣敷。

十字花科 Cruciferae 蔊菜属 *Rorippa* 凭证标本号 320323170510840LY

沼生蔊菜 *Rorippa islandica* (L.) Borbas

| 药材名 | 水前草（药用部位：全草）。

| 形态特征 | 二年生或多年生草本。高 20 ~ 60 cm，无毛。茎直立，单一或上部多分枝，有时带紫色。基生叶叶片长圆形或倒卵状长圆形，有长柄，羽状深裂，长 5 ~ 10 cm，裂片边缘具不规则浅裂或呈深波状；茎生叶向上渐小，有柄或近无柄，羽状深裂或有齿。总状花序顶生或腋生，无苞片；萼片斜展，倒披针状长圆形，边缘膜质；花瓣黄色，楔形或长倒卵形，与萼片近等长，长 2 ~ 3 mm。角果椭圆状圆柱形或长椭圆形，长 5 ~ 9 mm，宽约 2 mm；果瓣凸起，无脉。种子每室 2 行，多数，卵形，赤黄色，表面有点状小穴。花期 5 ~ 7 月，果期 7 ~ 9 月。

|生境分布| 生于沼泽、洼地、田边或河旁。分布于江苏徐州（睢宁）、连云港、淮安（盱眙）、无锡（宜兴）等。

|资源情况| 野生资源丰富。

|采收加工| 7 ~ 8 月采收，洗净，切断，晒干。

|药材性状| 本品茎表面黄绿色，基部带紫色，具数条棱线；断面髓部类白色。叶多皱缩破碎，完整的基生叶羽状深裂，侧裂片 3 ~ 7 对，裂片宽披针形或条形，边缘具疏齿，表面黄绿色，有长柄；茎生叶稍小，基部耳状抱茎。短角果圆柱形或椭圆形，稍弯曲，长 4 ~ 6 mm，果爿肿胀，绿褐色。种子近卵圆形而扁，长 0.8 ~ 1 mm，褐色，具细网纹。气微，味辛。

|功效物质| 种子含有芥子碱。

|功能主治| 辛、苦，凉。归肝、膀胱经。清热解毒，利水消肿。用于风热感冒，咽喉肿痛，黄疸，淋病，水肿，关节炎，痈肿，烫火伤。

|用法用量| 内服煎汤，6 ~ 15 g。外用适量，捣敷。

十字花科 Cruciferae 菥蓂属 *Thlaspi* 凭证标本号 321183150416714LY

菥蓂 *Thlaspi arvense* L.

| 药材名 | 菥蓂（药用部位：全草）。

| 形态特征 | 一年生草本。高 9 ~ 60 cm。茎直立，单一或分枝，具棱。茎生叶长圆状披针形，长 3 ~ 5 cm，先端钝圆，边缘有疏齿或近全缘，基部箭形而抱茎。总状花序顶生；花直径约 2 mm；花瓣白色，长圆状倒卵形，先端圆钝或微凹。短角果扁平，卵形或近圆形，长 12 ~ 18 mm，宽 10 ~ 16 mm，先端中部陡然凹陷，边缘有宽翅。种子每室 4 ~ 12，卵形，长约 1.5 mm，黑褐色，表面有向心环纹。花期 4 ~ 5 月，果期 5 ~ 6 月。

| 生境分布 | 生于路旁或田圃中。江苏各地均有分布。

| 资源情况 | 野生资源丰富。

| 采收加工 | 5 ~ 6 月果实成熟时采收，晒干。

| 药材性状 | 本品长 15 ~ 55 cm。根细长圆锥形；表面灰黄色；质硬脆，易折断，断面不平坦。茎圆柱形，直径 1 ~ 5 mm，表面灰黄色或灰绿色，有细纵棱，质脆，易折断，断面中央有白色疏松的髓。叶多碎落。总状花序生于整枝先端及叶腋。短角果卵圆形而扁平，长 0.8 ~ 1.5 cm，宽 0.5 ~ 1.3 cm，表面灰黄色或灰绿色，中央略隆起，边缘有宽翅，宽 1.5 ~ 3 mm，两面中央各有 1 纵棱线，先端凹陷，基部有细果柄，长约 1 cm；假隔膜纵分成 2 室，每室有种子 5 ~ 7，果实开裂后，留下一纺锤形的白色膜状中隔。气微，味淡。以果实完整、黄绿色者为佳。

| 功效物质 | 含有黑芥子苷、木犀草素、芹菜素、香叶木素、新橙皮苷、木犀草素 -7-*O*-*β*-D-葡萄糖苷等。

| 功能主治 | 苦、甘，微寒。归肝、肾经。清热解毒，利水消肿。用于目赤肿痛，肺痈，肠痈，泄泻，痢疾，带下，产后瘀血腹痛，消化不良，肾炎水肿，肝硬化腹水，痈疮肿毒。

| 用法用量 | 内服煎汤，10 ~ 30 g，鲜品加倍。

悬铃木科 Platanaceae 悬铃木属 *Platanus* 凭证标本号 321284190913061LY

二球悬铃木 *Platanus* × *acerifolia* (Ait.) Willd.

| 药 材 名 |

悬铃木叶（药用部位：叶）、悬铃木（药用部位：果实）。

| 形态特征 |

落叶大乔木。高 30 m。树皮光滑，呈大片块状脱落；嫩枝密生灰黄色绒毛；老枝秃净，红褐色。叶片阔卵形，宽 12 ~ 25 cm，长 10 ~ 24 cm，上下两面嫩时有灰黄色毛被，下面的毛被更厚而密，后变秃净，仅在背脉腋内有毛；基部截形或微心形，上部掌状 5 裂，有时 7 裂或 3 裂；中央裂片阔三角形，宽、长近相等；裂片全缘或有 1 ~ 2 粗大锯齿；掌状脉 3，稀 5，常距离基部数毫米，或为基出；叶柄长 3 ~ 10 cm，密生黄褐色毛被；托叶中等大，长 1 ~ 1.5 cm，基部鞘状，上部开裂。花通常 4 数。雄花的萼片卵形，被毛；花瓣矩圆形，长为萼片的 2 倍；雄蕊比花瓣长，盾形药隔有毛。果枝有头状果序 1 ~ 2，稀 3，常下垂；头状果序直径约 2.5 cm，宿存花柱长 2 ~ 3 mm，刺状，坚果之间无突出的绒毛，或有极短的毛。

| 生境分布 | 江苏各地均有栽培。

| 资源情况 | 栽培资源较丰富。

| 采收加工 | **悬铃木叶：**秋季采收刚掉落的叶。

悬铃木：秋季采收近成熟果实。

| 功效物质 | 含有 7-*O*-prenylpinocembrin、山柰酚单糖苷。

| 功能主治 | **悬铃木叶：**滋补，退热发汗。

悬铃木：解表发汗，止血。用于血小板减少性紫癜，出血。

| 用法用量 | 内服煎汤，3 ~ 9 g；或研末，2 ~ 3 g。外用适量，煅存性，研末敷。

| 附　　注 | 本种喜光，喜温暖湿润气候，较耐寒。对土壤要求不严，能适应城市环境。

金缕梅科 Hamamelidaceae 蚊母树属 *Distylium* 凭证标本号 321284190414057LY

蚊母树 *Distylium racemosum* Sieb. et Zucc.

| 药 材 名 | 蚊母树（药用部位：根、树皮）。

| 形态特征 | 常绿灌木或中乔木。嫩枝有鳞垢，老枝秃净，干后暗褐色；芽体裸露无鳞状苞片，被鳞垢。叶片革质，椭圆形或倒卵状椭圆形，长 3 ~ 7 cm，宽 1.5 ~ 3.5 cm，先端钝或略尖，基部阔楔形，上面深绿色，发亮，下面初时有鳞垢，后变秃净，侧脉 5 ~ 6 对，在上面不明显，在下面稍凸起，网脉在上下两面均不明显，边缘无锯齿；叶柄长 5 ~ 10 mm，略有鳞垢。托叶细小，早落。总状花序长约 2 cm，花序轴无毛，总苞 2 ~ 3，卵形，有鳞垢；苞片披针形，长 3 mm，雌、雄花同在一个花序上，雌花位于花序的先端；萼筒短，萼齿大小不等，被鳞垢；雄蕊 5 ~ 6，花丝长约 2 mm，花

药长 3.5 mm，红色；子房有星状绒毛，花柱长 6 ~ 7 mm。蒴果卵圆形，长 1 ~ 1.3 cm，先端尖，外面有褐色星状绒毛，上半部 2 片裂开，每片 2 浅裂，不具宿存萼筒，果柄短，长不及 2 mm。种子卵圆形，长 4 ~ 5 mm，深褐色，发亮，种脐白色。

| 生境分布 | 江苏南部地区多有栽培。

| 资源情况 | 栽培资源一般。

| 采收加工 | 全年均可采挖根，洗净，切段，晒干。在树木修剪与整形时剥取树皮，晒干或风干后切 1 ~ 2 cm 的小段，进行浸提，温度以 70 ~ 90 ℃为宜。

| 药材性状 | 本品根长圆锥形，大小、长短不一。表面灰褐色。质硬，不易折断，断面纤维性。气微，味淡。

| 功效物质 | 主要含有二苯并呋喃和黄酮类、鞣质类成分。

| 功能主治 | 辛、微苦，平。活血祛瘀，抗肿瘤。用于手足水肿，风湿腰痛，恶性肿瘤，跌打损伤。

| 用法用量 | 内服煎汤，6 ~ 12 g。

| 附　　注 | 本种喜光，稍耐阴，喜温暖湿润气候，耐寒性不强。

金缕梅科 Hamamelidaceae 牛鼻栓属 *Fortunearia* 凭证标本号 321112180728006LY

牛鼻栓 *Fortunearia sinensis* Rehd. et Wils.

| 药 材 名 | 牛鼻栓（药用部位：枝叶、根）。

| 形态特征 | 落叶灌木或小乔木。株高达 9 m，有裸芽。小枝和叶柄有星状毛。叶片纸质，倒卵形至卵状长椭圆形，长 7 ~ 16 cm，宽 3 ~ 8 cm，先端渐尖，基部圆形或截形，边缘具锯齿，侧脉达齿尖而成刺芒状；有短柄；托叶小，早落。雄花和两性花分别生于顶生总状花序的上部和下部，有短花序梗，基部常有叶 1 ~ 3。两性花先于叶或与叶同时开放；萼齿卵状披针形，外被星状毛；花瓣钻形，短于萼齿；雄蕊与萼齿等长，花药红色，花丝极短；花柱 2，外曲，淡红色。雄花排列成柔荑状，有退化雌蕊。蒴果木质，卵圆形，室间及室背开裂，表面光滑，密生白色皮孔。种子 2，长卵形，亮褐色。花期

3 ~ 4 月，果期 7 ~ 8 月。

| 生境分布 | 生于山坡杂木林或岩隙中。分布于江苏徐州、连云港、南京、镇江（句容）、无锡（宜兴）、常州（溧阳）、苏州等。

| 资源情况 | 野生资源较丰富。

| 采收加工 | 春、夏季采摘枝叶，晒干。根，全年均可采挖，洗净，晒干。

| 药材性状 | 本品茎枝圆柱形，长短及粗细不一，表面褐色或灰褐色，有稀疏的圆形皮孔，小枝密生星状毛。叶多皱缩，完整叶片展平后呈倒卵状椭圆形，基部稍偏斜，长 6 ~ 16 cm，宽 2 ~ 8 cm，叶片下面、叶脉及叶柄均有星状毛，边缘有锯齿。气微，味微苦、涩。

| 功效物质 | 主要含有牛鼻栓苷和岩日菜素。

| 功能主治 | 苦、涩，平。归脾、肝经。益气止血。用于气虚劳伤乏力，创伤出血。

| 用法用量 | 内服煎汤，10 ~ 24 g；大剂量单用 60 ~ 90 g。外用适量，捣敷。

金缕梅科 Hamamelidaceae 枫香树属 *Liquidambar* 凭证标本号 321112180724002LY

枫香树 *Liquidambar formosana* Hance

| 药 材 名 | 枫香脂（药材来源：树脂）、枫香树皮（药用部位：树皮）、路路通（药用部位：果序）。

| 形态特征 | 乔木。高可达 40 m。树干耸直；老树皮深灰色，具不规则深裂；小枝树皮淡灰色。叶片纸质，常为掌状 3 裂（萌芽枝的叶常为 5 ~ 7 裂），长 6 ~ 12 cm，宽 9 ~ 17 cm，掌状脉 5 ~ 7；叶柄长达 11 cm；托叶线形，红色，早落。雄花常排列成总状花序，雄蕊多数，花丝不等长；雌花排列成头状花序，有细长花序梗；萼齿 4 ~ 7，开花后增长；花柱 2，长约 1 cm，先端常卷曲。球形果序，聚合果状，直径 2.5 ~ 4.5 cm，下垂；蒴果木质，下半部藏于花序轴内，宿存花柱和萼齿针刺状。种子多数，褐色，多角形或有窄翅。花期 4 ~ 5 月，果期 10 月。

| **生境分布** | 生于平原、丘陵或山坡的向阳沃土上。分布于江苏连云港、南京、镇江（句容）、无锡（宜兴）、苏州（常熟）等。

| **资源情况** | 野生资源较丰富。

| **采收加工** | **枫香脂：**7 ~ 8 月间割裂树干，使树脂流出，10 月至翌年 4 月采收，阴干。

枫香树皮：全年均可采剥，洗净，晒干或烘干。

路路通：冬季果实成熟后采收，去净杂质，干燥。

| 药材性状 |

枫香脂：本品呈不规则块状，淡黄色至黄棕色，半透明或不透明。质脆，断面具光泽。气香，味淡。

枫香树皮：本品呈板片状，长 20 ~ 40 cm，厚 0.3 ~ 1 cm。外表面灰黑色，栓皮易呈长方块状剥落，有纵槽及横裂纹；内表面浅黄棕色，较平滑。质硬脆，易折断，断面纤维性。气清香，味辛、微苦、涩。

路路通：本品呈圆球形，直径 2 ~ 3 cm。表面灰棕色至棕褐色，有多数尖刺状宿存萼齿及鸟喙状花柱，常折断或弯曲，除去后则现多数蜂窝小孔；基部有圆柱形果柄，长 3 ~ 4.5 cm，常折断或仅具果柄痕。小蒴果顶部开裂成空洞状，可见种子多数，发育不完全者细小，多角形，直径约 1 mm，黄棕色至棕褐色，发育完全者少数，扁平长圆形，具翅，褐色。体轻，质硬，不易破开。气微香，味淡。以个大、黄色、无泥、无果柄者为佳。

| 功效物质 |

枫香脂含有树脂和挥发油两大类成分，其中树脂部分包括五环三萜类酸及酯类化合物，挥发油部分包括石竹烯、蒎烯、莰烯、松油烯、乙酸龙脑酯等数十种化合物。果序的主要成分包括桦木酮酸、没食子酸、路路通酮 A 及其他萜类、脂肪族、芳香族等化合物。

| 功能主治 |

枫香脂：辛、微苦，平。归肺、脾经。活血止痛，解毒生肌，凉血止血。用于跌扑损伤，痈疽肿痛，吐血，衄血，外伤出血。

枫香树皮：辛、微苦，平。归肾、大肠经。祛风止痒，除湿止泻。用于泄泻，痢疾，大风癞疮，痒疹。

路路通：苦，平。祛风活络，利水，通经。用于关节痹痛，麻木拘挛，水肿胀满，乳少，经闭。

｜用法用量｜

枫香脂：内服煎汤，3 ~ 6 g；或入丸、散剂。外用适量，研末撒；或调敷或制膏摊贴；或熏蒸。

枫香树皮：内服煎汤，鲜品 30 ~ 60 g。外用适量，煎汤洗；或研末调敷。

路路通：内服煎汤，3 ~ 10 g；或煅后研末。外用适量，研末敷；或烧烟闻嗅。

金缕梅科 Hamamelidaceae 檵木属 *Loropetalum* 凭证标本号 320506150825194LY

檵木 *Loropetalum chinense* (R. Br.) Oliv.

| 药 材 名 | 檵花（药用部位：花）、檵木根（药用部位：根）、檵木叶（药用部位：叶）。

| 形态特征 | 常为灌木，稀为小乔木。高 2 ~ 5（~ 12）m。小枝有锈色星状毛。叶片革质，卵形，长 1.5 ~ 6 cm，宽 1.5 ~ 2.5 cm，先端急尖，基部偏斜而圆，全缘，叶背密生星状柔毛；叶柄长 2 ~ 5 mm。花 3 ~ 8 簇生成头状花序；花序梗长约 1 cm，被毛；苞片线形；萼筒有星状毛，萼齿卵形；花瓣 4，白色，线形，长 1 ~ 2 cm；雄蕊 4，花丝极短；药隔凸出成角状；退化雄蕊 4，鳞片状，与雄蕊互生。子房被星状毛，花柱长约 1 mm。蒴果褐色，近卵形，长约 1 cm，有星状毛，2 瓣裂，每瓣 2 浅裂。种子长卵形，黑色，有光泽，长 4 ~ 5 mm。花期 5 月，果期 8 月。

| 生境分布 | 生于山坡矮林间。分布于江苏镇江（句容）、无锡（宜兴）、常州（溧阳）、苏州等。

| 资源情况 | 野生及栽培资源丰富。

| 采收加工 | **檵花：**清明前后采摘，阴干。

檵木根：全年均可采挖，洗净，切块，鲜用或晒干。

檵木叶：全年均可采收，晒干。

| 功效物质 | 花含有槲皮素、异槲皮素。叶含有槲皮素和鞣质，尚含有没食子酸和黄酮类成分。总酚和总黄酮被认为是檵木的主要活性成分。

| 功能主治 | **檵花：**甘、涩，平。清热止咳，收敛止血。用于肺热咳嗽，咯血，鼻衄，便血，痢疾，泄泻，崩漏。

檵木根：苦，温。止血活血，收敛固涩。用于咯血，吐血，便血，外伤出血，崩漏，产后恶露不尽，风湿关节疼痛，跌打损伤，泄泻，痢疾，带下，脱肛。

檵木叶：苦、涩，平。收敛止血，清热解毒。用于咯血，吐血，便血，外伤出血，崩漏，产后恶露不尽，紫癜，暑热泻痢，跌打损伤，创伤出血，肝热目赤，喉痛。

| 用法用量 | **檵花：**内服煎汤，6 ~ 9 g。

檵木根：内服煎汤，9 ~ 15 g。

檵木叶：内服煎汤，15.5 ~ 31 g。外用适量，捣敷；或干品研末敷。

金缕梅科 Hamamelidaceae 檵木属 *Loropetalum* 凭证标本号 320482180720199LY

红花檵木 *Loropetalum chinense* var. *rubrum* Yieh

| 药 材 名 | 红花檵木（药用部位：花、根、叶）。

| 形态特征 | 本种与原种檵木的区别在于叶暗紫色，花瓣紫红色，花期 4 ~ 5 月。

| 生境分布 | 江苏各地均有栽培。

| 资源情况 | 栽培资源丰富。

| 功效物质 | 其活性成分主要包括数十种单宁类和多元酚类物质，如黄酮苷、黄酮苷元、没食子酸、单宁及绿原酸等。

| 功能主治 | 花，清热止咳，收敛止血。用于肺热咳嗽，咯血，鼻衄，便血，痢疾，泄泻，崩漏。根，止血活血，收敛固涩。用于咯血，吐血，

便血，外伤出血，崩漏，产后恶露不尽，风湿关节疼痛，跌打损伤，泄泻，痢疾，带下，脱肛。叶，收敛止血，清热解毒。用于咯血，吐血，便血，外伤出血，崩漏，产后恶露不尽，紫癜，暑热泻痢，跌打损伤，创伤出血，肝热目赤，喉痛。

|用法用量| 内服煎汤，15 g。外用 30 g，炒，研为细末，茶油调外涂患处。

|附　　注| 本种喜半阴环境，喜温暖湿润气候及疏松酸性土壤，pH 4.5 ～ 6，适应性、萌发力及抗逆性强，较耐阴、耐旱、耐寒、抗热，地栽能耐 −12 ℃低温和能抗 43 ℃高温。在阳光充足的条件下，叶色、花色鲜艳，开花多，而在背阴处花色和叶色暗淡，且开花较少。温度适宜时开花时间约 10 天，一年能多次抽梢开花。

景天科 Crassulaceae 瓦松属 *Orostachys* 凭证标本号 320722181016305LY

晚红瓦松 *Orostachys erubescens* (Maxim) Ohwi

| 药 材 名 |

瓦松（药用部位：全草）。

| 形态特征 |

多年生肉质草本。莲座叶叶片狭匙形，肉质，先端长渐尖，有软骨质的刺。花茎高 17 ~ 25 cm。茎下部生叶，叶片线形至披针形，先端长渐尖，不具刺尖，有红色小圆斑点。总状花序，紧密；花无梗或具短梗；苞片与叶相似，较小；萼片 5，卵形，长约 2 mm，宽 1 mm，先端钝；花瓣 5，白色，披针形，长 0.6 ~ 1.8 mm，先端微凹；雄蕊 10，2 轮，较花瓣短；鳞片 5，近四方形，长 0.3 mm，先端有微缺；心皮 5，分离，直立，披针形，基部急狭，花柱细。蓇葖果。种子褐色，长 1 mm。花期 9 ~ 10 月。

| 生境分布 |

生于废旧屋顶、低山石上或溪沟旁。江苏各地均有分布。

| 资源情况 |

野生资源较丰富。

| 采收加工 |

夏、秋季采收，用沸水浸后，鲜用或晒干。

| 药材性状 |

本品茎黄褐色或暗棕褐色，长 12 ~ 20 cm，残留多数叶脱落后的疤痕，交互连接成棱状花纹。叶皱缩卷曲，绿色或黄褐色，长 12 ~ 15 mm，宽约 3 mm。茎上部叶间带有小花，呈红褐色，小花柄长短不一。质轻脆，易碎。气微，味酸。

| 功效物质 |

主要含有木栓醇、齐墩果酸及三十二烷酸等成分。

| 功能主治 |

酸、苦，凉；有小毒。归肝、肺经。凉血止血，清热解毒，收湿敛疮。用于吐血，鼻衄，便血，血痢，热淋，月经不调，疔疮痈肿，痔疮，湿疹，烫伤，肺炎，肝炎，宫颈糜烂，乳糜尿。

| 用法用量 |

内服煎汤，5 ~ 15 g；或捣汁；或入丸剂。外用适量，捣敷；或煎汤熏洗；或研末调敷。

景天科 Crassulaceae 景天属 *Sedum* 凭证标本号 321284190718035LY

费菜 *Sedum aizoon* L.

| 药 材 名 | 景天三七（药用部位：全草或根）。

| 形态特征 | 多年生草本。株高 20 ～ 50 cm。根茎短粗。茎 1 ～ 3，直立，无毛，不分枝。叶互生；叶片坚实，近革质，狭披针形、椭圆状披针形至卵状倒披针形，先端渐尖，基部楔形，边缘有不整齐的锯齿。聚伞花序有多花，水平分枝，平展，下托以苞叶；萼片 5，线形，肉质，不等长，先端钝；花瓣 5，黄色，长圆形至椭圆状披针形，有短尖；雄蕊 10，较花瓣短；鳞片 5，近长方形；心皮 5，卵状长圆形，基部合生，腹面凸出，花柱长钻形。小蓇葖果星芒状排列。种子椭圆形，长约 1 mm。花期 6 ～ 7 月，果期 8 ～ 9 月。

| 生境分布 | 生于山坡岩石上或草丛中。江苏各地均有分布。江苏部分地区有

栽培。

| **资源情况** | 野生资源较丰富。

| **采收加工** | 全年均可采收全草，鲜用，或秋季采收后晒干。春、秋季采挖根，洗净，晒干。

| **药材性状** | 本品根茎短小，略呈块状；表面灰棕色，根数条，粗细不等；质硬，断面暗棕色或类灰白色。茎圆柱形，长 15 ～ 40 cm，直径 2 ～ 5 mm；表面暗棕色或紫棕色，有纵棱；质脆，易折断，断面常中空。叶互生或近对生，几无柄；叶片皱缩，展平后呈长披针形至倒披针形，长 3 ～ 8 cm，宽 1 ～ 2 cm，灰绿色或棕褐色，先端渐尖，基部楔形，边缘上部有锯齿，下部全缘。聚伞花序顶生，花黄色。气微，味微涩。

| **功效物质** | 主要含有酚酸和黄酮类成分，以没食子酸、没食子酸甲酯等为主。

| **功能主治** | 甘、微酸，平。归心、肝、脾经。散瘀止血，宁心安神，解毒。用于吐血，衄血，咯血，便血，尿血，崩漏，紫斑，外伤出血，跌打损伤，心悸，失眠，疮疖痈肿，烫火伤，毒虫蜇伤。

| **用法用量** | 内服煎汤，15 ～ 30 g；或鲜品绞汁，30 ～ 60 g。外用适量，鲜品捣敷；或研末撒敷。

景天科 Crassulaceae 景天属 *Sedum* 凭证标本号 320506150426045LY

珠芽景天 *Sedum bulbiferum* Makino

| 药 材 名 | 珠芽半支（药用部位：全草）。

| 形态特征 | 多年生草本。高 7 ~ 25 cm。根须状。茎细弱，下部常横卧；叶腋常有圆球形、肉质、小形株芽着生。茎基部叶常对生，上部的互生；下部叶卵状匙形，上部叶匙状倒披针形，长 10 ~ 15 mm，宽 2 ~ 4 mm，先端钝，基部渐狭。花序聚伞状，分枝 3，常再二歧分枝；萼片 5，披针形至倒披针形，长 3 ~ 4 mm，宽达 1 mm，有短距，先端钝；花瓣 5，黄色，披针形至长圆形，先端有短尖；雄蕊 10，较花瓣为短；腺体长圆柱状匙形；心皮 5，基部合生。种子长圆形，无翅，表面有乳头状突起。花期 4 ~ 5 月。

| 生境分布 | 生于低山、平地或田野阴湿处。江苏各地均有分布。

| 资源情况 | 野生资源较丰富。

| 采收加工 | 夏季采收，鲜用或晒干。

| 功效物质 | 含有对羟基苯甲酸、反式对羟基肉桂酸、环橄榄树脂素等成分。

| 功能主治 | 酸、涩，凉。归肝经。清热解毒，凉血止血，截疟。用于热毒痈肿，牙龈肿痛，毒蛇咬伤，血热出血，外伤出血，疟疾。

| 用法用量 | 内服煎汤，12 ~ 24 g；或浸酒。

景天科 Crassulaceae 景天属 *Sedum* 凭证标本号 320506150824046LY

凹叶景天 *Sedum emarginatum* Migo

| 药 材 名 | 马牙半支（药用部位：全草）。

| 形态特征 | 多年生草本。株高 10 ～ 15 cm。茎细弱。叶对生；叶片匙状倒卵形至宽卵形，长 1 ～ 2 cm，宽 5 ～ 10 mm，先端圆，有微缺，基部渐狭，有短距。花序聚伞状，顶生，宽 3 ～ 6 mm，有多花，常有 3 分枝；花无梗；萼片 5，披针形至狭长圆形，长 2 ～ 5 mm，宽 0.7 ～ 2 mm，先端钝，基部有短距；花瓣 5，黄色，线状披针形至披针形，长 6 ～ 8 mm，宽 1.5 ～ 2 mm；鳞片 5，长圆形，长 0.6 mm，钝圆；心皮 5，长圆形，长 4 ～ 5 mm，基部合生。小蓇葖果略叉开，腹面有浅囊状隆起。种子细小，褐色。花期 5 ～ 6 月，果期 6 月。

| 生境分布 | 生于阴湿山坡岩石上。分布于江苏无锡（宜兴）、苏州等。

| 资源情况 | 野生资源一般。

| 采收加工 | 夏、秋季采收，洗净，鲜用，或置沸水中稍烫，晒干。

| 功效物质 | 含有槲皮素、山柰素、异鼠李素。

| 功能主治 | 清热解毒，凉血止血，利湿。用于痈疖，疔疮，带状疱疹，瘰疬，吐血，衄血，咯血，便血，痢疾，淋病，崩漏，带下，黄疸。

| 用法用量 | 内服煎汤，15 ~ 30 g；或捣汁，鲜品 50 ~ 100 g。外用适量，捣敷。

景天科 Crassulaceae 景天属 *Sedum* 凭证标本号 320124150523003LY

佛甲草 *Sedum lineare* Thunb.

| 药 材 名 | 佛甲草（药用部位：茎叶）。

| 形态特征 | 多年生草本。无毛。茎高 10 ~ 20 cm。3 叶轮生，稀 4 叶轮生或对生；叶片线形，长 20 ~ 25 mm，宽约 2 mm，先端钝尖，基部无柄，有短距。花序聚伞状，顶生，疏生花，宽 4 ~ 8 cm，中央有 1 具短梗的花，另有 2 ~ 3 分枝，分枝常再 2 分枝，着生花无梗；萼片 5，线状披针形，长 1.5 ~ 7 mm，不等长，不具距或有时有短距，先端钝；花瓣 5，黄色，披针形，长 4 ~ 6 mm，先端急尖，基部稍狭；雄蕊 10，较花瓣短；鳞片 5，宽楔形至近四方形，长 0.5 mm，宽 0.5 ~ 0.6 mm；花柱短。小蓇葖果略叉开，长 4 ~ 5 mm。种子小。花期 4 ~ 5 月，果期 6 ~ 7 月。

| 生境分布 | 生于山坡石缝中、低山阴湿处或河边。分布于江苏南京、镇江（句容）、常州（溧阳）、南通、无锡（宜兴）等。

| 资源情况 | 野生资源较丰富。

| 采收加工 | 全年均可采收，鲜用；或夏、秋季采收全株，洗净，置沸水中稍烫，捞起，晒干或炕干。

| 药材性状 | 本品根细小。茎弯曲，长 7 ~ 12 cm，直径约 1 mm；表面淡褐色至棕褐色，有明显的节，偶有残留的不定根。叶轮生，无柄；叶片皱缩卷曲，多脱落，展平后呈条形或条状披针形，长 1 ~ 2 cm，宽约 1 mm。聚伞花序顶生；花小，浅棕色。果实为蓇葖果。气微，味淡。以叶多者为佳。

| 功效物质 | 全草富含黄酮类成分，主要包括金圣草素、红车轴草素、香豌豆苷、香豌豆苷 -3′-甲醚等，具有抑菌、保肝、抗脂质氧化等作用。有研究表明，本品有明显的抗炎和护肝作用，其抗炎机制可能与调节免疫功能有关。

| 功能主治 | 甘、淡，寒。归心、肺、肝、脾经。清热解毒，利湿，止血。用于目赤肿痛，咽喉肿痛，热毒痈肿，疔疮，丹毒，带状疱疹，烫火伤，毒蛇咬伤，黄疸，湿热泻痢，便血，崩漏，外伤出血，扁平疣。

| 用法用量 | 内服煎汤，9 ~ 15 g，鲜品 20 ~ 30 g；或捣汁。外用适量，鲜品捣敷；或捣汁含漱、点眼。

景天科 Crassulaceae 景天属 *Sedum* 凭证标本号 320981170616070LY

垂盆草 *Sedum sarmentosum* Bunge

| 药 材 名 | 垂盆草（药用部位：全草）。

| 形态特征 | 多年生草本。不育枝细，匍匐而节上生根；花茎直立，长 10 ~ 25 cm。3 叶轮生；叶片倒披针形至长圆形，长 15 ~ 28 mm，宽 3 ~ 7 mm，先端近急尖，基部渐狭，有距。聚伞花序，有 3 ~ 5 分枝，花少，无梗。萼片 5，披针形至长圆形，长 3.5 ~ 5 mm，先端钝，基部有距；花瓣 5，黄色，披针形至长圆形，长 5 ~ 8 mm，先端有稍长的短尖；雄蕊 10，较花瓣短；鳞片 10，楔状四方形，先端稍有微缺；心皮 5，长圆形，略叉开，有长花柱。种子细小，卵形，无翅，表面有乳头状突起。花期 5 ~ 7 月，果期 7 ~ 8 月。

| 生境分布 | 生于平地、田野或山坡岩石上。江苏各地均有分布，亦有栽培。

| 资源情况 | 野生及栽培资源丰富。

| 采收加工 | 全年均可采收，鲜用或晒干。

| 药材性状 | 本品稍卷缩。根细短，茎纤细，棕绿色，长 4 ~ 8 cm，直径 1 ~ 2 mm，茎上有 10 余个稍向外凸的褐色环状节，有的节上残留不定根，先端有时带花；质地较韧或脆，断面中心淡黄色。叶片皱缩，易破碎并脱落，完整叶片呈倒披针形至矩圆形，棕绿色，长 1.5 cm，宽 0.4 cm。花序聚伞状；小花黄白色。气微，味微苦。

| 功效物质 | 含有垂盆草苷及黄酮类、生物碱类、三萜类成分等。其中，垂盆草苷具有较好的降低谷丙转氨酶的活性。

| 功能主治 | 甘、淡、酸，凉。归肝、胆、小肠经。利湿退黄，清热解毒。用于湿热黄疸，小便不利，痈肿疮疡。

| 用法用量 | 内服煎汤，15 ~ 30 g，鲜品 50 ~ 100 g；或捣汁。外用适量，捣敷；或研末调搽；或取汁外涂；或煎汤湿敷。

虎耳草科 Cucurbitaceae 溲疏属 *Deutzia* 凭证标本号 NAS00114963

大花溲疏 *Deutzia grandiflora* Bge.

| 药材名 | 溲疏（药用部位：果实）。

| 形态特征 | 灌木。高 1 ~ 3 m。小枝疏被星状毛；老枝无毛，枝皮呈片状脱落。叶片卵形或卵状披针形，长 5 ~ 8 cm，宽 1 ~ 3 cm，先端渐尖或急渐尖，基部圆形或阔楔形，边缘具细圆齿，稍背卷，叶面疏被 4 或 5 列辐射状星状毛，叶背被 10 ~ 15 列辐射状星状毛，毛被不连续覆盖；叶柄疏被星状毛。花枝长 8 ~ 12 cm，具 4 ~ 6 叶，具棱，红褐色，被星状毛；圆锥花序具多花，疏被星状毛；萼裂片卵形，与花梗和萼筒均密被黄褐色星状毛；花瓣白色，长 8 ~ 15 mm，宽约 6 mm，先端急尖，基部收狭，外面被星状毛；雄蕊外轮长于内轮，花丝先端 2 短齿，齿平展，长不及花药，稀内轮舌状；花药具短柄，从花丝裂齿间伸出；花柱 3（或 4），较雄蕊长。蒴果半球形，直径

约 4 mm，疏被星状毛。花期 5 ~ 6 月，果期 8 ~ 10 月。

| 生境分布 | 生于山坡灌丛或栽培于庭院。分布于江苏南部山区。

| 资源情况 | 野生资源较少。

| 采收加工 | 7 ~ 10 月采收，晒干。

| 药材性状 | 本品近球形，直径 1 ~ 3 mm。表面深褐色，具 3 浅沟，有多数白色斑点，疏生浅黄色柔毛或无毛。先端扁平，具花萼脱落痕或残基，基部有果柄或果柄脱落痕，果柄上有黄色柔毛，外果皮较薄，易破碎，横断面可见 3 室，每室充满黑色种子。种子肾形，极小。气微，味苦。

| 功效物质 | 果实含有黄酮类及环烯醚萜类成分。种子含有蛋白质 26.2%。

| 功能主治 | 苦、辛，寒；有小毒。归膀胱、肾、胃经。清热利尿。用于发热，小便不利，遗尿。

| 用法用量 | 内服煎汤，3 ~ 9 g；或入丸剂。外用适量，煎汤洗。

虎耳草科 Cucurbitaceae 绣球属 *Hydrangea* 凭证标本号 321284190702079LY

绣球 *Hydrangea macrophylla* (Thunb.) Ser.

| 药材名 | 绣球（药用部位：根、叶、花）。

| 形态特征 | 灌木。高 0.5 ~ 4 m。枝圆柱形，紫灰色至淡灰色，无毛，有少量皮孔。叶对生；叶片纸质或近革质，倒卵形或阔椭圆形，长 6 ~ 15 cm，宽 4 ~ 11.5 cm，先端短尖，基部钝圆或阔楔形，具粗锯齿，两面无毛或仅叶背中脉两侧被稀疏卷曲短柔毛，脉腋间常具少许髯毛；叶柄粗壮，长 1 ~ 3.5 cm，无毛。伞房状聚伞花序近球形，直径 8 ~ 20 cm，具短的花序梗，分枝粗壮，近等长，密被紧贴短柔毛，花密集，多数不孕。不孕花：萼片 4，阔卵形，长 1.4 ~ 2.4 cm，白色，后变粉红色或淡蓝色。孕性花：极少数，具 2 ~ 4 mm 长的花梗。蒴果 2/3 下位，长陀螺状，宿存花柱 3 或 4。花期 6 ~ 8 月。

| 生境分布 | 生于山谷溪旁或山顶疏林中的荫蔽处。江苏各地均有栽培。

| 资源情况 | 栽培资源丰富。

| 采收加工 | 9 ~ 11 月采挖根，6 ~ 10 月采收叶，7 ~ 9 月采摘花，均晒干。

| 功效物质 | 地上部分和根含有伞形花内酯、瑞香素、香豆素等成分。花含有芸香苷。全株含有氰苷。

| 功能主治 | 叶，苦、微辛，寒；有小毒。根、叶、花，抗疟，清热解毒，杀虫。用于疟疾，心热惊悸，烦躁，喉痹，阴囊湿疹，疥癞。

| 用法用量 | 内服煎汤，9 ~ 12 g。

虎耳草科 Cucurbitaceae 扯根菜属 *Penthorum* 凭证标本号 320830161011041LY

扯根菜 *Penthorum chinense* Pursh

| 药材名 |

水泽兰（药用部位：全草）。

| 形态特征 |

多年生草本。高 15 ~ 80 cm。根和茎均常呈紫红色。茎稀基部分枝，具多数叶，中下部无毛，上部疏生黑褐色腺毛。叶互生；叶片披针形或狭椭圆形，长 4 ~ 11 cm，宽 0.6 ~ 1.2 cm，先端渐尖，基部楔形，边缘有细重锯齿，两面无毛；无柄或近无柄。聚伞花序具多花，长 1.5 ~ 4 cm；花序分枝与花序梗均被褐色腺毛；苞片小，卵形至狭卵形；花有短梗；花萼黄绿色，钟形，5 裂，裂片三角形；常无花瓣；雄蕊 10；心皮 5（或 6），中部以下合生；子房 5（或 6）室，胚珠多数，花柱 5（或 6），较粗。蒴果红紫色，先端有 5 短喙，星状斜展。种子椭圆形，微粗糙。花果期 8 ~ 10 月。

| 生境分布 |

生于较阴湿的草丛中或水沟边。分布于江苏南部山区。

| 资源情况 |

野生资源较丰富。

| 采收加工 | 6 ~ 7 月采收，扎把，晒干。

| 功效物质 | 含有黄酮类及环烯醚萜类成分。

| 功能主治 | 甘，温。利水除湿，活血散瘀，止血，解毒。用于水肿，小便不利，黄疸，带下，痢疾，闭经，跌打损伤，尿血，崩漏，疮痈肿毒，毒蛇咬伤。

| 用法用量 | 内服煎汤，15.5 ~ 31 g。外用适量，捣敷。

虎耳草科 Cucurbitaceae 山梅花属 *Philadelphus*

山梅花 *Philadelphus henryi* Koehne.

| 药 材 名 | 山梅花（药用部位：茎、叶）。

| 形态特征 | 灌木。高 1.5 ~ 3.5 m。二年生小枝灰褐色，表皮呈片状脱落，当年生小枝浅褐色或紫红色，被微柔毛或有时无毛。叶片卵形或阔卵形，长 6 ~ 12.5 cm，宽 8 ~ 10 cm，先端急尖，基部圆形，花枝上叶较小，卵形、椭圆形至卵状披针形，先端渐尖，基部阔楔形或近圆形，边缘具疏锯齿，上面被刚毛，下面密被白色长粗毛，叶脉离基出 3 ~ 5 条；叶柄长 5 ~ 10 mm。总状花序有花 5 ~ 7（ ~ 11），下部的分枝有时具叶；花序轴长 5 ~ 7 cm，疏被长柔毛或无毛；花梗长 5 ~ 10 mm，上部密被白色长柔毛；花萼外面密被紧贴糙伏毛；萼筒钟形，裂片卵形，长约 5 mm，宽约 3.5 mm，先端骤渐尖；花冠盘状，直径 2.5 ~ 3 cm；花瓣白色，卵形或近圆形，基部急收狭，

长 13 ~ 15 mm，宽 8 ~ 13 mm；雄蕊 30 ~ 35，最长者达 10 mm；花盘无毛；花柱长约 5 mm，无毛，近先端稍分裂，柱头棒形，长约 1.5 mm，较花药小。蒴果倒卵形，长 7 ~ 9 mm，直径 4 ~ 7 mm。种子长 1.5 ~ 2.5 mm，具短尾。花期 5 ~ 6 月，果期 7 ~ 8 月。

| 生境分布 | 生于灌丛中。江苏南部地区有栽培。

| 资源情况 | 栽培资源一般。

| 采收加工 | 夏季采集，扎把，晒干。

| 功效物质 | 主要含黄酮类及生物碱类等成分，具有消炎的功能。

| 功能主治 | 甘、淡，平。清热利湿。用于膀胱炎，黄疸型肝炎。

| 用法用量 | 内服煎汤，6 ~ 9 g。

虎耳草科 Cucurbitaceae 茶藨子属 *Ribes* 凭证标本号 321183150402006LY

华蔓茶藨子 *Ribes fasciculatum* Sieb. et Zucc. var. *chinense* Maxim.

| 药 材 名 | 三升米（药用部位：根）。

| 形态特征 | 落叶灌木。高达 1.5 m。小枝灰褐色，嫩时无毛或有疏柔毛；老时脱落，皮稍剥裂。叶片三角状圆形，长（2 ~ ）3 ~ 4 cm，宽（2.5 ~ ）3.5 ~ 5 cm，基部截形至浅心形，两面无毛，或幼时疏被柔毛，后近无毛，3 ~ 5 裂，裂片宽卵圆形，先端稍钝或急尖，边缘具粗钝单锯齿；叶柄长 1 ~ 3 cm，被疏柔毛。花单性，雌雄异株，组成几无花序梗的伞形花序；雄花序具花 2 ~ 9，雌花 2 ~ 4（ ~ 6）簇生，稀单生；苞片长圆形，微被短柔毛，早落；花萼黄绿色，萼筒杯状，萼片长圆形，长 2 ~ 4 mm，先端圆钝，花期反折；花瓣近圆形或扇形，长 1.5 ~ 2 mm，宽稍大于长；雄蕊长于花瓣，花丝极短。浆果近球形，红褐色，无毛。花期 4 ~ 5 月，果期 7 ~

9 月。

| 生境分布 | 生于山坡林缘。分布于江苏南京、镇江、苏州等。

| 资源情况 | 野生资源较少。

| 采收加工 | 全年均可采挖，一般选择非花期。

| 功效物质 | 主要包括黄酮类及有机酸、维生素、糖类等成分。

| 功能主治 | 甘、苦，平。归心、脾经。凉血清热，调经。用于虚热乏力，月经不调，痛经。

| 用法用量 | 内服煎汤，15 ~ 30 g。

虎耳草科 Cucurbitaceae 虎耳草属 *Saxifraga* 凭证标本号 320481151024123LY

虎耳草 *Saxifraga stolonifera* Curt.

| 药 材 名 | 虎耳草（药用部位：全草）。

| 形态特征 | 多年生常绿草本。高 14 ~ 45 cm。有细长的匍匐茎，带红紫色。叶常数个基生，肉质，密生长柔毛；叶柄很长；叶片广卵形或肾形，基部心形或截形，边缘有不规则钝锯齿，两面有长伏毛，叶面有时有白色斑纹，叶背紫红色或有斑点。圆锥花序，花稀疏，花梗有短腺毛；花两侧对称；萼片 5，不等大，卵形；花瓣 5，白色，3 瓣小，卵形，长 2.8 ~ 4 mm，常有红斑点，下面 2 瓣大，披针形，长 0.8 ~ 1.5 cm；雄蕊 10；花盘半环状，围绕于子房一侧，边缘具瘤状突起；心皮 2，合生。蒴果卵圆形，有 2 喙。花果期 4 ~ 11 月。

| 生境分布 | 生于山坡阴湿石缝中。江苏各地均有分布。

| 资源情况 | 野生资源较丰富。

| 采收加工 | 全年均可采收，以花开后采者为佳。

| 药材性状 | 本品全体被毛。单叶，基部丛生，叶柄长，密生长柔毛；叶片圆形至肾形，肉质，宽 4 ~ 9 cm，边缘浅裂，疏生尖锐牙齿；下面紫红色，无毛，密生小球形细点。花白色，上面 3 瓣较小，卵形，有黄色斑点，下面 2 瓣较大，披针形，倒垂，形似虎耳。蒴果卵圆形。气微，味微苦。

| 功效物质 | 含有生物碱、硝酸钾、氯化钾、熊果酚苷、儿茶酚、绿原酸等成分。

| 功能主治 | 苦、辛，寒；有小毒。归肺、脾、大肠经。疏风清热，凉血解毒。用于风热咳嗽，肺痈，吐血，风火牙痛，风疹瘙痒，痈肿丹毒，痔疮肿痛，毒虫咬伤，烫伤，外伤出血。

| 用法用量 | 内服煎汤，10 ~ 15 g。外用适量，捣汁滴；或煎汤熏洗。

虎耳草科 Cucurbitaceae 钻地风属 *Schizophragma*

钻地风 *Schizophragma integrifolia* Oliv.

| 药 材 名 | 钻地风（药用部位：根、茎藤）。

| 形态特征 | 木质藤本。小枝褐色，无毛，具细条纹。叶对生；叶片纸质，椭圆形、长椭圆形或阔卵形，长 8 ~ 20 cm，宽 3.5 ~ 12.5 cm，先端渐尖或急尖，具狭长或阔短尖头，基部阔楔形、圆形至浅心形，全缘或上部或多或少具小齿，叶面无毛，叶背有时沿脉被疏短柔毛，后渐变近无毛，脉腋常具簇毛；叶柄长 2 ~ 9 cm，无毛。伞房状聚伞花序密被褐色、紧贴短柔毛，结果时毛渐稀少；不孕花，萼片 1，稀 2 或 3，披针形至阔椭圆形，黄白色；孕性花，萼筒陀螺状，基部略尖，萼齿三角形；花瓣长卵形，长 2 ~ 3 mm，先端钝；雄蕊 10，近等长；子房近下位。蒴果钟状或陀螺状，长约 6 mm，先端突出部分呈短圆锥形。种子两端具翅。花期 6 ~ 7 月，果期 10 ~ 11 月。

| 生境分布 | 生于山地林下。分布于江苏无锡（宜兴）等南部地区。

| 资源情况 | 野生资源一般。

| 采收加工 | 全年均可采收，切段，晒干。

| 药材性状 | 本品干燥的根皮呈半卷筒状，厚而宽阔，内层有网纹。以皮质松脆、不含木心、红棕色、味清香微带樟脑气者为佳。

| 功效物质 | 主要含有酚性、三萜及三萜皂苷类成分，包括熊果酸、蔷薇酸等。其挥发性成分对急性炎症有良好的抑制作用。

| 功能主治 | 淡，凉。归脾经。祛风活血，舒筋通络。用于风湿痹痛，四肢关节痛，丝虫病。

| 用法用量 | 内服煎汤，9 ~ 15 g；或浸酒。

海桐花科 Pittosporaceae 海桐花属 *Pittosporum* 凭证标本号 320481151024239LY

海桐 *Pittosporum tobira* (Thunb.) Ait.

| 药 材 名 | 海桐枝叶（药用部位：枝、叶）。

| 形态特征 | 常绿小乔木或灌木。叶多数聚生于枝顶；叶片革质，嫩时有柔毛，狭倒卵形，长 5 ~ 12 cm，宽 1 ~ 4 cm，叶面深绿色，发亮（干后变暗），先端钝圆或内凹，基部窄楔形，全缘，边缘常外卷；叶柄长达 2 cm。伞形花序或伞房状伞形花序顶生或近顶生，密被黄褐色柔毛；具苞片和小苞片；花梗长 1 ~ 2 cm；花芳香，萼片卵形，长 3 ~ 4 mm，被柔毛；花瓣白色，后变黄色，倒披针形，长 1 ~ 1.2 cm；雄蕊 5，二型，正常雄蕊的花丝长 5 ~ 6 mm，退化雄蕊的花丝长 2 ~ 3 mm；子房密被柔毛，胚珠多数，2 列着生。蒴果近球形，有棱角，长达 1.5 cm；果瓣 3，木质，内侧黄褐色，具横格。种子多数，鲜红色。花期 5 月，果期 10 月。

| 生境分布 | 生于林下或沟边。分布于江苏南部山区。江苏各地多有栽培。

| 资源情况 | 栽培资源丰富。

| 采收加工 | 枝，全年均可采收，除去泥土，切片，晒干。叶，全年均可采收，鲜用或晒干。

| 功效物质 | 主要含有以海桐花苷为主的倍半萜类成分，以及以刺桐文碱为主的生物碱类成分。

| 功能主治 | 解毒杀虫。用于疥疮，痈肿。

| 用法用量 | 外用适量，煎汤洗；或捣敷。

| 附　　注 | 本种喜温暖湿润气候，喜光，不耐寒。在年平均温度 20.1 ℃，1 月平均气温 8 ℃以上，降水量 110 mm 以上的地区均能生长。对土壤要求不严，以排水良好的砂壤土为佳。

蔷薇科 Rosaceae 龙芽草属 *Agrimonia* 凭证标本号 320381180724052LY

龙芽草 *Agrimonia pilosa* Ldb.

药材名

仙鹤草（药用部位：地上部分）。

形态特征

多年生草本。株高达 1.2 cm。茎、叶柄、叶轴、花序轴均被开展长柔毛和短柔毛。根多呈块茎状，木质化。叶具小叶 7 ~ 9，稀 5，大小极不相等；叶柄被疏长柔毛和短柔毛；小叶片倒卵形、倒卵状椭圆形或倒卵状披针形，长 1.5 ~ 5 cm，宽 1 ~ 2.5 cm，边缘具锯齿，叶面被疏柔毛，稀脱落近无毛，叶背沿脉或脉间疏被伏生柔毛，稀脱落近无毛，具黄色透明小腺点；茎上部托叶镰形，稀卵形，边缘有尖锐锯齿或分裂，稀全缘；茎下部托叶卵状披针形。穗状总状花序，顶生；花序轴和花柄均被柔毛；苞片常 3 深裂，小苞片卵形；萼片三角状卵形；花瓣长圆形，黄色；雄蕊（5 ~ ）8 ~ 15。瘦果倒卵状圆锥形，被疏柔毛，先端有数层钩刺，成熟后靠合。花果期 5 ~ 12 月。

生境分布

生于山坡、路旁、溪边、草地、灌丛、林缘或疏林下。江苏各地均有分布。

| 资源情况 | 野生资源较丰富。

| 采收加工 | 夏、秋季茎叶茂盛时采割，去净杂质，干燥。

| 药材性状 | 本品全体被白色柔毛，茎下部圆柱形，直径 4 ~ 6 mm，红棕色，上部方柱形，四面略凹陷，绿褐色，有纵沟及棱线，有节；体轻，质硬，易折断，断面中空。单数羽状复叶互生，暗绿色，皱缩卷曲；质脆，易碎；叶片有大小二型，相间生于叶轴上，先端小叶较大，完整小叶片展平后呈卵形或长椭圆形，先端尖，基部楔形，边缘有锯齿；托叶 2，抱茎，斜卵形。总状花序细长，花萼下部呈筒状，萼筒上部有钩刺，先端 5 裂，花瓣黄色。气微，味微苦。

| 功效物质 | 含有黄酮类、三萜类、间苯三酚衍生物类、异香豆素类、鞣质类及有机酸类、甾体类、脂肪族类等成分。

| 功能主治 | 苦、涩，平。归心、肝经。收敛止血，截疟，止痢，解毒，补虚。用于咯血，吐血，崩漏下血，疟疾，血痢，痈肿疮毒，阴痒带下，脱力劳伤。

| 用法用量 | 内服煎汤，6 ~ 12 g。外用适量。

蔷薇科 Rosaceae 樱属 *Cerasus* 凭证标本号 320116180401025LY

麦李 *Cerasus glandulosa* (Thunb.) Lois.

| 药 材 名 | 麦李种子（药用部位：种子）。

| 形态特征 | 灌木或小乔木。株高达 2 m。叶片卵状长椭圆形、长椭圆形至长椭圆状披针形，长 3 ~ 8 cm，宽 1 ~ 2.5 cm，先端急尖，有时渐尖，基部宽楔形，边缘有不整齐的细锯齿，两面无毛或叶背脉上疏生柔毛，侧脉 4 ~ 5 对；叶柄长 1.5 ~ 3 mm；托叶线形。花 1 或 2，腋生，稍先于叶或与叶同时开放。花梗长约 1 cm；萼片反折，三角状椭圆形，有锯齿；花瓣粉红色或白色，倒卵形，直径约 1.5 cm；花柱基部无毛。核果近球形，红色或紫红色，直径 1 ~ 1.3 cm。花期 3 ~ 4 月，果期 5 ~ 6 月。

| 生境分布 | 生于山坡或灌丛中。江苏各地均有分布。江苏有庭园栽培。

| 资源情况 | 野生资源较丰富。

| 采收加工 | 5 ~ 6 月采收，洗净，晒干。

| 功效物质 | 含有油脂类等成分。

| 功能主治 | 润燥滑肠，下气，利水。用于津枯肠燥，食积气滞，腹胀便秘，水肿，脚气，小便淋痛。

蔷薇科 Rosaceae 樱属 *Cerasus* 凭证标本号 320323170510820LY

欧李 *Cerasus humilis* (Bge.) Sok.

| 药 材 名 | 郁李仁（药用部位：种仁）。

| 形态特征 | 小灌木。株高达 1.5 m。小枝被短柔毛。叶片倒卵状长椭圆形或倒卵状披针形，长 2.5 ~ 5 cm，中部以上最宽，先端急尖或短渐尖，基部楔形，边缘有单锯齿或重锯齿，叶面无毛，叶背无毛或被稀疏短柔毛，侧脉 6 ~ 8 对；叶柄长 2 ~ 4 mm，无毛或被稀疏短柔毛；托叶线形，边缘有腺体。花 1 ~ 3 簇生，花、叶同时开放；花梗长 5 ~ 10 mm，被稀疏短柔毛；萼筒长、宽近相等，外面被稀疏柔毛，萼片反折，三角状卵圆形，先端急尖或圆钝；花瓣白色或粉红色，长圆形或倒卵形；花柱与雄蕊近等长，无毛。核果近球形，红色或紫红色；核表面除背部两侧外无棱纹。花期 4 ~ 5 月，果期 6 ~ 10 月。

| 生境分布 | 生于山坡岩石间向阳干燥处。分布于江苏淮安（盱眙）、徐州、连云港等。

| 资源情况 | 野生资源较丰富。

| 采收加工 | 夏、秋季采收成熟果实，除去果肉和核壳，取出种子，干燥。

| 药材性状 | 本品呈卵形至长卵形，少数圆球形，长 6 ~ 7 mm，直径 3 ~ 4 mm。种皮黄棕色，合点深棕色，直径约 0.7 mm。

| 功效物质 | 主要含有苦杏仁苷、郁李仁苷 A、阿福豆苷等成分。

| 功能主治 | 辛、苦、甘，平。归脾、肝、胆、大肠、小肠经。润燥滑肠，下气利水。用于大肠气滞，肠燥便秘，水肿腹满，脚气，小便不利。

| 用法用量 | 内服煎汤，3 ~ 10 g；或入丸、散剂。

| 附　　注 | 本种喜较湿润的环境，耐严寒，以肥沃的砂壤土或轻黏壤土种植为宜。

蔷薇科 Rosaceae 樱属 *Cerasus* 凭证标本号 320481170417241LY

樱桃 *Cerasus pseudocerasus* (Lindl.) G. Don

| 药 材 名 |

樱桃核（药用部位：果核）。

| 形态特征 |

小乔木。株高达 5 m。树皮灰白色，小枝灰褐色，幼枝绿色。叶片宽卵形至椭圆状卵形，长 6 ~ 15 cm，边缘有大小不等的重锯齿，叶面无毛或稍有毛，叶背疏生柔毛；叶柄长 0.7 ~ 1.5 cm，被疏柔毛，先端有 1 或 2 大腺体；托叶披针形，有羽裂腺齿，早落。花序伞房状或近伞形，有花 3 ~ 6，先于叶开放；花梗长 0.8 ~ 2 cm，被疏柔毛；萼筒钟状，长 3 ~ 6 mm，有短柔毛，萼片三角状卵形或卵状长圆形，全缘，较萼筒短；花瓣白色或淡粉红色，卵形，先端下凹或 2 裂；花柱与雄蕊近等长，无毛。核果近球形，红色，直径 0.9 ~ 1.4 cm。花期 3 ~ 4 月，果期 5 月。

| 生境分布 |

生于山坡阳处或沟边。江苏各地均有栽培。

| 资源情况 |

栽培资源丰富。

| **采收加工** | 果实成熟时采摘，置缸中，用手揉搓，使果肉与果核分离，取净核，晒干。

| **药材性状** | 本品呈卵圆形或长圆形，长 8 ~ 10 mm，直径 5 mm，先端略尖，微偏斜，基部钝圆而凹陷，另一边稍薄，近基部呈翅状。表面黄白色或淡黄色，有网状纹理，两侧各有 1 明显棱线。质坚硬，不易破碎。敲开内果皮有种子 1，种皮黄棕色或黄白色，常皱缩，子叶淡黄色。气无，味微苦。

| **功效物质** | 含有蛋白质和油脂等成分。

| **功能主治** | 辛，温。归肺经。发表透疹，消瘤去瘢，行气止痛。用于痘疹初期透发不畅，皮肤瘢痕，瘿瘤，疝气疼痛。

| **用法用量** | 内服煎汤，5 ~ 15 g。外用适量，磨汁涂；或煎汤熏洗。

蔷薇科 Rosaceae 樱属 *Cerasus* 凭证标本号 320703170420698LY

山樱花 *Cerasus serrulata* (Lindl.) G. Don ex London

| 药 材 名 | 山樱花（药用部位：种仁）。

| 形态特征 | 乔木。株高达 5 m，全体光滑无毛，小枝灰白色或淡褐色。幼叶绿色，叶片卵状椭圆形或倒卵状椭圆形，长 5 ~ 10 cm，宽 2 ~ 6 cm，先端渐尖，基部圆形，边有渐尖单锯齿及重锯齿，齿尖呈芒状，有小腺体；托叶线形，边缘有腺齿，早落；叶柄长 1 ~ 1.5 cm，先端有 1 ~ 3 腺体。伞房总状或近伞形花序，有花 2 或 3；花序梗有或无；苞片褐色或淡绿褐色，长 5 ~ 8 mm，宽 2.5 ~ 4 mm，边有腺齿。花、叶同时开放；花梗长 1.5 ~ 2.5 cm；萼筒长管状，长 5 ~ 10 mm，萼片三角状披针形，先端渐尖或急尖，全缘；花瓣白色，倒卵形，先端下凹。核果球形或卵球形，紫黑色，直径 0.8 ~ 1 cm。花期 4 ~ 5 月，果期 5 ~ 7 月。

| **生境分布** | 生于山沟或山坡杂木林中。分布于江苏无锡（宜兴）等。江苏各地均有栽培。

| **资源情况** | 栽培资源较丰富。

| **采收加工** | 7 月采摘成熟果实，去净果肉，洗净，晒干，去种皮，取仁用。

| **功效物质** | 含有油脂等成分。

| **功能主治** | 清肺透疹。用于麻疹透发不畅。

| **用法用量** | 内服煎汤，10 ～ 15 g。

蔷薇科 Rosaceae 樱属 *Cerasus* 凭证标本号 320703170421734LY

毛樱桃 *Cerasus tomentosa* (Thunb.) Wall.

| 药 材 名 | 山樱桃（药用部位：果实）。

| 形态特征 | 灌木或小乔木。株高达 3 m。嫩枝有绒毛。叶片倒卵形、椭圆形或卵形，长 3 ~ 7 cm，宽 1.5 ~ 4 cm，边缘有单或重的锐锯齿，叶面疏生柔毛，网状脉下陷，叶背密生绒毛；侧脉 4 ~ 7 对；叶柄长 2 ~ 8 mm，被绒毛或稀疏；托叶线形，被长柔毛。花 1 或 2，先于叶或与叶同时开放；花柄极短，长约 2 mm；萼筒管状，外面有短柔毛，萼片直立或开展，三角状卵形，被柔毛或无毛；花瓣白色或微带红色，倒卵形；雄蕊短于花瓣；心皮有毛。核果近球形，深红色，直径 1 ~ 1.2 cm；核棱脊两侧有纵沟。花期 3 ~ 5 月，果期 5 ~ 9 月。

| 生境分布 | 生于向阳山坡丛林中。分布于江苏南京、镇江（句容）等。江苏各地多有栽培。

| 资源情况 | 栽培资源丰富。

| 采收加工 | 7 月中旬采摘。

| 功效物质 | 富含胡萝卜素、维生素、铁元素及氨基酸。其中，维生素 C 的含量是一般水果的 2 ~ 30 倍。

| 功能主治 | 辛、甘，平。归脾、肾经。补中益气，健脾祛湿。用于病后体虚，倦怠少食，风湿腰痛，四肢不灵，贫血。外用于冻疮，紫白癜风。

| 用法用量 | 内服煎汤，100 ~ 300 g。

木瓜 *Chaenomeles sinensis* (Thouin) Koehne

| 药 材 名 | 榠樝（药用部位：果实）。

| 形态特征 | 落叶灌木或小乔木。株高达 10 m。树皮呈片状剥落；小枝无刺，幼时被绒毛，后脱落。叶片椭圆形或椭圆状长圆形，长 5 ~ 8 cm，宽 3 ~ 6 cm，先端急尖，基部宽楔形至近圆形，边缘有刺芒状锐锯齿，齿尖有腺，幼叶叶背密生淡黄色绒毛，后脱落，沿叶背脉上有毛；托叶小，卵状披针形，长约 7 mm，膜质，边缘有腺齿。花单生于叶腋；花柄粗短，长 0.5 ~ 1 cm，无毛；萼筒钟状，外面无毛，萼片三角状卵形，反折，先端长尖，边缘有细齿，外面无毛，内面密生绒毛；花瓣淡红色，倒卵形；雄蕊多数，不及花瓣的一半；花柱 3 ~ 5，基部合生，被柔毛。梨果长椭圆形，长 10 ~ 15 cm，成熟时黄色，芳香，木质。花期 4 月，果期 9 ~ 10 月。

| 生境分布 | 江苏宿迁（沭阳）、徐州（新沂）等有栽培。

| 资源情况 | 栽培资源较丰富。

| 采收加工 | 10 ~ 11 月采摘成熟果实，纵剖为 2 或 4 瓣，内表面向上，晒干。

| 药材性状 | 本品呈长椭圆形或卵圆形，多纵剖为 2 或 4 瓣，长 4 ~ 9 cm，宽 3.5 ~ 4.5 cm。外表面红棕色或棕褐色，光滑无皱纹或稍带粗糙，剖面果肉粗糙，显颗粒性。种子多数，密集，每子房室内 40 ~ 50，通常多数脱落。种子扁三角形，气微，味酸、涩，嚼之有沙粒感。

| 功效物质 | 富含黄酮类化合物及鞣质，具有显著的降血脂和抗氧化作用。

| 功能主治 | 酸、涩，平。归肺、胃、大肠经。和胃舒筋，祛风湿，消痰止咳。用于吐泻转筋，风湿痹痛，咳嗽痰多，泄泻，痢疾，跌扑伤痛，脚气水肿。

| 用法用量 | 内服煎汤，3 ~ 10 g。外用适量，浸油梳头。

| 附　　注 | （1）本种对土质要求不严，但低洼积水处不宜种植。喜半干半湿，不耐阴，喜温暖环境，在江淮流域可露地过冬。

（2）药用木瓜鲜果中含有较多的单宁和有机酸，而糖含量相对较低，使其口感酸涩，不宜生食。

蔷薇科 Rosaceae 木瓜属 *Chaenomeles* 凭证标本号 321322180721142LY

皱皮木瓜 *Chaenomeles speciosa* (Sweet) Nakai

| 药 材 名 |

木瓜（药用部位：果实）。

| 形态特征 |

落叶灌木。株高达 2 m。小枝开展，无毛，有刺。叶片卵形至椭圆形，稀长椭圆形，长 3 ~ 9 cm，宽 1.5 ~ 5 cm，先端急尖，稀钝，基部楔形至宽楔形，具尖锐锯齿，齿尖展开，两面无毛，或在萌蘖上沿叶背脉上有短柔毛；托叶大，草质，肾形或半圆形，长 0.5 ~ 1 cm，有重锯齿，无毛。花 3 ~ 5 簇生，先于叶或与叶同时开放；花梗长约 3 mm 或近于无梗；萼筒钟状，外面无毛；萼片直立，长约为萼筒的 1/2，先端钝，全缘或有波状齿和黄褐色睫毛；花瓣猩红色，少数淡红色或乳白色，倒卵形或近圆形，基部下延成短爪；雄蕊 45 ~ 50；花柱 5，基部合生。果实近球形或卵形，直径 4 ~ 6 cm，黄色或带红色，芳香，萼片脱落。花期 3 ~ 5 月，果期 9 ~ 10 月。

| 生境分布 |

江苏宿迁（沭阳）、常州、徐州（新沂）等有栽培。

| 资源情况 | 栽培资源丰富。

| 采收加工 | 夏、秋季果实呈绿黄色时采摘，置沸水中烫至外皮灰白色，对半纵剖，晒干。

| 药材性状 | 本品多为对半纵剖的长圆形，长 4 ~ 9 cm，宽 2 ~ 5 cm，厚 1 ~ 2.5 cm。外表面紫红色或红棕色，有不规则深皱纹；剖面边缘向内卷曲，果肉红棕色，中心部分凹陷，棕黄色。种子扁长，三角形，多脱落，质坚硬。气微清香，味酸。以质坚实、味酸者为佳。

| 功效物质 | 富含苹果酸、酒石酸、枸橼酸、皂苷及黄酮类成分。

| 功能主治 | 酸，温。归肝、肺、肾、脾经。舒筋活络，和胃化湿。用于湿痹拘挛，腰膝关节酸重疼痛，暑湿吐泻，转筋挛痛，脚气水肿。

| 用法用量 | 内服煎汤，5 ~ 10 g；或入丸、散剂。外用适量，煎汤熏洗。

| 附　　注 | 本种适应性强，喜光，耐半阴，耐寒，耐旱。对土壤要求不严，在肥沃、排水良好的黏土、壤土中均可正常生长，忌低洼和盐碱地。

蔷薇科 Rosaceae 栒子属 *Cotoneaster* 凭证标本号 NAS00582769

平枝栒子 *Cotoneaster horizontalis* Decne.

| 药 材 名 | 水莲沙（药用部位：枝叶、根）。

| 形态特征 | 落叶或半常绿匍匐灌木。枝水平开展成整齐两列状；小枝圆柱形，黑褐色。叶片近圆形或宽椭圆形，稀倒卵形，长 5 ~ 14 mm，宽 4 ~ 9 mm，先端多急尖，全缘，叶面无毛，叶背有稀疏平贴柔毛。花 1 或 2；萼筒钟状，外面有稀疏短柔毛，内面无毛；花瓣直立，倒卵形，先端圆钝，粉红色；雄蕊约 12，短于花瓣；花柱常为 3，有时为 2，离生，短于雄蕊；子房先端有柔毛。果实近球形，直径 4 ~ 6 mm，鲜红色，常具 3 小核，稀 2 小核。花期 5 ~ 6 月，果期 9 ~ 10 月。

| 生境分布 | 生于山地杂木林边缘。分布于江苏南部地区。

| 资源情况 | 野生资源一般。

| 采收加工 | 全年均可采收，洗净，切片，晒干。

| 功效物质 | 富含儿茶素、矢车菊素和花色素等黄酮类成分。

| 功能主治 | 酸、涩，凉。归肺、肝经。清热利湿，化痰止咳，止血止痛。用于痢疾，泄泻，腹痛，咳嗽，吐血，痛经，带下。

| 用法用量 | 内服煎汤，10 ~ 15 g。

蔷薇科 Rosaceae 山楂属 *Crataegus* 凭证标本号 320116180719015LY

野山楂 *Crataegus cuneata* Sieb. et Zucc.

| 药材名 | 野山楂（药用部位：果实）。

| 形态特征 | 落叶灌木，有时乔木状。株高达 1.5 m。分枝密，有细刺，嫩枝有柔毛，老枝无毛。叶片宽倒卵形或倒卵状长圆形，长 2 ~ 6 cm，宽 1 ~ 4.5 cm，先端急尖，基部楔形，下延至叶柄，具不规则重锯齿，先端常 3 或少数 5 ~ 7 浅裂，叶面无毛，叶背及叶柄疏生柔毛，后脱落；叶柄两侧有翼；托叶镰状，有粗锯齿。伞房花序有花 3 ~ 7；花序梗、花梗有柔毛；花白色，直径约 1.5 cm；萼片全缘或有齿，外面有柔毛；雄蕊 20，花药红色；花柱 4 或 5，基部被绒毛。果实红色或黄色，近球形或扁球形，直径 1 ~ 1.5 cm，先端常有宿存萼，基部有苞片，内有 4 或 5 小核。花期 5 ~ 6 月，果期 9 ~ 11 月。

| **生境分布** | 生于山地灌丛中。分布于江苏北部和南部地区。

| **资源情况** | 野生资源较少。

| **采收加工** | 秋季采收成熟果实，置沸水中略烫后干燥，或直接干燥。

| **功效物质** | 主要含有绿原酸、咖啡酸、山楂酸、齐菊果酸、槲皮素、金丝桃苷、表儿茶素等。

| **功能主治** | 健脾消食，活血化瘀。用于食滞肉积，脘腹胀痛，产后瘀痛，漆疮，冻疮。

| **用法用量** | 内服煎汤，3 ~ 10 g。外用适量，煎汤洗擦。

| **附　　注** | 本种嫩叶可以代茶，茎叶煮汁可洗漆疮。

蔷薇科 Rosaceae 山楂属 *Crataegus* 凭证标本号 321324170416082LY

山楂 *Crataegus pinnatifida* Bunge

| 药 材 名 |

山楂（药用部位：果实）、山楂叶（药用部位：叶）。

| 形态特征 |

落叶乔木。株高达 6 m。小枝无毛，无或有短刺。叶片宽卵形或三角状卵形，长 4 ~ 10 cm，宽 3 ~ 7 cm，先端短渐尖，基部截形或宽楔形，两侧常有 3 ~ 5 对羽状深裂片，基部 1 对裂片分裂较深，边缘有不规则锐锯齿，叶背沿叶脉或脉间有柔毛，侧脉 6 ~ 10 对；托叶镰形，边缘有锯齿。伞形花序具多花；花序梗、花柄都有长柔毛，花白色，直径约 1.5 cm；萼片三角状卵形或披针形，被毛；雄蕊 20；花柱 3 ~ 5，基部被柔毛。果实深红色，近球形，直径 1 ~ 1.5 cm，外面有斑点，具小核 3 ~ 5。花期 5 ~ 6 月，果期 9 ~ 10 月。

| 生境分布 |

生于山坡林缘或灌丛中。分布于江苏连云港等。

| 资源情况 |

野生及栽培资源较丰富。

| 采收加工 | **山楂：**秋季果实成熟时采收，切片，干燥。

山楂叶：夏、秋季采收。

| 药材性状 | **山楂：**本品为圆形片，皱缩不平，直径 1 ~ 1.5 cm，厚 0.2 ~ 0.4 cm。外皮红色，具皱纹，有灰白色小斑点。果肉深黄色至浅棕色。中部横切片具 5 粒浅黄色果核，但多脱落而中空。有的横切片可见短而细的果柄或花萼残迹。气微清香，味酸、微甜。

| 功效物质 | 富含三萜酸和黄酮类成分。三萜酸中的齐墩果酸和熊果酸能改善冠脉循环而使冠状动脉性衰竭得以代偿，达到强心作用。黄酮类成分牡荆素的抗肿瘤活性较强，山楂提取物对抑制体内肿瘤细胞生长、增殖和浸润转移均有一定作用。山楂总黄酮有显著降血压作用。

| 功能主治 | **山楂：**酸、甘，微温。归脾、胃、肝经。消积健胃，行气散瘀，化浊降脂。用于肉食积滞，胃脘胀满，泻痢腹痛，瘀血经闭，产后瘀阻，心腹刺痛，胸痹心痛，疝气疼痛，高脂血症。

山楂叶：酸，平。归肺经。活血化瘀，理气通脉，化浊降脂。用于气滞血瘀，胸痹心痛，胸闷憋气，心悸健忘，眩晕耳鸣，高脂血症。

| 用法用量 | **山楂：**内服煎汤，9 ~ 12 g。

山楂叶：内服煎汤，3 ~ 10 g；或泡茶饮。外用适量，煎汤洗。

蔷薇科 Rosaceae 山楂属 *Crataegus* 凭证标本号 320323170510815LY

山里红 *Crataegus pinnatifida* Bunge var. *major* N. E. Br.

| 药 材 名 | 山楂（药用部位：果实）、山楂叶（药用部位：叶）。

| 形态特征 | 本种与原变种山楂的区别在于植株生长茂盛；叶片较大，分裂较浅；果实较大，直径 2 ~ 2.5 cm，深亮红色。又近似湖北山楂，但裂片常较之分裂深，基部截形或宽楔形；花序梗、花梗有长柔毛。花期 5 ~ 6 月，果期 9 ~ 10 月。

| 生境分布 | 生于山坡灌丛中。分布于江苏连云港、无锡等。

| 资源情况 | 栽培资源较丰富。

| 采收加工 | **山楂**：秋季采收成熟果实，切片，干燥。

山楂叶：夏、秋季采收。

| 药材性状 | **山楂：** 本品为圆形片，皱缩不平，直径 1 ~ 2.5 cm，厚 0.2 ~ 0.4 cm。外皮红色，具皱纹，有灰白色小斑点。果肉深黄色至浅棕色。中部横切片具 5 粒浅黄色果核，但多脱落而中空。有的横切片可见短而细的果柄或花萼残迹。气微清香，味酸、微甜。

| 功效物质 | 富含三萜酸和黄酮类成分。三萜酸中的齐墩果酸和熊果酸能改善冠脉循环而使冠状动脉性衰竭得以代偿，达到强心作用。山楂总黄酮有显著的降血压作用。

| 功能主治 | **山楂：** 酸、甘，微温。归脾、胃、肝经。消食健胃，行气散瘀，化浊降脂。用于肉食积滞，胃脘胀满，泻痢腹痛，瘀血经闭，产后瘀阻，心腹刺痛，胸痹心痛，疝气疼痛，高脂血症。

山楂叶： 酸，平。归肝经。活血化瘀，理气通脉，化浊降脂。用于气滞血瘀，胸痹心痛，胸闷憋气，心悸健忘，眩晕耳鸣，高脂血症。

| 用法用量 | **山楂：** 内服煎汤，9 ~ 12 g。

山楂叶： 内服煎汤，3 ~ 10 g；或泡茶饮。

蔷薇科 Rosaceae 蛇莓属 *Duchesnea* 凭证标本号 320981170615042LY

蛇莓 *Duchesnea indica* (Andr.) Focke

|药 材 名|

蛇莓（药用部位：全草）、蛇莓根（药用部位：根）。

|形态特征|

多年生草本。匍匐茎长达 1 m，被柔毛。三出复叶，小叶片倒卵形或菱状长圆形，长 2 ~ 3.5 cm，宽 1 ~ 3 cm，先端圆钝，基部楔形，边缘有钝锯齿，两面被柔毛或叶面无毛，具短柄，侧生小叶片较小，基部偏斜；叶柄长 1 ~ 5 cm，被柔毛；基生叶托叶膜质，窄卵形或宽披针形，全缘，有时呈缺刻状分裂，褐色，茎生叶托叶草质。花单生于叶腋；花柄长 6 cm，被柔毛；花直径 1.5 ~ 2.5 cm；萼片卵形，副萼片较萼片大，倒卵形，先端有数个锯齿，与萼片外侧均被长柔毛；花瓣倒卵形，黄色；花托在果期增大，成熟时鲜红色，有光泽，直径 1 ~ 2 cm，被长柔毛。瘦果卵圆形，长约 1.5 cm，光滑或具不明显凸起，鲜时有光泽。花期 4 ~ 5 月，果期 5 ~ 8 月。

|生境分布|

生于山坡、河岸、路边、草丛、沟边或田埂上。江苏各地均有分布。

| 资源情况 | 野生资源较丰富。

| 采收加工 | **蛇莓：** 6 ~ 11 月采收，洗净，鲜用或晒干。

蛇莓根： 夏、秋季采挖，洗净，鲜用或晒干。

| 药材性状 | **蛇莓：** 本品多缠绕成团，被白色毛茸，具匍匐茎。叶互生，三出复叶，基生叶的叶柄长 1 ~ 5 cm，小叶多皱缩，完整者倒卵形，长 1.5 ~ 3.5 cm，宽 1 ~ 3 cm，基部偏斜，边缘有钝齿，表面黄绿色，上面近无毛，下面被疏毛。花单生于叶腋，具长柄。聚合果棕红色，瘦果小，花萼宿存。气微，味微涩。

| 功效物质 | 从全草中分离出的 F-Ⅰ、F-Ⅱ、F-Ⅲ部分对金黄色葡萄球菌和痢疾志贺菌的生长抑制呈阳性，对铜绿假单胞菌呈弱阳性，对副伤寒沙门菌呈阴性。其 F-Ⅴ部分对金黄色葡萄球菌、痢疾志贺菌、铜绿假单胞菌生长抑制呈强阳性，其抗菌活性存在于水溶性部分和不能溶于水但能溶于丙酮的部分。此外，0.5 g/ml 以上对白喉棒状杆菌有抑制作用。

| 功能主治 | **蛇莓：** 甘、苦，寒。归肺、肝、大肠经。清热解毒，凉血止血，散瘀消肿。用于热病，惊痫，感冒，痢疾，黄疸，目赤，口疮，咽痛，痄腮，疖肿，毒蛇咬伤，吐血，崩漏，月经不调，烫火伤，跌打肿痛。

蛇莓根： 苦、甘，寒。归肺、肝、胃经。清热泻火，解毒消肿。用于热病，小儿惊风，目赤红肿，痄腮，牙龈肿痛，咽喉肿痛，热毒疮疡。

| 用法用量 | **蛇莓：** 内服煎汤，9 ~ 15 g，鲜品 30 ~ 60 g；或捣汁。外用适量，捣敷；或研末撒。

蛇莓根： 内服煎汤，3 ~ 6 g。外用适量，捣敷。

| 附　　注 | 本种能治毒蛇咬伤，敷治疔疮，亦可用于杀灭蝇蛆。

蔷薇科 Rosaceae 枇杷属 *Eriobotrya* 凭证标本号 320924170529039LY

枇杷 *Eriobotrya japonica* (Thunb.) Lindl.

药材名

枇杷叶（药用部位：叶）。

形态特征

常绿小乔木。株高达 10 m。小枝密生锈色或灰棕色绒毛。叶片革质，披针形、长倒卵形或长椭圆形，长 12 ~ 30 cm，宽 3 ~ 10 cm，先端急尖或渐尖，基部楔形或渐狭成叶柄，边缘上部有疏锯齿，基部全缘，叶面皱，叶背密生灰棕色绒毛。圆锥花序，花多而紧密；花序梗、花柄、萼筒密生锈色绒毛。萼筒浅杯状，萼片三角状卵形，外面被绣色绒毛；花瓣白色，长圆形或卵形，内面有绒毛，基部有爪；雄蕊 20；花柱 5，离生，柱头头状，无毛，子房先端有锈色绒毛，5 室，每室 2 胚珠。果实球形或长圆形，直径 2 ~ 5 cm，黄色或橘黄色，外被锈色柔毛，后脱落。花期 10 ~ 12 月，果期翌年 5 ~ 6 月。

生境分布

江苏苏州、南京、宿迁（沭阳）、镇江（扬中）、盐城、无锡等有栽培。

| 资源情况 | 栽培资源较丰富。

| 采收加工 | 全年均可采收。

| 药材性状 | 本品呈长椭圆形或倒卵形，长 12 ~ 30 cm，宽 3 ~ 9 cm。先端尖，基部楔形，边缘上部有疏锯齿，基部全缘。上表面灰绿色、黄棕色或红棕色，有光泽，下表面淡灰色或棕绿色，密被黄色茸毛。主脉于下表面显著凸起，侧脉羽状。叶柄极短，被棕黄色茸毛。革质而脆，易折断。气微，味微苦。以完整、灰绿色者为佳。

| 功效物质 | 乌索酸和总三萜酸是枇杷叶发挥抗炎止咳作用的主要有效成分。枇杷中所含苦杏仁苷在下消化道被微生物酶分解出微量氢氰酸，后者对呼吸中枢有镇静作用，故枇杷可用于平喘镇咳。

| 功能主治 | 苦、辛，寒。归肺、心、胃经。清肺止咳，降逆止呕。用于肺热咳嗽，气逆喘急，胃热呕逆，烦热口渴。

| 用法用量 | 内服煎汤，9 ~ 15 g，大剂量可用至 30 g，鲜品 15 ~ 30 g；或熬膏；或入丸、散剂。

| 附　　注 | 本种喜光，稍耐阴，喜温暖气候和肥水湿润、排水良好的土壤，稍耐寒，不耐严寒，生长缓慢。在平均温度 12 ~ 15 ℃，冬季不低于 −5 ℃，花期、幼果期不低于 0 ℃的地区，均能生长良好。

蔷薇科 Rosaceae 白鹃梅属 *Exochorda* 凭证标本号 320481170331292LY

白鹃梅 *Exochorda racemosa* (Lindl.) Rehd.

|药 材 名|

茧子花（药用部位：根皮、树皮）。

|形态特征|

灌木。株高达 5 m，全株无毛。冬芽三角状卵圆形。叶片椭圆形、长椭圆形或长圆状倒卵形，长 3.5 ~ 6.5 cm，宽 1.5 ~ 3.5 cm，先端圆钝或急尖，基部楔形或宽楔形，全缘，稀中上部有浅钝齿；叶柄长 0.5 ~ 1.5 cm，稀近无柄；无托叶。总状花序有花 6 ~ 10；苞片小，宽披针形。花直径 2.5 ~ 3.5 cm；花柄长 3 ~ 8 mm；萼筒浅钟状，萼片宽三角形，先端急尖或钝圆，边缘有尖锐细锯齿，黄绿色；花瓣白色，倒卵形，长约 1.5 cm，先端钝，基部缢缩成短爪；雄蕊 15 ~ 20，每 3 ~ 5 一束着生于花盘边缘，与花瓣对生。蒴果倒圆锥形。花期 3 ~ 4 月，果期 7 ~ 8 月。

|生境分布|

生于山坡路边或灌丛中。分布于江苏南京（江宁）、镇江（句容）、无锡（宜兴）、苏州等。

| 资源情况 | 野生资源较丰富。

| 采收加工 | 春、夏季采剥，洗净，晒干。

| 功效物质 | 富含黄酮类成分，以芹菜素、芦丁为主，有较强的体外抗氧化活性。

| 功能主治 | 通络止痛。用于腰膝及筋骨酸痛。

| 用法用量 | 内服煎汤，30 ~ 60 g。

蔷薇科 Rosaceae 草莓属 *Fragaria* 凭证标本号 320621181124103LY

草莓 *Fragaria ananassa* Duch.

| 药 材 名 | 草莓（药用部位：果实）。

| 形态特征 | 多年生草本。株高达 40 cm。茎和叶柄均密被黄色开展柔毛。匍匐茎常于花后抽出。三出复叶；叶柄长达 10 cm；小叶片倒卵形或菱形，稀近圆形，长 3 ~ 8 cm，宽 2 ~ 6 cm，先端圆钝，基部宽楔形，边缘有缺刻状锯齿，具短柄，侧生小叶片基部偏斜，叶面被疏长柔毛或近无毛，叶背被柔毛。花数朵成聚伞花序；花两性；花直径达 2 cm；萼片卵形，副萼片椭圆状披针形，全缘，稀 2 深裂，结果时增大；花瓣近圆形或倒卵状椭圆形，白色。聚合果卵形或卵圆形，直径达 3 cm，成熟时鲜红色，肉质多汁，宿存萼片紧贴果实；瘦果尖卵形，光滑。花期 4 ~ 5 月，果期 6 ~ 7 月。

| 生境分布 | 江苏各地均有栽培，镇江（句容）、徐州（邳州）等地栽培面积较大。

| 资源情况 | 栽培资源丰富。

| 采收加工 | 果面着色 75% ~ 80% 时即可采收，每隔 1 ~ 2 天采收 1 次，可连续采摘 2 ~ 3 周。采摘时勿伤及花萼，必须带有果柄，轻采轻放。

| 功效物质 | 果实富含丰富的胡萝卜素与维生素 A，可缓解夜盲症，具有维护上皮组织健康、明目养肝、促进生长发育之效；又富含膳食纤维，可促进胃肠道内的食物消化，改善便秘，预防痤疮、肠癌的发生。草莓营养价值丰富，含有丰富的维生素 C、维生素 A、维生素 E、维生素 PP、维生素 B_1、维生素 B_2、胡萝卜素、鞣酸、天冬氨酸、草莓胺、果胶、纤维素、叶酸、铁、钙、铜、鞣花酸及花青素等营养物质。

| 功能主治 | 清凉止渴，健胃消食。用于口渴，食欲不振，消化不良。

| 用法用量 | 内服适量，作食品。

| 附　　注 | 本种喜光，又有较强的耐阴性，宜生长于肥沃、疏松的中性或微酸性壤土中。过于黏重土壤不宜栽培，砂土多施厩肥、勤灌水也可栽培。

蔷薇科 Rosaceae 棣棠花属 *Kerria* 凭证标本号 321183150402008LY

棣棠花 *Kerria japonica* (L.) DC.

| 药 材 名 | 棣棠花（药用部位：花）、棣棠根（药用部位：根）、棣棠枝叶（药用部位：枝叶）。

| 形态特征 | 落叶灌木。株高达 3 m。小枝绿色，无毛，幼时有棱。叶片三角状卵形、卵形或卵状披针形，长 2 ~ 10 cm，宽 1.5 ~ 4 cm，先端渐尖，基部圆形、截形或近心形，叶面无毛或疏被短柔毛，叶背沿脉或脉腋有短柔毛；叶柄无毛，边缘具重锯齿；托叶狭披针形，有缘毛。花单生于当年生侧枝先端。花柄长达 2 cm，无毛；花直径约 3.5 cm；萼片卵状椭圆形或卵状三角形，先端急尖，宿存；花瓣黄色，宽椭圆形或近圆形，先端微凹。瘦果侧扁，倒卵形或半圆球形，成熟时褐色或黑褐色，无毛，有折皱。花期 4 ~ 6 月，果期 7 ~ 8 月。

| 生境分布 | 生于海拔 200 ~ 3 000 m 的山坡灌丛中。江苏各地均有栽培。

| 资源情况 | 栽培资源丰富。

| 采收加工 | **棣棠花**：4 ~ 5 月采摘，晒干。

棣棠根：7 ~ 8 月采挖，洗净，切段，晒干。

棣棠枝叶：7 ~ 8 月采收，晒干。

| 药材性状 | **棣棠花**：本品呈扁球形，直径 0.5 ~ 1 cm，黄色；萼片先端 5，深裂，裂片卵形，筒部短广；花瓣 5，金黄色，广椭圆形，具钝头，萼筒内有环状花盘；雄蕊多数；雌蕊 5。气微，味苦、涩。

| 功效物质 | 花瓣富含柳穿鱼苷，茎叶含有维生素 C，叶及根含有少量氢氰酸。

| 功能主治 | **棣棠花**：苦、涩，平。归肺、胃、脾经。化痰止咳，利湿消肿，解毒。用于咳嗽，风湿痹痛，产后劳伤痛，水肿，小便不利，消化不良，痈疽肿毒，湿疹，荨麻疹。

棣棠根：祛风止痛，解毒消肿。用于关节疼痛，痈疽肿毒。

棣棠枝叶：祛风除湿，解毒消肿。用于风湿关节痛，荨麻疹，湿疹，痈疽肿毒。

| 用法用量 | **棣棠花**：内服煎汤，6 ~ 15 g。外用适量，煎汤洗。

棣棠根：内服煎汤，9 ~ 15 g；或浸酒。

棣棠枝叶：内服煎汤，9 ~ 15 g。外用适量，煎汤熏洗。

| 附　　注 | 本种喜温暖湿润和半阴的环境，耐寒性较差，对土壤要求不严，以肥沃、疏松的砂壤土最佳。

蔷薇科 Rosaceae 棣棠花属 *Kerria* 凭证标本号 321284190914089LY

重瓣棣棠花 *Kerria japonica* (L.) DC. f. pleniflora (Witle) Rehd.

| 药 材 名 | 棣棠花（药用部位：花）。

| 形态特征 | 本种花重瓣，金黄色。花期较原种棣棠花稍晚而长。

| 生境分布 | 生于海拔 200 ~ 3 000 m 的山坡灌丛中。江苏各地城镇有栽培。

| 资源情况 | 栽培资源丰富。

| 采收加工 | 4 ~ 5 月采摘，晒干。

| 功效物质 | 花瓣富含柳穿鱼苷，茎叶含有维生素 C，叶及根含有少量氢氰酸。

| 功能主治 | 微苦、涩，平。化痰止咳，利湿消肿，解毒。用于咳嗽，风湿痹痛，产后劳伤痛，水肿，小便不利，消化不良，痈疽肿毒，湿疹，

荨麻疹。

| 用法用量 | 内服煎汤，6 ~ 15 g。外用适量，煎汤洗。

| 附　　注 | 本种喜温暖湿润和半阴的环境，耐寒性较差，对土壤要求不严，以肥沃、疏松的砂壤土最佳。